PSI-Heilung

Alfred Stelter

PSI-Heilung

Scherz
Bern München Wien

Schutzumschlaggestaltung von Typobild Becker.

Inhalt

Wunder geschehen nicht im Gegensatz zur Natur, sondern im Gegensatz zu dem, was wir von der Natur wissen.

Augustinus

Dieses Buch wendet sich vor allem an jene, denen »Fortschritt« nicht allein die technische Vervollkommnung unserer Welt bedeutet; es ist nicht für wissenschaftliche Traditionalisten geschrieben, denn es behandelt Vorgänge, die sich außerhalb der bis heute von der Wissenschaft akzeptierten – und zementierten – Gesetzmäßigkeiten abspielen. Solche Vorgänge nennt man Para- oder Psi-Phänomene. Das Thema des Buches sind Psi-Phänomene in der Heilkunde. Eine unvoreingenommene, gründliche Untersuchung dieser zum größten Teil noch rätselhaften Erscheinungen wird neuartige, bisher unbekannte Zusammenhänge in der Natur, zwischen Körper und Psyche erkennen lassen, die unseren geistigen Horizont wesentlich erweitern und unser Wissen entsprechend vertiefen werden. Die Beherrschung der Kräfte, die sich hier offenbaren, kann und wird vermutlich unser Leben in heute noch nicht abzuschätzendem Maße beeinflussen.

Der Leser wird mit paramedizinischen Geschehnissen konfrontiert werden, die nicht nur seinen Vorstellungen von dem, was »möglich« ist, widersprechen, sondern ihm so ungeheuerlich erscheinen mögen, daß er fürchtet, zum Narren gehalten zu werden. Es könnte ihn in dieser Situation vielleicht beruhigen, daß auch der Verfasser diese Furcht erst überwinden mußte und viele der in diesem Buch behandelten Phänomene noch vor zehn Jahren ebenfalls nicht akzeptiert hätte. Auch er denkt mit dem »gesunden Menschenverstand«, weiß aber, daß dieser relativ ist, in jeder Epoche neue Normen aufgestellt hat und man ihm gerade als Wissenschaftler nicht in jedem Falle trauen darf. Im übrigen kann der Verfasser nur hoffen, trotz der heute noch phantastisch klingenden Darstellungen und Theorien der Psi-Heilung nicht als Phantast angesehen zu werden.

Dortmund, Juli 1973 Dr. rer. nat. A. Stelter

Schulmedizin und Paramedizin

Es wird im allgemeinen angenommen, daß es außerhalb der westlichen Schulmedizin kaum grundsätzlich andersartige Möglichkeiten der Heilung von Krankheiten gibt. Diese Ansicht ist seit geraumer Zeit revisionsbedürftig. Es gibt Diagnose-, Heil- und Operationsmethoden, die weder auf der Basis unserer medizinischen Kenntnisse noch mit Hilfe unserer derzeitigen Wissenschaften überhaupt erklärbar sind.

Es ist heute noch ein wissenschaftliches Rätsel, daß die Karlsruher Heilpraktikerin Sigrun Seutemann die Ursache der schweren Lähmungserscheinungen einer ihr völlig unbekannten Patientin in wenigen Augenblicken an der »Aura« erkannte: eine Vergiftung durch Tetanus-Serum, die nach anderthalbjähriger neurologischer und psychiatrischer Behandlung selbst in einer Universitätsklinik nicht diagnostiziert worden war. Wir wissen nicht, was da vorging, als der amerikanische Heiler Ambrose Worral einen Tumor in außergewöhnlich kurzer Zeit zum Verschwinden brachte, indem er dem Patienten einige Male die Hände auf die kranke Stelle legte.

Weder unsere Medizin noch Chemie und Physik können erklären, wie es möglich ist, daß bei einer von den Ärzten bereits aufgegebenen Kranken in einer Londoner Klinik genau zu der Stunde eine zur vollkommenen Heilung führende Besserung ihres Zustandes einsetzte, als der weltberühmte englische Heiler Harry Edwards, kilometerweit vom Krankenhaus entfernt, sich ohne Wissen der Patientin – von Angehörigen darum gebeten – auf die Schwerkranke konzentrierte. Wir wissen nicht, wie der brasilianische Heiler Zé Arigo es fertigbrachte, dem bekannten Wissenschaftler und Arzt Henry Puharich einen kleinen Tumor schmerzlos mit einem normalen Messer vom Arm zu entfernen, ohne daß es eine Infektion gab; es floß kaum Blut, und es blieb kaum eine Narbe zurück. Noch unverständlicher werden die Vorgänge für unser rationales Denken, wenn wir zu den medialen Operationen auf den Philippinen übergehen. Was spielt sich bei den Eingriffen der medialen Chirurgen ab, die mit den bloßen Händen in den Körper einzudringen scheinen und oft schwere organische Leiden operativ beseitigen?

Hier streikt der »gesunde Menschenverstand« oder das, was wir dafür halten, und die Vernunft meldet Protest an, weil nun einmal nicht sein kann, was nicht sein darf. Ehe wir es zulassen, daß unser Weltbild ins Wanken gerät, wittern wir lieber Vortäuschung falscher Tatsachen und Betrug.

»Betrug!« — das dachte auch der Generalsekretär der Französischen Akademie der Wissenschaften in Paris, als ihm und einem erlauchten Kreis von Gelehrten das erste Grammophon vorgeführt wurde. Er glaubte, einen Bauchredner vor sich zu haben, stürzte sich auf den Mann und drückte ihm, mit der Absicht, ihn zu entlarven, die Kehle zu — doch zum allgemeinen Erstaunen sprach die Maschine weiter.[174*]

Als 1893 ein junger Berliner Chirurg, der später berühmte Carl Ludwig Schleich, auf einem Ärztekongreß das von ihm entwickelte Verfahren der Lokalanästhesie vorführen wollte, wurde er von den medizinischen Koryphäen seiner Zeit aus dem Saal gewiesen; und als 1910 auf einem Kongreß deutscher Neurologen und Psychiater in Hamburg eine Diskussion über Psychoanalyse angekündigt wurde, schlug Professor Wilhelm Weygandt mit der Faust auf den Tisch und rief empört: »Das ist kein Thema für eine wissenschaftliche Versammlung. Das ist Sache der Polizei!«

Es ließen sich für die »Unmöglichkeit des Möglichen« viele weitere Beispiele anführen. Man braucht nur darüber nachzudenken, was sich allein in den letzten fünfzig Jahren auf dem Gebiet der naturwissenschaftlichen Entdeckungen ereignet hat, welche Umstürze und Wandlungen der Ansichten sich vollzogen haben, und versuche dann einmal vom jetzigen Standpunkt aus einhundert oder gar zweihundert Jahre in die Zukunft zu extrapolieren. Man wird dann zu der Einsicht kommen, daß der fran-

* Die hochgestellten Ziffern beziehen sich auf die entsprechenden Nummern im Quellennachweis am Ende des Buches.

zösische Mathematiker Arago Recht hatte, als er vor hundertdreißig Jahren sagte, man müsse mit der Anwendung des Wortes »unmöglich« außerhalb der Mathematik sehr vorsichtig sein. »Unmöglich« waren vor einem Menschenalter noch Atombombe und Mondlandung, eiserne Lunge und Herztransplantation.

Ist es nicht eher bedenklich als logisch, daß sich unsere Fortschritte, so großartig sie auch waren und sind, fast ausschließlich auf technische Errungenschaften beschränken? Es sieht so aus, als hätte sich die Menschheit, vor die Wahl gestellt, sich für Technik *oder* Geist zu entscheiden, mit absoluter Mehrheit für die erste Möglichkeit entschieden. Die Wissenschaften des rationalen Zeitalters haben ihre Aufmerksamkeit fast ausschließlich der materiellen Welt zugewandt und dabei allzuoft das Bewußtsein für andere den Menschen betreffende Realitäten eingebüßt.

Anscheinend haben in jedem Jahrhundert die Menschen angenommen, den Gipfel des Menschenmöglichen erklommen zu haben. Die meisten Wissenschaftler waren gegen Ende des vorigen Jahrhunderts der Ansicht, daß es in unserer Welt nichts grundsätzlich Neues mehr zu entdecken gäbe. Alle entscheidenden Gesetze der Natur glaubte man erkannt zu haben; neue Formen der Energie waren nicht mehr zu erwarten. Menschen, die an Dinge glaubten, die sich in das damalige Weltbild der Naturwissenschaften nicht einfügen ließen, wurden entweder mitleidig belächelt oder weniger sanft und vornehm boykottiert. Heute wissen wir, daß das Weltbild des vorigen Jahrhunderts in höchstem Grade unvollkommen und einseitig ausgerichtet war. Das führte zur Ignorierung, ja, oft sogar zur Bekämpfung vieler heute längst akzeptierter Realitäten. So wird etwa die Hypnose in unserem Jahrhundert nicht mehr geleugnet; wer sich mit Traumpsychologie befaßt, braucht nicht mehr zu fürchten, als Scharlatan verschrien zu werden. Wir wissen, daß die These von der Unteilbarkeit der Atome ein Irrtum war, und die Ablehnung der Möglichkeit von Zeppelin und Flugzeug erscheint uns heute unverständlich, wo wir uns doch schon an die Weltraumraketen gewöhnt haben, deren geistige Väter, die Pioniere Oberth und Nebel, in den zwanziger Jahren als technische Hochstapler angesehen wurden, wenn nicht als noch etwas Schlimmeres.

Damals galt als erwiesen: Die Energiegewinnung wird nie entscheidend über das hinausgehen, was die Kohleverbrennung leistet! Inzwischen übertreffen unsere Kernreaktoren die durch Kohle erzeugte Energie millionenfach. Auch die im Menschen selbst ruhenden Energien werden heute von auf diesem Gebiet tätigen Forschern viel höher eingeschätzt als früher. Gehirnforscher vertreten den Standpunkt, daß unser Gehirn nur zu zehn Prozent seiner Möglichkeiten ausgenutzt wird.

Die Frage ist: Haben wir Menschen der siebziger Jahre aus den Fehlern unserer Großväter gelernt? Sind wir vorsichtiger geworden im kategorischen Verurteilen von uns im Augenblick unwahrscheinlich anmutenden Behauptungen und Erscheinungen? Kaum!

Hundert Jahre haben offensichtlich nicht genügt, um den Menschen in diesem Punkt grundlegend zu ändern, trotz der rasanten Entwicklung, die sich vor unseren Augen in den letzten Jahren abgespielt hat. Wahrscheinlich wirken sich hier psychologische Zwänge aus, denen der Mensch hilflos ausgesetzt ist, solange er sie nicht durchschaut. Offensichtlich hat jeder Mensch ein angeborenes geistiges Trägheitsprinzip, das ihn veranlaßt, alle Dinge abzuwehren, die ihn aus seinen bisherigen Denkbahnen herausbringen wollen. Dieser Abwehrmechanismus funktioniert, wie die meisten seelisch-geistigen Funktionen, vollkommen unbewußt, so daß man ihm zwangsläufig ausgeliefert ist. Daraus ergeben sich alle möglichen Formen der Voreingenommenheit. Ein praktischer Psychologe und Psychotherapeut sagte mir:

»Die meisten Menschen suchen nur eine Bestätigung ihrer Ansichten, sie wollen nicht belehrt werden. Auch der Psychopath, der zum Psychotherapeuten geht, will keine Korrektur seiner Ansichten, obwohl seine falschen Ansichten die Ursache für seine Beschwerden sind. Selbstverständlich ist man aufnahmebereit für neues Wissen, aber im allgemeinen nur, wenn es nicht mit den eigenen grundlegenden Anschauungen kollidiert und vielleicht sogar einen gänzlich neuartigen Denkrhythmus erfordert. Man macht sich im allgemeinen kaum klar, wie stark man durch seinen automatischen Denkrhythmus versklavt wird und wie jeder geistig aktive Mensch in seinem in jahrelanger Arbeit mühevoll zusammengetragenen Wissen gleichzeitig eine große Last mit sich mitschleppt, die er unter Umständen nie mehr loswerden kann.

Das kann ein großes Hindernis für die Aufnahme bzw. das Verständnis von grundsätzlich Neuem sein, das andere Denkart und andere Denkgewohnheiten verlangt.«

Am stärksten auf ganz bestimmte Denkgewohnheiten eingeschworen — um nicht zu sagen, auf bestimmte Gehirnbahnen eingefahren — ist der Spezialist, die Kapazität auf einem Gebiet. Sie weiß wie kein anderer, was hier möglich ist und was nicht. Daher stoßen revolutionierend neue Erkenntnisse bei den für den betreffenden Bereich zuständigen Fachwissenschaftlern naturgemäß auf den heftigsten Widerstand. Es kommt infolgedessen nicht von ungefähr, daß umwälzende Entdeckungen oft von Personen gemacht werden, die ein bestimmtes Gebiet nur relativ oberflächlich kennen, sozusagen mehr aus der Vogelperspektive, die also keine Experten sind. Bei ihnen treten infolge ihrer nicht so gründlichen Detailkenntnisse auch nicht so viele Einwände a priori auf. Um nur einige Beispiele zu nennen: Die folgenschwere Entdeckung der Kernspaltung — ein Prozeß der Kern*physik* — verdanken wir zwei *Chemikern*, Otto Hahn und Fritz Straßmann, nachdem die eigentlichen Experten dieses Gebietes, die Physiker, vier Jahre lang falsche Deutungen geliefert hatten.

Die moderne Psychologie erhielt wertvolle Impulse durch die von Ingenieuren und Mathematikern geschaffenen kybernetischen Gedankengänge, und Sigmund Freud, der Begründer der Psychoanalyse und offizielle Entdecker der unbewußten seelischen Vorgänge, war bekanntlich nicht Psychologe, sondern Mediziner und stand in stärkstem Widerspruch zu den reinen Bewußtseinspsychologen seiner Zeit.

Der Widerstand gegen die junge Wissenschaft der Parapsychologie geht konsequenterweise vor allem von seiten der offiziellen Schulpsychologie aus, und die hartnäckigsten Gegner der Paramedizin finden sich in den Reihen der Schulmediziner, während viele Befürworter dieser Grenzwissenschaft aus anderen wissenschaftlichen Disziplinen herkommen.

Kein vernünftiger Mensch wird die großartigen Erfolge und Leistungen der medizinischen Wissenschaft in der Bekämpfung von Krankheiten bestreiten. Von den Entdeckungen Listers, Pasteurs und Robert Kochs im vorigen Jahrhundert bis zu den modernen Chemotherapeutica und den Laserstrahl-Anwendungen scheint sich ein einziger atemberaubender Siegeszug hinzuziehen. Aber wenn auch viele Krankheiten fast vollkommen verschwunden sind, die früher ganze Völkerschaften hinwegrafften, trotzen heute noch viele Leiden selbst dem größten Aufwand modernster medizinischer Technik. Darüber hinaus sind viele neue Erkrankungen in den Vordergrund getreten, die früher kein Problem darstellten.

Daß die Schulmedizin sich ziemlich einseitig entwickelt hat, wird heute von vielen Ärzten zugegeben, die jene neuen Aspekte kennen, die zum Beispiel die psychosomatische Forschung eröffnet hat und die man jahrzehntelang offiziell ignorierte und zum Teil noch immer viel zu wenig beachtet. Auch heute noch werden mitunter Patienten mit einem großen Aufwand an Geld und modernsten technischen Mitteln oft monatelang, ja, sogar jahrelang behandelt – ohne Erfolg, bis dann nicht selten der Patient bei einem psychosomatisch behandelnden Arzt, einem medizinischen Außenseiter oder einem Heiler eine verblüffend schnelle und dauerhafte Heilung erlebt, oft mit unglaublich einfach anmutenden Mitteln. Man denke an die Heilerfolge des französischen Heilers Maurice Mességué mit seinen Anwendungen von Kräuteraufgüssen. Berühmte Persönlichkeiten haben ihm Anerkennungsschreiben geschickt – sogar die Richter, die ihn wegen unerlaubten Heilens verurteilen mußten.[132]

Außenseiter in der Medizin haben es immer schwer gehabt. Viele Ärzte scheinen auf dem Standpunkt zu stehen, jede Anwendung einer nach dem derzeitigen Stand der medizinischen Wissenschaften nicht theoretisch begründete Methode sei Kurpfuscherei. Den Patienten dagegen wird es meist weniger interessieren, ob die angewandte Methode nach den heute geltenden Beurteilungsmaßstäben schon wissenschaftlich akzeptiert ist oder nicht oder es vielleicht erst in einigen Jahren sein wird.[184] *Das entscheidende Kriterium für den Kranken wird sein, ob er bei der Anwendung einer Heilmethode ein Risiko eingeht oder nicht – und letztlich dann der Erfolg der Behandlung.* Daher ist die Frage zu stellen, ob es vom ethischen Standpunkt aus zu verantworten ist, die Anwendung von Methoden zu unterlassen oder gar zu bekämpfen, die praktisch für einen Kranken kein Risiko bedeuten, aber nachweislich vielen Kranken geholfen haben, wie

Akupunktur, geistige Heilung u. a., nur weil sie wissenschaftlich noch nicht abgesichert sind.

Neben der offiziellen Schulmedizin gibt es das umfangreiche Gebiet der Erfahrungsheilkunde. Hierzu gehören Methoden der Therapie und Diagnose, deren Brauchbarkeit teilweise sehr gut und manchmal auch weniger gut durch die praktische Anwendung erwiesen ist, von denen man aber noch nicht genau weiß, wie die Wirkung zustande kommt, welcher Zusammenhang zwischen Ursache und Wirkung besteht. Hierzu gehören die von der traditionsreichen Schule der Allopathie noch nicht anerkannte *Homöopathie*, die der deutsche Arzt Samuel Hahnemann zu Anfang des 19. Jahrhunderts begründete und die auf dem Prinzip »Similia similibus curantur« (Ähnliches wird durch Ähnliches geheilt) beruht;[72, 186] ferner die Ende des vorigen Jahrhunderts von dem ungarischen Arzt Dr. Ignaz Peczely begründete Irisdiagnostik,[111, 112] die von vielen Medizinern mit leidenschaftlicher Heftigkeit bekämpft wurde und noch wird.[182]

Peczely soll als Kind beim Brechen des Beines einer Eule, die sich in seinem Arm festgekrallt hatte, die Entstehung eines Zeichens im Eulenauge beobachtet haben. Dies war der Ausgangspunkt für die später von ihm eingeführte Iris- oder Augendiagnose, die von Heilpraktikern und einigen Außenseiterärzten angewandt wird und in manchen Fällen verblüffende Diagnosen gestattet, aber sehr viel praktische Erfahrung erfordert, ehe sie einigermaßen exakte Ergebnisse liefert. Interessant ist, daß eine Reihe sowjetischer Ärzte und Wissenschaftler der Irisdiagnose sehr aufgeschlossen gegenüberstehen.[50]

Ebenso umstritten ist die chirologische Diagnose, das heißt, die Stellung einer Diagnose aus speziellen Zeichnungen in den Händen bzw. aus der Form der Hände und Finger – eine Methode, für die es heute ebenfalls noch keine Erklärung gibt.[13, 103]

Erfahrungsheilkundler sind es auch, die bereits seit einer Reihe von Jahren bei uns die aus China stammende Akupunktur[54] anwenden, die von der offiziellen Medizin noch immer nicht ernst genug genommen wird. Noch viele andere Methoden gehören hierher, so etwa die 1925 von Dr. Ferdinand Huneke entwickelte Neuraltherapie[52, 53], die Blitzheilungen bei jahrelang therapieresistenten Fällen ermöglichte. Neuraltherapeuten erleben immer wieder, daß vergessene oder nicht beachtete Narben die verschiedensten schweren Störungen an Stellen verursachen können, die oft weit von dem früheren Krankheitsherd entfernt sind. So befreite beispielsweise der Völklinger Heilpraktiker C. Dahn durch eine Impletol-Injektion in eine alte Narbe in der Achselhöhle einen Patienten von chronischen Nierenkoliken, die allen konventionell-medizinischen Behandlungen getrotzt hatten.[165]

Man ist versucht, in der Wirkungsweise der Neuraltherapie und der Akupunktur gewisse Ähnlichkeiten zu sehen. In beiden Fällen können relativ einfache bzw. oberflächliche Behandlungen Heilwirkung an anderen Stellen des Körpers, auch bei inneren Organen, auslösen. Eine Erklärung der heute noch von Geheimnis umgebenen Akupunktur und Neuraltherapie scheint sich anzubahnen — nicht zuletzt, wie gezeigt werden wird, durch die Arbeit der Psi-Forscher, die auch den Phänomenen der Paramedizin auf den Grund gehen, das heißt, all jene Heilmethoden untersuchen, deren Wirkung und Erfolg sich nicht auf schulmedizinischer Basis erklären lassen.

Für denjenigen, der sich vor Augen hält, daß Psychosomatik, Psychotherapie und Hypnose zu Beginn unseres Jahrhunderts noch reine »Paramedizin« waren, wird dieser Ausdruck nichts Dubioses an sich haben. Vieles, was gestern noch »para« war und als »unwissenschaftlich« galt, ist es heute nicht mehr oder wird es zumindest in absehbarer Zeit nicht mehr sein. Die konduktometrische Ermittlung der Akupunkturpunkte auf der Haut etwa kann dazu beitragen, die Akupunktur ganz in die wissenschaftliche Medizin einzugliedern.

Man wirft den Erforschern der Psi-Heilung oft vor, es sei für ihre Beweisführung charakteristisch, daß sie neben natürlichen auch übernatürliche Erklärungen anbieten. Hierauf ist zu erwidern: Die Gegenüberstellung von »natürlich« und »übernatürlich« existiert in der wissenschaftlich betriebenen Parapsychologie überhaupt nicht und ist wahrscheinlich nur eine aus der Begrenztheit des menschlichen Denkens entstandene Fiktion. Es gibt lediglich Erklärbares aufgrund der bis heute bekannten Gesetzmäßigkeiten, und es gibt Unerklärbares aufgrund der bis heute noch nicht bekannten Gesetzmäßigkeiten. Es scheint nun vieles – wenn nicht sogar alles – dafür zu sprechen, daß die von der Psi-Forschung entdeckten Phänomene Auswirkungen von Gesetzmäßigkeiten sind, die den uns bisher bekannten Naturgesetzen übergeordnet sind, dergestalt, daß sich die uns bisher bekannten Gesetze als Spezialfälle von übergeordneten Gesetzen herausstellen werden.

Die Gegner der Paramedizin behaupten ferner, die Anerkennung paranormaler Heilmethoden öffne der Scharlatanerie Tür und Tor. Daß sich in diesem Bereich auch Quacksalber und Geschäftemacher tummeln, ist unleugbar und wird sich nie hundertprozentig vermeiden lassen. Gauner gibt es auf allen Gebieten. Der beste Weg aber, das Quacksalbertum auf ein Minimum zu reduzieren, wäre eine aufgeschlossene Einstellung der offiziellen Medizin zur Paramedizin, eine friedliche Koexistenz der streng rational, kausal-analytisch vorgehenden Schulmedizin und der mehr aus der Beobachtung und der Intuition schöpfenden und ganzheitlich, synthetisch denkenden Paramedizin. Man darf wohl behaupten, daß der erfahrene Arzt ja sowieso irgendwo *zwischen* offizieller Medizin und Paramedizin steht; denn ein guter Arzt muß mehr aufzuweisen haben als nur rational-wissenschaftliche Qualifikationen; er braucht zusätzlich noch eine gehörige Portion an intuitiven Fähigkeiten. Als Wegweiser für die einzuschlagende große Linie des geistigen Fortschritts ist die Intuition oft viel zuverlässiger als das rationale Denken. In der praktischen Anwendung werden viele intuitiv gefundenen Methoden der Paramedizin von heute nach ihrer wissenschaftlichen Erschließung möglicherweise die konventionelle Therapie von morgen sein. Sicherlich wird eine fortgeschrittene medizinische Wissenschaft dann auch viele sogenannte »Wunderheilungen« der heutigen Zeit als Auswirkungen übergeordneter Gesetzmäßigkeiten erkennen und verstehen können.

Die Grenzen der Psychogenese

Berichte von »Wunderheilungen« gehören zu den ältesten Überlieferungen der Menschheit. Propheten, Religionsstifter und Heilige suchten ihre Auserwähltheit oft durch die spontane und spektakuläre Heilung Kranker unter Beweis zu stellen. Es gibt kaum ein paramedizinisches Verfahren, das nicht Vorbilder im Altertum des Nahen und Fernen Ostens und in der Bibel hätte.

Die am häufigsten praktizierte Methode war das Handauflegen auf die kranke Stelle des Körpers. In antiker und frühchristlicher Zeit wurde diese Art des Heilens in großem Umfang praktiziert.[99, 231] Mit den Fortschritten der medizinischen Wissenschaft geriet sie bei uns in Vergessenheit, und im Zeitalter der rationalen Wissenschaften kam sie sogar in Mißkredit; denn in der westlichen Medizin herrscht der Trend, alle nicht in das Schema der Schulmedizin passenden Heilungen auf die »Macht der Einbildung« zurückzuführen. Tatsächlich können allein durch den Glauben eines Patienten erstaunliche Veränderungen in den physiologischen Funktionen hervorgerufen werden. Der Fachausdruck für solche Erscheinungen ist *Psychogenese*.

Man spritzte Personen, die angaben, nach Bohnenkaffee Herzklopfen zu bekommen und nicht schlafen zu können, eine Traubenzuckerlösung oder eine physiologische Kochsalzlösung in die Venen und sagte, es sei eine Koffeinspritze. Prompt trat »Herzklopfen« ein, und die Versuchspersonen konnten nicht einschlafen. Dagegen wurden die meisten von ihnen müde und schliefen ein, nachdem man ihnen eine Koffeinspritze verabreicht, aber behauptet hatte, es sei ein Schlafmittel. An diesem Beispiel sieht man deutlich die Macht der Suggestion und der Einbildung auf die physiologischen Funktionen unseres Körpers.

Auch die pharmazeutischen Präparate wirken keineswegs stets nur aufgrund chemisch-physiologischer Ursachen, sondern auch aufgrund eines Erwartungseffektes von seiten des Patienten. Vielen Arzneimitteln ist ihre Wirkung sogar lediglich angedichtet. Versuche mit Placebos haben dies in vielen Fällen bewiesen. Placebos sind völlig wirkstofffreie Scheinmedikamente, die der Patient in dem Glauben einnimmt, es handle sich um ein wirksames Medikament.

In Gruppenversuchen hat man die Wirksamkeit pharmazeutischer Präparate getestet, wobei eine Gruppe das echte Medikament bekam, eine zweite Gruppe ohne deren Wissen ein Placebo. Bei vielen Arzneimitteln ergaben sich positive Wirkungen ohne Unterschied zwischen echtem Präparat und Placebo. Man sieht daraus, daß oft die gläubige Einstellung des Patienten genügt, um eine Besserung der Beschwerden oder gar eine Heilung herbeizuführen. In erster Linie wird es sich bei solchen Erfolgen zwar um reine Funktionsstörungen handeln, doch auch organische Leiden sind auf diese Weise schon behoben worden.

Die moderne psychosomatische Medizin weiß heute, daß viele organische Krankheiten rein seelische Ursachen haben, das heißt, von einer falschen gefühlsmäßigen Einstellung des Patienten herrühren. Übersteigerter, unbefriedigter Ehrgeiz, andauernder, nicht abreagierter Ärger, ständige Angst vor Verlusten irgendwelcher Art können — je nach Persönlichkeitsstruktur des Betreffenden — die verschiedensten Erkrankungen auslösen.[159, 278]

Ein junger Mann, bei dem sich unerklärliche Lähmungserscheinungen des rechten Arms einstellten, kam nicht auf den Gedanken, daß die dauernd unterdrückte Wut auf seinen Vorgesetzten, dem er am liebsten mit der Faust ins Gesicht geschlagen hätte, die Ursache für die rätselhaften Verkrampfungs- und Lähmungserscheinungen waren. Und auch die Ärzte früherer Jahrzehnte hätten kaum diesen Zusammenhang erkannt oder gelten lassen. Dabei hat Samuel Hahnemann bereits vor mehr als hundertfünfzig Jahren psychosomatische Zusammenhänge geahnt. Er verordnete homöopathische Arzneien gegen die gesundheitsschädlichen Folgen von Ärger, Zorn und anderen negativen Emotionen.[72]

Das Zusammenspiel zwischen unserer Gedanken- und Gefühlswelt einerseits und unserem physischen Körper andererseits

seits ist heute erwiesen und wird von jedem verantwortungsbewußten Mediziner bei der Therapie berücksichtigt. Eine Heilung *allein* durch Beeinflussung des Gefühlslebens des Patienten bzw. durch Erzeugung des Glaubens in ihm, daß er wieder gesundet, ist eine sogenannte psychogenetische Heilung. Wie sie zustande kommt, ist heute noch weitgehend ein Rätsel, und nicht zuletzt deshalb sollte man sich hüten, alle Heilungen, die nicht in das Schema der offiziellen Medizin hineinpassen, als psychogenetisch wegerklären zu wollen. Es gibt unerklärliche Heilungen, die nicht nur konventionelle Glaubensheilungen sind, wenn auch eine Glaubenskomponente an der Heilung mitbeteiligt sein kann. Man denke an die zahlreichen, von der katholischen Kirche wie auch von Ärzten als »Wunder« anerkannten Heilungen in Lourdes, wo unter anderem Heilungen kleiner Kinder und Säuglinge von schwersten Mißbildungen erfolgten, Heilungen, die ganz gewiß nicht durch den Glauben der Kranken, also psychogenetisch zu erklären sind.[156, 211] Hier liegt eine paranormale Wirkung vor, die heute noch nicht wissenschaftlich erklärbar ist und Psi-Forscher in Ost und West zu gänzlich neuartigen Überlegungen angeregt hat. Das gleiche gilt für die unbestreitbaren Leistungen mancher sogenannter geistiger Heiler oder Heilmedien.[58, 59] Geistige Heilungen können durch direkten physikalischen Kontakt erfolgen, aber ebenso scheint es Fernheilungen zu geben.[58, 59, 165, 268] Eine Mitbeteiligung von Psychogenese bei den meisten Psi-Heilungen wird sich oft nicht ganz ausschließen lassen – und im Interesse der Patienten ist das wohl auch gar nicht wünschenswert. Denn wenn die gläubige Einstellung der Patienten den paranormalen Heileffekt noch steigert, dann kann das ja nur gut sein!

Vor allem aber spricht gegen die stereotype Annahme der Psychogenese, daß die Voraussetzung des absoluten Glaubens an die Möglichkeit einer Wunderheilung in vielen Fällen gar nicht gegeben ist. In anderen Fällen kann auch der stärkste Glaube nach allem, was wir heute wissenschaftlich akzeptieren, nicht die eingetretenen körperlichen Veränderungen auf normalem physiologischem Wege erklären, oder aber, wir müßten unsere wissenschaftlichen Konzeptionen von dem, was durch den Glauben möglich ist, grundlegend revidieren und den Glauben als eine der gewaltigsten Mächte mit den größten Möglichkeiten ansehen, die es gibt und die man wissenschaftlich erschließen sollte. Statt dessen schaut man mit einer gewissen Geringschätzung auf sogenannte »Glaubensheilungen« herab und ordnet sie in medizinischen Kreisen oft in das Gebiet der Quacksalberei ein.

Erfahrene gute Heiler, so das amerikanische Heilerehepaar Ambrose und Olga Worral, sind davon überzeugt, daß es durch die Glaubenseinstellung der Patienten bedingte psychogene Heilungen gibt, ebenso aber auch Psi-Heilungen, die nicht selten vollkommen unabhängig von der emotionalen Einstellung der Patienten auftreten, manchmal sogar bei ausgesprochenen Skeptikern.[289]

Ambrose Worral hat zu seinen Lebzeiten – er starb im Februar 1972 – allein durch Handauflegen auf die kranke Stelle die verschiedensten Krankheiten geheilt und dadurch sogar in einigen Fällen das Zusammenschrumpfen von bösartigen Gewächsen unter seinen Händen und das völlige Verschwinden der Krankheitsherde erlebt.[289, 290] Ähnliches gilt für seinen Landsmann Oral Roberts, für den Engländer Harry Edwards und für ungezählte andere Heiler überall in der Welt. Alle sind sie der Ansicht, daß sie auf ihre Patienten eine Art Energie übertragen. Welcher Art diese Energie sein könnte, darüber sind sie sich allerdings ebensowenig einig wie die Psi-Forscher, die sich mit dieser Frage befaßt haben.

Sehen wir von dem Glauben der altindischen und altchinesischen Eingeweihten an eine geheimnisvolle universale Lebenskraft oder »Vitalenergie« ab, der so große Bedeutung für die Psi-Heilung zukommt, daß wir ihr ein besonderes Kapitel widmen müssen, so sind verwandte Vorstellungen in den Anschauungen vom »animalischen Magnetismus« des Arztes Franz Anton Mesmer zu finden.

Mesmers »magnetische Kuren« erregten vor zweihundert Jahren unerhörtes Aufsehen. Nach seiner medizinischen Promotion hatte sich der aus Radolfzell Stammende 1766 als Arzt in Wien niedergelassen und behandelte seine Patienten mit Stahlmagneten. Er war der Meinung, ein neues Naturagens entdeckt zu haben, das sich auf viele Gegenstände übertragen ließe und als ein universales Fluid auch in allen lebenden Wesen wirksam sei. »Animalischer Magnetismus« nannte er es. Die Entwicklung der Krankheit und ihre Heilung sollten durch ihn bestimmt und reguliert werden. Mesmer nahm an, daß dieser animalische Magnetismus von einem Menschen auf einen anderen übertragbar sei, so zum Beispiel vom Arzt oder Heiler – dem sogenannten Magnetiseur – auf den Patienten. Er versuchte durch »Bestreichen« des Kranken mit seinen Händen – mit und ohne Berührung – den »Magnetismus« zu übertragen. Mesmer konnte sensationelle Heilerfolge vorweisen – besonders, nachdem er seine Praxis nach Paris verlegt hatte. Die offizielle Medizin seiner Zeit akzeptierte die Existenz des tierischen Magnetismus jedoch nicht und führte seine Heilungen – wie auch heute noch – auf die Macht der Einbildung zurück.

Mesmers Praktiken haben sich bis in die Gegenwart bei den Magnetiseuren oder Magnetopathen erhalten, die dem Patienten durch Entlangstreichen an seinem Körper »Lebenskraft« oder »Magnetismus«, oder wie man es sonst nennen will, zu übertragen versuchen, um ihn dadurch zu stärken oder gesund zu machen.

Manche Hypnotiseure wenden die mesmerischen Striche – auch als »passes« bezeichnet – heute noch erfolgreich an, wenn sie schwer zu hypnotisierende Personen in Hypnose versetzen wollen. Auch diesen Effekt haben die Gegner des Mesmerismus psychologisch zu erklären versucht, ebenso die Heilerfolge der Magnetopathen.

Die zum Teil sehr sensitiven Filipinos wenden eine dem Mesmerismus sehr ähnliche Methode zur Krankenbehandlung wie auch beim Hypnotisieren an, und zwar wahrscheinlich schon seit einer Zeit, als noch keine Ideenwanderung von Europa nach den Philippinen möglich war. Es ist eine erstaunliche und bisher unerklärliche Tatsache, daß viele Anschauungen und Praktiken der gleichen Art in gänzlich verschiedenen Teilen der Welt, bei den unterschiedlichsten Völkern seit langem als altüberliefertes Wissen bewahrt werden, bei Völkern, zwischen denen noch vor nicht allzu langer Zeit keinerlei Kontakt denkbar war. Das legt die Vermutung nahe, daß es sich bei derartigen »abergläubischen« Praktiken vielleicht doch um etwas handelt, dem eine konkrete Realität zugrunde liegt, die unsere Wissenschaften noch nicht erfaßt haben, die aber von den Angehörigen mancher Naturvölker dank einer außergewöhnlichen Sensitivität bzw. aufgrund natürlicher, bei uns weitgehend verkümmerter Sinne oder Übersinne wahrgenommen und genutzt wird.[28]

Bei dem auf den Philippinen geübten »magnetic healing« – also bei dem analog zum Mesmerismus des Westens durchgeführten Entlangstreichen mit den Händen an den kranken Körperteilen des Patienten – hat man jedenfalls den Eindruck, daß hier mehr dahintersteckt als einfältiger Aberglaube oder eine rein psychologisch zu deutende Übertragung.

Offensichtlich haben westliche und philippinische Heiler diese qualitativ wahrscheinlich gleichartige Kraft in sehr unterschiedlicher Stärke. So berichtete eine Amerikanerin, die auf den Philippinen von dem gerade dort weilenden amerikanischen Chiropraktor Nelson Decker wegen einer Venenentzündung »magnetisiert« wurde, sie habe eine Empfindung gehabt, als würden »dünne Fäden« aus dem Bein herausgezogen. Es trat danach eine Besserung ein. Später kam der philippinische Heiler Eleuterio Terte zu ihr, der die gleiche Art der Behandlung anwandte, doch hatte die Patientin jetzt das Empfinden, es werde »ein dicker Strick« aus ihren Beinen herausgezogen. Und jetzt trat eine unerklärlich schnelle Heilung ein.[228]

In einem ähnlichen Fall trat die völlige Heilung sogar noch abrupter ein. Welche Kräfte auch immer die Ursache sein mochten, sie waren hier – wenn auch wohl in unterschiedlicher Intensität – in beiden Personen vorhanden, dem Heiler und der Patientin, die selbst geistige Heilerin war, und schienen sich buchstäblich zu addieren. Hier die Schilderung dieser Psi-Heilung:

Als gegen Ende des Jahres 1971 die junge Karlsruher Heilpraktikerin Sigrun Seutemann zur Untersuchung paranormaler Heilungen in Ostasien weilte, stellte sich infolge einer Überanstrengung eine gefährliche und schmerzhafte Venenentzündung ein. Niedergeschlagen und ratlos, wie sich ihr weiterer Aufenthalt gestalten sollte, traf sie, von Japan kommend, auf dem Flughafen von Baguio auf den Philippinen ein. Nur mit Mühe konnte sie sich bis zum Taxihalteplatz schleppen. Sie ließ sich zu ihrem Hotel fahren und suchte dort sogleich den einheimischen Heiler Tony Agpaoa auf. Als er von ihrem Leiden erfuhr, lachte er nur und sagte, das sei kein Problem. Er legte seine Hände auf ihre Beine, schloß seine Augen und konzentrierte sich für einige Minuten. Als er dann seine Hände fortzog, waren nicht nur die Schmerzen verschwunden, sondern die Entzündung schien auch äußerlich zurückgegangen zu sein, und nach einer viertel Stunde waren alle Beschwerden und äußeren Anzeichen der entzündlichen Erkrankung verschwunden, so daß Sigrun Seutemann völlig normal laufen konnte; sie bekam auch später keinerlei Beschwerden mehr.

Es ist dies der Fall einer typisch paranormalen Heilung, einer Heilung durch Psi. Unter normalen Bedingungen kann eine Venenentzündung nicht in einer so kurzen Zeit völlig verschwinden. Selbst wenn eine solche Heilung psychogenetisch bewirkt wird, werden einige Stunden vergehen müssen, ehe sich die Selbstheilung des Körpers auswirkt. Hier dagegen hatte ein paranormaler Prozeß stattgefunden, der außerhalb unseres normalen physiologischen Verständnisses liegt.

Aus Buenos Aires berichtete mir Professor Federico Brosig von einer Patientin mit chronischer Sinusitis (Stirnhöhlenvereiterung), die von den Medizinern nicht ausgeheilt werden konnte. Man hörte von einer »Kurpfuscherin«, einer Indianerin, die in einer armseligen Hütte wohnte. Eine Verwandte Brosigs begab sich mit der Patientin zu ihr. Die ganze »Behandlung« der Indianerin bestand darin, ihre rechte Hand auf die Stirn der Patientin zu legen und eine ganze Weile diese und die Nase zu pressen. Dann befahl sie der Frau, nach Hause zu gehen und feuchte heiße Tücher um den Kopf zu wickeln. Schon einige Minuten nach dem Auflegen der Dampfkompressen begann in großer Menge ein übelriechender Eiter aus der Nase zu fließen, wobei zum Schluß feste Substanzen herauskamen. Danach war die Kur beendet und die Krankheit, wie sich herausstellte, dauerhaft beseitigt.

Das Heilen durch Handauflegen wird von jeher vor allem bei den Naturvölkern, in Amerika wie in Afrika und Asien, praktiziert – aber nicht nur das Heilen durch *Hand*auflegen, wie das folgende Beispiel zeigt:

Dr. G. L. Johnson aus Durban (Südafrika) kannte den Stammeshäuptling Shembe aus dem in der Nähe gelegenen Dorf Ekupakameni persönlich. Als dieser von einer Gruppe Engländer unter Johnsons Führung Besuch hatte, kam ein Eingeborener mit der Nachricht gelaufen, ein Mädchen sei von einer Giftschlange gebissen worden und liege im Sterben. Die ganze Gruppe begab sich sofort zu der Hütte der Verletzten, die noch Lebenszeichen von sich gab, der Arm war jedoch stark geschwollen und entzündet. Im Schatten eines in der Nähe stehenden »heiligen Baumes« betete nun Shembe inbrünstig zu seinem Gott, ging dann zu dem Mädchen zurück und setzte seinen Fuß auf den gelähmten Arm. Zur großen Verblüffung aller Anwesenden fuhr die Kleine plötzlich zusammen und stand auf. Die Zuschauer sahen die Schwellung und die Entzündung des Armes wie durch einen Zauber verschwinden. Gleichzeitig sah man – so schreibt Dr. Johnson –, daß die Schlange, die man gefangen hatte, sich zusammenringelte und starb.[28]

Wer die Annahme, daß aufgrund der flehenden Bitte eines Gläubigen — das Gebet unter dem »heiligen Baum« — ein allmächtiges Wesen wunderbare Hilfe geleistet hat, ablehnt, wird wenigstens die Versenkung ins Gebet als Mittel zur Sammlung und Energieaufladung gelten lassen. Und in der gläubigen Konzentration auf ein Ziel werden oft ungeahnte Kräfte geweckt und nicht für möglich gehaltene Wirkungen ausgelöst — nicht nur im Sinne einer Energieübertragung durch direkten physischen Kontakt, sondern es lassen sich offensichtlich auch ungeahnte Fernwirkungen auslösen, die unserem Verstand noch unannehmbarer erscheinen als das Heilen durch das Auflegen der Hände oder der Mesmerismus.

Hier ein Ereignis, das der verstorbene deutsche Lebensphilosoph und Erfolgspsychologe Oscar Schellbach in der Mitte seines Lebens berichtete:

»Mein Vetter Hans fiel im Alter von neun Jahren beim Spielen mit dem Schienbein auf einen eisernen Abtreter. Bald kam eine Beule, die nicht heilen wollte, und Knochenfraß stellte sich ein. Mein Onkel war in großer Not, die Ärzte verlangten dringend die Operation und eventuell eine Amputation des Beines. In diesen Tagen klagte er sein Leid einem Berufskollegen, einem Baptisten, der meinen Onkel bat, in die Gemeinde zu kommen, damit sie alle für den Jungen beten könnten. Was tut man nicht alles, um seine Kinder gesund zu erhalten! Er ging also hin und betete. Von Stund' an schwanden alle Beschwerden. Ein Wunder war geschehen, das Bein heilte ohne jede äußere Hilfe!«[209]

Man kommt nicht an der Tatsache vorbei, daß genügend positive Ergebnisse des »Gesundbetens« verbürgt sind. Man denke an die zum Teil gut dokumentierten Heilungen durch Anhänger der Christian Science und anderer religiöser Vereinigungen in Nordamerika und Europa. In Japan gibt es die Seicho-Ie-Bewegung des Dr. Masaharu Taniguchi, eine geistige Erneuerungsbewegung, die von sensationellen Heilungen durch Gruppengebete berichtet.[249, 250]

Es ist sehr bequem, derartige Erscheinungen als Suggestion zu erklären oder eine »Zufallsheilung« zu vermuten. Der bequemste Weg ist aber gewiß nicht immer der richtige. Die Phänomene der Natur und insbesondere die Erscheinungen der belebten Natur tun uns nicht den Gefallen, sich uns in einer Form darzubieten, die unser Verstand leicht durchschauen und erfassen kann. Die meisten Heilungsphänomene der besprochenen Art werden sicherlich mehr oder weniger komplex sein und sich nicht einfach durch Einbildung und Psychogenese erklären lassen, ja, bei Fernheilungen ohne Wissen des Patienten kommt neben der Zufallshypothese überhaupt nur die Heilung durch Psi in Frage.

Wahrscheinlich stellen Fernheilungen ohne Wissen – und ohne Glaubensbereitschaft! – eines Kranken die größte Zumutung für unser rationales Denken dar. Das Ehepaar Worral und Harry Edwards haben viele Patienten aufgrund von mehr oder weniger kurzen Briefkontakten mit Angehörigen von Kranken behandelt. In Krün bei Garmisch-Partenkirchen wirkt der Fernheiler Oberst a. D. der Luftwaffe Günther E. Schwarz. Die wenigsten seiner Patienten kennen ihn persönlich; viele haben erst nach ihrer Genesung erfahren, daß die Familie den Fernheiler »angeschrieben« hatte. Zu seinen hervorragendsten Leistungen gehört die Heilung einer jungen Sekretärin, Betty L., in London, bei der er – wieder ohne deren Wissen – spontan die Rückbildung eines Lymphdrüsenkrebsgeschwürs erreicht haben soll. »Unter hundert Krankheitsberichten, die bei Günther Schwarz eingehen, sind angeblich durchschnittlich 15, in denen Schwarz für vollkommene Heilung gedankt wird; über 50, in denen sich die Schreiber für eine Besserung ihrer Krankheit bedanken; ca. 30, die über keine Besserung berichten.«[165]

Unwillkürlich muß man bei den Fernheilungen an geheimnisvolle Fernwirkungen entgegengesetzter Art denken, die von Völkerkundlern berichtet werden. Ich meine das »Verhexen« im Rahmen der Schwarzen Magie, des Wudu und ähnlicher Kulte. Hierbei werden nicht kranke Menschen gesund, sondern umgekehrt, gesunde Menschen krank gemacht; mitunter werden sie sogar getötet. So erfuhr der Verfasser bei einem Besuch auf den Philippinen in dem kleinen auf der Insel Luzon gelegenen Ort Rosales, daß es dort »Hexen« gäbe. Gegen eine entsprechende Summe sollen sie Personen »verhexen«, denen der Zahler des Honorars etwas Böses antun will. Die betroffenen Personen sollen dann oft tatsächlich auf unerklärliche Weise erkranken und unter Umständen sogar sterben. Derartige Praktiken werden nicht nur auf den Philippinen angewandt; sie sind vielmehr über die ganze Welt verbreitet. Bis zum 17. Jahrhundert kamen sie auch in Europa vor. Heute sind die Zentren der Schwarzen Magie die Philippinen, Java, Hawaii, Jamaika und Brasilien.

Was ist an diesem Zauber in Wirklichkeit dran? Zweifellos gibt es unter den Schwarzmagiern viele Betrüger. Keiner kann sagen, wie hoch ihr Prozentsatz ist. Und zweifellos lassen sich die Leistungen anderer Magier auf der Basis der westlichen Schulpsychologie als Ergebnisse von Suggestion und Hypnose erklären. Wenn eine Person zum Beispiel darum weiß, daß sie »verhext« wird und sie nimmt die Angelegenheit ernst, dann werden die Beschwerden nicht lange auf sich warten lassen. Derartige letztlich durch intensive Autosuggestion zu erklärende Phänomene können sogar den Tod des Betreffenden herbeiführen.

Der amerikanische Zahnmediziner Dr. Harry B. Wright berichtet einen selbsterlebten Fall, in dem ein südamerikanischer Medizinmann einen Angehörigen seines Stammes als Dieb entlarvte und ihn dazu verurteilte, eine »Todesspeise« zu essen. Der Verurteilte starb beim Verzehren der Speise, obwohl sie offenbar nicht vergiftet war; denn der Medizinmann und andere

Stammesangehörige verzehrten den nicht aufgegessenen Rest, ohne irgendwelche Beschwerden zu bekommen.[291]

Doch neben derartigen und ähnlichen Fällen werden von Ethnologen und Forschungsreisenden auch Fälle berichtet, die nicht mehr in das Schema des Suggestionseffekts hineinpassen. So wird von dem »Tötungsgebet« der Kahunas auf Hawaii berichtet. Die Kahuna genannten Stammesmagier sind nach altem Volksglauben in der Lage, eine bestimmte Person auch ohne deren Wissen zu Tode zu beten. Der Amerikaner Max Freedom-Long, der nach dem Ersten Weltkrieg das Kahuna-Problem an Ort und Stelle studierte, berichtet das gut verbürgte folgende Erlebnis des Dr. William Tufts Brigham, Kurator des Bishop-Museums in Honolulu.[69]

Auch Brigham hatte sich jahrelang mit der Kahuna-Magie herumgeschlagen und war mit mehreren echten Kahunas befreundet gewesen. Bei einer botanischen Expedition, die Brigham zum Krater des Mauna Loa durchführte, erkrankte plötzlich ein etwa zwanzigjähriger kräftiger Eingeborener aus seiner Mannschaft. Er war nach kurzer Zeit so schwach, daß er sich nicht mehr auf den Beinen halten konnte. Der Zustand des Kranken verschlechterte sich innerhalb weniger Stunden, ohne daß Brigham eine Krankheitsursache feststellen konnte, bis schließlich der Verdacht aufkam, daß hier ein Tötungsgebet wirkte. Die Folgen eines Tötungsgebets der Kahunas sollen stets mit der Paralyse der Beine beginnen, die sich im Laufe von Stunden immer weiter nach oben ausdehnt und bis in die Herzgegend vordringt, womit dann der Tod eintritt. Es stellte sich schließlich heraus, daß der junge Mensch den Befehl des Kahuna seines Stammes, sich nie mit Weißen abzugeben, längst vergessen hatte, da er seine Heimat vor Monaten verlassen und angenommen hatte, daß dieses Verbot außerhalb seines Heimatortes nicht gelten würde.

Die Kameraden des Todgeweihten forderten von Dr. Brigham, den sie für einen großen weißen Kahuna hielten, das Tötungsgebet an den, der es gesprochen hatte, »zurückzuschicken«. Brigham, der die Praktiken und Rituale der Kahunas kannte und an die Möglichkeit derartiger Wirkungen glaubte, entschloß sich, es zu versuchen. Es wurde eine fürchterliche Anstrengung für ihn, Schweiß brach ihm aus allen Poren — aber auf einmal hatte er das Gefühl, daß sich eine ungeheure Spannung löse. Der Patient konnte eine Stunde später schon wieder gehen und essen und genas sehr schnell, so daß die Expedition fortgesetzt werden konnte.

Doch das Interessanteste ergab sich erst, als Dr. Brigham jenen Kahuna in seinem Dorf aufsuchen wollte. Er erfuhr, daß der Mann an jenem Abend, genau zu der Stunde, als Dr. Brigham das Tötungsgebet »zurückgesandt« hatte, aus dem Schlaf hochgefahren und mit einem Schrei aufgesprungen war. Keuchend und stöhnend fiel er dann zu Boden, lag mit Schaum vor dem Munde da und starb noch in derselben Nacht.[69]

Dieser Bericht hat eine gewisse Ähnlichkeit mit dem Bericht über die Heilung des Schlangenbisses durch den afrikanischen Stammeshäuptling Shembe. Auch dort starb angeblich das die Krankheit verursachende Agens, nämlich das Reptil, während die gebissene Person auf paranormale Weise geheilt wurde. Zufall? Ungenaue Berichterstattung? Oder ein tatsächlicher, uns noch nicht faßbarer Zusammenhang?

Ein weiteres glaubwürdig erscheinendes Beispiel aus einem gänzlich anderen Kulturkreis ist einem Artikel über Schamanen und Medizinmänner von R. Koch entnommen. Er bringt den Bericht einer durch und durch materialistisch eingestellten kommunistischen Augenzeugin, die einer Beschwörung nordamerikanischer Indianer beiwohnte und der man aufgrund ihrer Weltanschauung bestimmt keine Gutgläubigkeit gegenüber Paraphänomenen vorwerfen kann: »Ein entfernt wohnender Indianer hatte einem Stammesangehörigen alle seine Fallen gestohlen, was für diesen einen unersetzlichen Verlust bedeutete. Er suchte den Medizinmann seines Stammes auf und berichtete ihm davon. Der Medizinmann begann in der nächsten Nacht – und zwar in Anwesenheit der mehr als skeptischen Beobachterin – seine Beschwörungen. Es war einfach grauenvoll, was da geschah. Nachdem erst eine Anzahl von Stimmen hoch über den Anwesenden im Zelt gesprochen und sich schließlich gestritten hatten, steigerte sich die Auseinandersetzung in wüstester Weise.

Der Medizinmann rief seine Tiergeister, die Gegenseite antwortete mit den gleichen Mitteln. Und während furchtbares Heulen, starker Wind und Erdstöße das Zelt erschütterten, hörte man das Gebrüll von Bären, das wütende Heulen von Wölfen und das Schreien von anderen Tieren. Langsam verebbte der wilde Kampf, der Medizinmann war völlig erschöpft.«[107]

Halluzination, Hypnose, Bauchrednertricks? Vielleicht! Aber sicherlich nicht nur. Denn kurze Zeit danach kam die Frau des Diebes mit einem Schlitten und brachte die gestohlenen Fallen zurück. Ihr Mann war gestorben – in der Nacht der Beschwörung!

Von der Gedankenübertragung zur Fernheilung

Die Möglichkeit einer Kommunikation von Mensch zu Mensch unter Ausschluß der bekannten fünf Sinne wird heute auch von den Wissenschaften im allgemeinen in Form der *Telepathie* akzeptiert. Es spricht jedoch sehr viel dafür, daß die rein psychische Einwirkung der Menschen aufeinander ein viel verbreiteteres und stärkeres Phänomen ist, als bisher angenommen wurde. Lange, bevor das, was wir Gedankenübertragung nennen, wissenschaftlich untersucht wurde, haben Eingeborene der Naturvölker sie schon praktisch angewandt, und zwar zur Fernübermittlung von Informationen.

Völkerkundler haben den geheimnisvollen Nachrichtenverkehr bei afrikanischen Volksstämmen als eine Art Morsen mittels Trommeln zu erklären versucht. Professor Ernesto Bozzano (Genua) widerlegte diese Ansicht schon vor dem Zweiten Weltkrieg durch gut beglaubigte Fälle von Telepathie unter Eingeborenen, die von europäischen Augenzeugen berichtet wurden.[28] Hier ein Zeugnis von Dr. G. B. Kirkland, Regierungsarzt in Rhodesien, zu einer Zeit, als es dort im Alltagsleben noch keine Fernmeldetechnik gab:

In das Krankenhaus wurde ein Eingeborener eingeliefert, dem ein anderer Eingeborener unter Alkoholeinfluß mit einem Messerstich die Leber durchbohrt hatte. Der Verletzte fragte Dr. Kirkland, ob er den nächsten Morgen noch erleben werde. Der Arzt antwortete offen und ehrlich, daß das unwahrscheinlich sei. Daraufhin meinte der Patient, er wolle wenigstens noch so lange durchhalten, bis er seine Angehörigen ein letztes Mal gesehen habe. Diese lebten jedoch in einem fünfzig Kilometer entfernten Dorf. Um auf unwegsamen Pfaden durch den Urwald dorthin zu gelangen, brauchte man volle neun Stunden. Es gab keinerlei Möglichkeit, die Angehörigen anders als durch einen Boten benachrichtigen zu lassen. Der Schwerverletzte sagte indessen, er würde seine Verwandten »herrufen«. Dies war abends bei Sonnenuntergang. Der Arzt garantierte dafür, daß keinerlei Trommeln benutzt wurden... Kurz vor Sonnenaufgang kam die ganze Familie nach nächtlichem Marsch am Sterbebett ihres Angehörigen an.

Der Arzt, der diesen Vorfall überliefert hat, hätte eigentlich keinen Grund gehabt, sich allzusehr zu wundern, denn immerhin waren bis zu dieser Zeit schon eine ganze Anzahl wissenschaftliche Versuche mit Telepathie und »experimentelle Untersuchungen zur Mentalsuggestion«[280] unternommen worden. Nur hatten die »ernsthaften« Wissenschaftler sie kaum beachtet. Eines der ersten sorgfältig dokumentierten Experimente hatte bereits 1886 stattgefunden, und das Resultat kann noch heute als sensationell gelten: Der angesehene französische Psychologe Professor Pierre Janet und der Mediziner M. Gibert versuchten die fünfzigjährige bretonische Bäuerin Léonie aus Entfernungen von einer Viertelmeile bis zu einer ganzen Meile ohne deren Wissen durch Mentalsuggestion in Hypnose zu versetzen, also einzuschläfern. Die Bäuerin befand sich nichtsahnend in ihrem Hause. Von fünfundzwanzig Versuchen gelangen neunzehn vollständig, die anderen teilweise oder blieben ohne Ergebnis. Diese Experimente wurden dann vor einer wissenschaftlichen Kommission angesehener Autoritäten in Paris mit derselben Versuchsperson durch keinen Geringeren als den späteren Nobelpreisträger für Medizin, Charles Richet, wiederholt und bestätigt.

In den zwanziger Jahren unseres Jahrhunderts wurden diese Versuche von russischen Wissenschaftlern wieder aufgegriffen und weiterentwickelt. Das Problem war, wie man bald feststellte, geeignete Versuchspersonen zu finden; denn derartige Experimente gelingen nicht mit jedermann, wie sich ja auch nicht jede Person von jedem Hypnotiseur hypnotisieren läßt. So fand man bei einer Enquête unter 300 untersuchten Personen nur 10 bis 12, die sich für das telepathische Einschläfern eigneten. Überwiegend waren es hypersensible und neurotische Menschen. Berühmt wurden die beiden Russinnen Iwanowa und Fedorowa, mit denen in den dreißiger Jahren umfassende Experimente durchgeführt wurden. Leiter der Versuchsserie war der Leningrader Physiologe Professor Leonid Wassiliew, ein Schüler des 1927 verstorbenen berühmten Physiologen Wladimir Bechterew.

Die einzuschläfernde Person befand sich außerhalb des Gesichtsfeldes des Hypnotiseurs, oft in einem anderen Raum oder sogar an einem entfernten Ort. Der Hypnotiseur begann in einem der Versuchsperson unbekannten Moment auf geistigem Wege unter Ausschluß der Kommunikation über die normalen fünf Sinne das Einschlafen zu suggerieren. Hierzu bemühte er sich mit größtmöglicher Deutlichkeit, Empfindungen hervorzurufen, die man beim Einschlafen hat, und diese Empfindungen mit dem Bild der Iwanowa bzw. der Fedorowa zu verbinden, wobei er gleichzeitig den Befehl zum Einschlafen übermittelte. Diese Art der geistigen Einstellung erinnert genau an die Konzentration mancher Fernheiler auf Kranke, die sich weit entfernt befinden.

Bei den Wassiliewschen Experimenten wurde der Zustand der auf Distanz zu hypnotisierenden Person von einer dritten Person beobachtet und registriert. Wenn die Fernhypnose gelungen war, begann der Hypnotiseur wieder in einem für die Versuchsperson und die dritte, kontrollierende Person unbekannten Moment das Aufwachen zu suggerieren, wobei er entsprechend vorging wie beim Einschläfern.

In den Jahren 1933/34 wurden 260 Versuche der telepathischen Hypnose und des telepathischen Wiederaufweckens durchgeführt.[280] Hierbei mißlang das mentale Einschläfern nur in 6 Fällen, das telepathische Aufwecken in 21 Fällen. Die Fedorowa ließ sich bei den ersten Versuchen in weniger als zwei Minuten einschläfern, das Aufwecken ging sogar noch schneller. Bei der Iwanowa waren die Zeiten etwas länger. Später verschlechterten sich die Zeiten der Fedorowa.

Für die Erklärung der Versuchsergebnisse lag damals nichts näher, als eine Übertragung direkt vom Gehirn des Hypnotiseurs auf das Gehirn der Versuchsperson nach Art der Radiowellen anzunehmen; denn die Techniker und Physiker hatten gerade das Radio entwickelt, das die Fernübertragung von Nachrichten ja auf der Basis der elektromagnetischen Wellen ermöglicht. Ebenfalls in den zwanziger Jahren waren in freigelegten Hundegehirnen verschiedenartige elektrische Potentiale nachgewiesen worden, und 1929 entdeckte Hans Berger die Möglichkeit, elektrische Ströme des Gehirns durch die geschlossene Schädeldecke hindurch von der Kopfhaut abzuleiten – eine Methode, die dann zur Elektroenzephalographie (EEG) weiterentwickelt worden ist.[280] Wenn elektrische Ströme mit Schwingungscharakter aus dem Gehirn austreten und an die Oberfläche des Schädels gelangen können, dann leuchtet es ein, daß diese Ströme elektromagnetische Wellen und Felder in der Umgebung des menschlichen Kopfes erzeugen, die möglicherweise auch die Gehirne anderer Personen erreichen.

Nichts war also unter diesen Gesichtspunkten naheliegender, als das menschliche Gehirn mit einem Sender und gleichzeitigem Empfänger für elektromagnetische Gehirnstrahlen zu vergleichen. Deshalb zweifelte auch niemand daran, als der italienische Psychiater Cazzamalli bei telepathischen Experimenten Gehirn-Radiowellen nachgewiesen zu haben glaubte, die im Dezimeter-Meter-Bereich liegen sollten.[37] Seine Arbeiten galten damals, zwischen 1923 und 1933, als solide wissenschaftliche Bestätigung der elektromagnetischen Theorie telepathischer Erscheinungen. Auch Wassiliew und seine Mitarbeiter waren von der Richtigkeit dieser Ansicht überzeugt. Sie erlebten aber eine Enttäuschung, als sie die Cazzamallischen Experimente zu reproduzieren versuchten und mit ihren Apparaturen keine Effekte erzielten, die auf elektromagnetische Erscheinungen als Träger beim telepathischen Vorgang hinwiesen. Noch größer war ihre Überraschung, als sie feststellen mußten, daß sich die telepathische Übertragung nicht durch physikalische Abschirmungen unterbrechen ließ, welche normalerweise elektromagnetische Strahlen absorbieren sollten. Wassiliew hatte hierzu Kammern benutzt, zunächst aus Stahl, dann aus Blei, deren Fugen mit Quecksilber abgedichtet waren und deren Undurchlässigkeit für die in Frage kommenden elektromagnetischen Strahlen mittels elektromagnetischer Generatoren und Detektoren getestet worden war. In diese Kammern setzte man eine der beiden Versuchspersonen, also die einzuschläfernde Person oder den Hypnotiseur; man machte auch Versuche, bei denen sowohl Hypnotiseur als auch die einzuschläfernde Person sich in verschiedenen Abschirmkammern befanden. Wenn die Theorie des auf elektromagnetischen Gehirnstrahlen basierenden Mental-Radios[235] richtig war, dann mußte jetzt die telepathische Hypnose unmöglich sein. Doch die Iwanowa und die Fedorowa sprachen auch unter diesen Bedingungen der elektromagnetischen Abschirmung unverändert auf die mentalen Suggestionen der Hypnotiseure an.

Das Ergebnis der telepathischen Hypnose war offensichtlich vollkommen unabhängig davon, ob eine physikalische Abschirmung benutzt wurde oder nicht, was die Theorie eines Mental- oder Gehirn-Radios auf elektromagnetischer Basis sehr unwahrscheinlich machte.

Als ein weiteres imponierendes Phänomen bei der telepathischen Übertragung erwies sich – und erweist sich – ihr Funktionieren über große Entfernungen, wenn nicht gar über jede beliebige Distanz. Die Vorstellung eines Direktgesprächs zwischen einem Teilnehmer in Berlin und einem anderen in New York mittels Fernsprechanlage war zu Beginn dieses Jahrhunderts noch reine Utopie; heute bedarf sie keinerlei Phantasie mehr, sie ist Alltagsrealität. Die Behauptung einer noch direkteren Fernverbindung von Mensch zu Mensch ohne physikalisch-technische Hilfsmittel stößt dagegen bei der Mehrzahl der westlichen Menschen noch auf Unglauben. Wie lange noch? Es kann doch kein Zweifel daran bestehen, daß unsere besten physikalischen Detektoren und die kompliziertesten Kombinationen dieser Geräte trotz all ihrer faszinierenden Einsatzmöglichkeiten und Leistungen ganz primitive Gebilde sind, wenn man sie mit komplizierteren biologischen Systemen[6] vergleicht, insbesondere mit dem menschlichen Körper. Von diesem Standpunkt aus sollten die Phänomene der Mentalsuggestion über große Entfernungen und damit auch Fernheilungen nicht mehr so absurd erscheinen, zumal, wenn man begreift, daß wir Menschen der siebziger Jahre des zwanzigsten Jahrhunderts noch längst nicht auf dem Kulminationspunkt des Möglichen angekommen sind und daß wir das Wesen Mensch bisher erst in ganz unvollkommener Weise erforscht und seine Fähigkeiten wahrscheinlich nur zu einem winzigen Bruchteil begriffen haben.

Am 15. Juli 1934 gelang die telepathische Hypnose zwischen Leningrad und Sewastopol am Schwarzen Meer über eine Entfernung von 1700 Kilometer hinweg. Um 22 Uhr 10 begann Dr. L. A. Dubrowskij in Sewastopol sich auf die in Leningrad befindliche Iwanowa zu konzentrieren und ihr telepathisch Schlaf zu suggerieren, und um 22 Uhr 11 wurde bei der Versuchsperson bereits hypnotischer Schlaf konstatiert. (Zwei Tage vorher hatte man in Leningrad eine Fernhypnose aus Sewastopol zwischen 17 und 19 Uhr erwartet, aber die Iwanowa hatte während dieser Zeit keinerlei Müdigkeitserscheinungen gezeigt. Nachträglich erfuhr man, daß Dr. Dubrowskij an diesem Tag infolge einer Unpäßlichkeit entgegen der Vereinbarung keine mentale Übertragung durchgeführt hatte.)

Nichts stand jetzt eigentlich mehr im Wege, auch die Berichte älterer Forscher für durchaus glaubwürdig zu halten, die schon Jahrzehnte vorher behauptet hatten, Fälle von spontaner Telepathie über größte Entfernung beobachtet zu haben. Die Britische Gesellschaft für Psychische Forschung hatte viele solcher Fälle aufgezeichnet, darunter einen, bei dem eine telepathische Kommunikation zwischen zwei Personen erfolgt war, von denen die eine sich in England, die andere in Australien befunden hatte.[280]

Exakt belegte Vorkommnisse und Experimente dieser Art sprechen für sich allein schon gegen die Theorie einer elektromagnetischen Übertragung beim Telepathievorgang und scheinen ganz im Gegensatz zu den Erfahrungen bei den üblichen physikalischen Kraftwirkungen zu stehen, die – sei es die Erdanziehung, seien es elektrische und magnetische Kraftwirkungen – in ihrer Intensität normalerweise mit dem Quadrat der Entfernung abnehmen, also bei Verdoppelung des Abstands auf ein Viertel ihrer Intensität heruntergehen, bei Verdreifachung des Abstands auf ein Neuntel usw. Daraus folgt, daß die Intensität einer vermeintlichen elektrischen Gehirnstrahlung unvorstellbar gering geworden sein müßte, wenn sie von einem menschlichen Gehirn in Leningrad stammend in Sewastopol ankäme. Und bei telepathischen Kontakten zwischen England und Australien erscheint die Vorstellung eines »Gehirnradios« auf der Basis der bisher wissenschaftlich bekannten Energieformen noch viel absurder.

Interessant müßte es sein, Experimente über die gewaltigen Entfernungen durchzuführen, die bei Raumflügen auftreten.

Beim Mondflug von »Apollo 14« sendete Kapitän Edgar Mitchell auf telepathischem Wege Kartensymbole an vier Personen auf der Erde, in den USA, unter denen sich auch der Sensitive Olof Jonsson befand.[241] Man erhielt sehr interessante und unerwartete Ergebnisse, doch es müßten weitere Experimente dieser Art durchgeführt werden, ehe eine eindeutige Beurteilung der Resultate möglich ist. Mitchell führte seine Versuche bei dem Flug auf eigene Initiative neben seiner offiziellen Mission durch. Es ist sehr zu bedauern, daß nach seinen Aussagen noch im Herbst 1971 die NASA nicht an der Untersuchung der Psi-Phänomene interessiert war, obwohl dies doch wahrhaftig keinen nennenswerten zusätzlichen Aufwand erfordern würde. Ja, die NASA soll sogar ein Telepathie-Programm im Rahmen der bemannten Raumflüge abgelehnt haben, das ihr von der Amerikanischen Gesellschaft für Psychische Forschung unterbreitet worden war.[271] Es scheint manches dafür zu sprechen, daß man auf der sowjetischen Seite diesen Problemen wesentlich aufgeschlossener gegenübersteht.

Noch wissen wir über die sich bei diesen Phänomenen abspielenden Vorgänge nicht viel. Auf jeden Fall scheint viel darauf hinzudeuten, daß sich bei der Telepathie bzw. der Mentalsuggestion ein gänzlich neuartiges Prinzip auswirkt, das unseren exakten Wissenschaften unbekannt ist. Denn die Tatsache, daß es unmöglich ist, die Telepathie durch physikalische Abschirmungen zu unterbrechen, daß die Entfernung offensichtlich keinen Einfluß auf den telepathischen Vorgang hat, sowie einige andere Fakten, scheinen dem bekannten Physiker Pascual Jordan recht zu geben, der schon vor Jahren darauf hinwies, daß die Parapsychologie auf physikalische Erklärungsversuche zur Deutung des Phänomens Telepathie verzichten müsse.[104]

Die beschriebenen Experimente werfen ein neues Licht auf die bisher von vielen Menschen für unglaubwürdig gehaltenen geistigen Heilungen, insbesondere solche über größere Entfernungen hinweg, die Fernheilungen. Offenbar gibt es tatsächlich Einwirkungen eines Menschen auf die Psyche eines weit entfernten anderen Menschen – den Empfänger oder Perzipienten –, ohne die uns wissenschaftlich bekannten Überträger wie Schallwellen,

Lichtwellen oder Radiowellen und unter Umgehung der normalen fünf menschlichen Sinne. Diese Übertragung kann, wie wir zeigten, zur Übertragung einer Schlafsuggestion ausgenutzt werden, die sich beim Empfänger als hypnotischer Schlaf realisiert. Es dürfte jedoch auch alles dafür sprechen, daß sich darüber hinaus grundsätzlich andere Arten der Suggestion auf dem gleichen »außersinnlichen« Wege übertragen lassen.

Ich habe bei einem Experiment in privatem Kreis einer Gruppe von acht Personen auf telepathischem Wege Kopfschmerzen zu übertragen versucht. Die Betreffenden erwarteten eine Mentalsuggestion, wußten aber nicht, welcher Art. Der Versuch fand im Dunklen statt, um Schlüsse aufgrund von unbewußten Gesten und aus dem Mienenspiel auszuschalten. Die Kopfschmerzen kamen innerhalb von zwei bis drei Minuten bei vier bis fünf Personen an, wobei sie bei einer etwas medial veranlagten Person derartig stark auftraten, daß ein anwesender Psychologe und Psychotherapeut sie erst durch Gegensuggestion wieder zum Abklingen bringen konnte.

Wahrscheinlich steigern sensible Menschen nach telepathischem Empfang eines solchen negativen Gefühls autosuggestiv die Beschwerden von selbst weiter. Und da durch Autosuggestion die größten Wirkungen möglich sind, steht einem Akzeptieren auch der zuvor bereits angeführten Leistungen der sogenannten Schwarzen Magie grundsätzlich nichts mehr im Wege – insbesondere in den weniger intellektualisierten Kulturkreisen, wo viele Menschen in einer ständigen Angst vor der Schwarzen Magie leben, während der stark vom Intellekt beeinflußte Mensch für derartige Einflüsse im allgemeinen weniger anfällig sein wird. Ebensowenig wie wir heute die Grenzen der normalen Suggestion bzw. der Autosuggestion kennen – es gibt sogar Fälle von Tod durch Autosuggestion![208] –, kennen wir die Grenzen der Mentalsuggestion. Wenn es nun möglich ist, negative Suggestionen auf mentalem, außersinnlichem Wege zu übertragen, dann sollte das gleiche auch für Heilsuggestionen nicht unmöglich sein.

Dem Verstand erscheint es unakzeptabel, wenn Heiler behaupten, sie könnten sich anhand eines Bildes auf einen ihnen unbekannten Patienten »geistig einstellen« und mit ihm in psychischen Kontakt kommen, sogar ohne zu wissen, wo sich der Patient aufhält. Wenn die Verbindung hergestellt sei, erleben sie oft angeblich aus der Ferne mitunter bis in die kleinsten Details die Situation des Kranken und spüren die Beschwerden wie am eigenen Leibe, so der Heiler Franz Luner aus Mannheim, der Schweizer Ludwig Rizzoli in Flüelen am Vierwaldstätter See oder der verstorbene Dr. Kurt Trampler aus München.[165, 246]

Resultate von Telepathieversuchen sowjetischer Forscher scheinen diese Behauptung zu bestätigen. Sie untersuchten bei ihren Mentalsuggestions-Experimenten die Frage: »Muß der Hynotiseur bei der telepathischen Hypnose wissen, in welcher Richtung von sich selbst aus betrachtet die Versuchsperson sich befindet, wenn er von ihr weit entfernt ist?« Ein physikalisch denkender Mensch würde hier vermuten, daß der Sender wie ein Richtstrahler seine geistige Kraft in die richtige Himmelsrichtung schicken müsse, damit sie wirksam beim Empfänger ankomme. Die Experimente ergaben jedoch, daß es keine Rolle spielte, ob der Sender wußte, wo sich die von ihm zu beeinflussende Person aufhielt, oder nicht. Auch brauchte er den betreffenden Ort noch nie gesehen zu haben.

Dagegen ergab sich die entscheidende Bedeutung einer »psychologischen Richtungseinstellung«, das heißt, der Sender mußte wissen, wer in dem betreffenden Experiment als Empfänger fungierte, welche Person also in der Bleiabschirmung saß, ob die Iwanowa oder die Fedorowa oder sonst eine andere Person. Wenn beide Empfängerinnen am gleichen Ort anwesend waren, so wirkte die Mentalsuggestion nur auf diejenige Person, auf die der Hypnotiseur sich geistig eingestellt hatte. Es war also keineswegs so, daß auch die zweite am Ort befindliche Person von der mentalen Suggestion des Senders ergriffen worden wäre.

Wassiliew sagt: »Der Inhalt der zu übertragenden Suggestion muß von dem *gedanklichen Bild* derjenigen Person begleitet sein, auf die die Suggestion übertragen wird.«

Daher benötigen Heiler – wenn sie den Patienten nicht persönlich kennen – normalerweise irgendwelche Angaben über ihn oder ein Bild, manchmal auch einen Gegenstand, den er gewöhnlich bei sich trägt; oft genügt auch ein Brief des Patienten. Als am wirksamsten erweist sich jedoch fast immer ein Bild.

1923 bis 1925 wurden Telepathieexperimente zwischen Paris und New York durchgeführt. Von den zwanzig Experimenten waren nur fünf erfolgreich. Es waren dies diejenigen, bei denen sich Sender und Empfänger kannten.[280] Mitunter »findet« jedoch ein Sender auch ihm völlig unbekannte Personen ohne Bild, nur aufgrund ihrer Adresse und ihres Namens. Doch sind diese Sender dann besonders hochqualifizierte Medien.[69, 70, 240]

Nicht selten spürt der Heiler bei einer Fernbehandlung (oder ganz allgemein der Sender, bei einer beliebigen Art der telepathischen Übertragung), wenn er »Kontakt« bekommen hat bzw. mit seinem Vorhaben zum Ziel gekommen ist. Meist tut sich ihm dies nach sehr anstrengender Konzentration in dem schwer zu beschreibenden plötzlich auftretenden Gefühl einer totalen wohltuenden Entspannung kund, verbunden mit der inneren Gewißheit, daß alles zu einem positiven Ergebnis gekommen ist bzw. jetzt von allein weitergehen werde, wobei jede vorher vorhandene Angst, Sorge oder Ungewißheit verschwunden ist. Der Heiler »weiß«, daß die von ihm ausgegangene Mentalsuggestion angekommen ist, ohne recht zu wissen, woher er das weiß. Dieses »Wissen« läßt sich nicht präzise erklären. Wer eine derartige Situation einmal erlebt hat, kennt die Empfindung genau und weiß auch, daß sie mit den üblichen Gefühlen und Einbildungen des täglichen Lebens nichts zu tun hat. Einen Skeptiker, der etwas Ähnliches nie erlebt hat, werden Beschreibungen wie diese jedoch kaum überzeugen können.

Ebenso wie der Sender bzw. der Heiler oft merkt, ob er die gesuchte Person »gefunden« hat, spürt der Empfänger oder Patient oft die Herstellung eines telepathischen oder eines Heilkontakts. So waren bei den sowjetischen Experimenten mit der Mentalsuggestion die Versuchspersonen Iwanowa und Fedorowa in der Lage zu sagen, von wem ihnen eine Mentalsuggestion übermittelt wurde, wenn mehrere Personen in Frage kamen und ihnen vorher nicht mitgeteilt worden war, welche als Sender fungieren sollte.

Sowohl die Leistungsfähigkeit des Senders (Heilers) wie auch die Sensitivität des Empfängers (Patienten) sind für den Erfolg einer Mentalsuggestion und einer geistigen Heilung entscheidend. Wahrscheinlich ergibt sich hieraus die bei geistigen Heilungen außergewöhnlich unbestimmte Heilungsprognose; denn es kommt nicht nur auf den Heiler, sondern auch auf die psychische und parapsychische Struktur des Patienten an. Es gibt viele Fälle von Patienten mit gleichen Krankheiten aber vollkommen unterschiedlichen Heilergebnissen bei ein und demselben Heiler.

Ganz allgemein ist die Disposition für das Auftreten von Psi-Phänomenen bei den Menschen unterschiedlicher Kulturkreise verschieden stark ausgeprägt. Wenn wir in unserem westlichen Kulturkreis bestimmte Phänomene nicht beobachten oder nicht auf Wunsch produzieren können, so ist damit keineswegs gesagt, daß derartige Dinge nicht doch existierten. Die Stärke des westlichen Menschen liegt im Rationalen. Die tieferen irrationalen Schichten des Unterbewußtseins sind beim hochzivilisierten Menschen oft weitgehend verkümmert. Bei den noch nicht so stark intellektualisierten Völkern aber sind gerade diese psychischen Bereiche mit ihren unserem Verstand oft unbegreiflichen Möglichkeiten noch aktiv. Daher kann ein guter Medizinmann oder Kahuna mit einem langjährigen magischen Training Dinge vollbringen, die ein westlicher Wissenschaftler weder nachvollziehen noch erklären kann und die dennoch keineswegs auf einem Trick zu beruhen brauchen.[69, 70]

Der japanische Wissenschaftler Dr. Hiroshi Motoyama stellte in den sechziger Jahren Untersuchungen über den »direkten Einfluß des Geistes« auf den Körper eines anderen Menschen an – unter Ausschaltung jeglicher physikalischer Mittel und jeglicher Beteiligung der bekannten Sinnesorgane. Seine Arbeiten stellen in gewisser Weise eine Fortsetzung der Experimente Leonid Wasiliews dar. Motoyama brachte, wie üblich, zwei Personen in getrennte Räume, eine fungierte als Empfänger, die andere als Sender. Der Raum des Empfängers war bei einer Reihe von Experimenten durch einen Faradayschen Käfig gegen Radiowellen oder ähnliche elektromagnetische Strahlen abgeschirmt. Während der Versuche wurden nun wichtige physiologische Funktionen des Empfängers und manchmal auch gleichzeitig des Senders mittels hochempfindlicher Apparate kontrolliert, so zum Beispiel die Atmung, die Herztätigkeit, die Kreislauffunktionen, das Verhalten des autonomen Nervensystems, insbesondere das Zusammenspiel der sympathischen und parasympathischen Funktionen; ferner wurden enzephalographisch die Hirnströme aufgenommen. Die Herz- und Kreislauffunktionen wurden plethysmographisch verfolgt, also über die Messung des peripheren Blutvolumens, mitunter auch elektrokardiographisch. Die sympathischen und parasympathischen Funktionen der inneren Organe, also der sympathokone bzw. vagotone Charakter der mit den einzelnen Organen zusammenhängenden autonomen Nervenfunktionen, wurde über die Messung von elektrischen Hautströmen im Zusammenhang mit den Headschen Zonen der Haut ermittelt. (Auf technische Einzelheiten dieser über mehrere Jahre durchgeführten Arbeiten kann hier nicht eingegangen werden.[148, 154])

Versuchspersonen waren paranormal begabte Menschen; indische Yogis, der philippinische Heiler Antonio Agpaoa, aber auch sogenannte normale Menschen, meist Studenten aus Japan und Indien. Sie alle befanden sich in entspannter liegender Position oder nahmen Yoga-Ruhestellungen ein. Der Sender erhielt durch Motoyama ein Signal, woraufhin er sich auf die in dem anderen Raum befindliche Person zu konzentrieren und ihr »geistige Kraft« zuzusenden hatte.

Sobald der Sender sich auf den Empfänger konzentrierte, traten im allgemeinen signifikante, manchmal sogar sehr starke Veränderungen in den Meßwerten der körperlichen Funktionen des Empfängers auf, so zum Beispiel im Atemrhythmus, der erst wieder normal wurde, als der Sender seine Konzentration beendet hatte. Ferner wurde eine Erregung des Sympathicus beim Empfänger festgestellt, die zwanzig bis dreißig Sekunden nach der Konzentration des Senders abklang. Aus dem plethysmographischen Befund während der Konzentration ergab sich, daß das Herz des Empfängers schneller und mit geringerer Amplitude zu schlagen begann.

Auch in den anderen Funktionen ergaben sich signifikante Änderungen. Ihre Stärke hing natürlich von der sensitiven Schulung der Versuchspersonen und von ihren paranormalen Fähigkeiten ab. Manchmal ergaben sich aber auch qualitativ unterschiedliche Effekte. Wenn Agpaoa sich auf einen Empfänger konzentrierte, wurde dessen Atmung schneller, wenn ein hochbegabter Yogi dasselbe tat, wurde die Atmung des Empfängers langsamer.

Enzephalographische Entsprechungen zwischen der Konzentration des Senders und der Reaktion des Empfängers traten ebenfalls auf.

Der Einfluß des Senders auf die physiologischen Funktionen des Empfängers wirkte sich am stärksten beim Atmungsvorgang aus, dann kam in der Reihenfolge der Stärke des Effekts der Einfluß auf die Herz- und Kreislauftätigkeit, und an dritter Stelle stand die Wirkung auf das sympathische Nervensystem.

Ähnliche Experimente wie von Motoyama wurden etwa um die gleiche Zeit auch von russischen Wissenschaftlern durchgeführt. In diesem Zusammenhang ist ein Experiment der Sowjets sehr interessant, das den engen Rapport zwischen Mutter und Kind im Tierversuch beweist. Man nahm einer Kaninchenmutter ihre frisch geborenen Jungen fort und brachte sie in einem U-Boot tief unter die Meeresoberfläche, wo keinerlei Funkkontakt mehr möglich war. Die Kaninchenmutter befand sich an Land in einem Laboratorium, wo mittels Elektroden im Gehirn ihre Hirnströme gemessen wurden. Die jungen Kaninchen wurden an Bord des U-Bootes eines nach dem anderen getötet, wobei synchron mit der Tötung der Jungen bei der Mutter jedesmal eindeutige enzephalographische Veränderungen auftraten. Die Instrumente am Gehirn der Kaninchenmutter registrierten also genau die Augenblicke des Todes ihrer Jungen.[169]

Wer denkt hierbei nicht an Berichte aus Kriegszeiten, die besagten, daß Mütter den Tod ihrer Söhne an der Front mitempfanden!

Dr. Motoyama stellte – wie zu erwarten war – im Laufe seiner Forschungen auch fest, daß der Effekt bei jeglicher paranormaler Übertragung auf den Empfänger bei gleicher Qualität des Senders am stärksten war, wenn es sich bei dem Empfänger nicht um einen »normalen«, sondern um einen paranormal begabten Menschen handelte.[148]

Hierin dürfte auch die Erklärung dafür liegen, daß bei gleicher Form geistigen Heilens oder paranormaler Operationen und gleichartigen Leiden oft unterschiedliche Heilerfolge auftreten. Jeder Mensch hat wahrscheinlich gewisse Psi-Fähigkeiten, die normalerweise nicht offen zutage treten, bei paranormalen Behandlungen jedoch den Ausschlag geben können.

Der Grad dieser latenten Begabungen ist sehr unterschiedlich. Personen mit medialer Veranlagung werden auf paranormale Heil- und Operationsmethoden daher im allgemeinen viel besser ansprechen als Personen ohne Psi-Begabung.[148, 154]

Dr. Motoyama hat nachgewiesen, daß die zuvor beschriebenen physiologischen Effekte besonders stark sind, wenn sich das autonome Nervensystem des Empfängers in einem Zustand befindet, in dem das Zusammenspiel zwischen sympathischen und parasympathischen Nerven ausgeglichen ist, aber das parasympathische System in seinem Einfluß etwas überwiegt. Vermutlich sind das Bedingungen, unter denen Psi-Phänomene überhaupt bevorzugt auftreten. Ferner hat Motoyama physiologische Charakteristika echt paranormal begabter Menschen untersucht und mit denen »normaler« Menschen verglichen sowie mit denen von Geisteskranken. Auf Einzelheiten kann hier nicht eingegangen werden. Es sei aber gesagt, daß innerhalb des autonomen Nervensystems die Nervenfunktionen der einzelnen inneren Organe — z. B. des Herzens, der Lunge, der Nieren — beim stark paranormal begabten Menschen eine größere Selbständigkeit und Unabhängigkeit voneinander besitzen, als beim normalen Menschen zu erwarten wäre.

So hatte der Brasilianer Carlos Mirabelli,[80] wahrscheinlich eines der stärksten Medien unseres Jahrhunderts, bei manchen seiner Leistungen einen Anstieg der Herzfrequenz auf 150 bis 200 pro Minute und mehr, dann wieder fiel der Puls auf ca. 40 pro Minute und weniger ab, das heißt, er verhielt sich in einer Weise, die ein Mediziner unbedingt als pathologisch bezeichnen würde, ohne daß sich indessen schädliche Auswirkungen zeigten. *Echte paranormale Leistungen haben eben nichts mit pathologischen Zuständen zu tun* — eine Erkenntnis, die leider noch nicht sehr verbreitet ist.

Interessant ist, daß zum original-indischen Yoga-Training Übungen gehören, die zu einer Ausdehnung des Bereichs mancher physiologischer Funktionen führen. So beginnt der Hatha-Yogi mit Atemübungen, die auf ein oft extrem langes Luftanhalten hinzielen, was bei Nichtbeachtung bestimmter Regeln schwere gesundheitliche Störungen hervorrufen könnte. Dr. Motoyama berichtet von einem indischen Yogi, der in der Lage war, sein

Herz willkürlich bis zu sechs Sekunden »anzuhalten«. Das an der Universität von Rajasthan im Nordwesten Indiens aufgenommene Elektrokardiogramm zeigte eindeutig das abnorme Langsamerwerden des Herzschlages. Bei einem normalen Menschen würde ein derartig langer Herzstillstand höchstwahrscheinlich zum Tode führen.[149]

Im Januar 1966 beobachtete Dr. Motoyama zum erstenmal die geistigen Heiler auf den Philippinen. Er hatte hierzu seine Apparaturen zur Aufnahme des Enzephalogramms, des Plethysmogramms sowie zur Aufzeichnung des Atmungsvorgangs und der galvanischen Hautströme mitgebracht. Er wollte vor allem Agpaoa testen. Motoyama benötigte damals eine volle Stunde, ehe der auf einer Couch liegende Filipino sachgemäß an das Instrumentarium angeschlossen war. Nach einer planmäßig verlaufenen Aufnahme der physiologischen Funktionen im Zustand der Entspannung des am ganzen Körper mit Elektroden bespickten Heilers, wurde dieser nun aufgefordert, sich auf seine Heilkraft zu konzentrieren. Gleich darauf schlug die Apparatur durch und war nicht mehr in Gang zu bringen. Das Experiment mußte abgebrochen werden.

Agpaoa lachte, nicht ganz ohne Schadenfreude, und sagte: »Es tut mir leid, daß Ihre Apparatur kaputtgegangen ist.« Dann zeigte er auf seine Hände: »Meine geht nie kaputt!«

Motoyama weiß heute noch nicht genau, ob die Apparatur damals infolge plötzlicher Überbelastung durch die außergewöhnliche Konzentration Agpaoas kaputtging, ob es sich um einen direkten Psi-Effekt auf die Elektronik handelte – was im Bereich des Paranormalen auch manchmal beobachtet wird[20] –, oder ob ein gewöhnlicher Kurzschluß zufällig in dem Augenblick eintrat, als Agpaoa sich in stärkster Weise konzentrierte, während die Apparatur vorher bei einer Kontrollprobe ohne Konzentration des Heilers normal funktioniert hatte. Ein ähnlicher Fall wurde dem Verfasser auch über einen amerikanischen Heiler berichtet. Eine spätere Wiederholung des Versuchs in Tokio überzeugte den Japaner von der zeitweise enormen Konzentrationsfähigkeit des Heilers und ergab, daß die physiologischen Funktionen bei ihm tatsächlich völlig anders abliefen als bei einem »normalen« Menschen.[149, 154]

Die außergewöhnlichen physiologischen Funktionen des paranormal Begabten sind wahrscheinlich aber nur die eine Seite des Problems und vielleicht nur die Peripherie von noch viel weitergehenden Veränderungen im Menschen, für deren Messung uns zur Zeit die geeigneten Detektoren noch fehlen.

Doch zurück zum telepathischen Rapport. Wir stellten fest, daß er unsere zwischenmenschlichen Beziehungen wahrscheinlich in einem Maß beeinflußt, wie wir das heute noch nicht für möglich halten. Wahrscheinlich fließen telepathische Ströme ständig zwischen den Individuen, auch wenn ihnen deren Inhalte nicht bewußt werden. Sie werden dennoch vom Unterbewußtsein oder physiologisch aufgefangen und für die unterbewußte Arbeit, für die Urteilsbildung und die Produktion von Gefühlen herangezogen. Um keine Mißverständnisse aufkommen zu lassen, sei hier jedoch klar herausgestellt, daß die außersinnliche Wahrnehmung bzw. der telepathische Rapport zwischen den Menschen unter normalen Bedingungen nur einen kleinen Bruchteil der über die normalen Sinne zustande kommenden Kommunikation ausmacht, wenngleich unter bestimmten Umständen wiederum Sonderleistungen erfolgen können, die dann von uns als »Wunder« betrachtet werden — sofern man es nicht vorzieht, sie als »Betrug« abzutun oder zu ignorieren.

Wahrscheinlich ist der außersinnliche Kontakt im normalen Leben in untrennbarer Weise der Kommunikation über die normalen fünf Sinne überlagert; besonders zwischen Menschen, die in enger seelischer Beziehung zueinander stehen, ist er oft sehr eng. Auch zwischen Arzt und Patient ist er manchmal stark ausgeprägt. Er stellt in der Praxis eines jeden guten Arztes wahrscheinlich einen wesentlichen Faktor dar — einen Faktor allerdings, der wissenschaftlich noch kaum analysiert worden ist.

In diesem Zusammenhang sei an die bereits beschriebenen Placebo-Versuche erinnert. Außer der Tatsache, daß Placebos, also Scheinarzneien, sehr oft starke Wirkungen hervorrufen, wenn der Patient sie in dem Glauben einnimmt, daß es sich um echte und wirksame Medikamente handelt, stellte man fest, daß der Placebo-Effekt ganz besonders stark wurde, wenn der dem Patienten das Placebo verordnende oder übergebende Arzt bzw.

die Krankenschwester nichts von der Unwirksamkeit des Mittels wußte, also ebenfalls an die Wirksamkeit des Medikaments glaubte. Man spricht dann vom doppelten Placebo-Versuch. Dies legt die Vermutung nahe, daß der Rapport zwischen Arzt bzw. Krankenschwester und Patient eine von Fall zu Fall verschieden starke parapsychische Komponente hat. Gleichzeitig wird wieder einmal deutlich, daß ein guter Arzt über mehr verfügen sollte als nur über solide medizinische Kenntnisse.

Der Rapport zwischen Arzt und Patient ist besonders in der Psychotherapie für eine erfolgreiche Behandlung ausschlaggebend, und wahrscheinlich spielt hier Telepathie eine viel stärkere Rolle, als den meisten Psychotherapeuten bewußt ist.

Dr. med. Hans Naegeli-Osjord (Zürich) berichtete dem Verfasser einen interessanten Fall einer selbst erlebten telepathischen Übertragung während einer Psychoanalyse, die er bei einem Patienten durchführte.

Bei der Psychoanalyse[29, 46] liegt der Patient auf einer Couch, und der Psychoanalytiker sitzt meist oberhalb des Kopfendes. Der Patient spricht über die ihm gerade in den Sinn kommenden Dinge, er gibt sich den sogenannten freien Assoziationen hin, aus denen der Analytiker die seelische Struktur des Patienten zu ermitteln versucht.

Eines Tages hatte Dr. Naegeli-Osjord erstmals ein Allergikum gegen Heuschnupfen eingenommen, das eine einschläfernde Komponente enthielt, und mußte während der psychoanalytischen Sitzung gegen plötzliche Müdigkeit ankämpfen. Als er für den Bruchteil einer Sekunde dennoch eingenickt war, stellte er – um die Situation zu überbrücken – spontan die Frage, wie sich denn in dem Traum, den der Patient gerade erzählt hatte, die Dame im blauen Mantel verhalten habe. Der Analysand war außerordentlich überrascht über die Frage, da er diese »Traumperson« noch gar nicht erwähnt hatte. Das noch nicht erwähnte Traumelement war also telepathisch wahrgenommen worden, als der Arzt für diesen kurzen Augenblick ins eigene Unbewußte eingetaucht war.

Man kann auf dem Standpunkt stehen, daß derartige psychische Übertragungen kuriose Ausnahmeerscheinungen darstellen, die praktisch keine Bedeutung haben und auch nie haben werden.

Manche Parapsychologen, die an Universitäten lehren, sind der Ansicht, daß Telepathie ohnehin nur ein winzig kleiner, mehr oder minder unbedeutender Effekt ist. Zu dieser Ansicht kam man vielleicht nicht zuletzt durch die im Westen seit Jahrzehnten praktizierten Kartentests zur Untersuchung der Telepathie, bei denen sich zeigt, daß manche Menschen eine über die Zufallsquote hinausgehende Trefferzahl haben und von beispielsweise 25 Karten bei einer Zufallsquote von 5 Treffern 7 oder 8 Karten richtig erraten, in besonderen Ausnahmefällen sogar noch mehr. Im Vergleich zu der theoretischen Möglichkeit von 25 »Richtigen« erscheint das sehr wenig, und man ist versucht, daraus zu schließen, daß Telepathie nur eine unbedeutende Randerscheinung sei.

Dieser Schluß dürfte indessen nicht richtig sein; denn es ist fraglich, ob die üblichen Telepathie-Kartentests auch nur ein einigermaßen zuverlässiges quantitatives Bild von der außersinnlichen Begabung der getesteten Person ergeben. Viele hervorragend paranormal begabte Menschen brachten bei Kartentests nur relativ geringe Leistungen zustande. Die Experimentierbedingungen sind da eben gänzlich anders als die Bedingungen, unter denen Telepathie im Alltagsleben spontan auftritt. Jedes Laborexperiment muß notgedrungen die Gefahr einer Verfälschung der alltäglichen Wirklichkeit in Kauf nehmen.

So hat zum Beispiel Harold Sherman – Präsident der ESP-Research Associates Foundation in Little Rock, Arkansas –, der 1937 von dem bekannten Harvard-Professor Gardner Murphy wissenschaftlich überwachte Telepathie-Experimente mit dem Nordpolflieger Sir Hubert Wilkins durchführte und in New York mit gutem Erfolg telepathische Botschaften empfing, die Wilkins vom Nordpol ihm rein gedanklich sendete, nur geringe paranormale Leistungen bei den Kartentests erbracht, die bei weitem nicht an das heranreichten, was er oft unter anderen Bedingungen erreichte, weil er sich, nach seinen Worten, für derartig nüchterne wissenschaftliche Tests nicht begeistern konnte. In seinem täglichen Leben stellte dagegen die außersinnliche Wahrnehmung einen sehr wichtigen Faktor dar und hatte ihm mindestens zweimal das Leben gerettet.[227]

Ganz besonders scheint sich das Phänomen des außersinnlichen Rapports in der Gruppe bzw. in der Masse auszuwirken. Hier macht sich bisweilen eine kolossale Verstärkung der telepathischen Übertragung bemerkbar. Eine Gruppe von Menschen, die miteinander harmonieren, stellen so etwas wie eine neue Einheit dar, eine neue Individualität. In der Gruppe verhält sich der Mensch ganz anders als in seiner Rolle als Individuum außerhalb der Gruppe. Er hat Empfindungen, die er, allein auf sich gestellt, nicht kannte, und begeht Handlungen, die er als einzelner nicht begangen hätte.

In Massenveranstaltungen lassen sich bekanntlich Emotionen jeglicher Art anheizen: Gefühle des Hasses ebenso wie Gefühle der Begeisterung für humanitäre Ziele und Glaubensideale. In der Gruppe oder Masse scheinen sich positive und negative Fähigkeiten auf paranormalem Wege zu multiplizieren. Für jeden Psychologen ist es eine selbstverständliche Tatsache, daß der Mensch in der Masse viel leichter suggestiv zu beeinflussen ist denn als Einzelwesen. Panikmacher und Demagogen wissen um die Bedeutung der psychischen Übertragung in der Gruppe oder in der Masse, die sich, manchmal viel schneller, als es durch Kommunikation über die fünf Sinne möglich wäre, regelrecht wie eine psychische Infektion fortpflanzt. Schon mancher, der mit einer ausgesprochenen Antieinstellung in eine politische Versammlung ging, spürte trotz all seiner logischen Gegenargumente eine unwiderstehliche Kraft, die ihn mit der begeisterten Masse mitzureißen drohte. Man denke nur an die Wirkung der Propaganda im Dritten Reich. Vielleicht wird man eines Tages von diesem Aspekt aus die Schuldfrage in einem anderen Licht sehen als bisher. Vielleicht wird die Parapsychologie einmal auch erklären, warum die Massenpsychologie sich nicht aus der Individualpsychologie ableiten läßt.

Wie sich die Überzeugungskraft von Volkstribunen und Heilsverkündern vor einem aufnahmebereiten Publikum beängstigend oder grandios zu steigern pflegt, und wie Schauspieler vor begeisterten Zuschauern weitaus bessere Leistungen vollbringen als vor teilnahmslosen – man denke hier an die sprichwörtliche »knisternde Spannung« bei guten Theateraufführungen –, so treten auch die paranormalen Fähigkeiten von Medien nicht selten in der gleichgestimmten Gruppe oder gar in der Masse oft viel stärker in Erscheinung als »im stillen Kämmerlein«. Es ist sehr fraglich, ob man diese Tatsache auf konventionellem Weg befriedigend erklären kann, also ohne die Annahme einer unbekannten Kraft, die außersinnliche Kontakte herzustellen vermag.

Die amerikanische Heilerin Kathryn Kuhlmann veranstaltet in Los Angeles religiöse Massenversammlungen mit spektakulären Heildemonstrationen. Sie soll häufig aus der Menschenmenge ihr völlig unbekannte Personen herausrufen, ihnen die richtige Diagnose stellen und dem Kranken dann zurufen: »Sie sind geheilt! Sie sind geheilt!« Es ereignen sich tatsächlich die sensationellsten Heilungen, so daß es einem schwerfällt, sie allesamt einfach auf das Konto der Autosuggestion zu buchen.[117, 231, 239]

Auf der anderen Seite kann eine harmonische Gruppe von Menschen durch eine einzige Person gestört werden, die nicht hineinpaßt. Sie stört unter Umständen das ganze Gruppenbild, was sich objektiv durch die Messung der physiologischen Funktionen der Gruppenmitglieder beweisen läßt.[169]

Untersuchungen sowjetischer Wissenschaftler an ihren Medien ergaben, daß die Effekte stark abfielen oder völlig ausblieben, wenn skeptisch eingestellte Personen zu den Demonstrationen hinzukamen, oder Personen, die den Medien unsympathisch waren. Das sowjetische Parade-Medium Nina Kulagina entwickelte indessen gelegentlich sogar die Kraft, allzu argwöhnische Zuschauer auf medialem Wege »kaltzustellen«. In einem Moskauer medizinischen Institut beschleunigte sie in Gegenwart von sechs Ärzten bei einem von ihnen die Herztätigkeit derart, daß er in Ohnmacht fiel. Es war der skeptischste unter ihnen.[93]

Dies ist jedoch, wie gesagt, eine Ausnahmeleistung. Die gedanklichen Ausstrahlungen und die psychischen Kraftfelder der Anwesenden wirken auf das Unterbewußtsein der Medien wie stärkste Mentalsuggestionen ein, und das Unterbewußtsein des Mediums ist es ja, welches das Zustandekommen der paranormalen Leistungen steuert.[149] Wenn nun eingefleischte Skeptiker anwesend sind, dann können sie – ohne es böse zu meinen – das Auftreten der Paraphänomene mitunter total blockieren, auf jeden Fall mehr oder minder stark beeinträchtigen. Medien reagieren eben wie extrem empfindliche Instrumente.

Es ist eine jedem Praktiker bekannte Tatsache, daß Medien in privaten Zirkeln mit positiv eingestellten Séance-Teilnehmern oder unter der Kontrolle von verständnisvollen Wissenschaftlern großartige Leistungen zustande brachten, während die gleichen Medien nur Kümmerliches oder gar nichts leisteten, wenn sie von »streng wissenschaftlichen« und negativ voreingenommenen Examinatoren kontrolliert wurden, die keinerlei Vertrauensverhältnis zu den Medien herzustellen bereit waren und von vornherein nur den »Trick« herauszufinden versuchten. Dabei kommt es noch nicht einmal so sehr darauf an, was die Beobachtenden im Augenblick denken. Die Gesamtheit der in ihrem Unterbewußtsein gespeicherten Ansichten und Überzeugungen wirkt auf das Medium ein und fördert oder hemmt es. Denn der Mensch denkt, fühlt, empfindet und lebt aus der Gesamtschau seines Unterbewußtseins und nicht aufgrund eines vorübergehenden oberbewußten Gedankens.[210]

An alle diese Erfahrungen werden wir uns bei der Beschreibung und Bewertung praktischer Beispiele der Heilung durch Psi erinnern müssen.

Wir stehen erst am Anfang der Erforschung der vielen Kommunikationsmöglichkeiten zwischen den Lebewesen. Ja, nicht nur von einem Menschen zum anderen Menschen scheinen außersinnliche Verbindungen zu existieren, sondern auch zu Tier und Pflanze steht der Mensch möglicherweise in psychischem Kontakt. Schon in den zwanziger Jahren untersuchte Wladimir Bechterew zusammen mit dem berühmten Dompteur Durow das Phänomen der Telepathie zwischen Mensch und Tier. Durch Mentalsuggestion übertrug Durow seinen Hunden bestimmte Bewegungsakte. Im ständigen Umgang mit Tieren aller Art hatte er gemerkt, daß dressierte Tiere oft diejenigen Aufgaben schon ausführen, an die der Dompteur vorerst nur gedacht hatte![169, 280]

Zwischen Mensch und Tier können unter Umständen seelische Bindungen entstehen, die – auch von der Seite des Tieres – mehr menschliche als tierische Züge haben. Dafür gibt es zahllose

Beispiele. Warum verharrt mancher Hund Stunden oder gar Tage in wimmerndem Gebell, nachdem sein Herr gestorben ist? Es hat ihm diese Tatsache doch niemand mitgeteilt! In letzter Zeit wird viel über das erstaunliche Verhalten der Delphine berichtet — und zwar vor allem von der Spezies des Großen Tümmlers —, das Züge und Eigenschaften aufweist, die wir als typisch menschlich anzusehen geneigt sind: Zuneigung, Kameradschaft, Hilfsbereitschaft. Delphine kommen nicht selten aus den Tiefen des Meeres hoch und fordern den Menschen zum Spiel mit ihnen auf. Was zweitausend Jahre als Legende galt, scheint jetzt erhärtete Tatsache zu sein: Delphine haben Schiffbrüchige vor dem Tod durch Ertrinken gerettet.[83]

Wahrscheinlich ist bei der Kommunikation zwischen Mensch und Tier viel mehr Psi im Spiel als gemeinhin angenommen wird.

Sogar zwischen Mensch und Pflanzen scheinen »seelische« Beziehungen zu bestehen. Aufsehen erregten die Versuche des Amerikaners Cleve Backster. Er berichtete 1968/69 über eigenartige Entdeckungen, die er einige Zeit zuvor an Pflanzen gemacht hatte. Zu Backsters beruflichen Aufgaben gehörte es, Angehörige des amerikanischen Bundeskriminalamtes FBI in den Gebrauch moderner elektronischer Lügendetektoren (Polygraphen) einzuführen. Eines Tages kam er auf den Gedanken, ein solches Instrument für Experimente an Pflanzen zu benutzen. Und zwar wollte er wissen, wie lange Wasser braucht, um in einer seiner Pflanzen — einer Agavenart — von den Wurzeln bis zu den Blättern hochzusteigen. Da das Prinzip des Lügendetektors auf elektrischen Leitfähigkeitsmessungen am menschlichen Körper beruht, schloß Backster zwei Elektroden des Detektors an ein Pflanzenblatt an und erwartete ein Ansteigen der elektrischen Leitfähigkeit mit dem Hochsteigen des Wassers in der Pflanze. Der Polygraph zeigte eigenartige Reaktionen, die beim Menschen normalerweise auf heftige Gefühlsbewegungen hindeuten würden.

Wenn Personen bedroht werden, zeigt der Polygraph gewöhnlich eine starke Reaktion. Deshalb kam Backster auf den Gedanken, die Pflanzen zu bedrohen: Er tauchte ihre Blätter in eine Tasse Kaffee — keine Reaktion! Er machte laute Musik — keine Reaktion! Schließlich durchzuckte ihn ein Gedanke: »Ich verbrenne das verdammte Ding!« In diesem Augenblick verzeichnete der an die Pflanze angeschlossene Polygraph eine sehr heftige Reaktion. Auch beim Entlangstreichen eines brennenden Streichholzes an der Pflanze gab es »große Aufregung«. Ferner registrierte der Polygraph eine starke Reaktion, wenn Backsters Hund ins Zimmer kam.

Backster tötete in der Nähe der Pflanzen ein paar Garnelen, und der Schreiber des Polygraphen schnellte wie wild in die Höhe. Es sah so aus, als ob Pflanzen über ein Empfindungsvermögen und über Erinnerungsvermögen verfügen; denn er konnte sie angeblich im Sinne eines Pawlowschen Reflexes konditionieren. Ja, der russische Biophysiker Viktor Adamenko hält es anscheinend keineswegs für unmöglich, daß Pflanzen als »Zeugen« eines Mordes unter anderen Personen den Mörder »wiedererkennen« könnten.[6]

Der psychische Kontakt zwischen Backster und seinen Pflanzen intensivierte sich durch liebevolle Pflege der Gewächse im Laufe der Zeit immer mehr und soll – wie die Telepathie – auch über größere Entfernungen funktioniert haben. Negative und positive Ereignisse in Backsters Tagesablauf wirkten sich angeblich, wie am Polygraphen abzulesen war, entsprechend auf das Empfinden der Pflanzen aus. Diese Dinge klingen so phantastisch, daß man Hemmungen hat, sie niederzuschreiben, und doch handelt es sich erwiesenermaßen nicht um Hirngespinste. Zwar wurde Cleve Backster – obwohl man ihn als einen von Berufs wegen argwöhnischen Mann kannte, als Lügendetektor-Fachmann, dem niemand etwas vormachen konnte – zunächst ausgelacht, als er von seiner Kommunikation mit den sensiblen Pflanzen berichtete, doch verstummten die spöttischen Stimmen schnell. Denn schon sehr bald beschäftigten sich amerikanische und sowjetische Wissenschaftler mit dem »Backster-Effekt«. Inzwischen sind in dieser Richtung weit über tausend Laborexperimente gemacht worden, die unter anderem ergaben, daß Pflanzen bereits reagieren, wenn in ihrer Nachbarschaft ein befruchtetes Ei zerbrochen oder wenn eine Wunde am menschlichen Körper mit einem Antiseptikum behandelt wird. Die Polygraphen registrieren, daß Pflanzen »aufschreien«, »in Ohnmacht fallen«, sich »freuen« können usw.[82, 169]

In diesem Zusammenhang seien auch Experimente erwähnt, die Ende der sechziger Jahre mit dem amerikanischen Heiler-Ehepaar Ambrose und Olga Worral durchgeführt wurden. Es wurde die Wachstumsgeschwindigkeit von Raygrasblättern mit einer von Dr. H. H. Kleuter vom US-Department of Agriculture ersonnenen Apparatur über längere Zeit hinweg gemessen. Versuchsleiter war der Chemiker Dr. Robert N. Miller. Die Pflanzen befanden sich in Atlanta, Georgia. In etwa tausend Kilometer Entfernung konzentrierten sich die Worrals in Baltimore zu einer vereinbarten Zeit auf die Pflanzen, und zwar um 21 Uhr, wobei sie sich in Gedanken ein intensives Wachstum bildlich vorstellten. In dieser Stunde setzte eine Wachstumsbeschleunigung von über 800 Prozent ein, die mehrere Stunden anhielt.[140] Vorher hatten andere Experimentatoren ähnliche Versuche mit anderen Heilergruppen durchgeführt. Sie hatten qualitativ das gleiche Ergebnis erzielt, wenn auch nicht eine derartige Stärke des Effekts wie bei den Worrals. Außerdem waren die Versuche nicht mit derselben wissenschaftlichen Strenge durchgeführt worden wie bei dem Millerschen Experiment. Von weiteren Experimenten mit Pflanzen wird an späterer Stelle noch berichtet.

Zusammenfassend läßt sich sagen, daß alles auf die Tatsache einer noch so gut wie ungenutzten und vor allem völlig unbekannten Verbindung der ganzen belebten Materie untereinander hindeutet und auf das Vorhandensein einer wissenschaftlich noch nicht erfaßten informationsübertragenden Energie, die sich eines Tages vielleicht als identisch oder verwandt mit jener Psi-Energie erweisen wird, aus der die geistigen Heiler und Operateure ihre Kraft schöpfen.

Die mediale Diagnose

So wie in der Schulmedizin der Therapie die Diagnose vorangeht, erfolgt vor der Heilung durch Psi die Diagnose durch Psi. Auch die paranormalen Diagnosemethoden sind vielfältig und äußerst differenziert. Eine der Möglichkeiten ist das telepathische Erfühlen der körperlichen Funktionen und Störungen des Patienten durch den Heiler. Im Gegensatz zur Mentalsuggestion, wo es sich um eine aktive Übertragung vom Sender bzw. Heiler auf eine andere Person, zum Beispiel den Patienten, handelt, spricht man hier von Telemnesie.[28] Hierbei spielt der Heiler die Rolle des aktiven Empfängers. Ein hochbegabter Heiler wird beide Funktionen in sich vereinen. Bei der paranormalen Diagnose ist er aktiver Empfänger, beim eigentlichen Heilverfahren ist er aktiver Sender. Wichtig ist, daß bei der Telemnesie nicht nur momentane Bewußtseinsinhalte empfangen werden können, also nicht nur das, woran die andere Person gerade denkt, sondern auch in der Person gespeicherte Informationen telepathisch erfaßt werden. Mit anderen Worten: Der Informationsgehalt des Unterbewußtseins kann — so sieht es jedenfalls aus — durch die Telemnesie »angezapft« werden.

Das Unterbewußtsein ist nach Ansicht vieler Forscher keine streng wissenschaftliche Realität, sondern vielmehr eine rein psychologische Konzeption.[203] Doch sollte man darin kein Werturteil sehen; denn als praktisches Arbeitskonzept hat sich der Begriff des Unterbewußtseins außergewöhnlich gut bewährt, und der einzelne kann in seinem Leben mit einer praktischen Alltagspsychologie, die das Unterbewußtsein berücksichtigt, viel mehr erreichen als mit einer Psychologie, die die Existenz des Unterbewußtseins ignoriert oder abstreitet. Die Aktivierung des Unterbewußtseins kann im Menschen ungeahnte Kräfte freimachen, woraus zu schließen ist, daß dieser psychologischen Konzeption eine Realität zugrunde liegen muß, auch wenn wir sie wissenschaftlich noch nicht befriedigend definieren können. Aber streng wissenschaftlich können wir heute ja auch das Bewußtsein noch nicht fassen oder erklären.

Man hat das Seelenleben des Menschen oft mit einem Eisberg verglichen, von dem man nur die oberste Spitze sieht. Der größte Teil des Eisberges befindet sich unsichtbar unter der Oberfläche des Wassers, und ähnlich spielt sich der größte Teil unseres Seelenlebens in Bereichen ab, die *außerhalb* unseres Bewußtseins liegen, in Bereichen von noch unbekannter Tiefe und mit noch ungeahnten Möglichkeiten.[159, 160, 208, 209]

Dieses Unterbewußtsein ist der Informations- und Gedächtnisspeicher für alle wichtigen und unwichtigen Ereignisse, Erlebnisse, Emotionen und Erkenntnisse unseres Lebens. Dinge, die wir vor Jahren erlebt haben und die sich heute der bewußten Erinnerung entziehen, sind keineswegs total vergessen, sondern ruhen in den Tiefen des Unterbewußtseins und können unter Umständen durch irgendein Ereignis assoziativ wieder an die Oberfläche des Bewußtseins gebracht werden.

Ferner ist das Unterbewußtsein Ursache und Quelle unserer Gewohnheiten. Die vielen kleinen Handlungen, die wir automatisch und ohne nachzudenken ausführen, kommen durch die Tätigkeit des Unterbewußtseins zustande. Alles, was wir gelernt haben und was scheinbar »von allein« geht, besorgt unser Unterbewußtsein. »Von allein« geht in Wirklichkeit gar nichts, alles hat seine Ursache. Selbst die einfachsten Vorgänge, wie Stehen, Gehen usw., werden dem Unterbewußtsein eingeübt, ehe sie automatisch abrollen. Alles Lernen ist letztlich ein Trainieren des Unterbewußtseins. Auch das, was der Psychologe als »bedingten Reflex« bezeichnet, ist die Automation eines unbewußten Vorgangs, der sich in tieferen Schichten des Unterbewußtseins abspielt und willensmäßig nicht mehr direkt zu beeinflussen ist.

Aber nicht nur Informationen, Erlebtes, Automatisiertes und Gelerntes aus dem bisherigen Leben steckt in dem ungeheuren Reservoir unseres Unterbewußtseins, sondern es sieht oft so aus, als wäre auch ein Wissen darin enthalten, das wir nicht erst im Laufe dieses Lebens aufgenommen oder erworben haben, sondern das bereits weitgehend bei unserer Geburt vorhanden war.

So steuert das Unterbewußtsein weitgehend jene Körperfunktionen, die der Mensch normalerweise nicht direkt willkürlich steuern kann, wie zum Beispiel die Funktionen der inneren Organe. Man denke an die Tätigkeit des Magens, die Sekretion der Speicheldrüsen usw. Daß es sich hierbei nicht um rein mechanisch-physikalische Vorgänge handelt, ersieht man an der leichten Beeinflußbarkeit dieser Abläufe durch seelisch-geistige Faktoren, also durch Vorstellungen und Gedanken. Der Anblick eines Haares in der Suppe kann die Sekretion der Speichel- und der Magendrüsen schlagartig blockieren, bei sehr sensiblen Menschen sogar Brechreiz auslösen.

Wie der Kontakt zwischen seelisch-geistiger Vorstellung und physiologischer Reaktion des Körpers funktioniert, ist noch weitgehend unbekannt. Es werden im Laufe der nächsten Kapitel neue Aspekte gezeigt werden, die möglicherweise einmal dazu beitragen, den Weg zu erkennen, auf dem sich eine geistige Vorstellung im Bereich des Körperlichen verwirklicht bzw. auswirkt.

Es gibt zahlreiche Hinweise darauf, daß im Unterbewußtsein eines jeden Menschen wahrscheinlich ein gewaltiges Intelligenzzentrum steckt, das sich mit der richtigen Steuerung der biologischen Vorgänge unseres Körpers befaßt, ein Organisch-Unbewußtes, das über die Situation des eigenen Körpers in allen Einzelheiten Bescheid weiß, also auch um latente Krankheiten, von denen der Betreffende oberbewußt oft noch gar nichts merkt. Dieses Wissen findet nicht den Weg nach oben, es kommt nicht ins »Oberbewußtsein« — jedenfalls *noch* nicht.

Man hat nach Techniken gesucht, um Kontakt mit den Tiefenschichten der Psyche herzustellen und an die dort gespeicherten Informationen heranzukommen — mit unterschiedlichem Erfolg. Eine solche Methode, das eigene Unterbewußtsein zu befragen, ist die *Pendelmethode,*[123] die folgendermaßen angewandt werden kann:

An einem zehn bis zwanzig Zentimeter langen Faden wird ein Gegenstand befestigt, meist aus Metall; insbesondere Messing wird häufig benutzt. Mit Hilfe eines solchen Pendels kann man Kontakt mit dem eigenen Unterbewußtsein herstellen und Informationen aus ihm hochzuholen versuchen. Der Pendler nimmt den Faden zwischen Daumen und Zeigefinger, stützt den Ellenbogen auf dem Tisch ab, so daß das Pendel unbehindert frei schwingen kann. Den möglichen Schwingungsrichtungen gibt man bestimmte Bedeutungen wie »ja«, »nein« usw. Dann werden dem Unterbewußtsein Fragen gestellt, und man wartet ab, ohne die Bewegung des Pendels bewußt zu beeinflussen. Im allgemeinen meldet sich das Unterbewußtsein von allein. Das Pendel beginnt in einer bestimmten Richtung zu schwingen. Die Bewegung des Pendels kommt normalerweise durch unbewußte Muskelbewegungen zustande. Man spricht von ideomotorischen Bewegungen. Sie können aber durchaus der Ausdruck einer Antwort des Unterbewußtseins sein: Das Unterbewußtsein macht den Versuch, sich dem Oberbewußtsein über winzige Muskelbewegungen bemerkbar zu machen. Das ist weder Hexerei noch Aberglaube. Es zeigt nur die tatsächliche Existenz des Unterbewußtseins, und es zeigt, daß es »denkt« und urteilt, und die Frage des Oberbewußtseins auf dem Wege der Sprache unwillkürlicher Muskelbewegungen beantworten will. Das heißt keinesfalls, daß die Antworten unbedingt richtig sein müssen. Mangelnde Übung in dieser Technik der Befragung, Wunschdenken der pendelnden Person, ungenügende Ausschaltung des Oberbewußtseins und eine Reihe weiterer Faktoren können das Ergebnis verzerren und Fehlresultate bewirken. Das ändert jedoch nichts daran, daß mit zunehmendem Training immer bessere Resultate erzielbar sind.

Der amerikanische Hypnoseexperte Leslie LeCron hat ein interessantes Experiment unter Anwendung der Pendelmethode beschrieben:

In Anbetracht der vermutlich enormen Wissenskapazität des Unterbewußtseins wollte man feststellen, ob das Unterbewußtsein einer schwangeren Frau das Geschlecht des ungeborenen Kindes bereits wisse. Hierzu wurden 402 Frauen in die Befragungstechnik des Unterbewußtseins nach der Pendelmethode eingeführt und »pendelten« das Geschlecht des ungeborenen Kindes aus. In 360 Fällen wurde das Geschlecht richtig vorausgesagt. Das ist ein außergewöhnlich überzeugendes Ergebnis, denn es sind 90 Prozent, während die Zufallsquote bei 50 Prozent liegt. Die Fehlresultate kamen wahrscheinlich durch das Wunschdenken der betreffenden Frauen zustande. In drei Fällen wurden angeblich Zwillinge richtig ausgependelt; sogar die Geschlechtsangabe soll gestimmt haben.[123]

Es gibt nun Diagnosemedien, die auf telepathischem Wege mit dem Informationsgehalt des Organisch-Unbewußten anderer Menschen Kontakt herstellen können und ihm Informationen entnehmen. Dies ist eine häufige Form der paranormalen Diagnose. Der Heiler stellt sich gedanklich auf den Patienten ein. Der Patient kann sich vor ihm befinden, er kann aber unter Umständen auch weit entfernt sein. Manche Heiler beginnen dann, die Beschwerden der Patienten wie am eigenen Leibe zu erleben und zu fühlen.

Der Münchner Heilpraktiker Dr. Kurt Trampler[128, 246] sagte:

»Ich denke an den Patienten und versuche mich ganz und gar in ihn hineinzufühlen. Bald nach Beginn dieser geistigen Einstellung spüre ich dann in meinem Organismus die gesundheitlichen Störfelder des Patienten. Ich spüre seine Schmerzen, seine Gebrechen. Ich weiß, wo die Ursachen seiner Leiden liegen.«[165]

Auf diese Phase des telepathischen Aufnehmens folgt sogleich die des Einwirkens auf den Patienten, die an die Mentalsuggestion erinnert. Dr. Trampler fährt fort: »Sogleich beginnt, ebenfalls für mich fühlbar, der Heilungsvorgang bei dem Patienten!«

Bei der Herstellung des ersten Kontakts zwischen Heiler und Patient sind Faktoren wie Sympathie und Antipathie von entscheidender Bedeutung. Deshalb betont Agpaoa immer wieder, wie wichtig es sei, daß der Patient volles Vertrauen zu ihm hat. Wenn der wortlose Informationskontakt nicht so glatt verläuft, benötigte er früher ein Medaillon, das er zwischen Daumen und Zeigefinger nahm und dann angesichts bestimmter Fragen fixierte. Die Antwort wurde ihm von seinem Unterbewußtsein in Form eines visuellen Farbeindrucks gegeben. Sein auf das Medaillon gepreßter Daumen verfärbte sich für ihn. Verschiedene Farben hatten bestimmte Bedeutungen. Im Prinzip handelt es sich um eine Variante der Pendelmethode. Das Unterbewußtsein wählt hier nur andere Wege und Symbole, um sich dem Oberbewußten verständlich zu machen.

Heute orientiert sich Agpaoa an auraartigen Färbungen der Patienten, die er angeblich wahrnimmt, in Kombination mit Färbungen, die um seine eigenen Finger herum auftreten, wenn er diese den kranken Körperstellen des Patienten nähert. Aber nicht nur über optische Eindrücke teilt sich ihm sein Unterbewußtsein mit, sondern auch über das Gefühl in seinen Fingerspitzen. Wenn er mit seiner Hand über den Patienten im Abstand von einigen Zentimetern hinweggleitet, »fühle« er die kranke Stelle im Körper und »wisse«, was ihm fehlt.

Der Heiler Blance in Manila »sieht« das kranke Organ sogar. Bei der Ausbildung von Medien und Heilern in den philippinischen Spiritual Churches wird diese visuelle Imaginationsfähigkeit regelrecht trainiert.

Professor Hans Bender berichtet den Fall der Frau S., die ebenfalls auf paranormalem Wege Krankheiten erkannte:

»Am Anfang ihrer Tätigkeit, als sie noch keinerlei medizinische Kenntnisse besaß, beschrieb sie bei einem Patienten, bei dem nicht der leiseste Verdacht einer – später bestätigten – positiven Wassermannreaktion bestand, sie sehe in seiner Rückenmarksflüssigkeit kleine wächserne, glasähnliche, korkenzieherartige Gebilde.«[19]

Eine beachtliche telemnestische Begabung besitzt auch die Wuppertaler Heilpraktikerin Helga Kramer. Wenn ein neuer Patient zu ihr kommt, faßt sie seine Hände und konzentriert sich. Nach kurzer Zeit erlebt sie die offensichtlichen Beschwerden und auch latente Erkrankungen des Patienten wie an ihrem eigenen Körper. Das geht von Kopfschmerzen über Herzstechen, Sodbrennen und Rheuma bis zu kalten Füßen. Interessant ist auch, daß sie zumindest in vielen Fällen spezielle Drogen und Medikamente spürt, die der Patient in größeren Mengen eingenommen hat (z. B. Penicillin), sowie Gifte (u. a. Nikotin). Aus der Art, wie sie die Beschwerden mitempfindet, glaubt sie, wertvolle Hinweise für die Therapie ableiten zu können. Wenn die Untersuchung beendet ist, muß sie die mitempfundenen Leiden – wie sie sagt – »wieder abschütteln«, was ihr aber immer leicht gelingt. Es kann hier keinerlei quantitative Aussage über die Vollständigkeit und Zuverlässigkeit der Diagnosen gemacht werden, da wissenschaftliche Untersuchungen nicht vorliegen.

Doch selbstverständlich verifiziert die Heilerin ihren paranormal erhaltenen Befund noch durch Untersuchungen konventioneller Form.

Interessant ist auch ihr — wie sie es nennt — Musiktest. Sie setzt sich ans Klavier. Eine ihr unbekannte Versuchsperson legt ihre Hand auf die Gegend der *Medulla oblongata* (verlängertes Rückenmark) der Heilerin, und nach kurzer Zeit spielt sie musikalische Improvisationen, die das Temperament und die Gemütslage der betreffenden Person in der Sprache der Musik ausdrücken. Außerdem kommen hierbei oft noch sehr überraschende, aber meist zutreffende Aussagen zustande, die kaum auf der Basis der konventionellen Psychologie zu erklären sein dürften.

Man kann sich darüber streiten, ob es sich hier um telepathisches Anzapfen des Informationsgehaltes des Organisch-Unbewußten handelt oder um Hellsehen. Erklären können wir weder das eine noch das andere. Über das Zustandekommen des Hellsehens wissen wir aber noch weniger als über das der Telepathie.

Vielleicht der großartigste Meister der medialen Diagnose war der 1945 verstorbene Amerikaner Edgar Cayce, der sich, um seine Diagnosen stellen zu können, in Schlaf versenkte. In diesem Zustand schien sein Unterbewußtsein in der Lage zu sein, mit jeder beliebigen Person auf unserem Planeten in geistige Verbindung zu treten und dem Organisch-Unbewußten anderer Menschen Informationen zu entnehmen. Sein Unterbewußtsein pflegte sich dann direkt zu äußern, und er begann im Schlaf zu reden. Er stellte zutreffende Diagnosen für seine Patienten, die in der Mehrzahl der Fälle nicht anwesend waren, sondern ihn nur brieflich um Rat gefragt hatten – oft aus anderen Erdteilen, ebenso wie ja die meisten anderen Fernheiler ihre Patienten auch nur selten zu Gesicht bekommen.

Edgar Cayce wußte nach dem Erwachen nichts mehr von all dem, was er im Schlaf gesagt hatte. Im Wachzustand konnte er keinerlei Diagnosen stellen oder Voraussagen machen, das heißt, es bestand kein Kontakt zwischen den entsprechenden Tiefenschichten seines Unterbewußtseins und seinem Oberbewußtsein. Er besaß keinerlei medizinische Ausbildung und kannte die Fachausdrücke, die er im Schlaf gebrauchte, überhaupt nicht. Oft deckte er ursächliche Zusammenhänge verschiedener Leiden auf, die von den Ärzten vorher trotz gründlichster Untersuchungen nicht erkannt worden waren, hinterher aber bestätigt wurden.[240] Über den »schlafenden Heiler« sind viele Bücher geschrieben worden, Illustriertenberichte und Doktorarbeiten. Dr. Harmon Hartzell Bro hat das Prinzip der Cayce'schen Readings – wie man seine im Schlafzustand gemachten Aussagen nannte – genau und allgemeinverständlich analysiert:

»Ein typisches medizinisches Reading begann mit einer Bewertung der Schwere des Leidens, dessentwegen der Ratsuchende sich an ihn gewandt hatte. Dann ging das Reading zum kritischen Punkt der Fehlfunktion im Körper über – sei es eine Infektion, eine Verletzung oder irgendeine andere Abnormität. Manchmal unterschied sich dieser Punkt stark von dem, was der Patient oder sein Arzt erwartet hatte; so lokalisierte Cayce die kritische Stelle bei Epilepsie im Unterleib und erst in zweiter Linie im Gehirn. Er spürte die grundlegenden Krankheiten des zu untersuchenden Körpers auf, als studierte er einen ganzen Stapel Röntgenbilder und Laborberichte und läge gar nicht schlafend auf einer Couch, oft hunderte Kilometer von dem Patienten entfernt, den er nie gesehen hatte.

Gewöhnlich ging er als nächstes die wichtigsten Körpersysteme durch und erwähnte auch deren Geschichte bei dem betreffenden Patienten, dazu ihre gegenwärtige Funktion und sogar die genauen Symptome sowie das Gefühl, das sie dem Patienten zu einer bestimmten Tages- oder Nachtzeit vermittelten. Er hatte es sich zum Prinzip gemacht aufzuzeigen, wie jedes System zu der Fehlfunktion oder Störung eines anderen Systems beitrug, und erklärte oft nachdrücklich, der ganze Mensch müsse behandelt werden, nicht einfach ein gegebener Krankheitskomplex mit irgendeinem medizinischen Namen.

Zuerst nahm er sich die Kreislaufsysteme vor, den Blut- und den Lymphkreislauf. Es bereitete ihm offenbar keine Schwierigkeiten, Blutzählungsstatistiken zu liefern, Toxine im Blut, den Blutdruck, Infektionsherde oder Verengungen im Kreislaufsystem anzugeben. Er untersuchte die Funktion endokriner Drüsen und ihre Auswirkung auf das Blut, den Blutzucker und

Mikroorganismen (er konnte sogar schildern, wie ein derartiger Mikroorganismus unter dem Mikroskop aussehen würde).

Dann ging er zum Nervensystem über, dem zerebrospinalen und dem autonomen, und beschrieb Schädigungen oder Unregelmäßigkeiten. Funktionierte irgendeiner der Sinne abnormal, erklärte er, in welcher Weise und warum, erwähnte auch Reaktionszeiten, Schmerzschemata, zu starke oder zu schwache Reizungen von Körperteilen. Wenn notwendig, bezeichnete er bestimmte Nerven und Ganglien besonders, zeigte ihre genaue Lage und Funktion im Körper auf.

Als nächstes folgten die wichtigsten Organsysteme. Cayce untersuchte den Zustand des Gehirns. Darauf kam das Atmungssystem von der Nase bis zur Lunge an die Reihe, wobei er typische Kongestionsschemata registrierte, die Geschichte einer etwaigen Tbc anführte und – wenn notwendig – aufzeigte, was bei einer Röntgenuntersuchung zutage gekommen wäre. Dann schlossen sich das Herz und sein kleiner Kreislauf mit der Sauerstoffanreicherung des Blutes an; Cayce äußerte sich mühelos über den Puls, die Funktionen der Herzklappen, Ablagerungen in Herz und Herzgegend und die Geschichte von Herzkrankheiten. Danach untersuchte er das gesamte Verdauungssystem vom Mund bis zu den Ausscheidungsorganen. Er prüfte oft das Säure-Alkali-Gleichgewicht, die Peristaltik, die Sekretionen von Leber und Bauchspeicheldrüse, die Ausscheidungen und die Nierenfunktion. Die Geschlechtsorgane sowie der gesamte Gebärapparat wurden untersucht, wenn es ratsam war, und besondere Aufmerksamkeit fanden die Funktionen der endokrinen Drüsen sowie die hier hereinspielenden Fragen des Stoffwechsels und der Wachstums- oder Heilfähigkeiten des Körpers.

An dieser Stelle des Readings hatte Cayce gewöhnlich eine halbe Stunde oder länger in bewußtlosem Zustand gesprochen. Es war an der Zeit für ihn, zur komplizierten Frage der Behandlung überzugehen. Er widmete sich ihr mit gleicher Gründlichkeit, denn er bestand darauf, ein Programm zur Wiederherstellung des Patienten aufzustellen und die Ursache des Leidens zu beseitigen, nicht allein die Symptome.«[30]

Verglichen mit dem Wirken des »schlafenden Heilers« Edgar Cayce, wirkt eine andere Art des paranormalen Diagnostizierens geradezu konventionell: Es ist die *radiästhetische Methode.* In aller Welt gab und gibt es Heiler, die Krankheitsherde dadurch zu orten suchen, daß sie mit ihrer leicht gespreizten Hand in einigen Zentimetern Abstand über den kranken Körper hinweggleiten und sich auf die »Ausstrahlung« des Körpers konzentrieren. Mitunter benutzen sie als Hilfsmittel auch ein Pendel – wie der berühmte französische Heiler Maurice Mességué[132] – oder sogar eine Wünschelrute, wie der Münchner Heilpraktiker Josef Angerer. Diese Hilfsmittel sind bei genügender Sensitivität des Heilers meist nicht unbedingt notwendig, scheinen aber den Effekt zu verstärken. Vielleicht spüren manche Heiler auf diese Weise Unregelmäßigkeiten in den Kraftfeldern des kranken Körpers, die das Lokalisieren eines Herdes ermöglichen oder auch bei offensichtlichen Herden, zum Beispiel einem oberflächlichen Gewächs, die Aussage gestatten, ob gutartig oder nicht. Bei den philippinischen Heilern ist dies eine häufig angewandte Art der Diagnose.

Es soll hier keinerlei Aussage über die Zuverlässigkeit der paranormalen Diagnose im Vergleich zur klinischen gemacht werden. Sie wird von Heiler zu Heiler und von Fall zu Fall unterschiedliche Zuverlässigkeitsgrade aufweisen. Oft werden sich die Diagnosen des Heilers und des Schulmediziners gar nicht miteinander vergleichen lassen, da paranormale Heiler in vielen Fällen keine Diagnose stellen, die einen Schulmediziner befriedigt, sondern lediglich Störfelder lokalisieren und ihre Verbindung mit anderen Körperregionen, vor allem aber auch zum geistig-seelischen Bereich erkennen.

Daß jene Erscheinungsformen der Telepathie – die Mentalsuggestion und die Telemnesie –, die im Zusammenhang mit paranormalen Heilmethoden eine so wichtige Rolle spielen, wirklich existieren, dürfte heute als endgültig bewiesen gelten, doch besagt das keineswegs, daß wir sie bereits verstehen oder wissenschaftlich erklären können. Es deutet vielmehr alles darauf hin, daß sich die den paranormalen Heilphänomenen zugrunde liegenden Psi-Erscheinungen nicht auf der Basis unserer bisherigen etablierten wissenschaftlichen Vorstellungen erfassen lassen.

Grundsätzlich neuartige Annahmen und Entdeckungen werden notwendig sein, um uns in der Erforschung dieser Phänomene weiterzubringen – und zwar wahrscheinlich zu der Einsicht, daß die vielen Varianten der Psi-Phänomene Auswirkungen einer wissenschaftlich noch nicht erfaßten Energie sind – einer Energie, die möglicherweise überall in der belebten Welt eine entscheidende Rolle spielt.

Akupunktur - ein Psi-Phänomen?

Das Vorhandensein einer neuartigen biologischen Energie, die von unseren Wissenschaften noch nicht erfaßt worden ist, wurde schon oft postuliert.[69, 70, 283] In östlichen und fernöstlichen Kulturkreisen glaubt man an eine Lebensenergie, die von den Naturwissenschaften noch nicht nachgewiesen werden konnte, was aber kein Beweis dafür ist, daß es sie nicht gibt. Auch die radioaktive Strahlung gab es bis 1896 wissenschaftlich nicht, obschon sie seit der Entstehung unserer Erde existiert, also längst da war, bevor es irdische Lebewesen gab.[71]

Die chinesischen Ärzte des Altertums glaubten an eine im Körper fließende Lebens- oder Vitalenergie *Ch'i*, deren Fluß das Leben im Körper erhalte und in zwei Formen in Erscheinung trete: *Yin* und *Yang*.[54] Störungen im Fluß dieser alles motivierenden Kraft seien die Ursachen von Krankheiten und Schmerz. Schon vor fünftausend Jahren sollen chinesische Weise auf der Basis dieses kosmologisch-philosophischen Systems ein Heilverfahren entwickelt haben, das in letzter Zeit außergewöhnliche Aktualität erlangt hat: die *Akupunktur*.

Nach chinesischer Überlieferung fließt die Vitalenergie im Körper in der Längsrichtung auf zwölf oder mehr Hauptlinien, sogenannten Meridianen. Sie sind keineswegs identisch mit den Nervensträngen, die durch den Körper gehen.[22, 33] Auf diesen Meridianen liegt eine große Anzahl von Punkten, an denen sich der Strom der Vitalenergie durch Anstechen, Druck oder »Moxibustion« beeinflussen und bei Störungen das Gleichmaß des Energiestromes wiederherstellen läßt – wodurch die Krankheit verschwindet. Bei der Moxibustion werden gewisse getrocknete Kräuter auf bestimmte Akupunkturpunkte um die eingestochene Nadel gehäuft und abgebrannt, wobei die Nadel glühend wird, ohne daß es zur Verbrennung der Haut kommt.[176]

Durch Einstechen von dünnen Nadeln an bestimmten Punkten der Körperoberfläche können erkrankte Organe beeinflußt werden, die meist an ganz anderen Stellen des Körpers liegen. Die chinesischen Akupunkteure kennen etwa achthundert solcher Akupunkturpunkte.

Das Erstaunlichste an der Akupunktur – und deswegen erregt sie seit dem Besuch Richard Nixons und deutscher Politiker in der Volksrepublik China bei uns so große Aufmerksamkeit – ist die Erzielung einer oft mehrstündigen völligen Schmerzfreiheit, einfach indem vier oder zwei Nadeln – manchmal sogar nur eine – an vom Krankheitsherd meist ziemlich weit entfernten Hautpunkten eingestochen werden. Selbst schwerste Operationen werden dadurch ermöglicht. Die Patienten bleiben bei vollem Bewußtsein. Mitunter stehen sie gleich nach der Operation aus eigener Kraft auf und verlassen den Operationssaal zu Fuß.

»Ich habe mehr Akupunktur gesehen, als ich logisch verkraften kann. Während man diese Prozeduren beobachtet, sagt der wissenschaftliche Verstand unentwegt: ›Mein Gott, das kann nicht wahr sein!‹ Und doch steht man da und sieht es. Ich bin mir noch immer nicht im klaren darüber, wie die Akupunktur funktioniert, aber ich muß zugeben, daß etwas Wahres daran ist.«

Das erklärte Professor Dr. E. Gray Dimond, der weltbekannte amerikanische Herzspezialist, nach seiner Rückkehr aus der Volksrepublik China im Oktober 1971. Zusammen mit einem anderen Herzspezialisten, Dr. Victor Sidel, sowie Dr. Paul Dudley White, dem einstigen Leibarzt Präsident Eisenhowers, und Dr. Samuel Rosen, einer Kapazität der Ohrenheilkunde, war Dimond Gast der Chinesischen Ärztegesellschaft. Was ihn vor allem interessierte, waren Operationen, bei denen ausschließlich Akupunktur-Narkose verwendet wurde. Er war bei zehn solchen Eingriffen zugegen. In einem der Fälle handelte es sich bei dem Patienten um einen chinesischen Chirurgen, der an Tuberkulose litt. Vor Dimonds Augen wurde eine 3,75 Zentimeter lange Nadel in den linken Arm des Patienten eingeführt. Er erhielt kein anderes Betäubungsmittel. Während er ganz offensichtlich bei vollem Bewußtsein und schmerzfrei auf dem

Operationstisch lag, entfernten die Chirurgen die obere Hälfte seines linken Lungenflügels. Dr. Dimond berichtete darüber folgendermaßen:

»Der Brustkorb des Patienten klaffte weit. Ich konnte sein Herz schlagen sehen, und die ganze Zeit hindurch sprach der Mann munter und in völlig zusammenhängender Weise mit uns. Als der Eingriff ungefähr bis zur Hälfte gediehen war, erklärte er, er habe Hunger, worauf die Ärzte eine Pause einlegten und ihm eine Dose Kompott zu essen gaben.«[54]

Wäre es nicht denkbar, daß man dem Patienten vorher ein anderes, ein konventionelles Betäubungsmittel verabreicht hatte? Dr. Sidel, Professor für Volksgesundheit am Albert Einstein Medical College in New York, antwortete darauf in einem Interview:

»Ich verbürge mich mit meinem Ruf dafür, daß diese Patienten nur durch Akupunktur vorbereitet worden waren ... Meine Überzeugung steht fest; ich zweifle nicht daran, daß der Schmerz auf diese Weise [durch Akupunktur] ausgeschaltet wird. Die Leute [an denen die Operationen durchgeführt wurden] waren hellwach ...«[54]

Bei einer anderen Operation, die die amerikanischen Ärzte sahen, wurde dem Patienten ein Halstumor entfernt. Eine einzige Nadel, seitlich im Nacken eingestochen, schaltete die Schmerzen aus, die durch Einschnitt, Entfernung des Tumors und Vernähen verursacht worden wären.

»Der Patient setzte sich lächelnd auf. Er ergriff ein kleines rotes Buch mit den Worten Mao Tse-tungs, schwenkte es und sagte: ›Es lebe der Vorsitzende Mao! Wir begrüßen unsere amerikanischen Freunde.‹ Dann knöpfte er seine Pyjamajacke zu, stieg vom Operationstisch herunter und ging, als sei nichts geschehen, durch den Korridor in sein Zimmer.«[54]

Der Wiener Chirurg Dr. Johannes Bischko, der seit zwanzig Jahren Akupunktur betreibt, war Ende 1972 in China und sah Operationen unter Akupunktur-Anästhesie. Er brachte Filmausschnitte der von ihm beobachteten Behandlungen mit. Sie wurden im Zweiten Deutschen Fernsehen gezeigt. Es handelte sich um eine Kaiserschnittoperation, Entfernung eines Adenoms (Drüsengeschwulst), schmerzloses Zahnziehen, Entfernung eines

Lappens der rechten Lunge sowie die Beseitigung einer großen Ovarialzyste.

Die Patienten waren alle bei vollem Bewußtsein, manche aßen während der Operation etwas. Die eingestochenen Nadeln wurden manuell in Vibration gehalten oder elektrisch gereizt. Bei der Lungenoperation fand keinerlei künstliche Beatmung statt, sondern es wurde bei dem vollwachen Patienten lediglich eine gezielte Atemtherapie angewandt. Der Patient war nach der Operation in bester Stimmung und unterhielt sich auf englisch mit den Gästen aus Europa.

Ebenfalls 1972 erlebte die Gattin des Bundesaußenministers Scheel in Peking eine Akupunktur-Operation mit. Eine junge Frau sollte durch Kaiserschnitt entbunden werden. Dr. Mildred Scheel, Fachärztin für Röntgenologie und Strahlenheilkunde, berichtete darüber:

»Die Patientin lag bereits auf dem Operationstisch. Meine Frage, ob die Frau irgendwelche Medikamente bekommen habe, wurde verneint. Das sei nicht notwendig... Die Patientin erzählte mir, auch ihr erstes Kind habe sie durch Kaiserschnitt bekommen – völlig schmerzlos, unter Akupunktur-Betäubung...

Diese Frau sollte bei vollem Bewußtsein miterleben, wie ihrem Kind durch einen so großen Eingriff das Leben geschenkt wird. Unvorstellbar!

Zwei Ärztinnen führten je eine acht Zentimeter lange haarfeine Nadel in beide Unterschenkel der Frau, eine Handbreit über den Sprunggelenken. Zwei weitere Nadeln wurden unterhalb des Kniegelenks an der Innenseite der Unterschenkel eingestochen. Weitere zwei etwa fünfzehn Zentimeter lange Nadeln kamen in die Umgebung des Nabels, ebenfalls sehr tief. Alle Nadeln wurden mit einer Stromquelle verbunden. Zweitausendvierhundert Stromstöße pro Minute brachten die Bauchdecke zum Vibrieren, hundertvierzig die Beine.

Man wartete etwa zwanzig Minuten. Dann erfolgte der typische Längsschnitt, unter dem Nabel beginnend; Haut- und Fettschichten wurden durchtrennt. Ein zweiter, tiefgehender Schnitt legte die Mittellinie der Sehnenplatte frei; danach wurde die Gebärmutter geöffnet.

Die Geburt des Kindes war für mich ein faszinierendes Erlebnis, und zwar aus zwei Gründen: einmal, weil es erstaunlich unblutig zuging, zum anderen, weil die Patientin mit wachen Augen die Operation verfolgte. Die beiden Chirurginnen unterhielten sich sogar mit ihr. Eine der Akupunkteurinnen, die Blutdruck und Puls überwachte, schob ihr auf einer Gabelspitze Apfelstückchen in den Mund. Es war einfach unglaublich.

Nach der Geburt wurde eine Tubenligatur gemacht, das heißt, die Eileiter wurden unterbunden, auf Wunsch der Patientin, die keine weiteren Kinder wollte.«[54]

Es gibt, nach chinesischen Angaben, kaum eine Krankheit, die noch nicht unter Anwendung von Akupunktur behandelt worden ist, und zwar erfolgreich. Das muß keineswegs maoistische Propaganda sein. Selbst in dem hinsichtlich Akupunktur noch unterentwickelten Westeuropa liegt exaktes statistisches Material über die Akupunktur-Behandlung von mehreren hundert Krankheiten vor. Der französische Arzt Dr. J. Mauries, Marseille, behandelte 108 verschiedene Leiden ausschließlich mit Akupunkturnadeln, und zwar jeweils unter Kontrolle von zwei weiteren Ärzten. Ein englischer Arzt, Felix Mann,[134, 135] wandte die Akupunkturmethode bei 1200 Krankheitsfällen und Gebrechen an. Im März 1972 entfernte ein Operationsteam der Wiener Universitäts-Poliklinik unter Leitung von Professor Dr. Eduard H. Majer einer fünfunddreißigjährigen Patientin bei vollem Bewußtsein und ohne örtliche Betäubung die Mandeln. Die Patientin spürte keinen Schmerz. Vor der Operation waren ihr zwei Akupunkturnadeln von etwa einem Zehntelmillimeter Durchmesser in einen Arm gesteckt worden. Die entsprechenden Punkte sind nach altchinesischer Lehre mit dem Rachenraum verbunden. Die Operation dauerte acht Minuten. Die Patientin konnte die Klinik nach zwei Tagen verlassen.

Zwei Monate später wurde die erste Operation unter Akupunktur-Anästhesie in den USA durchgeführt. Ärzte des Albert Einstein Medical College benutzten sie, um eine Hautverpflanzung an einem fünfundsechzigjährigen Patienten vorzunehmen. Die Übertragung erfolgte vom rechten Schenkel auf den linken Fuß und verlief ohne Störung.

Obwohl Erfolge mit Akupunktur auch bei uns schon längst keine Ausnahmefälle mehr sind, hat sie im Weltbild unserer Medizin noch keinen festen Platz gefunden. Dafür gibt es drei Gründe: 1. Die Schulmedizin ist, wie schon mehrfach behauptet und erwiesen, grundsätzlich skeptisch gegenüber »Neuerungen«, die aus anderen als den konventionellen Bereichen medizinischer Forschung und Erkenntnis herüberkommen – und besonders skeptisch gegenüber einer Praktik, die von chinesischen Weisen des Altertums überliefert worden sein soll und bei der es »nicht mit rechten Dingen« zugeht. 2. Unserer Schulmedizin erscheint die Grundkonzeption der Akupunktur schon deswegen dubios, weil man sie noch nicht wissenschaftlich erklären kann, das heißt, die Ursache der Akupunktureffekte noch nicht kennt. 3. Bei weitem nicht alle Akupunkturbehandlungen verlaufen erfolgreich, und die Ursache der Fehlschläge ist ebenso schwer zu erklären wie die der Erfolge.

Wenngleich man unserer Schulmedizin entgegenhalten kann, daß auch manche ihrer eigenen medizinischen Grundkonzeptionen sich als nur bedingt richtig oder gar als falsch erwiesen haben, und in der Praxis therapeutische Mißerfolge – erklärliche und unerklärliche – wahrlich nichts Besonderes sind, gibt doch die Tatsache zu denken, daß die Akupunkteure mit einer Kraft »operieren«, die sie nicht erklären können. Sie wissen, daß sie wirkt, aber sie wissen nicht, wie!

Zunächst wurde im Westen versucht, die Wirkungsweise der Akupunktur durch Hypnose zu erklären. Professor Rudolf Frey von der Universität Mainz hält die Akupunktur-Anästhesie für eine spezielle Variante der Hypnonarkose. Die Tatsache, daß zehn Prozent der Patienten angeblich nicht auf die Akupunktur-Anästhesie ansprechen, scheint ihm recht zu geben. Doch lassen sich anscheinend auch Tiere durch Akupunktur beeinflussen, wodurch die Suggestions- und Hypnosetheorie wieder sehr unwahrscheinlich wird. Erfahrene Akupunkteure wie Dr. Motoyama und Dr. Bischko vertreten den Standpunkt, daß die Akupunktur nichts mit Hypnose zu tun hat.[22,151]

Andere Versuche zur Erklärung der unbestreitbaren Heilerfolge dieser Behandlung gingen von einer speziellen therapeutischen Methode der westlichen Medizin aus. Schon im vorigen

Jahrhundert wies der Engländer Henry Head auf einen Zusammenhang zwischen der Erkrankung innerer Organe und der Überempfindlichkeit bestimmter Hautstellen hin. Herz, Magen, Nieren und andere Organe werden bekanntlich vom Rückenmark nervlich ebenso versorgt wie die Haut. Die einzelnen Bezirke des Körpers sind ganz bestimmten Abschnitten des Rückenmarks zugeordnet, sogenannten Segmenten, und zwar so, daß ein gewisses Rückenmarksegment gleichzeitig sowohl mit einem bestimmten inneren Organ wie auch mit einer eng umrissenen Hautfläche sensibel verbunden ist. Hierdurch ist über das Rückenmark auch eine nervliche Verbindung zwischen bestimmten inneren Organen und gewissen Hautstellen gegeben.[25]

Erkrankt ein Organ, dann wirkt diese Tatsache auf das entsprechende Rückenmarksegment, und es kommt zu einem Miterleiden in jenem Hautbezirk, dessen Nervenfasern vom gleichen Segment ausgehen, das dem inneren Organ entspricht. Dieser Zusammenhang ist nicht nur für die Diagnose interessant, sondern in umgekehrter Richtung ebenso für die Therapie. Mitunter gelingt es rückläufig von den entsprechenden Hautbezirken (Dermatome) die inneren Organe zu beeinflussen. Über die Haut hinweg wird auf das gemeinsame Segment des Rückenmarks durch Reize verschiedenster Art eingewirkt und so das erkrankte Organ beeinflußt. Dieses Verfahren bezeichnet man heute als *Segmenttherapie.*

Manche Wissenschaftler des Westens sehen darin eine Erklärung für die Wirkung der Akupunkturnadel. Das mag in manchen Fällen zutreffen, doch die ganze Skala der Wirkungsmöglichkeiten der Akupunktur läßt sich wohl nicht segmenttherapeutisch erklären. Es ist zum Beispiel wenig wahrscheinlich, daß eine nervliche Verbindung zwischen den Zehen und einer schmerzenden Zahnwurzel besteht. Dr. Motoyama hat nachgewiesen, daß Akupunkturpunkte und Dermatome oft beim besten Willen nicht übereinstimmen.[151] Ein Beispiel: Ein Akupunkturpunkt des Meridians Sansho Kē liegt in der Spitze des Zeigefingers. Die spinalen und sympathischen Nerven, die über die Spitze des Zeigefingers und den Arm verteilt sind, gehören zu den Segmenten C4 – T7 des Rückenmarks. Die auf die Fingerspitzen-Akupunktur ansprechenden Akupunkturstellen sind Sanshoboketsu und Sanshoyuketsu. Diese gehören vom Standpunkte der westlichen Neurologie zu den Segmenten T11 bzw. L1. Daraus läßt sich schließen, daß Sansho Kē, Sanshoyuketsu und Sanshoboketsu nichts mit dem Nervensystem der westlichen Medizin zu tun haben.

Allerdings bestehen im Rückenmark auch gewisse vertikale Beziehungen, beispielsweise zwischen spinalen vasomotorischen Zentren in den Seitenhornzellen der Segmente, wodurch die Etagen verschiedener Querschnitte miteinander verbunden sind. Man hat hierfür den Ausdruck »Haustelefon« geprägt.[50] Jedoch auf diesem Wege grundsätzlich die unglaublichen oben angeführten Wirkungen der Akupunktur erklären zu wollen, muß etwas gewaltsam und unwahrscheinlich anmuten.

Weiter beruft sich Dr. Motoyama auf Experimente des Mediziners Dr. Nagahama.[151] Der Professor an der japanischen Universität Chiba hatte einen Patienten, der früher einmal vom Blitz getroffen worden war, den Schlag überlebt, aber eine extreme Empfindlichkeit seines Hautsinns zurückbehalten hatte. Dieser Patient fühlte das »Nadelecho« der eingestochenen Akupunkturnadeln, das heißt, nach dem Einstechen der Nadeln an den Anfangspunkt eines Meridians (Genketsu) spürte er die Reizfortpflanzung und konnte den Weg genau beschreiben. Die so lokalisierten Bahnen der Reizleitung stimmten genauestens mit den seit ältesten Zeiten von den chinesischen Ärzten angegebenen Akupunktur-Meridianen überein und lagen *nicht* auf den Nervenbahnen der westlichen Medizin.

Dr. Nagahama führte Untersuchungen zur Bestimmung der Reizleitungsgeschwindigkeit in den Meridianen durch und fand, daß diese sehr viel langsamer war als die Fortpflanzungsgeschwindigkeit eines Impulses in den spinalen und autonomen Nerven. Sie lag zwischen 15 und 48 cm/sec, wogegen die der spinalen oder autonomen Nerven mehrere Meter beträgt. Nagahama machte noch weitere interessante Experimente, unter anderem hinsichtlich des Zusammenhanges verschiedener Meridiane, auf die an dieser Stelle nicht näher eingegangen werden kann, die aber ebenfalls die überlieferten Anschauungen der Chinesen bestätigten.

Indessen sind die anatomischen und physiologischen Grundlagen der Punkte und Meridiane bis heute unklar. Sie lassen keinen Zusammenhang mit Blut-, Lymph- oder Nervenbahnen der westlichen Medizin erkennen. Wirkt sich hier tatsächlich ein unseren Wissenschaften noch nicht bekanntes Prinzip aus?

Die westliche Medizin hat den Menschen mehr oder weniger als ein Aggregat von Organen, Geweben und Zellen aufgefaßt, die sich aus unterschiedlichen Molekülarten aufbauen, womit der Mensch als Ergebnis chemischer und — da chemische Prozesse immer mit physikalischen Erscheinungen verbunden sind — notgedrungen auch physikalischer Prozesse angesehen wird. Die Biochemie und die physiologische Chemie spielen daher in der Ausbildung der Medizinstudenten im Westen seit den letzten Jahrzehnten eine immer größere Rolle. »Biochemie« ist dem westlichen Schulmediziner wesentlich vertrauter als die »Biophysik«, die in letzter Zeit in den USA und in der Sowjetunion an Bedeutung stark zugenommen, in Deutschland aber noch nicht die ihr gebührende Aufmerksamkeit erlangt hat.

In der Schule lernt man, die Chemie sei die Lehre von den Stoffen und den stofflichen Veränderungen und Umwandlungen, Physik die Lehre von den Kräften und Zustandsänderungen. Die physikalischen Kraftfelder des menschlichen Körpers sind von den Medizinern und Biologen bisher wahrscheinlich viel zu wenig beachtet und mehr oder minder als eine Randerscheinung der chemischen und physiologischen Vorgänge im Körper angesehen worden, wenn auch die Physiologen in den letzten hundert Jahren mit sehr viel Fleiß eine Menge an Tatsachenmaterial über die elektrischen Prozesse im menschlichen Körper zusammengetragen haben.

Bereits im vorigen Jahrhundert entdeckte man das Auftreten bioelektrischer Ströme im Gehirn tierischer Lebewesen. 1929 wies Hans Berger — wie bereits im Zusammenhang mit der Telepathie erwähnt[280] — nach, daß man die elektrischen Hirnströme von der Kopfhaut ableiten könne, und legte damit die Basis für die heute viel angewandte Elektroenzephalographie. Die Tatsache, daß im Menschen elektrische Ströme fließen, ist eine — wie der amerikanische Chirurg Dr. Stanton E. Maxey sagt — »heute zwar längst bekannte, aber in ihren Auswirkungen viel zu wenig durchdachte Tatsache«.[137]

1934 stellte Dr. George W. Crile, Gründer der Cleveland-Klinik, die Behauptung auf, daß jede menschliche Zelle eine kleine Batterie darstelle, die ihren eigenen Strom erzeuge. Er wurde damals ausgelacht, aber inzwischen haben NASA-Wissenschaftler seine Theorie bestätigt und weiter ausgebaut. Bis heute sind noch viele andere Entdeckungen auf dem Gebiet der Elektrophysiologie gemacht worden, auf die hier nicht eingegangen werden kann. Doch eine der geheimnisvollsten Gaben der Natur ist wahrscheinlich in den Akupunkturpunkten zu sehen, die Orte außergewöhnlicher elektrischer Eigenschaften der Haut sind.[4,5] Die elektrischen Potentiale bzw. die Leitfähigkeiten an den Akupunkturpunkten unterscheiden sich von denen der umgebenden Hautbezirke, und auch die einzelnen Akupunkturpunkte untereinander haben unterschiedliche elektrische Eigenschaften. Diese Punkte sollen für Menschen mit sehr feinem optischem Differenzierungsvermögen als schwache gelbe Färbung wahrnehmbar sein und neben besonders guter elektrischer Leitfähigkeit auch eine gute Leitfähigkeit für Schallwellen besitzen, wogegen die tatsächliche Hautstruktur keine Unterschiede zur benachbarten Haut aufzuweisen scheint. Mittels geeigneter Detektoren lassen sich die Akupunkturpunkte aufgrund ihres von der Hautnachbarschaft abweichenden Verhaltens scharf lokalisieren.[4,5] Schon vor Jahren entwickelten sowjetische Forscher das Tobiskop, ein kleines transistorisiertes elektronisches Gerät, das eine schnelle Lokalisierung der Akupunkturpunkte ermöglicht. Läßt man die Sonde langsam über die Haut eines Menschen gleiten, so leuchtet beim Berühren von Akupunkturpunkten ein Detektorlämpchen auf. Ein helles Licht soll eine gute Gesundheit anzeigen, während ein schwaches Licht, wie es heißt, auf gegenwärtige oder bevorstehende gesundheitliche Störungen hinweist.

Die Haut ist ein außergewöhnlich vielseitiges Organ des menschlichen Körpers, unter anderem auch ein vielseitiges Sinnesorgan. Wahrscheinlich kennen wir längst noch nicht seinen gesamten Wahrnehmungsbereich, den wir heute im allgemeinen auf die Wahrnehmung von Berührung und Wärme beschränken. Der sowjetische Biophysiker Dr. Adamenko vermutet indessen, daß die Haut auch auf gewisse elektromagnetische Wellenbereiche reagieren kann, die wir heute noch nicht mit der Wahrnehmungsfunktion der Haut in Beziehung bringen.[5]

Im Prozeß der gesamten biologischen Entwicklung durchlaufen die lebenden Organismen eine komplizierte Stufenfolge. Auf den niedrigen Stufen sind Nervenzellen als Empfänger für Licht, Laut und Geruch über die ganze Körperoberfläche verteilt. So nehmen beispielsweise Erdwürmer das Licht mit der Haut wahr und besitzen keine Augen. Auch die Akupunkturpunkte unserer Haut reagieren auf vielerlei äußere Einflüsse. So ändern sich bei manchen Menschen die Akupunktur-Potentiale bzw. die Leitfähigkeiten vor dem Auftreten eines Sturms — und zwar noch bevor Instrumente der meteorologischen Institute diesen ankündigen.

Der gesunde Körper verlangt die Aufrechterhaltung eines komplizierten und empfindlichen Gleichgewichts, das möglicherweise weitgehend über die elektrischen Verhältnisse der Akupunkturpunkte beeinflußt wird. Störungen dieses Gleichgewichts ließen sich dann durch gezielte Stimulation der Energiezentren dieser »Lebenskraftströme« im Körper auf dem Wege der Akupunktur wieder ausbalancieren, indem die Potentialverhältnisse der Energiepunkte neu eingestellt werden. Die Veränderung eines Akupunktur-Potentials durch Einstechen einer Metallnadel hat möglicherweise mehrere Ursachen und ist bisher wissenschaftlich noch nicht eingehend untersucht worden. Die Akupunktur war ja bisher ein rein empirisches Heilverfahren.

Interessant ist, daß auch Emotionen Änderungen in den elektrischen Eigenschaften der Akupunkturpunkte bewirken. Auf anderen Hautbezirken bleiben die elektrischen Leitfähigkeiten nach Adamenko dagegen selbst bei stärkeren Emotionen unverändert, sofern die Haut trocken ist.[5] Diese Änderungen der elektrischen Verhältnisse der Akupunkturpunkte können auch durch Hypnose hervorgerufen werden, und es läßt sich sogar die Tiefe der Hypnose dadurch kontrollieren. Adamenko und seine Mitarbeiter waren in der Lage, drei Gruppen von Hypnotisierten zu unterscheiden: Nichtsuggestible Menschen, die im normalen Zustand blieben, Personen, die in der Hypnose mit geschlossenen Augen schliefen, und schließlich solche, die in tiefstem hypnotischem Schlaf die Augen öffnen konnten, ohne aus der Hypnose zu erwachen. Es wurden dann den Versuchspersonen die verschiedensten Suggestionen erteilt, daß sie beispielsweise bestimmte Blütendüfte riechen, daß sie berühmte Komponisten seien usw. Bei der ersten Gruppe zeigten sich während der ganzen Versuchsdauer keinerlei Änderungen der Akupunktur-Leitfähigkeit, bei der zweiten Gruppe ergaben sich Änderungen mittlerer Intensität und bei der letzten Gruppe zeigten sich ganz außergewöhnliche Leitfähigkeitsänderungen.

Auch durch Autosuggestion und autogenes Training lassen sich elektrische Leitfähigkeitsänderungen der Akupunkturpunkte erreichen. Es gibt Personen, die durch Training willkürliche Änderungen der Akupunkturverhältnisse erzielen, so daß sie durch Ansetzen von Elektroden an geeigneten Hautpunkten in Kombination mit elektrischen Schaltungen durch entsprechende gedankliche Konzentration, also durch ihren Willen, ein Lämpchen zum Aufleuchten oder wieder zum Erlöschen bringen können.[4]

Aber nicht nur der emotionale Zustand eines Menschen hängt mit den elektrischen Verhältnissen der Akupunkturpunkte zusammen, sondern der gesamte Zustand der inneren Organe und Funktionen des Körpers scheint in enger Beziehung zu den Akupunktur-Leitfähigkeiten zu stehen. Dr. Motoyama stellte schon vor Jahren fest, daß Unterschiede zwischen entsprechenden Akupunkturpunkten der rechten und der linken Seite des Patienten bei Erreichung eines bestimmten Wertes auf offene oder sich vorbereitende Erkrankungen innerer Organe hinwiesen.[151] Dr. Adamenko wies außerdem auf das Auftreten von Halbleitereigenschaften in den entsprechenden Akupunkturkanälen hin, wenn Erkrankungen an inneren Organen auftreten, das heißt, die Leitfähigkeiten in Hin- und Rückrichtung sind verschieden. Man sieht, welche neuartigen Aussichten für die Diagnose sich hier eventuell anbahnen und daß die Vorstellung der alten Chinesen, Krankheiten seien Unausgeglichenheiten im Lebenskraftstrom, die jetzt von der Wissenschaft entdeckten Zusammenhänge hinsichtlich der elektrischen Verhältnisse recht treffend charakterisiert.

Diese Zusammenhänge sind natürlich nicht nur für die Diagnose von Bedeutung, sondern mehr noch für die Akupunktur-Therapie. Die Veränderungen der elektrischen Verhältnisse an den Akupunkturpunkten – wie sie durch die Techniken der Akupunkteure bewirkt werden – scheinen Reaktionen in den Funktionen der inneren Organe und des Körpers auszulösen.

Aus der Tatsache, daß die auf die Funktionen der inneren Organe wirkenden Akupunkturverhältnisse sowohl durch äußere physikalische Einflüsse wie Einstechen metallischer Nadeln, Moxibustion usw. zu beeinflussen sind, als auch durch Emotionen und ganz allgemein seelische Faktoren, ergibt sich, daß die seelische Einstellung des Patienten nicht ohne Einfluß auf die Akupunkturwirkung ist. Vielleicht kann durch eine extrem ungünstige emotionale Einstellung des Patienten eine Harmonisierung seines Akupunktur-Potentials bei einer Behandlung blockiert werden. Daraus darf man freilich nicht in oberflächlicher Weise den Schluß ziehen, daß die Wirkung ein reiner Placebo-Effekt ist; denn die elektrischen Meßwerte an den Akupunkturstellen sind wissenschaftlich faßbare und nachweisbare Realitäten und haben mit Aberglauben nichts zu tun. Aus der Tatsache, daß »nur« 80 Prozent der Patienten auf Akupunktur-Anästhesie ansprechen, darf man keineswegs schließen, daß alles nur Suggestion sei.

Ferner wäre es ein Denkfehler anzunehmen, die Akupunkturwirkung sei deshalb nichts als ein Placebo-Effekt, weil man durch Suggestion mitunter ähnliche Wirkungen erzielen kann, wie durch die Anwendung der Akupunkturnadeln. Auch die Wirkungen starker Mittel der Schulmedizin können unter Umständen bei geeigneten Personen einfach durch starke Suggestionen ausgelöst werden, ohne daß man diese Mittel deshalb als Placebo bezeichnen kann.

Wenn der russische Biophysiker Adamenko erklärt, daß Emotionen die elektrischen Verhältnisse der Akupunkturpunkte beeinflussen, die wiederum auf den Körper einwirken, dann drängt sich einem die Frage auf, ob hier nicht eine wichtige Zwischenstation zwischen den Bereichen der Psyche und dem physischen Körper liegt. Wir wissen, daß ein depressiver Gemütszustand sich ungünstig auf die körperlichen Funktionen und die Gesundheit auswirkt, ohne daß wir im einzelnen die Bindeglieder für diesen Zusammenhang kennen. Vielleicht stellen die Akupunkturpunkte mit ihren elektrischen Verhältnissen und Kraftfeldern ganz allgemein eine wichtige Größe für ein besseres Verständnis des Zusammenhangs von körperlichen und seelischen Vorgängen dar und hängen möglicherweise auch mit den Psi-Funktionen zusammen.

Jeder chemische Vorgang – auch alle chemischen Vorgänge im Körper – sind mit elektrischen Vorgängen oder zumindest mit elektrischen Größen verbunden. Um jeden Nerv herum bildet sich ein elektrisches Feld aus, ebenso bei der geringsten Tätigkeit der Muskelfibrillen usw. Jede Änderung in einem elektrischen Feld wird stets vom Auftreten eines Magnetfeldes begleitet, und umgekehrt führt jede Änderung eines Magnetfeldes zum Erscheinen eines elektrischen Feldes. Felder, die wie diese miteinander verbunden sind und ineinander umgewandelt werden können, werden elektromagnetische Felder genannt. Daraus ergibt sich, daß der menschliche Körper von einer Unzahl kleiner und kleinster elektromagnetischer Felder durchsetzt und umgeben ist, die zusammen ein großes elektromagnetisches *Biofeld* ergeben. Seine genaue Struktur wird von der Art und der Beschaffenheit der die Felder erzeugenden physiologischen und chemischen Vorgänge im Blut, im Gewebe, in den Muskeln und Nerven beeinflußt. Entscheidende Punkte in diesem Biofeld dürften die Akupunkturpunkte sein.

Professor H. S. Burr, jahrelang an der School of Medicine der Yale-Universität tätig und Herausgeber von fast hundert wissenschaftlichen Veröffentlichungen, vertritt nun die These, daß das ganze Universum durch ein elektromagnetisches Feld organisiert und zusammengehalten wird, welches den Zustand der Materie bestimmt.[32] Der Mensch als Teil der Natur werde von diesen Feldern beeinflußt, ja, sogar gesteuert. Jeder Mensch hat ein eigenes Energiefeld oder – wie man es nennen kann – einen Energiekörper, aber ebenso jedes Tier, jede Pflanze, jedes Ei, jede Zelle im Körper, jedes Molekül und jedes Atom. Der Energiekörper schreibt – nach Burr – dem Kristall, der Zelle, dem Tier, dem Menschen usw. vor, wie sie aussehen werden, angefangen vom Tage der Geburt bzw. des Entstehens, bis zum Ende der Existenz.

Ein bedeutender weiterer Aspekt von Burrs Arbeiten ist, daß

der Energiekörper bzw. das Biofeld Aussagen über Krankheiten im Augenblick der Messung gestattet sowie auch über Krankheiten, die erst in einer späteren Zeit auftreten werden. Burr wies nach, daß die Messung des elektromagnetischen Biofeldes eines Eierstockes eine Aussage über Tumorbildungen und deren Bösartigkeit ermöglichen.[32, 137] Auch russische Forscher behaupten, vor dem klinischen Nachweis von Krebserkrankungen tiefgreifende Veränderungen im elektromagnetischen Biofeld an dem betreffenden Gewebe festgestellt zu haben. Daß sich auf dieser Basis einmal gänzlich neuartige Möglichkeiten der Frühdiagnostik von sich langsam und latent vorbereitenden Krankheiten ergeben werden, ist durchaus wahrscheinlich.

Wenn nun das Biofeld des menschlichen Körpers bzw. der Energiekörper nicht nur eine sekundäre Begleiterscheinung der Vorgänge im menschlichen Körper, sondern ursächlicherer Herkunft ist und in gravierender Weise auf den physischen Körper einwirken kann, und wenn die Akupunkturpunkte wichtige Stellen in diesem Energiesystem sind, dann bietet das Verständnis der Wirksamkeit der Akupunkturbehandlung keinerlei grundsätzliche Schwierigkeiten mehr.

Störungen im Biofeld des Körpers scheinen mitunter auch durch alte, oft vergessene Narben oder sonstige Veränderungen in der normalen Gewebestruktur hervorgerufen werden zu können. Derartige Störungen wirken dann mitunter auf die organischen und physiologischen Funktionen ein. Die Neuraltherapeuten suchen hier die Ursache, die letztlich wahrscheinlich in der Diskontinuität der vernarbten Gewebestruktur besteht, zu beseitigen, indem der Störherd durch Impletol oder andere Neuraltherapeutica unterspritzt wird, wodurch dann anscheinend der Charakter der Narbe verändert wird, dergestalt, daß das Biofeld an der unterspritzten Stelle wieder harmonisiert wird.[52, 53]

Hier eines der zahlreichen Beispiele, die der Mediziner und Neuraltherapeut Dr. med. Peter Dosch berichtet, und das die Bedeutung von Störfeldern zeigt.

»Der einunddreißigjährige Tierarzt Dr. H. S. war seit zwei Jahren schlaff an beiden Beinen gelähmt, so daß er seinen Beruf als praktischer Tierarzt nicht mehr ausüben konnte. Ein Krankenhaus und zwei namhafte Universitätskliniken hatten sich mit einer Vielzahl von Medikamenten und Methoden um ihn bemüht, ihn dann aber als unheilbar entlassen. Seine Vorgeschichte ergab: Viele Mandelentzündungen, zwanzig Granatsplitternarben und die Angabe, daß die ersten Lähmungserscheinungen acht Tage nach einem Stich mit einer infizierten Punktionsnadel in eine Fingerbeere aufgetreten seien. Das Obergutachten eines Professors hatte entschieden, daß diese alltägliche Verletzung nicht die Ursache der Lähmung sein könne. Die Anerkennung als Berufskrankheit war daraufhin abgelehnt worden.«

Jetzt die neuraltherapeutische Behandlung: »Eine Testspritze an die chronisch entzündeten Mandeln ergab keine Reaktion. Aber wenige Tropfen Procain in die betreffende Fingerbeere, der äußerlich nichts Krankhaftes anzusehen war, ließen die Lähmung innerhalb weniger Minuten restlos und mit Dauerwirkung verschwinden. Hätte der Patient den Kanülenstich nicht erwähnt, wäre er sicher bis an sein Lebensende an den Rollstuhl gefesselt geblieben. Der Tierarzt arbeitet jetzt seit vierzehn Jahren ohne Rückfall in seinem Beruf. Natürlich wendet er nun auch Procain bei Tieren an. Er erzielte auch dort einwandfreie Huneke-Phänomene und widerlegte damit einen häufigen Einwand unserer Gegner, wir heilten lediglich über die Suggestion, trieben also eine Art Hypnose.«[53]

Der Heilvorgang beim Huneke-Phänomen ist also keine Psychogenese!

Was sowohl bei der Akupunktur als auch bei der Neuraltherapie ins Auge fällt, ist die Tatsache, daß in vielen Fällen geringfügige Ursachen auch stärkste Wirkungen auslösen können; beispielsweise, wenn in der Gegend der Zehen eingestochene Akupunkturnadeln eine schmerzlose Zahnextraktion ermöglichen oder, wie wir hörten, eine Impletolinjektion in eine alte längst vergessene Narbe in der Achselhöhle in wenigen Sekunden dauerhaft jahrelange Nierenkoliken beseitigt.[165] Dem Schulmediziner wird die Diskrepanz zwischen Geringfügigkeit der Ursache und Größe der Wirkung von vornherein suspekt erscheinen. Im allgemeinen glaubt man, ein starker therapeutischer Effekt müsse auch einschneidende und aufwendige Ursachen haben; ein Arzneimittel müsse, um zu wirken, auch in starker Konzentration verabreicht werden. Wie sehr wurde einst über die

Homöopathie gespottet, weil ihre Vertreter oft Mittel verordnen, die relativ harmlos sind und die außerdem noch meist in starken Verdünnungen gegeben werden. Allopathische Mediziner hielten in all diesen Fällen bestenfalls einen Placebo-Effekt für möglich.[182] Aber es besteht in dieser Hinsicht vielleicht eine gewisse Analogie zur Akupunktur. Normalerweise erwartet niemand eine physiologische Wirkung von einem Nadelstich – und doch wirkt die Akupunktur, wenn sie richtig angewendet wird, das heißt, der richtige schwache Reiz genau an der richtigen Stelle in der richtigen Dosierung gesetzt wird.

Ebenso ist es mit der Homöopathie. Auch sie kann wirken, wenn mitunter schwächste Reize, richtig gewählt, hervorgerufen werden.[72, 186] Die Gegner der Homöopathie argumentieren, Kinder hätten beim Spielen ganze homöopathische Hausapotheken ausgetrunken bzw. verspeist, ohne Schaden daran zu nehmen, außer daß sie vielleicht betrunken wurden von dem Alkohol, der in den Arzneien enthalten war. Also könne man von solchen Mitteln im Krankheitsfalle keine erhebliche Wirkung erwarten. Man könnte genausogut argumentieren, Kinder hätten sich schon oft mit Nadeln gestochen, ohne damit eine besondere Wirkung auszulösen – sofern es nicht eine Infektion gab –, also sei von einer derartigen Nadelstichelei, wie die Akupunktur sie darstellt, auch keine Heilwirkung zu erwarten.

In diesem Zusammenhang sei auf die hohe Empfindlichkeit biologischer Systeme für manche Arten elektromagnetischer Strahlen hingewiesen. Es gibt elektromagnetische Strahlen von so geringer Intensität, daß sie keinerlei physikalisch meßbaren Effekt in dem »Molekülaggregat Mensch« hervorrufen, und doch werden sie von dem Empfindungsvermögen bzw. vom biologischen Organismus wahrgenommen.[180]

Man ist versucht, hier Vergleiche mit den Ergebnissen der modernen Informationstheorie anzustellen: Es kommt nicht so sehr auf die Menge an übertragener Energie an, sondern auf die Menge an Information.

Die Anwendung der Informationstheorie auf die Biologie hat gezeigt, daß zusätzlich *zur energetischen* Wechselwirkung (bzw. Übertragung) die *informative* Wechselwirkung und Übertragung eine bedeutende Rolle spielt, wenn nicht sogar die Hauptrolle. Die biologischen Effekte hängen nicht allein von der Menge der Energie ab, die man in ein bestimmtes biologisches System einführt, sondern auch von der Menge an Information, die man in das biologische System eingibt. Die informationstragenden Signale veranlassen lediglich eine geeignete Verteilung der in dem System vorhandenen Energie und regulieren die sich in dem System abspielenden Prozesse. Wenn die Empfindlichkeit des Systems genügend groß ist, wird wenig Energie zur Informationsübermittlung benötigt.[180]

Die typische Allopathie überträgt – in diesem gedanklichen Schema ausgedrückt – konkret chemisch wirkende Stoffe und damit ein starkes Quantum an Energie. Die Homöopathie und wahrscheinlich auch die Akupunktur übertragen »Informationen« von relativ geringem direkten Energiegehalt. Die Energien zum eigentlichen Heilprozeß müssen aus dem biologischen System selbst bestritten werden. Die dem biologischen System innewohnenden Energien werden durch übertragene »Informationen« lediglich in anderer Weise gesteuert als vorher. Es ist durchaus möglich, daß in den nächsten Jahren oder Jahrzehnten die *Bioinformationsforschung* nicht zuletzt der Homöopathie zur endgültigen Anerkennung verhilft.

Wir sahen, daß der Mensch von einem elektromagnetischen Kraftfeld umgeben und durchdrungen ist. Es spricht nun vieles dafür, daß dieses elektromagnetische Kraftfeld nur ein Teil eines noch wesentlich vielschichtigeren Biofeldes ist, das sich nicht allein auf elektromagnetische Kräfte beschränkt. Das elektrisch und magnetisch Meßbare ist möglicherweise nur *eine* Komponente eines viel komplizierteren Energiesystems, dessen Hauptkomponente eine weitere unbekannte Größe darstellt, von der wir bisher nur wenig wissen – und die die Ursache jener Psi-Phänomene ist, die auf der Basis der bisher bekannten physikalischen und chemischen Vorgänge im menschlichen Körper nicht zu erklären waren und deshalb meist ignoriert oder als Täuschungen deklariert wurden. Hierzu gehören auch alle Vorgänge, die mit dem paranormalen Heilen zusammenhängen.

Die unterschätzten Kraftfelder des Menschen

Die Theorie eines Biofeldes oder Energiekörpers in und um den Menschen scheint eine uralte Behauptung zu bestätigen, die von indischen und fernöstlichen Philosophen des Altertums ausgeht, von den Theosophen[24] und Mystikern des Abendlandes aufgegriffen wurde und in unserem Jahrhundert von der Anthroposophie vertreten wird. Es ist die Annahme, daß der Mensch und jedes andere Lebewesen neben dem normalen physischen Körper noch einen sogenannten *Astralleib* besitzt. Von manchen Autoren wird er als Fluidalkörper bezeichnet; auch die Ausdrücke Phantomkörper, Seelenkörper, feinstoffliches Double kommen vor.

Diese Vorstellung, die bis heute Gegenstand heftiger Kontroversen ist, erinnert in starkem Maß an die im vorigen Kapitel beschriebenen Anschauungen von einem allgemeinen Lebenskraftstrom der alten chinesischen Akupunkteure, und sie stimmt ferner überein mit dem Grundsatz der indischen Yogalehre, wonach der Mensch neben seinem physischen Körper noch einen »feinstofflichen« Körper *(subtle body)* habe, in dem eine universale Lebensenergie fließe, die die Inder »Prana« nennen.[151] Die Vorstellungen von einem zweiten, viel »feineren« Körper im Menschen finden wir bei den alten Ägyptern vor fünftausend Jahren, bei den tibetanischen Mönchen und fast allen Schamanen und Medizinmännern der Naturvölker aller Erdteile.[28] Von diesem Astralkörper soll eine Ausstrahlung ausgehen, und diese bilde die *Aura,* die alle lebenden Wesen und Pflanzen umgebe.

Moses, Propheten und Heilige des Christentums wurden von jeher mit einem ihr Haupt umgebenden Strahlenkranz gezeigt, der besonders in Zuständen der Ekstase deutlich in Erscheinung getreten sein soll. Christus wurde nicht selten in einer den ganzen Körper umgebenden strahlenden Wolke dargestellt.

Der bereits erwähnte Arzt und Magnetiseur Franz Anton Mesmer griff dieses Phänomen vor zweihundert Jahren auf. Er behauptete, daß von allen lebenden Dingen ein leuchtendes Fluidum ausginge, und brachte diese Erscheinung mit seinem »animalischen Magnetismus« in Beziehung.[263] Die wissenschaftliche Welt stritt die Behauptungen Mesmers ab, und zwar aufgrund einer Untersuchung, die gegen Ende des 18. Jahrhunderts von der Pariser Akademie der Wissenschaften über diesen Gegenstand durchgeführt wurde. Es war die gleiche Akademie, die einige Jahre danach in der Meteoritenfrage konstatierte, daß »Steine nicht vom Himmel fallen können«, und später, daß die Nachahmung der menschlichen Stimme durch eine sprechende Maschine, den Phonographen, nichts als ein Trick sei.

Sehr eingehend befaßte sich im vorigen Jahrhundert der aus Stuttgart stammende Naturforscher Karl Freiherr von Reichenbach mit dem Phänomen einer vom menschlichen Körper ausgehenden Strahlung.[191, 192] Reichenbachs Leben war bis dahin reich an wissenschaftlichen Erfolgen gewesen, und er besaß ein für seine Zeit überragendes naturwissenschaftliches Wissen. Zwanzig Jahre lang experimentierte er mit ca. fünfhundert sensitiven Personen. Er hielt seine Versuchspersonen für längere Zeit – mitunter für mehrere Stunden – in den Kellern seines Schlosses Reisenberg bei Wien in völliger Dunkelheit, bis sich ihre Augen so weit an die Finsternis adaptiert hatten, daß sie geringste Leuchterscheinungen wahrzunehmen vermochten. Die sensitiven Personen begannen dann angeblich eine leuchtende Strahlung zu erkennen, die von den Anwesenden ausging. Reichenbach gab dieser Ausstrahlung den Namen »Od«. Jede freie Hautstelle sollte nach den Aussagen von Reichenbachs Versuchspersonen in absoluter Dunkelheit weißlich leuchtend erscheinen. Die Farbe ging in einen rötlichen oder roten Ton über, wenn die Person krank oder auch erst eine Krankheit im Anzuge war. Bei Hochsensitiven trat angeblich ein noch größeres Farbdifferenzierungsvermögen auf. Innerhalb der Grundfarben Blau und Gelbrot kamen grüne, rote, orangefarbene und violette Leuchterscheinungen vor.

Reichenbach glaubte, ganz in Übereinstimmung mit den Ansichten Mesmers, nachgewiesen zu haben, daß dieses »Od« auf andere Körper übertragbar sei und daß dazu nicht einmal immer ein unmittelbarer Kontakt notwendig sei. Diese Behauptungen sind durch zahlreiche geistige Heiler und andere Medien unserer Zeit sowie durch die modernsten Forschungsergebnisse sowjetischer und tschechischer Parapsychologen bekräftigt worden.[96, 97, 131, 169]

In den USA hat sich neben anderen besonders Dr. Shafica Karagulla mit den Reichenbachschen Experimenten auseinandergesetzt. Die in der Türkei geborene Medizinerin verfügt über neuropsychiatrische Erfahrungen in vier Ländern und wurde zur Präsidentin der Higher Sense Perception Research Foundation in Beverly Hills, Kalifornien, ernannt, einer Stiftung, die sich mit der Erforschung der Psi-Phänomene und den Problemen der Genialität befaßt. Dr. Karagulla arbeitet auch mit einer Sensitiven, die die »Aura« wahrnimmt und ebenfalls den Energiekörper sieht, der für sie den normalen physischen Körper wie ein glitzerndes Gewebe von Lichtblitzen und Lichtstrahlen durchsetzt. In vielen streng kontrollierten Experimenten wurden eine Reihe der von Reichenbach im vorigen Jahrhundert durchgeführten Experimente geprüft und bestätigt.[105]

Vor hundertdreißig Jahren jedoch wurde Reichenbach von seinen wissenschaftlichen Kollegen nicht für voll genommen. Der in hohem Ansehen stehende Berliner Physiologe Emil Du Bois-Reymond bezeichnete Reichenbachs Odforschung als »Gewebe der traurigsten Irrtümer, die je der menschliche Geist hervorgebracht habe, Fabeln, die gut seien, verbrannt zu werden, als veralteter Roman, als Hexenplunder«. Und der Genfer Zoologe und Anatom Karl Vogt nannte das Reichenbachsche Od einen »Unsinn, der auf einer gesteigerten Nervenerregbarkeit beruht«.[96]

Berichte über die Fähigkeit einzelner besonders sensitiver Menschen, die Aura der lebenden Materie direkt wahrzunehmen, finden sich seit undenklichen Zeiten über alle Erdteile verteilt, und die voneinander unabhängigen Aussagen vieler Sensitiver, die nie miteinander in direktem oder indirektem Kontakt standen, sind deshalb ernst zu nehmen, weil sie in wichtigen grundlegenden Punkten übereinstimmen. Dies gilt nicht nur für die Aura, sondern auch im Hinblick auf den Energiekörper. Es ist ziemlich sicher, daß es sich hier um die Wahrnehmungen tatsächlicher Phänomene handelt; denn es spricht ganz gegen die Gesetze der Wahrscheinlichkeit, daß durch Halluzinationen derartig gehäufte Koinzidenzen bei ganz unterschiedlich veranlagten Menschen vollkommen verschiedener Kulturkreise zufällig zustande gekommen sein sollen.

Bei der Psi-Heilung und bei paranormalen Operationen spielt die Aura oft eine bedeutende Rolle. Viele Sensitive können aus ihr Rückschlüsse auf den Gesundheits- und Gemütszustand des Betreffenden ziehen. Sigrun Seutemann und die Amerikanerin Olga Worral sind Diagnosemedien, die aus der Aura viele Erkrankungen direkt, ohne technische Hilfsmittel, erkennen. Es erfordert von ihnen lediglich eine gewisse Konzentration und eine Umschaltung ihrer Wahrnehmungsfunktionen. Sie vertreten auch den Standpunkt, daß sie die auraartigen Ausstrahlungen des Menschen nicht eigentlich mit ihren physischen Augen sehen, obwohl zu Beginn die normalen Augen dazu notwendig sind, sondern daß diese Wahrnehmung direkt durch das Biofeld zustande kommt. Olga Worral kann nämlich nach einiger Zeit ihre physischen Augen sogar schließen, und »sieht« dennoch weiterhin die Auren der Menschen in allen Einzelheiten sowie deren Veränderungen.

Über weitere Erkenntnisse, die sich aus der Aura ableiten lassen, macht der englische Heiler Gordon Turner interessante Angaben.[268] Er meint, die Aura sei eine dynamische Erscheinung, die sich in fortwährender Bewegung befindet und auf Umwelteinflüsse, Emotionen und Krankheiten im Körper durch Änderungen in Farbe, Intensität, Gestalt und Größe reagiert.

Ferner machen, laut Turner, Alter und Erfahrung die Aura differenzierter. So ist die eines kleinen Kindes einfacher und nur nahe am Körper sichtbar. Die Aura des Ungeborenen soll bereits sechs Monate vor der Geburt innerhalb der Aura der Mutter zu sehen sein. Tiere haben angeblich eine ähnliche Aura wie Menschen, aber weniger komplex und undifferenzierter, ähnlich der eines kleinen Kindes. Je tiefer das Tier auf der Leiter der phylogenetischen Entwicklung steht, desto einfacher ist seine Aura. Allerdings treten auch bei Tieren ein und derselben Art mitunter beachtliche Unterschiede auf. In der Aura der Herdentiere scheint sich der Herdeninstinkt widerzuspiegeln. Die individuellen Aurafelder ordnen sich zu einem resultierenden großen Aurafeld, das die Gruppe als Ganzes umgibt. Man könnte regelrecht von einer Gruppenaura sprechen.

Bei den auf sehr niedriger Stufe stehenden Lebewesen ist die Aura aller Einzelwesen gleichartig, zeigt also keine – für den Sensitiven wahrnehmbaren – individuellen Züge. Ausnahmen treten lediglich bei der Erkrankung eines Tieres auf, wobei nach Turner »die Aura schmutzig-braun wird und eng am Körper anliegt«. Nicht selten sondern sich solche Tiere von der Gruppe ab oder werden von den Artgenossen der Gruppe vertrieben, vielleicht als Ergebnis einer Art Gruppenintelligenz, die vor Übertragungen der Krankheit auf die ganze Gruppe schützen will, analog zu dem Verhalten der Gesunden gegenüber den Aussätzigen im Mittelalter.

Variationen der Einzelaura treten bei höher entwickelten Tieren auf. Da gibt es Tiere, die intelligenter sind als ihre Artgenossen, was sich in der Aura ausdrückt. Hierbei spielt auch der Milieueinfluß eine große Rolle. So sind, nach Gordon Turner, in der Aura von Haustieren mehr individuelle Züge zu finden als in der wilder Tiere. Er führt als Beispiel seine Beobachtungen an Sittichen an. Ein Sittich, der allein in einem engen Vogelbauer eingesperrt war, hatte eine sehr schwache graue Aura. Sobald man ihn in einen Gemeinschaftskäfig gab, erschien die Aura blauer und ausgedehnter, was man als ein Zeichen erhöhter seelischer Aktivität deuten kann und daß er sich hier wohler fühlte als in der Einzelhaft. Der verwöhnte Liebling einer besonders tierliebenden Familie hatte eine kräftig blaue Aura von extremem Umfang. Wieder ein anderer zeigte eine farblich sehr differenzierte Aura. Dieses Tier entwickelte eine außergewöhnliche Intelligenz.[268]

Diese Feststellungen des Heilers und Forschers Turner erscheinen im Zusammenhang mit vielen Problemen unserer praktischen Psychologie sehr interessant, denn sie liegen ganz und gar auf der gleichen Linie wie die empirischen Ergebnisse moderner Psychologie und Gruppenpsychologie. Auf die menschliche Psyche übertragen, kann man daraus ersehen, wie unterschiedlich ein Kind sich entwickeln wird, je nachdem, ob es in einem glücklichen Elternhaus aufwächst oder aus einem asozialen Milieu stammt oder in einem Heim in der Gruppe erzogen wird.

Es wurde bei den Ausführungen über die Telepathie bereits darauf hingewiesen, daß der Mensch (als »Herdentier«) in der Gruppe psychisch etwas anderes ist als derselbe Mensch als isoliertes Einzelwesen. Wann immer eine Anzahl Menschen zusammenkommt und durch ähnliche Emotionen bewegt wird, soll für den Sensitiven eine Aura wahrnehmbar werden, die die ganze Gruppe umgibt, etwa bei Konzerten, bei religiösen Veranstaltungen, bei Beat-Massenveranstaltungen Jugendlicher, bei politischen Demonstrationen fanatischer Extremisten usw.

Die telepathische Kommunikation innerhalb einer Gruppe wäre durch die Annahme des Aurafeldes durchaus plausibel, und auch das Simultanverhalten der Insektenschwärme, der Vögel und Fischschwärme wird unter diesem Gesichtspunkt wesentlich einleuchtender. Die volle Bedeutung einer solchen Annahme läßt sich an dieser Stelle indessen bei weitem nicht ausloten. Das Bild des Menschen dehnt sich durch die Aura-Hypothese auf den verschiedensten Ebenen des menschlichen Seins aus und eröffnet neuartige, phantastisch anmutende Aspekte.

Bei den geistigen Heilungen scheinen sich Prozesse abzuspielen, die sich in der Aura widerspiegeln, das heißt, der Prozeß der geistigen Heilung kann von einem Sensitiven unter Umständen optisch verfolgt werden. So behauptet Gordon Turner, daß beim Heilen durch Handauflegen, sobald der Heiler seine Hände auf den Patienten legt, ein Verschmelzen ihrer beiden Auren stattfindet. Innerhalb weniger Minuten ordnen sich alle vorher vorhandenen Farben einem vorherrschenden Blau unter, das sich weit über die normale Grenze der Aura hinaus ausdehnt. Nach der Behandlung sieht der Sensitive in der Aura noch die Zeichen und Farben, die zuvor auf das Leiden hindeuteten, aber diese verblassen jetzt rasch oder scheinen vom Körper des Patienten fortzutreiben. Bei spontaner und vollständiger Heilung zeigt die Aura nach fünf Minuten wieder ihre normale Färbung. In anderen Fällen können im Aurafeld noch unterschiedlich lange winzige Punkte oder Narben zu sehen sein — für Wochen, Monate, Jahre, je nach der Schwere der Störung.

Die Aussagen der Sensitiven über die Aura der Menschen weisen Unterschiede auf, besonders hinsichtlich der beobachteten Farben. Dies ist verständlich, wenn man bedenkt, daß die Medien eine paranormale Erfahrung in Ausdrücken wiedergeben müssen, die unseren normalen Sinnen faßbar sind. Das Unterbewußtsein der Medien muß psychische »Schwingungen« in uns geläufige optische und bildliche Vorstellungen von Farbe und Form übersetzen. Hierbei wird stets ein gewisser persönlicher Faktor hinzutreten, der einzelne abstrakte Begriffe mit unterschiedlichen konkreten Eindrücken assoziiert.

Aussagen, die sich auf außersinnliche Wahrnehmungen Sensitiver gründen, werden von den Wissenschaften meist als irrelevant betrachtet, und man weist nicht zu Unrecht auf die Unzuverlässigkeit schon der normalen Sinne hin – ganz zu schweigen von solchen fatalen Möglichkeiten wie Halluzinationen und Suggestionen. Tatsächlich sind die Aussagen physikalischer Detektoren im allgemeinen zuverlässiger. Das Ideale wäre demnach, physikalische Detektoren für alle diese Vorgänge einzusetzen, aber es gibt sie leider noch nicht. Die Indikationsbreite eines sehr begabten Sensitiven ist heute noch wesentlich größer als alle uns zur Verfügung stehenden physikalischen Detektoren. Deshalb sollte man die Aussagen guter Medien nicht einfach ignorieren, zumal Wissenschaftler bei manchen speziellen Untersuchungen immer häufiger auf andere »biologische Detektoren« (z. B. Hefezellen, Mikroben usw.) zurückgreifen, wenn es sich dabei auch meist um einfachere Formen des Lebens handelt.[88] Es scheint daher wenig sinnvoll und wenig objektiv, die Auswahl der zu untersuchenden Phänomene danach zu treffen, ob sie leicht zu untersuchen sind oder nicht, oder, wie der französische Mediziner und Nobelpreisträger Alexis Carrel sagte: »Die Wichtigkeit eines Untersuchungsgegenstandes richtet sich nie danach, ob er beim jeweiligen Stande der physikalischen Nachweistechnik leicht zugänglich ist oder nicht.«[34]

Im übrigen hat sich gezeigt, daß der »Detektor Mensch« keineswegs so unzuverlässig zu sein scheint, wie von manchen Wissenschaftlern angenommen wird, wenn man die große Zahl der Paraphänomene betrachtet, die seit ältesten Zeiten von Menschen beobachtet, zunächst von den exakten Wissenschaften verworfen wurden und jetzt in steigendem Maße doch akzeptiert werden. Selbst wenn viele Aussagen von Medien keine wissenschaftliche Beweiskraft haben, liefern sie doch immer wieder wertvolle Anhaltspunkte. So erscheint eine Aussage Gordon Turners zum Phänomen des Todes richtungweisend.[268] Er beobachtete dreimal das Eintreten des Todes und hatte dabei als Hellseher jedesmal ganz analoge Wahrnehmungen: Die Aura des Sterbenden verlor ihre Farbe, wurde stumpf grau und zog sich immer mehr in den Körper zurück. Gleichzeitig sah er eine verschwommene Gestalt von etwa gleichem Ausdruck aber etwas größer als der physische Körper sich von diesem abtrennen, sich fortbewegen und etwa einen Meter oberhalb desselben schwebend verharren. Turner hielt diese Gestalt für das, was man Astralleib nennt oder heute von vielen Forschern als Energiekörper bezeichnet wird. Nach einem eigenartigen Farbenspiel, das den ganzen Raum nachher zu erfüllen schien, waren die Aura und der vermutliche Energiekörper verschwunden. Die Zeitdauer der Phänomene lag jedesmal zwischen fünfzehn Minuten bis drei Stunden.

Die Vorstellung eines seelisch-geistigen Überlebens des physischen Todes, die bis in die Frühgeschichte der Menschheit zurückzuverfolgen ist, wird von der Mehrzahl der Menschen unseres Kulturkreises noch immer abgelehnt und belächelt. Viele sehen in diesem Glauben einen Ausdruck kompensierter Lebensangst, ohne jedoch die große Menge an zuverlässigem Tatsachenmaterial zu kennen, das über dieses Thema im Laufe der letzten hundert Jahre zusammengetragen wurde,[172] zum Teil von sehr skeptischen und über jeden Verdacht der Spintisiererei erhabenen Forschern. Besonderes Aufsehen erregte der Amerikaner Arthur Ford, Theologe, Psychologe und Medium zugleich, mit der Beschreibung und Analyse seiner medialen »Jenseitskontakte«, die er in seinem *Bericht vom Leben nach dem Tode*[68] zusammenfaßte. Natürlich ist es wissenschaftlich bis heute nicht bewiesen, daß es einen den physischen Körper überdauernden Astralkörper gibt und damit eventuell eine Weiterexistenz unseres seelischen oder geistigen Seins; aber es ist ein großer Irrtum, etwa anzunehmen, daß das Gegenteil bewiesen sei. Wernher von Braun sagt dazu:

»Die Wissenschaft hat festgestellt, daß nichts spurlos verschwinden kann. Die Natur kennt keine Vernichtung, nur Verwandlung. Alles, was Wissenschaft mich lehrte und noch lehrt, stärkt meinen Glauben an ein Fortdauern unserer geistigen Existenz über den Tod hinaus!«[68]

Ähnlich äußerte sich der Vater des Raumfahrtgedankens in Deutschland, Hermann Oberth.[72]

In diesem Zusammenhang sei erwähnt, daß einige Medien davon überzeugt sind, daß der Astralkörper sich nicht erst im Augenblick des Todes vom physischen Körper abtrennt, sondern daß er sich unter bestimmten Bedingungen schon jetzt vorübergehend lösen kann, ohne daß der Betreffende deshalb stirbt. Von phantasievollen Gemütern werden über die sogenannten Astralwanderungen die phantastischsten Geschichten erzählt. In Verruf kommen diese hochinteressanten Phänomene oft durch Leute, die nicht selten echte Phänomene und Täuschungen kritiklos durcheinanderwerfen.

Tatsache ist, daß viele beglaubigte und in entscheidenden Punkten übereinstimmende Berichte von seriösen und durchaus klar denkenden Menschen existieren, die in besonderen Situationen, zum Beispiel bei lebensgefährlichen Erkrankungen bzw. Operationen, erlebten, daß sie sich bei vollem Bewußtsein außerhalb ihres Körpers befanden. Sie behaupteten nachher, sich selbst deutlich vor sich gesehen zu haben. Sie sahen ihren eigenen Körper auf dem Operationstisch liegen und teilten zum Beweis Einzelheiten mit, die sie aus der Lage ihres physischen Körpers auf dem Operationstisch unmöglich hätten wahrnehmen können und deren Richtigkeit nachher in manchen Fällen bis ins letzte Detail hinein verifiziert werden konnte.[160, 227]

Von indischen Yogis und tibetanischen Lamas wurde von jeher oft berichtet, daß sie die Fähigkeit hätten, die vorübergehende Abtrennung ihres Astralkörpers willkürlich durchzuführen und bewußt mitzuerleben. Derartige Berichte wurden im Westen überwiegend als Aberglaube von Völkern einer niedrigeren Kulturstufe angesehen und nicht ernsthaft untersucht. Inzwischen scheinen derartige Begabungen auch bei uns im Westen aufzutreten, wenn auch sehr vereinzelt. Ein sensationeller Fall ist der des amerikanischen Elektronikfachmannes Robert

Monroe.[142] Es scheint tatsächlich so zu sein, daß Monroe in der Lage ist, sein Bewußtsein an entfernte Orte zu versetzen, aber nicht nur im Sinne einer Phantasieleistung, sondern dergestalt, daß er zur selben Zeit sich dort abspielende Vorgänge und Personen genau sieht, von den dort anwesenden »normalen« Menschen jedoch nicht gesehen, wohl aber durch hellsichtige Menschen wahrgenommen wird. Wissenschaftliche Versuche unter Testbedingungen sollen positive Ergebnisse erbracht haben.

Ein weiterer Fall dieser Art ist der amerikanische Artist Ingo Swann. Er wurde von einer Vertreterin der American Society of Psychical Research hinsichtlich seiner außergewöhnlichen paranormalen Fähigkeiten getestet. Ingo Swann saß in einem abgedunkelten Raum, an elektrophysiologische Instrumente angeschlossen. Es wurde ihm zur Aufgabe gestellt, seinen »Körper zu verlassen« und dabei Gegenstände zu beobachten, die er von der Position seines Körpers aus nicht sehen konnte. Ingo Swann mußte nach diesen »Exkursionen« die Gegenstände, die er gesehen hatte, genau beschreiben, und zwar aus der Perspektive, aus der er sie während seines »Out of body«-Zustandes gesehen haben wollte. Das Medium beschrieb sie und machte Skizzen, die von einer Psychologin durch »blind-judging« ausgewertet wurden. Alle Versuche verliefen positiv. Die Wahrscheinlichkeit, daß das Ergebnis durch Zufall zustande gekommen sein konnte, war etwa 1 : 40 000.[234] Ebenfalls phantastisch soll Ingo Swanns Fähigkeit gewesen sein, im »Out of body«-Zustand eine unterirdische elektronische Apparatur zu beobachten und nachher den Mechanismus richtig zu skizzieren. Berichte von solchen Leistungen regen die Phantasie zu gefährlichen Spekulationen an. Man denke an Geheimnisse, die in Tresoren angeblich sicher aufbewahrt sind und für Unbefugte unerreichbar sein sollten. Vielleicht sind paranormale Leistungen dieser Art für eine reifere Menschheit reserviert; denn ein Mißbrauch dieser Kräfte könnte unvorstellbare Folgen haben.

Die Paraforscher vertreten zur Zeit noch unterschiedliche Standpunkte. Ob Ingo Swann seinen Körper tatsächlich »verlassen« kann, ob sich also seine geistigen Kraft- und Wahrnehmungsfelder aus seinem Körper exteriorisieren können, oder ob es sich »nur« um Hellsehen handelt – wie manche Forscher behaupten –, ist ein ziemlich fruchtloser Streit, solange wir nicht wissen, wie Hellsehen überhaupt zustande kommt. Auf dem Parapsychologen-Kongreß 1972 in Hot Springs, Arkansas, äußerten amerikanische Mediziner mir gegenüber die Ansicht, es deute vieles darauf hin, daß das Biofeld des menschlichen Körpers oder Teile davon den physischen Körper vorübergehend verlassen und auch beim Tode zumindest für eine längere Zeit überdauern könnten, und daß der eigentliche Ort unseres Empfindens nicht der Körper mit Gehirn und Nervensystem sei, sondern der dem physischen Körper übergeordnete Energiekörper.

Eine andere extreme Form dieser angeblichen Abtrennung, bei der der abgetrennte Teil sogar von anderen Personen wahrgenommen wird, ist die *Bilokation*, wie sie in Kombination mit unerklärlichen Heilwirkungen von dem Kapuzinermönch Pater Pio im Kloster Giovanni Rotondo nahe der süditalienischen Stadt Foggia berichtet wurde, der häufig an zwei voneinander weit entfernten Orten zur gleichen Zeit gesehen worden sein soll. Hier die Kurzfassung des Falles Mario D. aus Viareggio:

1940 hatte der damals Vierundzwanzigjährige einen Arbeitsunfall. Defekt der Lendenwirbelsäule mit nachfolgender Atrophie des Kreuzbeins. Mit Gipskorsett war er beschränkt arbeitsfähig, bis er 1950 bei einer körperlichen Anstrengung zusammenbrach. Danach bestand vollständige Lähmung und Anästhesie der Beine. Der Patient war an das Bett gebunden. Hinzugezogene Fachärzte stellten weder eine exakte Diagnose, noch konnten sie helfen. Am 17. März 1951 stand ihm wegen einjähriger Krankheit die endgültige Entlassung aus seinem Arbeitsverhältnis bevor. Am Nachmittag brachte seine Frau ein Buch über Pater Pio mit nach Hause und bat ihren Mann, die Hilfe des Paters anzurufen. Der Patient hatte eine Abneigung gegen alles Religiöse im allgemeinen und gegen Geistliche im besonderen und sagte, nachdem er das Buch beiseite gelegt hatte, ohne Überzeugung: »Wenn du schon so viele Wunder gewirkt hast, dann hilf doch auch mir.«

Im selben Augenblick sah er, wie sich die Tür seines Zimmers öffnete und ein Kapuziner in einer Kutte ins Zimmer trat, auf ihn zukam und sagte: »Steh auf, dir fehlt nichts mehr!«

Dabei fühlte er, wie ihn acht Arme im Bett hochhoben und sanft wieder hinlegten. Gleich darauf ging der Kapuziner wieder zur Tür hinaus, während im Zimmer ein Liliengeruch zurückblieb. Marios ebenfalls anwesende Frau hatte außer dem merkwürdigen Gebaren ihres Mannes nichts wahrgenommen und fürchtete um seinen Verstand, als er plötzlich aufstand. Am nächsten Tag erschien er an seiner Arbeitsstätte und war offensichtlich geheilt.

Als er ein Jahr später achthundert Kilometer weit zu Pater Pio reiste, um ihm für seine Hilfe zu danken, schien dieser ihn und seine Situation genau zu kennen. Marios Arzt erklärte schriftlich, er habe den Patienten lange Zeit wegen einer primären chronischen Arthritis mit schwerer Alteration im Bereich des lumbosakralen Überganges in Behandlung gehabt, aber keine Besserung erzielt. Dann seien plötzlich die subjektiven Beschwerden verschwunden und bis heute nicht wiedergekehrt. Eine Remission, wie sie beim Patienten eingetreten sei, könne er sich nicht erklären.[19]

Professor Hans Bender glaubte den Fall weitgehend durch Erwartungseffekt, Halluzination und Telepathie erklären zu können, schloß die »Seelenexkursionstheorie« aber nicht ganz aus.[19] Vermutlich liegt hier ein mit einem Heilvorgang verbundenes Paraphänomen vor, das gerade bei Pater Pio häufig in dieser oder ähnlicher Form auftrat, und das wir im Zusammenhang mit den vorher gemachten Betrachtungen, so im Fall Robert Monroe, einmal durchdenken sollten.

In diesem Zusammenhang gibt es eine ganze Menge weiterer Phänomene, die in unser wissenschaftliches Weltbild mit seinen fest geprägten Vorstellungen vom Gehirn-Nervensystem als dem alleinigen Wahrnehmungsinstrument nicht hineinpassen. Hierzu gehören die Erscheinungen der sogenannten *Versetzung der Sinne,*[96, 236, 264] die – wenn auch relativ selten – so doch teilweise sicher bezeugt, immer wieder einmal berichtet werden. Schon Anfang des vorigen Jahrhunderts stellte der französische Arzt Pétetin fest, daß unter seinen Patienten einige waren, deren äußeren Sinne, wie Gesichtssinn, Gehör, Geruch, an andere als die hierfür üblichen Körperstellen versetzt waren.[236]

Der weltberühmte italienische Arzt und Psychologe Cesare Lombroso hatte eine Patientin, deren Geruchssinn wanderte. Hielt er ihr Ammoniak unter die Nase, zeigte sie nicht die geringste Reaktion. Aber eine noch so schwach duftende Substanz rief eine starke Reaktion hervor, wenn sie ihr unter das Kinn gehalten wurde. Das Kinn war zum Sitz des Geruchssinns geworden – und verlagerte sich dann im Laufe der Zeit bis zu den Füßen. Dr. Angona behandelte im vorigen Jahrhundert in Carmagnola (Provinz Turin) ein junges Mädchen, das im schlafwandlerischen Zustand Münzen erkennen konnte, die man ihr in den Nacken hielt, und Gerüche mit ihrem Handrücken wahrnahm. Später sollen Gesichtssinn und Gehör allmählich nach der Bauchdecke gewandert sein.[236]

Derartige Phänomene bringen offensichtlich unsere Konzeption von den Vorgängen bei unseren sinnlichen Wahrnehmungen durcheinander; denn »sehen« kann man normalerweise etwas mit den Augen, von wo aus der Reiz zum Gehirn weitergeleitet und dort wahrgenommen und miterlebt wird. Wenn nun an der Anschauung der alten Okkultisten etwas Wahres dran wäre, daß das Erleben im Astralkörper – also gewissermaßen »hinter« dem Gehirn – stattfindet, wäre der übliche Weg der, daß das im Gehirn ankommende Signal erst noch an den Astral- oder Energiekörper weitergegeben werden muß, um erlebt, empfunden zu werden. Neben diesem normalen Weg gäbe es unter Umständen auch noch einen paranormalen Weg, in dem der Energiekörper, der dann gewissermaßen auch der »Empfindungskörper« wäre, sich anderer »Kontaktstellen« bedient, um Dinge wahrzunehmen.

Der Zusammenhang des Energiekörpers mit dem physischen Körper ist wahrscheinlich sehr kompliziert. Es scheint hier nicht nur über das Gehirn eine Verbindung zu bestehen, sondern einiges deutet darauf hin, daß auch über die Akupunkturpunkte eine sich auf den ganzen Körper erstreckende Kommunikation dieser beiden Systeme besteht. Wenn wir ihn erforscht haben, werden wir vielleicht auch das Rätsel der Akupunktur-Anästhesie besser verstehen können.

Auf jeden Fall müssen wir uns darauf gefaßt machen, daß eine rational-wissenschaftliche Analyse des Systems »menschlicher Körper« ohne irgendwelche Unterschlagungen der heute insgesamt bekannten normalen und paranormalen Tatsachen und Phänomene zu einem noch viel komplizierteren und für das verstandesmäßige Denken unanschaulicheren Modell des Menschen führen wird, als unsere offizielle wissenschaftliche Medizin und Biologie es heute ihren Arbeiten zugrunde legen.

Wem dieser Denkansatz zur Erklärung der Phänomene unsinnig erscheint, möge einen besseren anbieten. Auf keinen Fall aber kann man diese Probleme lösen, indem man sie ignoriert. Viele Sowjetwissenschaftler verdrängen unbequeme Erscheinungen nicht, sondern untersuchen sie mit ganz besonderem Interesse. So stellten sie 1962 fest, daß die zwanzigjährige Rosa Kuleschowa mit ihren Fingerspitzen Farben erkennen konnte. Eine sechswöchige Untersuchung in der Psychiatrischen Klinik von Swerdlowsk ergab, daß sie auch hinter einer Pappschicht Farben fühlen und mit Glas, Zellophan und anderen Materialien abgedeckte Farben mit ihren Fingerspitzen »erkennen« konnte. Geringfügige Strukturunterschiede oder leichte Wärmeunterschiede der einzelnen Farben, die sie mittels eines außergewöhnlichen Tastsinns wahrnehmen könnte, waren also ausgeschaltet.[145, 169] Der Einwand, daß es sich bei dem »augenlosen Sehen« um eine enorm seltene Ausnahmeerscheinung handelt, bringt uns im Grunde keinen Schritt näher an die Lösung des Problems, wo denn unser »Erleben« der Dinge letztlich stattfindet. Sicher scheint nur zu sein, daß bei der Enträtselung all dieser Vorgänge dem Energiekörper bzw. dem Biofeld eine zentrale Bedeutung zukommen wird. Und dieses Biofeld und die von ihm ausgehende Energie sind zweifellos auch die entscheidenden Größen bei den paranormalen Heilungen.

Mit der Akzeptierung des Energiekörpers als Ursache der paranormalen Vorgänge würde vielen bisher rein parapsychologisch beschriebenen Erscheinungen eine konkretere wissenschaftliche Basis gegeben werden. Denn Ausdrucksweisen wie »Anzapfen des Unterbewußtseins« und »Kontaktaufnahme mit dem Unterbewußtsein einer anderen Person«, wie sie von Parapsychologen vielfach benutzt werden, sind wohl als philosophisch-psychologische Konzeptionen durchaus wertvoll, befriedigen aber den wissenschaftlich Denkenden nicht. Dagegen ist die »Übertragung von einem Biofeld auf ein anderes« eine Konzeption, die wissenschaftlich einleuchtend sein könnte, obwohl hier schon gesagt sei, daß man bei der Weiterverfolgung des Energiekörpers bzw. Biofeldes um die Annahme einer grundsätzlich neuartigen Energieform kaum herumkommen wird.

Manche Parapsychologen stehen auf dem Standpunkt, es deute zwar manches darauf hin, daß es so etwas wie einen Energiekörper geben könne, aber die Wissenschaft brauche ihn nicht.[207] Ob eine derartige Einstellung für den wissenschaftlichen Fortschritt fruchtbar ist, wird man bezweifeln müssen; *denn letztlich geht es um die Frage, ob es den Energiekörper gibt oder nicht und durchaus nicht darum, ob die Wissenschaft ihn braucht oder nicht.* Der französische Philosoph Henri Bergson sagte 1913, man dürfe sich nicht wundern, daß ein Wissenschaftler an seiner Methode hänge wie ein Arbeiter an seinem Werkzeug. Er liebt sie um ihrer selbst willen, unabhängig davon, was sie leistet.[17] Daran hat sich bis heute nichts geändert. Nach wie vor muß sich der Wissenschaftler hüten, seine wissenschaftlichen Methoden und Denkweisen zum Selbstzweck zu erheben, sofern er Wert darauf legt, der Wahrheit näherzukommen.

Wenn es sich bei dem Energiekörper oder Biofeld um etwas handelt, was sich vom Körper abtrennen und eventuell weiterexistieren kann, dann scheint es hierbei um mehr zu gehen als nur um eine sekundäre Begleiterscheinung biologischer Vorgänge.

Viele sowjetische und tschechische Forscher scheinen zu der Ansicht zu neigen, daß der Energiekörper der übergeordnete, organisierende Teil des Menschen ist.[101, 102, 169] Krankheiten, sagen sie, zeigen sich zuerst in Unausgeglichenheiten des Energiekörpers und wirken sich von hier aus auf den physischen Körper aus. Der stoffliche Körper stellt also die Wirkungsebene dar und nicht die Ursachenebene, wie von der Mehrzahl der Wissenschaftler bisher und weitgehend auch heute noch angenommen wird.

Daraus würde folgen, daß bei einer Krankheitsbehandlung die Störung nicht nur im physischen Körper angegangen werden muß, sondern daß auch die Ursache, die im Energiekörper – oder in einer eventuell noch weiter übergeordneten Instanz –

liegt, zu beseitigen wäre, sonst ist zu erwarten, daß die Heilung nicht dauerhaft sein wird. Wenn man die Mehrzahl der heute benutzten Heilmittel betrachtet, so sind dies Angriffe gegen Wirkungen, und nur selten wird die Ursache beseitigt. Jede Art von Substitutionstherapie richtet sich gegen Wirkungen, womit hier nicht etwa behauptet sein soll, daß sie nicht gerechtfertigt sei. Die ideale Methode aber wäre, eine Krankheit im Anfangsstadium in der Ursachenebene anzugreifen und nicht nur im Endstadium grobe Wirkungen und Symptome zu behandeln.

Die westliche Medizin begann mit dem Sezieren des menschlichen Körpers und machte große Fortschritte in dieser Richtung. Sie erforschte den physischen Körper nach allen nur möglichen Richtungen. Die Meister und Begründer des indischen Yoga aber erkannten den Energiekörper als den ursächlicheren und die chinesischen Akupunkteure fanden ein System, um auf diesen Energiekörper regulierend und harmonisierend mit großem Erfolg einzuwirken.[151]

Die Vorstellungen der westlichen Medizin, des Yoga und der Akupunktur stellen verschiedene Aspekte ein und desselben Untersuchungsgegenstandes dar, nämlich des Menschen. Aus den unterschiedlichen Aspekten ergeben sich jedoch unterschiedliche Methoden, Krankheiten anzugreifen. Anders gesagt: Schulmedizin und Psi-Heilung greifen die Krankheit auf unterschiedlichen Ebenen an, die Schulmedizin auf der Wirkungsebene, die Paramedizin auf einer ursächlicheren Ebene. Damit soll die Schulmedizin keineswegs diskreditiert, sondern vielmehr die Möglichkeit einer fruchtbaren Koexistenz beider Systeme aufgezeigt werden. Die Akupunktur beispielsweise, die zwischen Schulmedizin und Psi-Heilung steht, wird bei fortgeschrittenen schweren organischen Krankheiten versagen, da sie im ursächlichen Energieschema des Körpers angreift, aber bei fortgeschrittenen Entartungen in der Ebene der Zellen und Gewebe oft nichts mehr ändern kann. Sie könnte die ideale Methode sein, ernste Erkrankungen zu verhüten. Wenn schon etwas zerstört ist, wird sie selten noch helfen können. Dann muß westliche Schulmedizin versuchen, das Leiden zu kompensieren, ausgefallene Gewebe, Organe zu substituieren oder hoffnungslos kranke Stellen durch das Messer zu entfernen.

Eine gänzlich andersartige Form des paranormalen Heilens findet man bei den Filipinos. Diese scheinen wie die Akupunkteure auch am ursächlichen Energiekörper einzugreifen, aber sie gehen über den Bereich der Akupunktur weit hinaus und greifen mitunter in die Wirkungsebene unserer Schulmedizin ein, und zwar mittels imponierender paranormaler Leistungen.

Die Wiederentdeckung des Energiekörpers

Wenn es auch viele Erscheinungen gibt, die auf die Existenz der Aura und eines Energiekörpers hindeuten, so möchte der kritische Mensch dennoch eindeutige, direkte wissenschaftliche Beweise dafür haben. Gibt es sie heute schon? Diese Frage muß vom streng wissenschaftlichen Standpunkt aus verneint werden. Zeigen sich aber wenigstens schon Ansätze, die erwarten lassen, daß die Wissenschaft in nicht allzu ferner Zukunft in der Lage sein wird, diese Phänomene zu bestätigen? Das kann hier klar bejaht werden. Zu dieser optimistischen Ansicht berechtigen neuere Entwicklungen auf dem Gebiet der Elektrofotografie.

Wenn sich Wolken gegenüber der Erde oder auch gegenüber anderen atmosphärischen Schichten stark elektrisch aufladen, entstehen unter Umständen sehr hohe Spannungen, und es kommt zu elektrischen Entladungen. Eine jedermann bekannte elektrische Entladung ist der Blitz. Es gibt jedoch auch »lautlose« Entladungen, bei denen die elektrische Energie nicht zu einem gewaltsamen Durchschlag durch die Luftschicht ausreicht. Von jeher beobachteten Seefahrer das Auftreten von eigenartigen Leuchterscheinungen an den Masten ihrer Schiffe, was als ein schlechtes Zeichen galt; denn es pflegte bald danach heftiger Sturm einzusetzen. Wir wissen, daß dieses *Elmsfeuer* — es hat seinen Namen von St. Elmo, einem legendären Heiligen und Schutzpatron der Seeleute — das Ergebnis elektrischer Entladungen ist, die vor allem von hervorspringenden Kanten und Spitzen ausgehen. Sie entstehen bei hohem luftelektrischen Potentialgefälle, bei gewittriger Wetterlage, Schnee- und Staubstürmen.

Untersuchungen dieses Naturphänomens im Labor führten zu interessanten Ergebnissen.[2] Man erzeugte bei völliger Dunkelheit an bestimmten kleinen Objekten künstliche Elmsfeuer und hielt die Leuchterscheinungen auf fotografischen Platten fest. Indem man zwischen einem Gegenstand und einer entgegengesetzt geladenen Elektrode oder Kondensatorplatte ein konstantes elektrisches Feld aufbaute, konnte man eine kontinuierliche Leuchterscheinung erzeugen, die sich in der Dunkelheit zur Belichtung eines fotografischen Filmes benutzen ließ. Man bekam auf diese Weise eine Abbildung des Gegenstandes, von dem die elektrische Entladung ausging. Diese »Elektrofotografie« wurde 1889 von dem Tschechen B. Navratil[197] entdeckt. Man sieht auf der Abbildung um die Form des Gegenstandes herum einen charakteristischen Strahlenkranz. Der Elektrotechniker spricht von einer »Korona«. Scharfe Kanten und Ecken zeigen den Effekt besonders stark.

Hierbei denkt man natürlich gleich an die Aura, die Hellseher und Sensitive um die lebenden Organismen herum sehen. Lebende Organismen lassen sich nicht ohne weiteres starken elektrischen Feldern der eben beschriebenen Art aussetzen, da einige zehn Milliampère Stromstärke für den menschlichen Körper schon tödlich sind. Der russische Ingenieur Semjon Kirlian aus Krasnodar und seine Ende 1972 verstorbene Frau Valentina fanden eine geniale Lösung: Sie entwickelten in den fünfziger Jahren die »Elektrofotografie im Hochfrequenzfeld«,[2] das heißt, sie benutzten Wechselstromfelder hoher Frequenz, die von tierischen Lebewesen viel besser vertragen werden und das Studium der Lumineszenz lebender Objekte im elektrischen Feld gestatten. Auf technische Einzelheiten soll hier nicht näher eingegangen werden.[169] Es sei nur gesagt, daß man, wenn der abgebildete Gegenstand ein guter Leiter (Metall) ist, nur ein Bild seiner Oberfläche erhält, wenn es sich jedoch um einen schlechten elektrischen Leiter handelt, zeigt sich in der Fotografie die innere Struktur des Gegenstandes, auch wenn er optisch undurchsichtig ist. Bei toten Objekten bleibt das Hochfrequenzbild konstant, bei lebender Materie unterliegt das Bild Veränderungen. Durch das Mikroskop lassen sich Feinheiten der Entladungen beobachten, die zum Teil örtlich stabil sind, zum Teil sich bewegen. Das Interessanteste ist, daß diese Entladungen in den verschiedensten Farben die Lebensaktivität des Objekts widerzuspiegeln scheinen.[2]

In der Sowjetunion befaßt man sich mit der Hochfrequenzfotografie seit über zwanzig Jahren, im Westen begann man sich erst vor kurzem dafür zu interessieren, so die Amerikaner Professor Douglas Dean, New York, und Professor Philips, Physiker an der Washington-Universität in St. Louis. Auch brasilianische Forscher, Österreicher und Deutsche haben inzwischen Hochfrequenzfotos gemacht.[201, 221] Im Mai 1972 zeigte die bekannte amerikanische Paraforscherin Dr. Thelma Moss auf dem ESP-Kongreß in Hot Springs einen unter ihrer Regie hergestellten Dokumentationsfilm[147] über Paraforschung in den USA, in dem auch die Hochfrequenzfotografie demonstriert wurde. Die Fotos waren im Labor der Wissenschaftlerin im Neuropsychiatrischen Institut (UCLA) in Los Angeles aufgenommen worden. Der Farbfilm zeigte die auraartige Ausstrahlung eines Fingers. Im Normalzustand gehen farbstarke blaue und weiße Strahlen von den Fingern aus. Wenn aber eine Person während der Aufnahme in erregter, zorniger Stimmung ist, entsteht ein rotes klecksartiges Muster. Bei einer Person, die sich im Dienst der Wissenschaft betrunken hatte, zeigten die Finger trübe Ausbrüche verschwommener Farben. Die stärkste Abweichung vom normalen Strahlenbild trat auf, wenn die Versuchsperson in Trance war.

Für sowjetische Psi-Forscher hätte diese Demonstration freilich nichts Neues geboten. Dr. Viktor Injuschin – heute einer der Exponenten der biologischen Kraftfeldforschung der UdSSR – hatte in früheren Arbeiten bereits ausführliche Interpretationen von Hochfrequenzfotografien des menschlichen Körpers gegeben, und seit Jahren sind russische Forscher in der Lage, diese *Biolumineszenz*-Erscheinungen in direkterer Weise und kontinuierlich durch mikroskopähnliche optische Spezialapparaturen zu beobachten.

Die Hochfrequenzbilder lebender Objekte erinnern stark an die im vorigen Kapitel angeführten Aussagen mancher sensitiver Menschen, so des Heilers Gordon Turner, über die Aura lebender Körper. Dennoch wäre ein Analogieschluß sehr gewagt; denn die Aura wird ja als eine Art Ausstrahlung des Lebewesens aufgefaßt, während das Leuchten im Hochfrequenzfeld durch einen elektrischen Entladungsvorgang zustande kommt.

Es wurde gesagt, daß die Akupunkturpunkte Stellen erhöhter

elektrischer Leitfähigkeit sind, das heißt, an diesen Stellen werden die Erscheinungen in einem elektrischen Feld auch in veränderter Weise auftreten und sich durch eine unterschiedliche Färbung im Foto ausdrücken. Auf jeden Fall stellen die Hochfrequenzfotos ein sehr interessantes Verfahren zur Analyse der elektrischen Verhältnisse auf der Haut des Menschen dar. Ob aber dadurch eine »Ausstrahlung« der menschlichen Haut sichtbar gemacht wird oder nicht, muß zunächst noch offenbleiben.

Im Westen stieß die Hochfrequenzfotografie zum Teil auf starke Skepsis. Auch konnten manche von den Sowjets angeblich gemachte Entdeckungen von westlichen Fachleuten nicht reproduziert werden.[146] Für andere Effekte bot man im Westen zum Teil ganz simple Erklärungen an und bestritt, daß die Sowjetforscher mit der Hochfrequenzfotografie überhaupt etwas Neuartiges entdeckt hatten.[221] So wurde die Tatsache, daß ein frisches Pflanzenblatt eine viel kräftigere Lumineszenz aufweist als ein welkes Blatt, von östlichen Psi-Forschern als ein Beweis für die Existenz der Aura hingestellt, die im welken Blatt bei Nachlassen der Lebenskraft verblasse und das »Schwinden der Lebenskraft« anzeige. Im Westen deutete man dies als den einfachen Effekt des Austrocknens. Durch die Verminderung des Wassergehalts ändern sich die elektrischen Verhältnisse, ohne daß dies etwas mit einer geheimnisvollen Lebenskraft zu tun habe. Ja, manche Fachleute äußerten sogar die Vermutung, daß die Aurafotografie der Sowjets ein Potemkinsches Dorf sei.

Doch scheint es etwas zu bequem anzunehmen, daß die russischen Paraforscher der übrigen Welt hier Potemkinsche Dörfer aufgebaut haben, auch wenn sich manche Erscheinungen der Hochfrequenzfotografie auf der Basis bisheriger Kenntnisse erklären lassen. Es gibt anscheinend aber auch Phänomene, bei denen das nicht so leicht möglich ist. So berichteten die Sowjets, daß man auf diesem Wege Krankheiten erkennen könne, ehe sie mit den sonst üblichen Methoden nachweisbar seien. Pflanzenblätter der gleichen Art und Frische gäben verschiedene Bilder, wenn das eine Blatt gesund, beim anderen jedoch eine Krankheit im Entstehen ist, auch wenn die Krankheit sonst noch nicht nachweisbar sei. Ebenso ändere sich das Schema der menschlichen Hand, wenn die betreffende Person erkrankt sei bzw. eine

Krankheit sich vorbereite. Die sich für die Medizin hieraus ergebenden Folgerungen hinsichtlich neuer Diagnosemethoden sind möglicherweise sehr interessant. Es gibt offensichtlich für viele Krankheiten ein »vorklinisches Stadium«, in dem die Erkrankung mit Hilfe der bisherigen medizinischen Methoden noch nicht feststellbar ist, obwohl sie latent bereits vorhanden ist und auf dem Hochfrequenzfoto — oder in der Aura — auch bereits erkennbar.

Vielleicht kann man eines Tages auf der Grundlage einer weiter fortgeschrittenen Hochfrequenzfotografie viele gefährliche, sich langsam im Verborgenen entwickelnde Krankheiten bereits in einem Stadium diagnostizieren, wo sie noch heilbar sind. Für die Krebsprophylaxe eröffnen sich hier möglicherweise völlig neue Perspektiven und segensreiche Anwendungsmöglichkeiten. Zumindest aber bietet die Hochfrequenzfotografie eine neuartige Methode zum Studium bioelektrischer Strukturen. Der russische Biophysiker Viktor Adamenko wies schon vor einigen Jahren darauf hin, daß eine elektrische Entladung im Hochfrequenzfeld lebender Objekte eine komplizierte und vieldeutige Angelegenheit sei, eine Erscheinung, deren Ursprung nicht immer nur durch Elektronenaussendung erklärt werden könne und die Gegenwart einer noch unbekannten Strahlenart nicht ausschließe.

Vielleicht haben die Sowjetforscher im Rahmen ihrer jahrelangen Arbeiten auf dem Gebiet der Hochfrequenzfotografie und der Elektrobiolumineszenz Verfahren entwickelt, um eine Ausstrahlung im Sinne einer Aura zu erfassen, die die Sensitiven zu sehen vorgeben, oder eines »Od« im Sinne des Freiherrn von Reichenbach. Besonders überzeugend ist, daß ihre Vorstellungen von den Kraftfeldern des menschlichen Körpers nicht nur das Ergebnis der Hochfrequenzfotografie sind, sondern sich auf die Arbeiten mit verschiedenen Detektoren und die Anwendung verschiedenartiger Methoden gründen.

Aufsehen erregten Berichte über einen eigenartigen Phantomeffekt, den sowjetische Forscher angeblich beobachtet hatten. Bei der Hochfrequenzfotografie eines Blattes, von dem ein Teil abgeschnitten worden war, habe man das vollständige Abbild des ganzen Blattes erhalten, wenn der abgeschnittene Bereich auch schwächer abgebildet war.[169, 197] Damit läge eine Entdeckung von ungeheurer Bedeutung vor, die seit langem und oft aufgestellte Behauptungen mancher Medien unterstützen würde, daß bei Amputierten ein »astrales« Glied bzw. ein »Phantomglied« zu sehen sei, das dem normalen Menschen nicht sichtbar ist. Erhärtet wurden diese Feststellungen durch die Tatsache, daß manchmal auf Fotografien von Arm- oder Beinamputierten in Gegenwart von Medien auf der entwickelten Fotografie ebenfalls dieses Phantomglied abgebildet war. Die fotografische Emulsion ist offensichtlich viel empfindlicher als das menschliche Auge.

Diese Beobachtungen sind, wie gesagt, von unerhörter und kaum zu überschätzender Tragweite. Wenn nach Entfernung einer physischen Substanz, sei es ein Teil des Pflanzenblattes, sei es ein Arm oder Bein des lebenden menschlichen Körpers, der abgetrennte Teil auf dem Hochfrequenzbild zusammen mit dem übrigen Corpus vollständig erhalten bleibt, dann handelt es sich bei dem der Abbildung zugrunde liegenden Energieschema vermutlich nicht mehr um ein sich sekundär aus den physiologischen Funktionen ergebendes elektromagnetisches Feld. Denn ein solches müßte verschwinden, wenn seine Basis, das physiologische Substrat, beseitigt ist.

Wenn nach der Amputation eines Beines ein Energieschema dieses Beines zurückbleibt, das vorher im physischen Bein enthalten war, so ist es sehr wahrscheinlich, daß der gesamte Körper von einem Energiekörper durchsetzt ist, der ein der stofflichen Form übergeordnetes, die Form und die Anordnung der materiellen Bausteine, die Zellen, bestimmendes und dirigierendes Energiefeld bildet und von ursächlicherer Bedeutung ist als die materielle Form.

Westliche Forscher scheinen bisher nicht in der Lage zu sein, diesen Phantomeffekt zu reproduzieren.[146, 221] Also doch Potemkinsche Dörfer? Wohl kaum! Denn man sollte stets bedenken, daß die Russen sich seit über zwanzig Jahren sehr intensiv mit der Hochfrequenzfotografie befassen, während man dies bei uns erst seit kurzer Zeit tut. Wenn jemand das Ergebnis experimenteller Arbeiten eines anderen nicht zu reproduzieren vermag, so darf man die Möglichkeit nicht ausschließen, daß ihm einfach das »Know-how« noch fehlt. Um komplizierte neuartige Experimente nachzumachen, genügt es oft nicht, der formalen

Arbeitsanleitung zu folgen. Ein Chemiestudent kann in drei bis fünf Monaten Lehrbücher über analytische Chemie gründlich durcharbeiten, aber er braucht drei bis fünf Jahre dazu, um selbständig und zuverlässig schwierige praktische Probleme lösen zu können. Vielleicht ist es gar nicht möglich, in zwei Jahren all das nachzuholen, was sowjetische Forscher in über zwanzig Jahren erarbeitet haben.

Inzwischen sollen die Russen so weit fortgeschritten sein, daß sie die den Menschen umgebenden Kraftfelder bzw. den Strahlenkranz nicht nur fotografisch, also in einer Momentaufnahme, aufzeichnen, sondern die Felder bzw. Ausstrahlungen in ihrem zeitlichen Verlauf filmen können und dann für medizinische Diagnosen auswerten.[234] Unter diesem Aspekt erscheint es durchaus möglich, wenn nicht sogar wahrscheinlich, daß die Aura, die Hellseher wahrnehmen, eines Tages wissenschaftliche Realität sein wird.

Gegen Ende des vorigen Jahrhunderts befaßte sich der berühmte britische Chemiker, Physiker und Paraforscher Sir William Crookes mit der Möglichkeit eines vierten Zustandes der Materie, und zwar kam er zu dieser Annahme nicht zuletzt aufgrund seines Studiums mediumistischer Phänomene. Tatsächlich gibt es diesen vierten Aggregatzustand der Materie. Man nennt ihn Plasma. Dieser *physikalische* Plasmabegriff darf nicht verwechselt werden mit dem, was die Biologen und Mediziner als Zellplasma oder Blutplasma bezeichnen. Was aber ist das physikalische Plasma?

Die Stoffe unserer Welt kommen bekanntlich in den Aggregatzuständen fest, flüssig und gasförmig vor. So geht das feste Eis beim Erwärmen in flüssiges Wasser über, Wasser beim Verdampfen in den Gaszustand. An den gasförmigen Zustand schließt sich nun der vierte Aggregatzustand an, der des physikalischen Plasmas, der erst in unserem Jahrhundert erkannt werden konnte, nachdem man über die Struktur der Atome besser Bescheid wußte. In diesem Zustand beginnen die Bausteine unserer stofflichen Welt, die Atome – die lange Zeit als die kleinsten Bausteine unserer Welt und als unteilbar galten –, sich weiter aufzulösen, zu dissoziieren, indem sie in zunehmendem Maße ihre Elektronen verlieren, wobei elektrisch geladene Teilchen zurückbleiben.[66]

Der Übergang vom Gaszustand in das Plasma erfolgt bei hohen Temperaturen. Man spricht dann von »heißem Plasma«. Das Plasma des leichtesten chemischen Elements, Wasserstoff, wird in der Wasserstoffbombe zu Helium verschmolzen. Erreicht man den Zustand des Plasmas bei tiefen Temperaturen, spricht man von »kaltem Plasma«. Niemand wäre bei der Entdeckung des vierten Aggregatzustandes auf den Gedanken gekommen, auch diesen neuen Zustand der Materie in irgendeiner Form im menschlichen Körper zu vermuten; man beschränkte ihn auf die anorganische Materie. Doch 1944 stellte der russische Biologe Dr. V. S. Gritschenko die Hypothese auf, daß auch der vierte Zustand der Materie in biologischen Systemen und damit im menschlichen Körper auftrete, und seit einer Reihe von Jahren vertreten mehrere prominente russische Wissenschaftler die Vorstellung von einem »kalten Plasma« lebender Organismen, das die Grundlage des Lebens sein soll.[197] Die Forscher nennen es biologisches Plasma oder *Bioplasma*.

Die Vorstellung von der Existenz des vierten Aggregatzustandes in lebenden Organismen – eventuell noch mit weiteren freien Elementarteilchen – ist etwas revolutionierend Neues, wovon bisher wohl in kaum einem medizinischen Lehrbuch in der ganzen westlichen Welt ein Wort oder eine Vermutung zu finden ist. Vielmehr beruhen unsere Vorstellungen vom menschlichen Körper ganz und gar auf den Vorstellungen der klassischen Physik des vorigen Jahrhunderts und den Anschauungen der Chemie.

In unserem Jahrhundert hat die Physik grundsätzlich neuartige Wege eingeschlagen und gänzlich neue Dimensionen erschlossen, indem sie in Bereiche eingedrungen ist, in denen sie auf jegliche Anschaulichkeit verzichten muß, weil es in unserer menschlichen Vorstellungs- und Erfahrungswelt nichts Analoges dazu gibt. Der Physiker weiß, daß er sich auf seine Formeln mehr verlassen kann als auf das Anschauungsvermögen seines sogenannten gesunden Menschenverstandes, wenn es zum Beispiel darum geht, Vorgänge im Atomkern zu beschreiben.[66, 90] Medizin und Biologie haben diesen kühnen Sprung, den die

Physiker im ersten Drittel unseres Jahrhunderts vollzogen haben, noch nicht mitgemacht, sondern stehen in ihrer Denkweise noch weitgehend auf dem Boden der klassischen Naturwissenschaften.[174] Das moderne Atommodell der Physik hat keine Ähnlichkeit mehr mit dem Modell von Rutherford und Bohr. Der moderne Physiker stellt sich das Atom nicht mehr vor. Er beschreibt es lediglich durch Formeln, es ist unanschaulich. Dagegen sind die Vorstellungen vom Wesen des menschlichen Körpers, der sich ja letztlich aus diesen unanschaulichen Atomen aufbaut, keinem derartig grundsätzlichen Wandel unterzogen worden. Das Modell »menschlicher Körper« ist nach wie vor auf durchaus klassischen Anschauungen aufgebaut, und unanschauliche Modelle dafür aufzustellen, würde gegen die Erfahrungen des gesunden Menschenverstandes verstoßen und wird daher gar nicht erst in Erwägung gezogen.

Das liegt einerseits daran, daß die biologischen Wissenschaften viel jünger sind als die Physik und andererseits daran, daß der Untersuchungsgegenstand des Mediziners und Biologen, der menschliche Organismus, viel komplizierter ist als die Untersuchungsobjekte der Physiker, und schon deshalb haben sich die Wissenschaften von der lebendigen Materie nicht in dem gleichen Tempo entwickeln können wie die anorganischen Wissenschaften.[34]

Um so sensationeller muß es unter diesem Aspekt erscheinen, daß sowjetische Wissenschaftler den mutigen Schritt getan haben, ein Modell des menschlichen Körpers zu untersuchen, das als Grundlage nicht mehr die Ebene der Moleküle hat, sondern in den »vierten Zustand« hinübergeht und damit auf weitere Sicht wahrscheinlich in die Physik der Elementarteilchen. Sollten sich die Theorien der russischen Bioplasmaforscher bewahrheiten, dann dürften ihre Entdeckungen einen Meilenstein in der Geschichte der biologischen Wissenschaften darstellen und das Bild vom Menschen, das die Wissenschaftler in den vergangenen zweihundert Jahren erarbeitet haben, in seinen Grundzügen verändern.

Das Zentrum der russischen Bioplasmaforschung befindet sich in Alma-Ata, der Hauptstadt Kasachstans, im nördlichen Vorgebirge des Himalaja und nur fünfzig Kilometer von der chinesischen Grenze entfernt gelegen. In einem der zahlreichen Hochschulinstitute der modern gestalteten Universitätsstadt arbeitet der Biologe Dr. Viktor Injuschin mit seinem Forschungsteam. Bis Ende der fünfziger Jahre wurden kaum Versuche unternommen, die Existenz eines physikalischen Plasmas in Beziehung zu lebender Materie zu bringen, doch die Ergebnisse mancher Experimente mit lebender Materie schienen einigen Forschern den Gedanken nahezulegen, daß Elementarteilchen – also Teilchen, kleiner als die Atome – in lebenden Organismen vorkommen und sogar ein kompliziertes zusammenhängendes Netzwerk oder System im lebenden Organismus bilden könnten. Heute sprechen tatsächlich eine ganze Reihe von Forschern von einem *Bioplasmakörper*, wodurch die alten indischen Vorstellungen von einem »feinstofflichen Körper« im Menschen weiterhin an Wahrscheinlichkeit gewinnen. Injuschin und seine Mitarbeiter sind der Ansicht, daß ein dauernder stabiler Zustand des Bioplasmas unter den Bedingungen des lebenden Organismus möglich ist und daß der Körper ständig Bioplasma ausstrahle.[93] Die Forscher glauben Hinweise dafür zu haben, daß die kleinsten Teilchen des Bioplasmas elektrische Felder beeinflussen und sich dadurch im Bild der Hochfrequenzfotografie bemerkbar machen. Neuerdings sucht Injuschin die Bioplasmastrahlung nachzuweisen, ohne elektrische Felder anzuwenden. Wenn das gelingt, dann muß sich endgültig zeigen, ob die Bilder durch das angelegte elektrische Feld allein verursacht werden oder zumindest teilweise das Ergebnis einer Bioplasmastrahlung sind, ob also die Kirlian-Bilder eine »Aura« anzeigen oder nur eine elektrische Korona.

Es spricht sehr für die Bioplasmatheorie, daß unabhängig von der Alma-Ata-Forschergruppe auf völlig anderem Wege ein anderer sowjetischer Wissenschaftler auf das Bioplasmaprinzip stieß: der bekannte Leningrader Biophysiker, Mathematiker und Neurophysiologe Dr. Genadij Sergejew. Er ging von gänzlich anderen Voraussetzungen aus, entwickelte einen vollkommen andersartigen Detektor und kam zu der Ansicht, daß die von ihm beobachteten Erscheinungen sich am besten erklären ließen, wenn man die Existenz eines »kalten Plasmas« im Gehirn annimmt.[223, 225]

Im Bereich der Wissenschaften spricht es stets für die Richtigkeit einer Theorie, wenn sie auf gänzlich verschiedenen Wegen von mehreren und unabhängig voneinander arbeitenden Forschergruppen aufgestellt wird. Das ist bei der Bioplasmatheorie der Fall.

Auch Sergejew kam zu der Ansicht, daß der Körper Bioplasma ausstrahlt. Wenn die Neuronen im Gehirn in ganz bestimmter Geometrie synchron erregt werden, tritt der von Sergejew so genannte »Biolaser-Effekt« auf, das heißt, Bioplasma scheint gebündelt — wie ein Laserstrahl — aus dem Gehirn auszutreten. Der Bioplasmastrahl kann ein solches Ausmaß fluktuierender elektrostatischer Ladungen erreichen, daß kleine Objekte durch ihn bewegt werden. [222, 224]

Schon seit langem gibt es Berichte über unerklärliche Fernbewegung (Psychokinese) von Gegenständen, die man zunächst kurzerhand als Aberglauben und Scharlatanerie abtat oder ohne gründliche Untersuchung als das Ergebnis elektrostatischer Aufladungen wegerklärte. Bereits Karl von Reichenbach wies solche Effekte nach. So gab es beispielsweise Personen, die einen leichten Papierzylinder, der axial mit sehr geringem Drehmoment aufgehängt war, *aus der Distanz* in drehende Bewegung setzen konnten, und zwar allein dadurch, daß diese Personen ihre Hand bis auf etwa fünfzehn Zentimeter an den Zylinder heranbrachten oder ihn mit den Augen fixierten.[97] Die Pioniere dieses speziellen Gebiets der Psi-Forschung nahmen schon immer an, daß die Ursache für psychokinetische Vorgänge eine Energie sein müßte, die vom menschlichen Körper ausgehe und entweder vom menschlichen Körper produziert werde, oder daß der menschliche Organismus als Transformator für eine äußere Energie diene, die man ganz allgemein als »kosmische Energie« bezeichnen könne. Mesmers Vorstellungen vom »animalischen Magnetismus« lagen auf der gleichen Ebene, wenn er auch keine physikalischen Bewegungseffekte untersuchte.

In der ČSSR werden die Phänomene heute wissenschaftlich untersucht. Man hat eindeutig festgestellt, daß sie sich *nicht* auf der Basis von Luftströmungen, elektrostatischen Aufladungen, körperlicher Wärmeausstrahlung oder sonstiger uns bekannter

Effekte erklären lassen.[194] Die Tschechen meinen, daß jeder Mensch gewisse psychokinetische Fähigkeiten besitze, sie seien jedoch im allgemeinen nur sehr schwach und von anderen uns unbekannten und stärkeren Effekten überlagert, weswegen sie bisher meist übersehen wurden. Es gibt zum Beispiel Menschen, die in der Lage sind, eine Nähnadel, die man in einer Tasse oder Schüssel voll Wasser vorsichtig auf die Wasseroberfläche legt, so daß sie infolge der Oberflächenspannung schwimmt, durch scharfes Fixieren mit den Augen oder durch Näherbringen ihrer Hände bis auf zwanzig bis dreißig Zentimeter an den Rand des Gefäßes zu treiben.

In dieser Richtung sehr begabte Menschen – wie der tschechische Mathematiker und Physiker Dr. Julius Krmessky – können die Nadel auch durch Fixieren mit ihren Augen in drehende Bewegung versetzen.[115, 116] Selbst wenn sich Dr. Krmessky bis acht Meter von der Nadel entfernt befindet, gelingt ihm das Experiment meistens. Andere Gegenstände, wie etwa leichte Münzen, verhalten sich ähnlich; aber längliche Formen zeigen den Effekt in stärkerem Maße. Er kann durch Blinzeln verstärkt werden oder durch starke gedankliche Konzentration. Krmessky hat viele weitere Versuchsanordnungen zur Demonstration dieses Effekts erprobt.

Wer das Experiment mit der schwimmenden Nadel nachmachen will, achte darauf, daß er sich nicht durch rein elektrostatische Effekte täuschen läßt; denn wenn die Nadel und der Tassenrand entgegengesetzt elektrostatisch aufgeladen sind und in einer kleinen Tasse die Nadel sogleich relativ nahe an den Rand zu liegen kommt, kann eine rein elektrisch bedingte Anziehung erfolgen, die nichts mit Psychokinese zu tun hat.

Experimente dieser Art erfordern nach den Erfahrungen von Krmessky viel Geduld und lassen nicht die Anwesenheit vieler Personen zu. Neugierige prüfende Blicke anderer Personen können den Effekt stören oder verhindern. Andererseits soll es Personen geben, die durch ihre bloße Anwesenheit ruhig schwimmende Nadeln in Bewegung setzen. Man denke in diesem Zusammenhang an das zurück, was über die Reaktionen von Pflanzen auf das Verhalten ihrer lebenden Umgebung ausgeführt wurde, und an die Wirkungen heilender Hände. Von einem philippinischen Heiler wird behauptet, daß er früher die Fähigkeit besessen habe, mit den Augen zu heilen, indem er die kranke Stelle des Körpers, die allerdings oberflächennah liegen mußte, stark fixierte. Nun, das Bewegen einer schwimmenden Nadel durch den Blick oder durch eine Ausstrahlung der Hände ist zwar recht interessant, aber es ist doch ein sehr schwacher energetischer Effekt, und auf gleiche Weise die therapeutische Wirkung heilender Hände erklären zu wollen, mag manchen zunächst phantastisch und unglaubwürdig erscheinen.

Es gibt indessen auch Personen, die diesen Effekt in stärkerem Maße produzieren. Den russischen Forschern stehen zur Zeit zwei Medien zur Verfügung, die Psychokinesen von anscheinend grundsätzlich verschiedener Art demonstrieren können: Nina Kulagina, eine Leningrader Hausfrau, und die junge Moskauerin Alla Winogradowa. Beide sind in der Lage, kleine Gegenstände auf einem Tisch zu bewegen, ohne sie zu berühren oder durch direkten Luftzug usw. in Bewegung zu setzen. Über den Fall der Kulagina wurde in den letzten zwei Jahren mehrfach in der Presse berichtet.

Benson Herbert, Leiter des Laboratory of Paraphysics in Downton, England, besuchte beide Medien im Sommer 1972 und sah Demonstrationen der Alla Winogradowa in Anwesenheit von Dr. Adamenko in Moskau.[94] Die Psychokinesen wurden auf einem Tisch unter einem großen Kasten aus einem elektrisch nichtleitenden Material durchgeführt, dessen eine seitliche Wand offen war. Alla ließ zunächst mit der rechten Hand eine Zigarette auf den Tisch fallen und bewegte die linke Handinnenfläche auf die Zigarette zu, als wolle sie diese vom Tisch fegen, ohne sie zu berühren. Sie wiederholte das mehrmals ergebnislos. Darauf nahm sie die Zigarette, zündete sie sich an und ließ eine andere Zigarette auf den Tisch fallen, um einen erneuten Versuch zu beginnen. Auch dieser zweite Versuch mißlang, und schließlich wurde die Zigarette durch einen kleinen zylinderförmigen Zigarrenbehälter aus Aluminium ersetzt. Beim Hinundherbewegen ihrer Hände begann sich dieser ein wenig zu bewegen. Zunächst rollte er hin und her, als sie ihre Hände im Abstand von einem Zentimeter über ihn gleiten ließ. Dann begann die Bewegung schneller zu werden, bis der Aluminiumzylinder schließlich in zwei Sekunden regelrecht über den Tisch rollte. Als er die Tischkante erreichte, hinderte Alla ihn am Herunterfallen nicht, indem sie ihn berührte, sondern indem sie ihre Hand schnell über den Gegenstand hinwegbewegte, ihn durch die abstoßende Kraft ihrer Hand zur Richtungsumkehr zwang und dann bis auf die andere Seite des Tisches rollen ließ. So trieb sie das Objekt fünf Minuten lang ohne Nachlassen ihrer Energie über die Tischplatte hin und her und behauptete, dies endlos weiterführen zu können. Es war klar, daß die treibende Kraft von einer ständigen Abstoßungskraft zwischen ihrer Hand und der Röhre ausging. Niemals zog ihre Hand den Zylinder an, aber durch geschickte Bewegungen ihrer Hand konnte sie das Objekt zum Rotieren bringen wie eine Kompaßnadel.

Eigenartig ist, daß Alla Winogradowa diese Fähigkeit mitunter auf andere Menschen zu übertragen vermag. Sie forderte die Zeugen auf, ähnliche Bewegungen auszuführen, und ein Engländer war tatsächlich in der Lage, den Zigarrenbehälter in leichte Bewegung zu versetzen, doch sobald Alla ebenfalls ihre Hand über das Objekt hielt, konnte er es nicht mehr bewegen. Das Rohr schien wie festgenagelt – durch die überlegene Kraft des Mediums.

Dr. Adamenko stellte dann einen Schemel in den Isolatorkasten und legte auf diesen Schemel einen Aluminiumzylinder. Dann hielt Alla ihre Hand von außen über den Aluminiumzylinder – die Hand war also durch die Decke des Isolatorkastens vom Gegenstand getrennt – und konnte den Gegenstand in jede gewünschte Richtung bewegen. Sie konnte ihn auch bei völlig ruhig gehaltener Hand bewegen, indem sie sich konzentrierte. Benson Herbert schließt daraus, daß Alla die Stärke der elektrischen Aufladungen ihrer Hand und die Ladungsverteilungen kontrollieren kann. Beweis: Es wurden zwei Aluminiumröhren der Länge nach in einer Linie hintereinandergelegt. Nun ließ sie ihre Hand zuerst über einen Zylinder gleiten und setzte ihn wie üblich in Bewegung. Dann aber fuhr sie mit der Hand über den anderen Zylinder hinweg, und dieser bewegte sich überhaupt nicht. Danach demonstrierte sie das Gegenteil: Das zweite Objekt bewegte sich, das erste nicht. Sie konnte also willkürlich bestimmen, welches Rohr sich bewegen sollte.

Hochfrequenzfotos von Allas Händen im »normalen Zustand« zeigten die übliche drei Zentimeter lange Korona; Fotos, in denen sie sich auf Psychokinese konzentrierte, ohne sie jedoch bereits auszuführen, zeigten ein gänzlich anderes Bild. Die Korona war stark in der Länge reduziert, auf einen halben Zentimeter. Die Forscher vermuten, daß bei diesem Konzentrationsvorgang Bioenergie in den Körper zurückgezogen wird, um in psychische Energie umgewandelt zu werden. Mit anderen Worten: die Energie, die sie für ihre Fernbewegungen braucht, muß ja irgendwoher kommen, und sie wird offenbar von den Händen ins Gehirn abgezogen. Auch die Farbe der Strahlung war verändert, nämlich blaugrün im normalen Zustand, rot im Zustand der Konzentration.

Alla behauptete, daß viele Menschen lernen könnten, diese Experimente zu demonstrieren. Es sei dazu vor allem notwendig, Gedanken und Körper vollkommen unter Kontrolle zu bringen. Vor allem müsse man an die Möglichkeit *glauben* und dadurch, meinte sie, könne man auch Heilkräfte entwickeln! Sie fühle, wie die ganze Energie ihres Körpers sich in einem Punkt konzentriere, und dann leite sie sie durch einen Willensakt in ihre Fingerspitzen.

Diese Aussage stimmt auffallend mit dem überein, was manche Heiler über das »Funktionieren« der heilenden Hände äußern, und läßt vermuten, daß der Psychokinese und der Wirkung heilender Hände die gleiche Energieform zugrunde liegt.

Weiter sagte das russische Medium: »Meine Experimente werden ebenso durch meinen emotionalen Zustand beeinflußt wie durch den der Anwesenden. Wenn viele Leute anwesend sind, wird mehr Energie benötigt und ich werde schnell müde.«[93] Auch diese Feststellung ist für manche Arten des paranormalen Heilens charakteristisch. Ferner helfe es ihr, wenn sie sich mit dem Gegenstand, den sie bewegen soll, zuvor vertraut mache und einen seelischen und emotionalen Rapport damit herstelle! Auf diese Übereinstimmungen mit Beobachtungen bei der Psi-Heilung kommen wir noch zurück.

Wie Viktor Adamenko auf dem Internationalen Kongreß für Psychologie im August 1972 in Tokio sagte, kann Alla elektrische Feldstärken von 10 000 Volt pro Zentimeter in der Nachbarschaft von Gegenständen induzieren, ohne daß ein elektrisches Feld zwischen ihrem Körper und den Gegenständen nachweisbar wäre. Eine an den Gegenstand herangehaltene Neonlampe leuchtete ohne äußere Stromquelle auf, nicht dagegen an Allas Körper selbst. Manchmal beobachtete man, wie aus ihren Fingerspitzen Funken von zwei Zentimeter Länge in Richtung auf die zu bewegenden Gegenstände herausschossen. Diese eigenartige Verteilung des elektrischen Feldes, sagt Benson Herbert, dürfte die Physiker vor verwirrende Aufgaben stellen.

Alla hat gelernt, das elektrische Feld, das sich um sie wie um jedes Lebewesen herum befindet, zu kontrollieren und zu meistern. Aber durch das elektrische Feld allein lassen sich die beobachteten Phänomene kaum erklären; denn Professor William A. Tiller berichtet, daß Alla Psychokinesen sogar durchführen kann, wenn sie barfuß auf einem Metallfußboden steht und außerdem ein geerdetes Metallarmband trägt.[261] Es ist nach unseren physikalischen Begriffen unverständlich, wie sie unter solchen Bedingungen einen elektrischen Ladungsüberschuß aufrechterhalten kann. Vielmehr deutet vieles darauf hin, daß hierbei eine neuartige Energieform im Spiel ist, die in elektrische Energie umgewandelt und wieder rückverwandelt werden kann in einer Weise, die wir heute noch nicht verstehen.

Erwähnenswert sind in diesem Zusammenhang Untersuchungen, die um das Jahr 1920 herum von dem Berliner Ingenieur Fritz Grunewald[84, 86] an dem Medium und Magnetopathen Johannsen durchgeführt wurden, an dessen Händen zeitweise eigenartige, stark magnetische Felder zu messen waren. Johannsen konnte auch schwächere Psychokinesen durchführen, etwa einen ausbalancierten Waagebalken aus der Distanz einseitig herunterdrücken. Hierbei stellte Grunewald fest, daß stets unmittelbar, bevor der Waagebalken sich senkte, die magnetische Feldstärke in der Richtung auf den psychokinetisch zu bewegenden Gegenstand gehaltenen Hände des Mediums stark abfiel und nach Beendigung der Psychokinese wieder anstieg. Es sah also aus, als wenn irgend etwas, das den starken Magnetismus im Körper Johannsens bewirkt hatte – vielleicht das von Sergejew postulierte turbulente »kalte Plasma«?! –, sich nach außen verlagerte und dort psychokinetische Wirkungen auslöste.

Einige Male konnte Grunewald mittels auf Glasplatten gestreuten Eisenpulvers Bilder der magnetischen Feldlinien von den Händen Johannsens erhalten. (Liegt hierin vielleicht auch die Ursache für die Linien in unseren Handinnenflächen?) Er stellte hierbei in den magnetischen Feldlinien der Hand mehrere magnetische Zentren fest. Grunewald glaubte, daß sie durch elektrische Wirbelströme in der Hand des Mediums hervorgerufen würden — wieder eine erstaunliche Ähnlichkeit mit den Theorien Sergejews vom turbulenten »kalten Plasma«. Das Merkwürdige daran war aber, daß die magnetischen Zentren mitunter räumlich außerhalb der Hand des Mediums zu liegen schienen. Man erinnere sich an die Hypothese, daß das Biofeld des Körpers sich aus dem Körper heraus bewegen könne. Sergejew glaubt nachgewiesen zu haben, daß das Bioplasma sich tatsächlich nach außen verlagern kann und das die Psychokinese verursachende Agens sei.[224]

Es ist zu vermuten, daß die der Psychokinese zugrunde liegenden unbekannten Größen auch beim paranormalen Heilen, insbesondere beim Heilen durch Handauflegen und beim sogenannten Magnetisieren, die Hauptrolle spielen. Daher ist es nicht weiter erstaunlich, daß das Psychokinese-Medium Nina Kulagina auch über paranormale Heilkräfte verfügen soll.[93]

Während Alla Winogradowa teilweise mit elektrostatischen Kräften arbeitet, scheint Nina Kulagina das zu demonstrieren, was man als absolut »reine« Psychokinese bezeichnen kann. Um ihre Wirkung auf den Körper eines anderen Menschen unter Beweis zu stellen, faßte sie den Arm Benson Herberts oberhalb des Handgelenks und konzentrierte sich. Zunächst fühlte dieser außer einer leichten Erwärmung durch den Handgriff gar nichts, dann, nach zwei Minuten, setzte ganz plötzlich eine Art Hitze ein, die an einen leichten elektrischen Strom erinnerte. Das Gefühl wurde unangenehm und schließlich unerträglich, so daß Benson Herbert sich dem Griff der Kulagina gewaltsam entzog. Das Hervorstechende war das ganz plötzliche Einsetzen dieses Gefühls, nachdem die Kulagina bereits längere Zeit den Arm gehalten hatte. Die Versuchsperson hatte ein angenehmes, beruhigendes Gefühl erwartet, ganz und gar nicht dasjenige, das sie dann so abrupt verspürte. Dies entkräftet den in solchen Fällen oft vorgebrachten Einwand, daß es sich hier um Suggestion oder Hypnose gehandelt haben könnte. Die Kulagina kann die biologischen Potentiale in ihren Armen offenbar bewußt kontrollieren, und diese Fähigkeit scheint von entscheidender Bedeutung für ihre Heilkräfte zu sein.

Nina Kulagina sagt, sie könne infizierte Wunden schnell heilen, indem sie die Hand neben die Wunde lege. Bei Lungenentzündungen legt sie ihre Hände auf die Seitenflächen des Patienten. In dreimonatiger Behandlung soll sie unter Überwachung von Dr. Sergejew bei einem Sechsundzwanzigjährigen eine partielle Beinlähmung beseitigt haben, so daß der Betreffende wieder völlig normal laufen konnte.

Die Biologen um Dr. Injuschin in Alma-Ata und Dr. Sergejew in Leningrad sind der Ansicht, daß alle lebenden Wesen Bioplasma ausstrahlen, manche medial begabte Personen diese Fähigkeit jedoch in besonders starkem Maße besitzen. Die Intensität der Bioplasma-Ausstrahlung verdoppelt bis verdreifacht sich auch bei normalen Menschen mitunter, und zwar im Zustand seelischer Erregung oder bei psychischen Schocksituationen.

Die einzelnen Körperstellen strahlen das Bioplasma in unterschiedlicher Intensität aus. Im Gehirn scheint es am stärksten konzentriert zu sein; die sowjetischen Forscher stellten besonders starke Ausstrahlung aber auch aus den Fingern und aus dem Solarplexus fest. Das Phänomen der heilenden Hände erscheint keineswegs mehr so absurd. Auch bedenke man in diesem Zusammenhang, daß die Weisen früherer Zeiten dem Sonnengeflecht (Solarplexus) eine besondere Bedeutung als Energiezentrum besonderer Art für die Erzeugung magischer Kräfte beigemessen haben. Es ist anzunehmen, daß diese Übereinstimmung mit den russischen Untersuchungsergebnissen nicht zufällig ist.

Da sich alle psychischen und physikalischen Zustände im gesamten Energiezustand des Plasmas widerspiegeln, glaubt Dr. Injuschin, daß das Konzept des Bioplasmas die größten Möglichkeiten für die objektive Untersuchung der verschiedensten psychoenergetischen Phänomene bietet, einschließlich der Telepathie.[101]

In weiteren Arbeiten befaßten sich Dr. Injuschin und Dr. A. S. Roman mit bioplasmatischen Effekten bei der Autosuggestion und beim autogenen Training.[204] Personen, die in dieser seelisch-geistigen Technik geübt sind, können sich durch richtige Gedankeneinstellung zum Beispiel total entspannen, sich ein Gefühl der Schwere in Armen und Beinen vorstellen, ein Wärmegefühl in den Händen erzeugen usw. Während einer solchen Autosuggestion etwa des Gefühls der Wärme in den Händen treten in der Elektrobiolumineszenz charakteristische Veränderungen auf, und zwar sowohl in der Struktur als auch in der Stärke der Strahlung, die man auf andere Weise nicht erreichen kann, ja, noch nicht einmal dadurch, daß man die Hand in heißes Wasser taucht, obwohl die Hauttemperatur dabei wesentlich höher wird als durch Autosuggestion.[204]

Wenn eine Person, die nicht in der Autosuggestion geübt ist, sich das Gefühl der Wärme suggeriert, treten nur einige sporadische zusätzliche Leuchterscheinungen auf dem normalen Lumineszenzuntergrund auf, wie es ähnlich bei manchen emotionalen Spannungen vorkommt. Wenn eine trainierte Person ihre Hand auf den Unterarm einer nicht trainierten Person legt und sich selbst ein Gefühl der Wärme in der eigenen Hand suggeriert, dann erscheinen ähnliche Änderungen in dem Lumineszenzmuster der nicht trainierten Person, die – und das ist das Erstaunliche – nicht weiß, was sich die geübte Person suggeriert. Wenn die trainierte Person ihre Hand nur bis auf zwei oder drei Zentimeter an den Arm der untrainierten Person heranführt, tritt der gleiche Effekt auf, obschon manchmal schwächer.[204]

Hiermit dürfte der objektive Beweis erbracht sein, daß es eine Wirkung durch das Auflegen der Hände gibt, die nicht durch die vielzitierte »Macht des Glaubens« psychogenetisch erzeugt wird und auch eine Wirkung ohne Direktkontakt möglich ist.

Die Forschungsergebnisse von Injuschin und Roman werfen ein erstes Licht auf die Wirkungsweise mancher Formen des paranormalen Heilens. Sie fragten zunächst einmal: Wie reagiert ein menschlicher Organismus auf irgendeinen beliebigen Reiz, wenn man die Vorgänge durch Beobachtung der Elektrobiolumineszenz verfolgt?

Als Reize dienten die verschiedensten Faktoren: Emotionen, Autosuggestion, chemische Stimulation usw. Das Ergebnis der Beobachtung war, daß der Organismus zuerst unabhängig von der spezifischen Art des Reizes mit einer allgemeinen, nicht spezifischen Reaktion antwortet, als wenn er damit die Grundlage für weitere, mehr spezifische Reaktionen schaffen wolle und gewissermaßen zunächst seine Kräfte aktiviere.

Erst in der zweiten Reaktionsphase findet, wenn sich die Notwendigkeit dafür ergibt, die für den jeweiligen Fall spezifische Reaktion statt, die in die spezielle Richtung weist.

Die erste Reaktionsphase ist bei gesunden Menschen durch Ausbildung eines ruhigen Lumineszenzmusters gekennzeichnet, ab und zu von Lichtflammen verstärkt, und die Organisation der spezifischen Reaktion verläuft klar und stabil.

Seelisch gestörte Menschen hatten eine Lumineszenzgrundlage, die sich im Verhältnis zum Normalzustand kaum änderte, wenn äußere Einflüsse einwirkten. Vielmehr war das Muster durch eine ständige Reaktionsbereitschaft gekennzeichnet, die schnell zur Erschöpfung führte. Während dieser Erschöpfung können Reize ihre Bedeutung verlieren und lösen mitunter keine Reaktion des Organismus mehr aus. Wahrscheinlich ist es bei Reaktionen auf krankheitsverursachende Faktoren ähnlich, zumindest in vielen Fällen.

So ist es erklärlich, daß mancher in Zuständen starker seelischer Belastung für spezielle Erkrankungen anfällig ist, zum Beispiel für Erkältungskrankheiten oder Heuschnupfen. Hier liegen auf der bioenergetischen Ebene keine Reserven mehr vor, um eine gesunde Reaktion gegen all diese Infekte aufzubauen. Beim Magnetisieren oder auch beim Handauflegen scheinen bioenergetische Reserven übertragen zu werden, wodurch dann der Organismus in Stand gesetzt wird, die spezifische Heilreaktion durchzuführen. Deshalb wird bei den paranormalen Operationen der philippinischen Heiler vor schweren Eingriffen oft »magnetic healing« durchgeführt, das die bioenergetischen Reserven des Organismus verstärken soll. Und zwar scheinen die Heiler den bioenergetischen Zustand der Patienten zu spüren und zu wissen, was sie ihm zumuten können und was nicht.

Beispiele für die Übertragung enorm starker Bioenergie lieferte der Heiler Phil A, dem die bekannte amerikanische Journalistin Ruth Montgomery ein ganzes Buch widmete.[143] Er schien in geradezu wunderbarer Weise die Fähigkeit zu haben, die »Kraftfelder der Patienten mit neuer Energie aufzuladen und wieder zu harmonisieren«, wie er es nannte.

Vier Jahre lang, bis 1930, »revitalisierte« er die Patienten des amerikanischen Arztes Dr. C. Hill (Bay Area, Kalifornien) und half vielen überzeugend. Phil sandte mittels seiner Hände eine »Energieladung« in den Patienten hinein. Was er über die Kontrolle und das Dirigieren der Energie in sich sagte, ähnelt sehr den angeführten Äußerungen der Alla Winogradowa.

Später arbeitete Phil mit der amerikanischen Chirurgin Dr. Dena L. Smith zusammen, nachdem er sie 1956 als junge Medizinstudentin von einem langjährigen Herzleiden befreit hatte. Durch Phil erlebte die Ärztin am laufenden Band Dinge, von denen sie während ihres Medizinstudiums gelernt hatte, daß sie »unmöglich« seien.

Was ein erstklassiger Heiler zustande bringen kann – in Kombination mit westlicher Schulmedizin! – sei an folgendem Beispiel gezeigt:

Fünfzehn Jahre lang war die 1949 in Powell, Wyoming, geborene Patricia Lucille Golden ein glückliches und gesundes Kind. Dann begann sie über Kopfschmerzen zu klagen, und im Laufe der nächsten Jahre veränderte sich ihr Wesen in auffälliger Weise: Sie wurde rebellisch, störrisch und ungenießbar für ihre Umgebung, so daß ihre Eltern sie in neurologische und psychiatrische Behandlung gaben – doch ohne Erfolg. 1968 wurde schließlich in einem Krankenhaus in San Jose, Kalifornien, nach einer ganzen Reihe negativer Tests, ein Tumor an der Hirnbasis festgestellt. Die neunzehnjährige Patientin war inzwischen nahezu blind und gelähmt. Sie konnte ihr Bett nicht mehr verlassen. Die medizinische Prognose deutete kaum auf eine Chance hin, den Tumor erfolgreich zu entfernen. Wenn sie die etwa sieben Stunden dauernde Operation überhaupt überstehe, so hieß es, hätte sie wahrscheinlich nur noch wenige Monate zu leben.

Der Vater der Kranken hatte Ruth Montgomerys soeben erschienenes Buch *A Search for the Truth* gelesen, in dem diese von einem bemerkenswerten Heiler schrieb, den sie einfach Mister A nannte. Mr. Golden konnte die Autorin telefonisch erreichen, und sie wollte den Heiler dazu bewegen, die Schwerkranke *nach* der Operation zu behandeln, da er – wie Ruth Montgomery sagte –, um die Ärzte nicht zu brüskieren, nicht in das Krankenhaus kommen würde. Die Operation wurde am 11. November im Krankenhaus von San Jose von hervorragenden Chirurgen durchgeführt, und dabei der im vierten Ventrikel gelegene Tumor entfernt. Eine histologische Untersuchung des Tumors ergab, daß es sich um eine bösartige Form eines Ependymoms handelte.

Anfang Dezember besuchte Phil A Ruth Montgomery zusammen mit der Chirurgin Dr. Dena L. Smith. Die beiden wollten nach Kalifornien weiterfliegen und versprachen, sich bei der Zwischenlandung in Dallas telefonisch bei den Eltern in Houston zu erkundigen, wie es Patricia ginge. Vor der Landung des Flugzeugs in Dallas hatte der Heiler plötzlich die Eingebung, daß man aussteigen und sogleich nach Houston fahren solle, da das Mädchen dort sei. Tatsächlich war am Morgen des gleichen Tages – am 5. Dezember 1968 – die Schwerkranke von San Jose (Kalifornien) nach Houston (Texas) geflogen worden, wo sie in das M. D. Anderson Hospital eingeliefert werden sollte. Die Patientin bestand jedoch darauf, in das Haus ihrer Eltern und nicht in das Krankenhaus gebracht zu werden, da sie – wie sie später sagte – das Gefühl gehabt hätte, sonst sterben zu müssen. Man gab ihrem Wunsch schließlich nach, zumal ihr Zustand anscheinend hoffnungslos war. Ihre Gesichtsfarbe wurde von den Eltern als grün geschildert, ihre Knie waren geschwollen und dicker als die abgemagerten Oberschenkel, ihre Augen glasig; sie konnte nicht das geringste im Magen behalten.

Der Heiler kam um 14 Uhr in Houston an und behandelte Patricia eine halbe Stunde lang, indem er »Energie durch ihren Leib schickte, um das magnetische Feld aufzuladen«. Nach dieser ersten Behandlung war Patricia in der Lage, sich aus dem Bett zu erheben und etwas im Zimmer umherzugehen. Um 18 Uhr erfolgte die zweite Behandlung, wonach Patricia bereits etwas essen konnte. Um 22 Uhr, als die Haut ihre normale Farbe zurückgewonnen hatte, die Augen klar waren und das Mädchen wieder zusammenhängend sprechen konnte, begann die dritte Behandlung.

Am nächsten Morgen, nach der vierten Behandlung, bekam die Patientin einen regelrechten Heißhunger. Die fünfte und letzte Behandlung fand um 12 Uhr mittags statt. Danach sagte der Heiler, sie würde jetzt keinerlei Schwierigkeiten mehr haben, solange sie ein vernünftiges Leben führe. Er lehnte ein Honorar ab und ließ sich lediglich seine Unkosten erstatten.

Drei Wochen später fuhr Patricia wieder Auto, sie hatte ihr normales Gewicht wiedererlangt und war bei bester Gesundheit, jedoch noch eine Zeitlang in ärztlicher Behandlung.

1972: Patricia ist kerngesund und glücklich verheiratet. Sie zweifelt keinen Augenblick daran, daß der Heiler ihr das Leben gerettet habe.[143]

Manche Patienten blieben nach ihrer Gesundung mit dem Heiler in Kontakt und ließen sich wöchentlich einmal »aufladen«. Ruth Montgomery berichtet von einigen, die mehr als neunzig Jahre alt wurden. Der kurioseste Fall dieser Art war der einer alten Dame, die mit 98 Jahren ihre Behandlung durch Phil A abbrach, weil ihre finanziellen Reserven allmählich erschöpft waren und sie nicht länger leben wollte, als ihr Geld reichte.

Die Möglichkeit der Übertragung einer Bioenergie von einem Menschen auf einen anderen scheint aufgrund der bisherigen Ausführungen keineswegs mehr das Phantasieprodukt einfältiger und abergläubischer Gehirne, sondern eine Realität zu sein.

Das von sowjetischen Forschern entworfene Bioplasmakonzept wird von den meisten Physikern freilich nicht ohne Widerstand hingenommen werden. Sie werden argumentieren, daß ein physikalisches Plasma – also ein Zustand der Materie, der jenseits des normalen gasförmigen liegt – in unserem Körper nicht existieren könne, und zwar weder als dynamisches noch als statisches System. Ein physikalisches Plasma im menschlichen Körper sollte rekombinieren, das heißt, die negativen Elektronen und die positiven Ionen sollten zu normalen Atomen zusammentreten, vorausgesetzt, daß hier nicht eine gänzlich neuartige Form einer Energie bzw. eine gänzlich neuartige physikalische Größe wirksam ist, die wir bisher noch nicht kennen. Ein bewegter Plasmastrom im menschlichen Körper – vielleicht in Analogie zu den Lebenskraftströmen der chinesischen Akupunkteure oder der indischen Yogis – würde sich aufgrund der elektrischen Ladungen auf kürzesten Wegstrecken in dem stofflichen Aggregat »menschlicher Körper« totlaufen. Doch sei in diesem Zusammenhang an den ungarischen Biologen und Nobelpreisträger Albert Szent-Györgyi gedacht, der sagte, daß der Biologe vorsichtig sein müsse, wenn der Physiker ihm sage, daß dies oder jenes nicht möglich sei.[180]

Außerdem muß man stets bedenken, daß die Physiker den Plasmazustand bisher so gut wie ausschließlich im Zusammenhang mit der unbelebten Materie untersucht haben. Vielleicht handelt es sich beim Bioplasma um einen ganz besonderen völlig neuartigen Zustand eines Plasmas, den wir noch nicht kennen, oder um eine Erscheinungsform der stofflichen Welt, die jenseits des physikalischen Plasmas liegt, nennen wir es einen »transplasmatischen« Zustand, der im Zusammenhang mit der belebten Materie auftreten kann, im Gegensatz zu dem uns bekannten physikalischen Plasma quasi unelektrisch und subtiler als das normale Plasma ist, sich aber unter bestimmten Bedingungen in einen plasmaähnlichen Zustand mit elektrischen Teilchen umwandeln kann – vielleicht unter dem Einfluß bestimmter Hochfrequenzfelder in der Kirlian-Fotografie?! –, so daß er dann für unsere physikalischen Detektoren unter bestimmten Bedingungen nachweisbar wird, zum Beispiel bei Psychokinesen und bei manchen Formen des paranormalen Heilens und eventuell bei weiteren Paraphänomenen, etwa den später zu besprechenden Materialisationen.

Kaum einem Physiker wird es vernünftig erscheinen, Prozesse aus dem Bereich der Elementarteilchen und Atomkerne im menschlichen Körper anzunehmen, ja, selbst die Erzeugung von Röntgenstrahlen durch den menschlichen Körper bzw. durch biologische Prozesse würde als Absurdität bezeichnet werden.

Wohl aber lassen die Vorstellungen unserer biologischen und medizinischen Wissenschaften vom menschlichen Körper und von lebenden Organismen überhaupt die Entstehung von elektromagnetischen Strahlen zu, die energiemäßig etwa in den Bereich des sichtbaren Lichtes reichen könnten – das sind Energien in der Größenordnung Elektronen-Volt. (Das Elektronen-Volt ist eine in der Atom- und Kernphysik viel benutzte Energieeinheit.) Eventuell ließen sich auch noch weichere Ultraviolettstrahlungen im Körper vorstellen, wenn auch nur in ganz geringfügigem Maße.[88, 180] Röntgenstrahlung dagegen ist tausendmal oder mehr energiereicher, die Gammastrahlung sogar millionenmal oder noch mehr.

Bei der Untersuchung der Psychokinesephänomene des Leningrader Mediums Nina Kulagina benutzte man Röntgenfilme oder sonstiges Fotomaterial als Unterlage, auf der kleine Objekte vom Medium ohne Berührung bewegt wurden. Die Filme zeigten nach dem Entwickeln die Bewegungsspur der Objekte. Es sollen hierbei mitunter äußerst harte, also energiereiche Strahlen auftreten, die im Bereich der Röntgenstrahlung liegen oder sogar noch energiereicher sind.[222] Wenn sich diese Behauptungen als richtig herausstellen, könnte man sagen, daß auf dem Gebiet der Wissenschaften von den lebenden Organismen einschließlich der Medizin Veränderungen bevorstehen, die etwa mit dem Übergang von der Atomvorstellung des vorigen Jahrhunderts zu den Möglichkeiten der modernen Kernphysik zu vergleichen wären, einschließlich der Nutzung der Kernenergie. Es wäre dann auch verständlich und gerechtfertigt, daß manche russischen Forscher an ihrer Bioplasmakonzeption unerschütterlich festhalten. Denn in einem Plasma ist das Auftreten sehr energiereicher Strahlung, wie etwa Röntgenstrahlung, denkbar, nicht aber bei den üblichen biochemischen Reaktionen des Körpers im Rahmen der Aggregatzustände fest – flüssig – gasförmig, auf die die Wissenschaften ihr Modell vom menschlichen Körper aufgebaut haben.

Die Bioplasmatheorie dürfte auch die Basis sein, um die von allen Formen des paranormalen Heilens heute noch am schwersten zu akzeptierenden Phänomene der *medialen Chirurgie* einmal besser verstehen zu können. Auf die mediale Chirurgie, die zu den umstrittensten Phänomenen der ganzen Psi-Forschung gehört, wird in den folgenden Kapiteln ausführlich eingegangen. Vorher seien jedoch noch einige Beobachtungen zum Phänomen der heilenden Hände mitgeteilt sowie Überlegungen zu der mit all diesen Prozessen zusammenhängenden Energie angestellt.

Eine ganze Reihe von Forschern im Westen und im Osten haben die Wirkung der Ausstrahlungen heilender Hände auf biologische Vorgänge hin untersucht und festgestellt, daß sie im Bereich des Biologischen oft ganz rätselhafte Effekte hervorrufen.[272] So hielten sich Lebensmittel, die von Heilerhänden »bestrahlt« worden waren, außerhalb des Kühlschranks, ohne zu verderben, viel länger als Vergleichsproben, die der Heiler nicht in seinen Händen gehabt hatte. Wirkt hier die Bioplasma-Ausstrahlung auf Keime und Bakterien ein? Es sieht jedenfalls so aus; denn wenn Fäulnisvorgänge durch die Strahlung unterbunden werden, ist anzunehmen, daß durch sie Mikroorganismen getötet worden sind. Es erscheint dann auch nicht mehr unwahrscheinlich, daß Infektionen verursachende Mikroorganismen durch die Ausstrahlung heilender Hände ebenfalls getötet werden. Tatsächlich waren manche Heiler, die von amerikanischen Forschern untersucht wurden, imstande, durch Handauflegen Wundinfektionen zu beseitigen oder zu verhindern. Ebenso wurde dies von Nina Kulagina bereits berichtet, und an späterer Stelle wird dieses Phänomen bei der medialen Chirurgie ganz deutlich in Erscheinung treten.

Die wachstumsfördernde Kraft ihrer Hände haben gute Heiler des öfteren unter Beweis gestellt. Pflanzensetzlinge, die von ihnen gesetzt worden waren, gediehen viel besser als die von anderen Personen gepflanzten. Umfangreichere Experimente dieser Art wurden am Newark College of Engineering von Professor Douglas Dean und seinen Studenten durchgeführt. Sie säten im Labor Gerstensamen unter gleichen Versuchsbedingungen und versuchten in der Folgezeit, das Wachstum der Pflanzen gedanklich zu beeinflussen. Das Ergebnis: Es gingen die Samen am schnellsten auf und es wuchsen die Keimlinge am besten, die von solchen Personen »betreut« wurden, welche bei Kartentests zur Ermittlung telepathischer und hellseherischer Fähigkeiten signifikante Ergebnisse erzielt hatten. Bei diesen Kartentests ist die Zufallsquote 5 Treffer. Kurioserweise haben nach Dean nicht nur diejenigen Studenten das Pflanzenwachstum günstig beeinflußt, die im Durchschnitt mehr als 5 Treffer hatten, sondern auch jene, deren Ergebnisse deutlich *unter* der Zufallsquote 5 lagen. Keinen Einfluß auf das Pflanzenwachstum hatten indessen

Studenten, deren Trefferzahl genau dem Durchschnitt entsprach.[272]

Der bulgarische Mediziner und Parapsychologe Dr. Georgi Losanow untersuchte ebenfalls den Einfluß heilender Hände auf das Pflanzenwachstum. Die »bestrahlten« Pflanzen wuchsen zum Teil dreimal so schnell wie unter normalen Bedingungen, und es wurde nicht nur das Wachstum beschleunigt, sondern die Pflanzen wurden auch wesentlich kräftiger.[169]

Ebenfalls interessant sind Laborversuche mit betäubten Mäusen. Statistisch ausgewertete Experimente ergaben eindeutig, daß künstlich betäubte Mäuse wesentlich schneller wieder zu sich kamen, wenn sie nach der Narkotisierung aus der Distanz von heilenden Händen »bestrahlt« wurden.[81]

Alles scheint darauf hinzudeuten, daß es sich bei der vermuteten neuartigen Energie um eine Realität handelt. Wahrscheinlich ist sie zumindest teilweise identisch mit dem Reichenbachschen Od und der Vitalenergie Ch'i der chinesischen Akupunkteure. Interessant ist, daß Reichenbach auch schon behauptete, diese neue biologische Energie ließe sich auf leblose Gegenstände übertragen. Psi-Forscher haben nämlich vor kurzem festgestellt, daß von magnetopathischen Heilern bestrahltes Wasser – obwohl chemisch von normalem, nicht bestrahltem Wasser nicht zu unterscheiden – unterschiedliche Wirkungen auf das Pflanzenwachstum habe. Pflanzensamen, die mit Wasser begossen wurden, welches aus einer Flasche kam, die ein geistiger Heiler lange in seinen Händen gehalten habe, keimten wesentlich früher und wuchsen schneller als mit normalem Wasser begossene Pflanzensamen der gleichen Art und Herkunft. Reichenbachs vor hundertzwanzig Jahren ausgesprochene Vermutung, daß das Wasser eine von den Heilern ausgehende biologische Energie aufnimmt und speichert, scheint sich demnach zu bestätigen.[191, 192]

Es ergibt sich die Frage, woher diese Energie letztlich kommt. Durch wen oder aus was wird sie erzeugt? Anscheinend stammt sie aus dem Bioplasmakörper des Heilers oder Mediums. Aber woher erhält der ständig Energie abstrahlende Energiekörper seine Energie?

Die meisten paranormalen Heiler sprechen von einer Kraft,

die uns alle umgibt und mit der der Sensitive sich auflädt. Viele nennen sie »göttliche Kraft«, andere sagen einfach »Gott« heile, nicht sie selbst seien es, die heilen. Die philippinischen Heiler sagen, man müsse sich für das Einströmen dieser göttlichen Kraft einfach »öffnen«. Der Weg dazu seien Konzentration, Meditation und Gebet. Ein Heiler der Unio Espiritista Cristiana Filipinas sagte mir aber auch: »Wenn der Heiler seine Kraft schwinden fühlt, greift er an die Fahne der Unio Espiritista und lädt sich mit neuer Kraft auf.«

Der von Sowjetwissenschaftlern untersuchte Heiler Alexej Kriworotow hat das Gefühl, daß er die Kraft von außen bekomme. Ambrose Worral sagte: »Ich betrachte mich lediglich als einen ›Kanal‹ oder eine ›Leitung‹ für den heilenden Strom, nicht als Erzeuger der Kraft, welche heilt.«

1962 starb in Konnersreuth die Stigmatisierte Therese Neumann. Neben den Stigmata zeigte sich bei ihr aber noch ein anderes Phänomen: das der Erhaltung des Leibes ohne Speise und Trank. Sie nahm von Weihnachten 1922 bis zu ihrem Tode praktisch keine feste Nahrung zu sich, seit Weihnachten 1926 auch keine flüssige mehr. Im Juli 1927 wurde sie unter ärztlicher Leitung durch vier vereidigte Krankenschwestern fünfzehn Tage und Nächte lang überwacht. Sie nahm in dieser Zeit 0,39 Gramm Hostie in drei Eßlöffel Wasser zu sich, verlor außer Blut und erbrochenem Magenschleim 525 Kubikzentimeter Hungerurin und wog am ersten Tag 55 Kilogramm, am vierten 51 Kilogramm, am achten 54 Kilogramm, am elften 52,5 Kilogramm und am fünfzehnten wieder 55 Kilogramm.[209, 274]

Während der Zeit des Nationalsozialismus wurde Therese Neumann über einen längeren Zeitraum von Angehörigen der SS untersucht und bewacht, die offensichtlich einen Schwindel aufdecken sollten. Die Beobachter mußten unverrichteterdinge wieder abziehen.

Psychogenese hin, Psychogenese her. Als Naturwissenschaftler fragt man: Woher wurde die Energie zur Aufrechterhaltung der Lebensfunktionen genommen? Die Schulmedizin steht auf dem Standpunkt, daß sie hundertprozentig aus den im Körper sich abspielenden Verbrennungsvorgängen bestritten werden muß. Eine andere Energiequelle existiert nicht!

Das ist gewiß der Normalfall, aber es gibt wahrscheinlich noch andere, vom Menschen nur in Ausnahmefällen erschlossene Möglichkeiten.

Gewissermaßen mit der Muttermilch werden uns als Mitgliedern der westlichen Zivilisation eine Unzahl von Überzeugungen und Ansichten eingeflößt, die wir als Selbstverständlichkeit hinnehmen, ohne je darüber nachzudenken, ob sie begründet sind, weil sie eben »wissenschaftlich bewiesen« sind und man sich lächerlich machen würde, wenn man sie anzweifelte. Dazu gehört, daß man, um am Leben zu bleiben, täglich soundso viele Kalorien zu sich nehmen muß, daß man grundsätzlich ein Messer braucht, um aus dem Körper Gewebe zu entfernen, daß der Geist nur ein chemisch-physikalisches Produkt der Gehirntätigkeit ist usw.

Vielleicht leben wir in einem Energiemeer, aus dem uns alle notwendigen Lebensenergien ganz einfach zufließen könnten. Nur machen wir keinen Gebrauch davon und riegeln uns von dieser Quelle durch unsere falschen Einstellungen sogar noch ab. Der philippinische Heiler Agpaoa antwortete auf meine Frage, warum er jedes Jahr mindestens sechzehn Tage streng faste, außer etwas Honig nichts esse und außer Wasser nichts trinke: »Ich brauche das, um mich mit neuer Kraft für meine Arbeit zu versehen. Danach habe ich das Gefühl, wie ein Akku frisch aufgeladen zu sein!«

Interessant ist, daß philippinische Heiler bei längerem Fasten – Agpaoa soll bis zu fünfundvierzig Tagen gefastet haben – täglich einen Teelöffel Honig während der Kur zu sich nehmen, obwohl sie kaum von der Bedeutung des Blutzuckerspiegels gehört haben dürften. Tatsächlich wird dieser Löffel voll Honig auch in unseren Fastensanatorien den Patienten gegeben, da sonst durch das Absinken des Blutzuckerspiegels unangenehme Störungen auftreten.

Fasten als Heil-, Regenerations- und Verjüngungskur wird also auch im Westen von einigen Ärzten in Sanatorien durchgeführt. Es ist keineswegs hauptsächlich eine Kur zur Gewichtsverminderung, wie die meisten Menschen annehmen. Der deutsche Fastenarzt Dr. Otto Buchinger bezeichnete die Fastenkur als die »königliche« unter allen Heilkuren.[31]

Wenn dem Organismus keine Nahrung mehr von außen zugeführt wird, beginnt er zunächst, Fettpolster sowie in den Bindegeweben abgelagerte Stoffwechselreste – im Volksmund als »Schlacken« bezeichnet – und ungesunde Körpergewebe abzubauen, um die Lebensfunktionen aufrechtzuerhalten. Gesunde Substanz wird bei richtigem Fasten erst ganz zuletzt angegriffen. Daraus ergibt sich eine große »Reinigung« des Organismus innerhalb von zwei bis drei Wochen, während derer der Fastende kurioserweise kaum noch Hungergefühl hat, wie es der Fall wäre, wenn man immerhin noch wenigstens 500 Kalorien pro Tag zu sich nähme. Wichtig ist ferner, daß der Fastende leichte Bewegung hat, spazierengeht und nicht etwa drei Wochen lang ins Bett gepackt wird, da sonst der Körper beginnen würde, das aktive Muskelgewebe abzubauen, so daß der Fastende nach drei Wochen tatsächlich krank sein würde.

In dieser Weise wurde Anfang der sechziger Jahre das Heilfasten in einer deutschen Universitätsklinik »geprüft«, mit dem irrigen Ergebnis, daß das Heilfasten gefährlich und abzulehnen sei. Interessant ist eine Mitteilung der Zeitschrift *Medical Tribune* vor etwa zwei Jahren, daß Mäuse, die jeden dritten Tag ohne Nahrung gelassen wurden, gegenüber gleichalten Artgenossen, die ohne Hungertage großgezogen und ernährt worden waren, eine Lebensverlängerung von fünfzig Prozent aufwiesen.

Ich habe selbst zweimal eine zweiwöchige Fastenkur mitgemacht und mich hervorragend dabei erholt. Auch habe ich einmal ein halbes Jahr lang – nach dem Vorbild des in der *Medical Tribune* berichteten Tierexperiments – an zwei Tagen in der Woche nichts gegessen, was ich heute noch ab und zu tue, wenn ich mich in einer Streßsituation befinde. Ein richtiges Fasten kann in kolossaler Weise beruhigen und ein gestörtes seelisches und nervliches Gleichgewicht wiederherstellen. Interessant ist, daß im Gannuschkin-Institut in der Nähe von Moskau mittels Fastenkuren psychotherapeutische und psychiatrische Behandlungen durchgeführt werden – angeblich mit bestem Erfolg.[168]

Eine richtig durchgeführte Fastenkur bewirkt nicht eine Schwächung, sondern die Stärkung des Patienten. Das Fasten schwächt zwar im allgemeinen während der Kur etwas die Fähigkeiten zum analytischen Denken, steigert dagegen das intuitive Denken und die Bereitschaft zur Meditation – Faktoren, die mit paranormalen Fähigkeiten in Beziehung stehen, sie wecken oder steigern können. Man denke an das vierzigtägige Fasten Jesu.

In seinem Buch *Das Heilfasten* griff Otto Buchinger auch die ungelöste Frage nach der Quelle der bioenergetischen Kräfte auf:

»Es reizt mich, eine ganz ›unglaubliche‹ und ketzerische Bemerkung zu machen, die natürlich mit der sogenannten Wissenschaft nichts mehr zu tun hat: Ist neben Luft und Wasser die feste und flüssige verdauliche Materie wirklich das einzige Lebensmittel? Wenn man viele langfastende Menschen beobachtet hat, wird man oft den Gedanken nicht los, daß da noch irgendeine kosmische Vibrationskraft vorhanden ist, die den fastenden Organismus erhält, ›auflädt‹. Sie muß irgend etwas mit ›religio‹, mit der Wiederverknüpfung an eine schöpferische Urenergie zu tun haben. Die jahrelange Inedia [Nahrungslosigkeit] der Therese Neumann aus Konnersreuth halte ich nach Kenntnis der gesamten Berichte für ein Phänomen, das uns auf die Möglichkeit einer merkwürdig wörtlichen Auslegung der bekannten Stelle Matthäus 4,4 hinweist: ›Der Mensch lebt nicht vom Brot allein, sondern von einem jeglichen Wort, das durch den Mund Gottes geht.‹ Sollte der Mensch sich wirklich aus dem Weltall aufladen können, wenn er ›das Wort‹ findet, den ›schöpferischen Logos‹? Ich hörte von zwei Fällen von Inedia an der Sorbonne in Paris, die aber nicht veröffentlicht wurden. Man konnte sie wohl in den Schubladen der akademischen Registratur nicht unterbringen.«[31]

Vielleicht gibt es tatsächlich Möglichkeiten, die Energie, die wir auf dem Umwege der chemischen Verbrennung im Körper gewinnen, auch noch auf eine andere Weise oder sogar auf mehreren Wegen zu gewinnen, die zum Teil viel direkter und unmittelbarer sind. Hier ergäbe sich ein hochinteressantes Forschungsgebiet. Es setzt aber echte Aufgeschlossenheit und Unvoreingenommenheit voraus sowie die ehrliche Bereitschaft, etablierte Ansichten in ihrer absoluten Gültigkeit eventuell einzuschränken und in manchen Fällen vielleicht sogar aufzugeben. Die Erforschung des Energiekörpers würde nicht nur dazu beitragen, die »klassischen« außersinnlichen Wahrnehmungen – Telepathie, Psychokinese, Hellsehen – zu erklären, sondern noch weitaus phantastischere Ausblicke eröffnen und Erkenntnisse vermitteln, ja, möglicherweise zum Verständnis eines der umstrittensten Phänomene der ganzen Psi-Forschung führen, der sogenannten *medialen Chirurgie*.

Mediale Operateure

Zé Arigo

Ein Mann, den nicht nur seriöse Publizisten, sondern auch Wissenschaftler als das »achte Weltwunder« bezeichneten, wirkte zwanzig Jahre lang zum Segen der Armen und Ärmsten unter den Kranken seiner Heimat als Heiler und medialer Chirurg und wurde, als er im Januar 1971 an den Folgen eines Autounfalls gestorben war, von dreißigtausend Menschen – unter ihnen die Tochter eines ehemaligen Staatspräsidenten – zu Grabe getragen: Es war der brasilianische Heiler José Pedro Freitas, genannt Zé Arigo. Er wirkte in Congonhas do Campo, einer kleinen altertümlichen Stadt mit siebzehntausend Einwohnern im Bundesstaat Minas Gerais. Menschen aller Hautfarben wohnen dort in Holzhütten, in primitiven Häusern und in verwitterten Prachtbauten. Doch nicht die sehenswerten kunstvollen Barockfassaden des Stadtzentrums waren in den letzten Jahren die Attraktion von Congonhas, sondern Zé Arigo. Sein Ruf reichte weit über die Grenzen des Landes und des südamerikanischen Kontinents hinaus, und die Schar seiner Anhänger zählte nach Millionen.

Gut beglaubigte Berichte von Wissenschaftlern und Patienten besagen übereinstimmend, daß Arigo schwere Operationen der verschiedensten Art bei vollem Bewußtsein und mit primitivsten Werkzeugen ausgeführt hat, meist nur mit einem Küchen- oder Taschenmesser, einer Schere und ein paar Klammern. Es floß bei seinen Operationen kein oder kaum Blut, und die Schnittwunden schlossen sich durch Auflegen seiner Hände sofort. Nur eine dünne rosarote Narbe blieb auf der Haut zurück. Er entfernte auf diese unglaubliche Weise Tumore und andere Krankheitsherde. Während der bekannte amerikanische Mediziner und Paraforscher Dr. Henry K. Puharich mit dem Amerikaner Henry Belk die Arbeiten Arigos untersuchte, ließ er sich von ihm einen kleinen Tumor am Unterarm entfernen – mit einem einfachen Messer ohne Sterilitätsvorkehrungen und ohne Schmerzen. Später sah man an der Stelle, wo der Tumor gewesen war, kaum eine Narbe.[185, 228]

Berühmt waren Arigos Augenuntersuchungen. Der Patient mußte sich hierzu meist an die Wand des Untersuchungszimmers stellen. Während Arigo den Kopf des Patienten mit festem Griff gegen die Wand drückte, forderte er den Kranken auf, nach oben zu schauen. Mit einem Finger hielt er das obere Augenlid fest und führte das spitze, scharfe Küchenmesser, das auf dem Tisch inmitten von Papier, Honigglas und Schreibutensilien herumgelegen hatte, zwischen Augapfel und Augenlid ein – so weit, daß die Messerspitze unter der Haut als deutliche Wölbung über der Braue sichtbar und mit den Fingern fühlbar wurde. Durch kräftige kreisende Messerbewegungen, die er oft ohne hinzuschauen ausführte, holte Arigo manchmal den Augapfel fast vollständig aus der Augenhöhle heraus, untersuchte ihn und entfernte, wenn nötig, blitzschnell eine gallertige Masse; dann ließ er den Augapfel wieder in seine ursprüngliche Lage zurückgleiten. Danach zog er das Messer wieder aus dem Auge heraus und drückte die Lider fest aufeinander, wo in manchen Fällen noch eine eiterartige Flüssigkeit aus dem Auge trat. Jetzt erst begannen die Patienten sich wieder zu bewegen. Auf die Fragen der Zuschauer antworteten sie stets, daß sie keinerlei Schmerzen empfunden, aber alles beobachtet und deutlich wahrgenommen hätten. Diese Augenbehandlung Arigos ist oft gefilmt worden und wurde auch in Fernsehprogrammen ausgestrahlt.

Das Problem der Infektionsgefahr existierte bei Arigo nicht. Sterilisierung des Messers wurde nie durchgeführt; der gröbste Schmutz wurde vor der Operation lediglich mit etwas Papier abgewischt. Dennoch gelangen damit die heikelsten Bauch-, Kopf- und Augenoperationen. Obwohl dem Heiler kein einziger Fall von Infektion und Versagen nachgewiesen werden konnte, wurde eines Tages sein »Operationsmesser« beschlagnahmt und ihm die Ausübung der Operationen untersagt.

Dr. Mauro Godoy, Direktor des Städtischen Krankenhauses von Congonhas do Campo, äußerte vor Journalisten über Zé Arigo: »Vom ärztlichen Standpunkt bin ich ein großer Bewunderer seiner manuellen und intuitiven Kunst. Ich zähle nicht zu den ungewandten Operateuren und bin imstande, eine Staroperation in achtzehn bis zwanzig Minuten auszuführen. Arigo aber hat die gleiche Operation vor meinen Augen in zwei Minuten tadellos gemacht. Er hat dazu ohne nachteilige Folgen ein unsteriles Taschenmesser verwendet. Ein Jammer, daß man diesem begnadeten Mann das Operieren verbietet! Er ist viel zu korrekt, um einem gerichtlichen Verbot offen zuwiderzuhandeln. Aber er könnte viele Leben retten, wenn man ihn eingreifen ließe.«

Zé Arigo wurde wegen Kurpfuscherei angeklagt und zu zehn Monaten Gefängnis verurteilt; er brauchte die Zeit aber nicht abzusitzen, da einflußreiche Persönlichkeiten, die ihm viel verdankten, sich für seine vorzeitige Entlassung einsetzten. Seine Operationen mußte er zwar einstellen, doch beriet er weiterhin alle, die bei ihm Hilfe suchten.

Arigo arbeitete von montags bis freitags, meist von früh am Morgen bis tief in die Nacht hinein. Oft stellte er bei mehr als tausend Patienten an einem Tage im Trancezustand Diagnosen und schrieb Rezepte, auf denen wirksame Heilmittel verordnet wurden. Zé Arigo hatte Anhänger in allen Bevölkerungsschichten. Der prominenteste Anhänger und Freund Arigos aber war Dr. Juscelino Kubitschek (bis 1954 Gouverneur von Minas Gerais und von 1956 bis 1961 brasilianischer Staatspräsident). Der geistige Vater der modernen Metropole Brasilia war von seiner Ausbildung her selber Arzt. Seine Tochter Marscia litt an fortgeschrittener Leukämie, und ihr Zustand wurde ernster und ernster. Namhafte Spezialisten aus den USA und Europa waren konsultiert worden, doch schienen sie gegen das Fortschreiten des Leidens machtlos, es war unheilbar. Als alle Möglichkeiten westlicher Medizin ausgeschöpft waren und keinerlei Hoffnung mehr bestand, ging Dr. Kubitschek mit seiner Tochter zu Arigo. Er heilte sie.

Wissenschaftler — darunter der bereits genannte Dr. Puharich — prüften mehr als tausend Patienten mit Hilfe modernster medizinischer Untersuchungsmethoden und Geräte vor der Diagnosestellung durch Zé Arigo. Medizinische und paranormale Diagnose wurden verglichen. Man konnte dem Brasilianer keine Fehldiagnose nachweisen.[185]

Antonio Agpaoa

Es war zufällig einige Tage nach dem Begräbnis des großen brasilianischen Heilers, als eine kleine deutschsprachige Gruppe nach Ostasien reiste, um Gerüchten auf den Grund zu gehen, denen zufolge es auf den Philippinen eine Reihe von medialen Chirurgen gäbe, die erfolgreiche Operationen mittels Techniken und Methoden durchführten, die all unseren westlich-medizinischen Vorstellungen widersprachen und die das, was von Zé Arigo berichtet wurde, noch in den Schatten zu stellen schienen.

Die Berichte klangen derartig phantastisch, daß man zunächst an einen Aprilscherz zu glauben geneigt war. Unter den Operateuren sollte ein gewisser Antonio Agpaoa – meist einfach »Tony« genannt – der bekannteste und beste sein. Agpaoa arbeite, so hieß es, ohne Messer oder sonstige chirurgische Instrumente. Er öffne den Körper des Patienten durch eine bisher noch unbekannte Kraft oder Ausstrahlung seiner Hände, ohne daß der Patient Schmerzen dabei empfände. Der Operateur entferne dann den kranken Herd – mitunter sogar Krebsgeschwülste – und schließe den Körper wieder, ohne daß eine Narbe zurückbleibe. Der Patient könne in der Mehrzahl der Fälle nach der Operation gleich wieder aufstehen und nach einem oder zwei Tagen wieder seiner Arbeit nachgehen.

Viele Amerikaner sind in den letzten Jahren nach den Philippinen gereist, um sich von Agpaoa oder anderen Operateuren seines Stils operieren zu lassen. Der bekannte Pionier auf dem Gebiet außersinnlicher Wahrnehmung, Harold Sherman, heute Präsident der ESP-Research Associates Foundation in Little Rock, Arkansas, war 1966 mit Henry Belk auf den Philippinen bei Agpaoa und anderen Operateuren gewesen und brachte danach sein Buch *Wonderhealers of the Philippines*[228] heraus.

In der Gruppe, die jetzt auf die Philippinen fliegen sollte, um die Praktiken der einheimischen Laienoperateure zu studieren, befanden sich drei Ärzte, einige Patienten und der Verfasser als Naturwissenschaftler. Einer der Ärzte war Dr. Hans Naegeli-Osjord, Zürich, Präsident der Schweizerischen Gesellschaft für Parapsychologie. Die Reise war von dem Freiburger Journalisten Hans Geisler organisiert worden, der in den sechziger Jahren erstmals Berichte über die eigenartigen Operationen Agpaoas und anderer medialer Chirurgen der Philippinen veröffentlicht hatte. Die Informationen über die mediale Chirurgie auf den Philippinen, die aus Amerika kamen, waren sehr unterschiedlich und sogar einander widersprechend. Viele Berichte waren pro, andere contra. Es sollte etwa vierzig Heiler geben, von denen die meisten in einer Vereinigung zusammengefaßt waren, der Unio Espiritista Cristiana Filipinas.

Von amerikanischen Patienten hörte man über Agpaoa die widersprechendsten Ansichten. Erstaunlichste Leistungen wurden ebenso berichtet wie erfolglose Operationen, ja, von einer Seite wurde behauptet, ein von Agpaoa herausgenommener Blinddarm sei als Hühnerdarm identifiziert worden.

Derartige Beschuldigungen waren natürlich etwas beunruhigend für uns, doch erschien es uns unwahrscheinlich, daß ein Heiler, der seit über zwanzig Jahren seine Tätigkeit ausübte und Patienten aus aller Welt anzog, nichts weiter sein sollte als ein geschickter Taschenspieler.

In Bangkok waren eine ganze Reihe Filipinos in unsere Maschine zugestiegen, und wir hatten einige von ihnen auf englisch — der zweiten Landessprache neben der Eingeborenensprache Tagalog — gefragt, ob ihnen »Antonio Agpaoa« etwas sage. Sie kannten wohl den Namen, aber Näheres wußten sie nicht, was uns in Anbetracht der Tatsache, daß wir eine so weite Reise unternommen hatten, um diesen Mann zu sehen, erstaunte und irritierte. Lag es daran, daß, wie man sagt, der Prophet im eigenen Lande nichts gilt, oder waren wir einer Fata Morgana nachgelaufen? Es würde sich bald herausstellen.

Unser Flugziel war zunächst Manila, die auf der Insel Luzon direkt am Chinesischen Meer gelegene brodelnde Hauptstadt der siebentausend Inseln umfassenden Republik. Das Endziel der Reise war Baguio, der fünfzehnhundert Meter hoch in den Bergen gelegene zweite Regierungssitz des Landes, etwa fünf Autostunden nördlich von Manila: die liebliche Sommerresidenz der Hautevolee und der Wohnort des Operateurs Agpaoa. Wir waren bei ihm angemeldet, und er hatte mitgeteilt, daß er uns erwarte.

Drei Personen unserer Gruppe fuhren nach der Ankunft in

Manila sofort im Taxi nach Baguio. Wir anderen fünf übernachteten in einem Hotel und wurden am nächsten Morgen vom Chauffeur Agpaoas abgeholt. Die Fahrt ging um sieben Uhr morgens los. Wegen der bevorstehenden Festlichkeiten anläßlich eines Nationalfeiertags herrschte bereits ein äußerst reger Verkehr, der sich aber in geradezu wunderbarer Weise ohne Ampeln, ohne Schutzmänner und anscheinend auch ohne strenges Einhalten von Verkehrsregeln wie von selbst regelte.

Wir fuhren auf einer Autobahn, später auf einer Landstraße durch ebene Landschaft, die sogenannten Lowlands, und passierten viele kleinere Orte mit einfachen Holzhäusern. Die Bewohner waren sauber und bunt gekleidet. Mitunter sah man aus den armseligsten Hütten elegante und nach modernstem westlichem Chic gekleidete Filipinas herausschauen. Die Temperatur begann von Stunde zu Stunde tropischer zu werden, bis wir schließlich in das Bergland – die Highlands – kamen, wo die glatte Landstraße in eine immer stärker gewundene Gebirgsstraße überging und das Klima erträglicher wurde. Unsere Fahrt ähnelte schließlich einer Sommertour durch das Berner Oberland mit manchmal prächtig tiefen Schluchten und Wasserfällen, nur wuchsen hier Pinien und andere tropische und subtropische Pflanzen. Gegen vierzehn Uhr erreichten wir Baguio, wo uns Agpaoas Chauffeur vor dem kleinen Hotel »Villa La Maja« absetzte, das am Südrand der Stadt inmitten von Pinien an einem steilen Bergabhang liegt, und wo Agpaoa uns erwartete.

Wir waren verständlicherweise gespannt, dem Mann gegenüberzutreten, dem unsere lange Reise gegolten hatte und dem man in der ganzen Welt eigenartige Fähigkeiten nachsagte. Er erschien jetzt in der Tür des Hotels und kam zu uns die Treppe zur Straße herauf: ein gutaussehender Filipino von einunddreißig Jahren, modisch gekleidet. Freundlich begrüßte er uns. Sein Händedruck war sympathisch und fest; irgendeine funkensprühende Ausstrahlung, die mancher von einem »Wunderheiler« vielleicht erwarten mochte, konnten wir fürs erste nicht feststellen. Er hieß uns willkommen und sprach ein sauber artikuliertes Amerikanisch, dazu noch angenehm langsam, so daß die Verständigung besser klappte als erwartet. Im Vestibül wurden wir mit seiner Frau Lucy bekannt gemacht, und nachdem wir unsere Zimmer zugewiesen bekommen hatten, nahmen wir in Gesellschaft des Ehepaares Agpaoa ein philippinisches Mittagessen ein, das mich in seiner Üppigkeit und Vielseitigkeit an die französische Küche erinnerte. Agpaoa zeigte sich als redegewandter Gesellschafter, der seine Gäste gut unterhalten konnte. Über seine Heilertätigkeit sprach er nur wenig. Er sagte lediglich, daß er heute vormittag operiert habe und uns morgen an seinen Operationen teilnehmen lassen wolle. Am Abend speisten wir wieder zusammen und unterhielten uns noch einige Zeit, wobei Agpaoa sich besonders für das Leben in Deutschland interessierte, da er bisher überwiegend amerikanische Ausländer kennengelernt hatte und wenig mit Europäern zusammengekommen war. Im übrigen verabschiedete er sich relativ früh, da er, wie er sagte, den restlichen Abend benötige, um sich durch Meditation auf die morgigen Operationen vorzubereiten.

Am nächsten Morgen promenierten wir nach einem reichhaltigen philippinischen Frühstück vor dem Hotel auf und ab und warteten auf die Ankunft von Agpaoa. Gegen zehn Uhr kam ein großer amerikanischer Wagen vom Typ »Plymouth« die Straße hochgefahren. Diesen Straßenkreuzer hatte ihm 1966 ein reicher Amerikaner aus Dankbarkeit für eine erfolgreiche Operation geschenkt. In Begleitung Agpaoas befand sich ein etwas älterer hagerer Herr. Es war sein Vater Moises, der, wie wir schon gehört hatten, häufig bei seinen Operationen assistierte.

Agpaoa wirkte heute zurückhaltender und anfangs wortkarger als gestern. Als wir die Treppe von der Straße zum Hoteleingang hinuntergingen, zeigte Agpaoa zur ersten Etage hinauf. Anscheinend wollte er dort operieren.

Wir hatten Foto- und Filmapparaturen bereitgelegt und begaben uns ins erste Stockwerk. Es bestand zur Hauptsache aus dem großen Aufenthaltsraum des kleinen Hotels mit Couches, Klubsesseln und Kamin. Links, durch eine Glaswand abgetrennt, befand sich ein Raum, der als Kochraum benutzt werden konnte und ein Waschbecken enthielt. Hier wusch sich Agpaoa vor bzw. nach seinen Operationen die Hände. Auf der linken Seite des Aufenthaltsraumes, vor dem Kochraum, befand sich ein langer, solider, durchsichtiger Glastisch.

Während die anderen Mitglieder unserer Gruppe mit Agpaoa am Kamin standen und er über die Fälle sprach, die er heute operieren wollte, beobachtete ich seinen Vater Moises beim Herrichten des Glastisches, der als Operationstisch fungieren sollte. Er bot beim allerbesten Willen nicht die geringste Versteckmöglichkeit. Moises legte eine weiche Decke über die Platte und darauf ein Plastiktuch. Das war alles.

Wir begannen unsere Stative und Filmkameras aufzubauen. Agpaoa unterhielt sich inzwischen mit den zur Operation erschienenen Patienten. Er erkundigte sich nach den Symptomen des Leidens und nach der medizinischen Diagnose. Es erschien mir unwahrscheinlich, daß ein Betrüger sich erst unmittelbar vor der Operation für die näheren Einzelheiten der Krankheit interessieren sollte; denn einen Betrug, bei dem Hühnerdärme und Schweinefleisch benutzt werden sollte, mußte man, zumindest wenn Mediziner anwesend waren, gründlicher vorbereiten. Agpaoa konnte ja nicht für alle Krankheitsfälle entsprechende Attrappen bei sich haben, zumal er eine enganliegende Hose ohne Jackett trug und einen Rollkragenpullover, dessen Ärmel hochgeschoben waren, so daß seine Arme bei den Operationen immer frei waren.

Auch die Tatsache, daß er die Operation nicht in seinem eigenen Hause durchführte, sondern in einem Hotel, sprach gegen die Betrugshypothese; denn in einem fremden Haus konnte er sich schwerlich im letzten Moment die notwendigen Requisiten verschaffen und einen Betrug improvisieren.

Agpaoa rauchte während der Vorbereitungen unablässig Mentholzigaretten. Schließlich gab er ein Zeichen, daß er mit dem Operieren beginnen wolle.

Es erübrigt sich zu sagen, daß unsere Spannung nun auf den Höhepunkt stieg. Jetzt sollten wir zum erstenmal in unserem Leben eine blutige Operation ohne chirurgische Instrumente sehen – oder ebenso raffinierte wie infame Tricks.

Erster Patient war eine ältere Amerikanerin mit schwerem Brustkrebs. Sie legte sich auf den vorbereiteten Tisch und machte ihren Leib für die Operation frei. Ihre Schamgegend blieb mit einem Handtuch bedeckt. Wir standen kreisförmig um den Tisch herum: Agpaoa und sein Vater, sowie neun Personen als Zuschauer, darunter drei Mediziner. Im Hintergrund hielt sich neugieriges Hotelpersonal auf.

Die rechte Brust der Amerikanerin war in den USA bereits total amputiert worden. An der linken Brust sah man eine riesige Krebsgeschwulst mit mehreren hühnereigroßen Knoten.

Agpaoa ließ seine leicht gespreizte rechte Hand in einigem Abstand über den Körper der Patientin gleiten. Anscheinend suchte er auf diese Weise den Herd zu erfühlen. Diese Art der Diagnosestellung ist in der westlichen Schulmedizin verpönt, obwohl es auch bei uns, wie schon ausgeführt wurde, sensitive Menschen gibt, die die Gabe besitzen, kranke Stellen im Körper »hellfühlend« zu lokalisieren, verborgene Wasseradern mittels einer Wünschelrute oder auch nur durch Ausstrecken ihrer gespreizten Hand in der Erde zu finden, verlorene Gegenstände mittels eines Pendels zu suchen usw. Offenbar beruht Agpaoas Diagnosestellung auf derartigen Fähigkeiten.

Jetzt hielt der Heiler über ihrer rechten Bauchgegend inne und deutete auf diese Stelle des Körpers. Agpaoa sagte, daß er heute zunächst eine Metastase entfernen würde.

Wir hatten insgesamt sechs Filmkameras, die bereits zum Teil in Aktion waren. Einer der Zuschauer hielt eine Filmleuchte, die Agpaoa uns zur Verfügung gestellt hatte, denn wir sollten auf jeden Fall die zum Filmen notwendige Lichtstärke haben.

Wir wurden gebeten, für einige Augenblicke das Filmen einzustellen und uns geistig in einer kurzen Meditation zu vereinen. Agpaoa hielt seine Hände wie segnend über die Patientin, schloß leicht die Augen und sprach auf englisch ein kurzes Gebet, Gott in wenigen Worten um seinen Beistand für ein gutes Gelingen der heutigen Operationen bittend.

Agpaoa trug, wie bereits gesagt, einen schwarzen Rollkragenpullover und hatte die Ärmel hochgezogen, so daß die Arme bis über die Ellbogen frei waren. Wir beobachteten jede seiner Bewegungen und konnten später durch unsere Filme den ganzen Vorgang gedächtnismäßig genau rekonstruieren. Seine Hände waren leer, zwischen den zeitweise gespreizten Fingern befand sich garantiert nichts versteckt, und er kam nach dem segnenden Ausstrecken seiner Hände nicht mehr mit diesen an seinen Körper heran, um eventuell mitgebrachte und versteckte Gewebeteile von einem Versteck an seinem Körper in den Operationsbereich zu bringen.

Agpaoa legte jetzt einen Wattebausch, den er vor unseren Augen in eine mit Wasser gefüllte Plastikschüssel tauchte, auf den Leib der Patientin, die mit offenen Augen auf dem Tisch lag und bei vollem Bewußtsein zu sein schien. Mit äußerster Konzentration blickten alle Augenpaare auf die Hände Agpaoas, als sie nun die Bauchdecke der Patientin mit den Fingerspitzen berührten und leicht zu massieren begannen. Die Gefühle bei den einzelnen Zuschauern mögen sehr unterschiedlich gewesen sein – fasziniert und erschüttert die einen, skeptisch abwartend die andern –, als es plötzlich so aussah, als sickere aus der Haut der Patientin Blut hervor, während der Heiler in seiner massierenden, knetenden Behandlung der Bauchdecke fortfuhr. Nach einiger Zeit dieser Einwirkung blinkte unter seinen sich ständig bewegenden Fingern, die sich jetzt schräg in die Haut hineinzuschieben schienen, etwas wie rohes Fleisch hervor. Nach einigen weiteren Augenblicken hob Agpaoa allen sichtbar mit der rechten Hand etwas Gewebeartiges aus dem Körper heraus, ohne es von diesem zu lösen.

Der Körper war nun offensichtlich geöffnet. Die linke Hand behielt Agpaoa ständig in der Wunde, um, wie er erklärte, den Körper offen zu halten.

Die Patientin schien nicht die leisesten Schmerzen zu empfinden und machte einige Bemerkungen zu ihrem neben ihr stehenden Mann. Dann richtete sie für einen Augenblick ihren Kopf hoch, so daß sie die Operationsstelle sehen konnte. Sie stieß einen Ruf der Überraschung aus, als sie die blutende, anscheinend offene Wunde sah und das rohe Gewebe, das Agpaoa ständig mit seinen Fingerspitzen bearbeitete, bis er es wieder in den Körper zurückgleiten ließ, um sich gleich darauf, wie es aussah, tiefer in den Körper hineinzuarbeiten. Seine Hände waren stark mit Blut beschmiert.

Neben der Operationsstelle lagen schwarzrote Klümpchen geronnenen Blutes.

Agpaoa schüttelte jetzt ruckartig die im Körper befindliche rechte Hand, wie wenn er etwas mit leichter Gewalt abreißen wollte. Danach warf er etwas Blutiges in die Abfallschüssel. Vermutlich war es der Wattebausch, den er anfangs auf den Leib der Patientin gelegt hatte und möglicherweise dazu benutzte, um das glatte Gewebe besser fassen zu können. Gleich darauf ging Agpaoa zum letztenmal bei diesem Eingriff mit seiner rechten Hand in die Wunde hinein und holte langsam ein pflaumengroßes Gewebestück heraus, das auf einen Wattebausch gelegt und der Patientin zum Anfühlen hingehalten wurde, während die linke Hand vorerst noch in der Wunde blieb. Schließlich nahm er auch seine linke Hand vorsichtig heraus, bis nur noch zwei Finger in die Bauchdecke hineindrückten. Hierbei hatte er gesprochen: »One, two, three!« Bei »three« war die linke Hand gänzlich vom Körper der Patientin gelöst, und auf dem Körper blieben lediglich eine kleine Blutlache zurück und einige Brocken geronnenes Blut. Als das Blut abgewischt war, lag die Bauchdecke wieder unversehrt wie vorher da. Das unterhalb der Operationsstelle über die Lenden gedeckte Tuch war bei der Prozedur ebenfalls stark mit Blut beschmiert worden.

Die Zuschauer, insbesondere die anwesenden Mediziner, schauten sich verdutzt an. Das Ganze war so schnell und glatt gegangen – es mochte alles in allem zwei bis drei Minuten gedauert haben –, daß uns noch gar nicht zum Bewußtsein gekommen war, was sich hier eigentlich abgespielt hatte. Die Ärzte betasteten und begutachteten das herausoperierte Gewebe. Es bestand für sie offensichtlich kein Zweifel daran, daß es sich um organisches fleischliches Gewebe handelte.

Agpaoa hatte sich inzwischen die Hände gewaschen, und wir versammelten uns alle wieder am Kamin. Tony steckte sich eine Mentholzigarette an, und wir stellten ihm Fragen.

Wir erfuhren Einzelheiten aus seinem Leben und über seine Heilertätigkeit. Der erste Punkt, der besonders die Mediziner interessierte, war die Frage, ob er eine medizinische Ausbildung irgendwelcher Art habe. Hierauf antwortete Agpaoa lachend: »Es tut mir leid, aber ich muß Ihnen sagen, daß ich keinerlei Ausbildung – wie Sie es verstehen – auf medizinischem Gebiet erhalten habe!« Das war etwas, was uns nicht einleuchten wollte. Man könne doch eine Behandlung, und am allerwenigsten eine Operation, nicht ohne anatomische und sonstige medizinische Kenntnisse durchführen, entgegneten wir. Ein Chirurg müsse zumindest genau wissen, wo die einzelnen Gewebe liegen, um den Krankheitsherd zu lokalisieren!

»Muß eine Brieftaube unbedingt eine Landkarte lesen können, um den richtigen Weg zu finden?« fragte Agpaoa zurück. Hierauf ließ sich nichts erwidern. Agpaoa sagte weiter, daß er inzwischen durch den Umgang mit Patienten und Ärzten Anatomiekenntnisse erworben habe, aber diese brauche er nicht unbedingt zum Operieren. Beim Operieren seien seine Hände ohnehin in Trance und unterständen nur zu einem Teil der Führung seines Bewußtseins. Früher benötigte er sogar oft – besonders bei schweren Operationen – eine Volltrance, um operieren zu können, das heißt, er war während der Operationen völlig ohne bewußte Kontrolle und ohne bewußten Kontakt zu seiner Umwelt.

Es interessierte uns nun die Art der Diagnosestellung. Auch hier mußte Agpaoa die Mediziner enttäuschen: »Es tut mir leid, aber ich kann es nicht anders in Worte fassen, ich kann Ihnen nur sagen: Ich weiß, ohne zu wissen, woher! Wenn ich mich auf den Patienten konzentriere, weiß ich, was ihm fehlt!«

Er spüre auch gewisse Ausstrahlungen am Körper des Patienten und taste diese mit seiner Hand ab. So könne er sich ein Bild über den Zustand des Kranken machen. Auch sähe er die »Aura« des Patienten, die ihn beim Operieren leite.

Ein Arzt fragte weiter: »Wenn ein Patient zu Ihnen mit einer bereits bekannten medizinischen Diagnose kommt, richten Sie sich in Ihrer Behandlung danach?«

»Ich diagnostiziere immer auf meine eigene Art. Oft stimme ich mit der klinischen Diagnose überein. Ich richte mich letztlich stets nach meiner eigenen Diagnose.«

»Was für eine Kraft ist es, durch die sie mittels Ihrer Hände in den Körper der Patienten eindringen können? Ist es eine Kraft auf der Basis des Elektromagnetismus?«

»Das kann man so nicht sagen. Vielleicht können elektromagnetische Erscheinungen dabei mit auftreten. Aber letztlich ist es eine spirituelle Kraft, die durch mich wirkt. Diese Kraft kommt nicht aus mir selbst. Ich habe das Gefühl, nur der ›Kanal‹ zu sein, durch den diese Kraft fließt, oder vielleicht ein Werkzeug dieser Kraft.«

Inzwischen war die operierte Patientin von Agpaoas Vater an der behandelten Stelle mit einer Salbe eingerieben worden, stand nun auf, zog ihren Morgenrock über und verließ mit Unterstützung ihres Gatten den Raum. Sie bestätigte nochmals, während des ganzen Eingriffs nicht die geringsten Schmerzen empfunden zu haben und ständig bei vollem Bewußtsein gewesen zu sein, was wir nicht anzweifelten, da wir ja während der Operation mehrmals mit ihr gesprochen hatten.

Es folgte eine Operation an einer deutschen Patientin, die darum gebeten hatte, in ihrem Hotelzimmer behandelt zu werden. Es wurde wahrscheinlich eine entartete Lymphdrüse aus dem rechten Oberbauch herausgenommen. Da ich während der Operation die Filmkamera der Patientin bediente, habe ich selbst keinerlei Filmmaterial über diesen Fall, ich kann mich auch auf Einzelheiten nicht genau genug entsinnen, um sie hier wiederzugeben.

In der darauffolgenden Zigarettenpause stellten wir weitere Fragen an Agpaoa:

»Operieren Sie jeden Patienten, der zu Ihnen kommt?«

»Nein! Manchmal darf ich nicht operieren. Aber ich weiß immer, ob ich darf oder nicht, und ob der Zeitpunkt richtig ist oder nicht.«

»Woran sehen Sie das?«

»An der Farbe der Aura des Patienten und an der Farbe meiner Hände! Meine Hände ändern ihre Farbe, wenn ich sie auf den Patienten richte. Wenn ich Gelb sehe, darf ich operieren, erscheinen meine Hände orangefarben, ist es noch nicht an der Zeit. Wenn meine Hände beim Operieren orangefarben oder rot werden, muß ich sofort aufhören, sonst gefährde ich den Patienten. Ich gebe dem Patienten dann Medizin und Diätanweisungen; manchmal braucht er auch eine magnetopathische Behandlung zur Stärkung. Oft kann ich in einem solchen Fall dann später operieren.«

»Können wir normalen Menschen die Farbänderungen Ihrer Hände auch sehen?«

»Nein! Die sehe nur ich!«

»Operieren Sie auch, wenn ein Mediziner den Fall für inoperabel hält?«

»Ich operiere immer, wenn ich keinerlei ungünstige Farben sehe!«

»Können Sie alle Krankheiten heilen?«

»Natürlich nicht! Aber oft können wir philippinischen Heiler scheinbar hoffnungslose Fälle bessern oder wenigstens die Beschwerden lindern, manchmal sogar vollständig heilen. Man darf nie den Glauben verlieren! Wenn ich auch nicht jeden heilen kann, so ist doch bei meinen Operationen noch nie ein Patient gestorben, und es hat noch nie gefährliche Infektionen gegeben, obwohl manche Ärzte, die meine Arbeit gesehen haben, vor Infektionen gewarnt haben, ja, zum Teil der Ansicht waren, es *müßten* Infektionen auftreten!«

Das unerklärlichste Phänomen jedoch war und ist noch immer das anscheinende Öffnen des Körpers ohne Instrumente und das narbenfreie Schließen. Zweimal hatten wir es jetzt schon erlebt, und es schien eigentlich kein Zweifel an dieser Fähigkeit Agpaoas zu bestehen, wenn sich die ganze Angelegenheit nicht als eine ganz ungewöhnliche Form von Massenhypnose herausstellen sollte, was ja die Filme erweisen würden.

Zu dem Phänomen des Öffnens und Schließens des Körpers konnte Agpaoa uns keine Erklärung geben, die unseren wissenschaftlich denkenden westlichen Verstand befriedigt hätte. Er sagte, er öffne den Körper mittels der »spirituellen Kraft«, die durch ihn wirke, wenn er operiere. Hier trafen sich zwei grundsätzlich verschiedene Lebensauffassungen und Denkweisen, die bisher offensichtlich wenig Berührungspunkte miteinander hatten.

Wir erfuhren noch, daß Agpaoa im Alter von etwa acht Jahren seine erste »Wunderheilung« vollbracht hatte.* Schon vor diesem Ereignis hatte er mehrere Jahre hindurch seltsame Erlebnisse gehabt, die uns an die Initiationserfahrungen erinnerten, die einem beim Studium des Schamanismus begegnen.[64] Agpaoa erzählte, er habe als Kind »höhere Wesenheiten« gesehen, die anderen Menschen unsichtbar seien und die ihn einluden, mit ihnen in die Berge zu kommen und sich darauf vorzubereiten, Werkzeug einer »göttlichen Heilkraft« zu werden. Er sei ihnen

* Siehe Seite 184 f.

tatsächlich gefolgt und habe oft tagelang in den Bergen in Meditation verbracht. Mit neun Jahren sei ihm nach mehr als acht Tage langem Meditieren und Fasten in einer engen Höhle offenbart worden, daß er eine Mission in dieser Welt zu erfüllen habe.

Es ist unmöglich zu sagen, welche Realität diesen Erlebnissen zugrunde liegt, wo die Realität aufhört und philippinische Phantasie oder Halluzinationen beginnen. Man frage sich aber einmal ernstlich, was denn »real« ist. Wer will sich anmaßen, die endgültigen Wertmaßstäbe für den Begriff der Realität festzulegen. Das vorige Jahrhundert hatte andere Vorstellungen davon als wir heute, und spätere Jahrhunderte werden neue Realitäten begreifen, die bei uns bisher noch unter der Rubrik »Halluzinationen« geführt werden.

Die parapsychologische Seite des Schamanismus ist so gut wie überhaupt noch nicht untersucht worden.[64, 107] Ein großer Fehler unserer Zeit ist, daß wir alles sogenannte »Mystische« als Phantasterei ansehen und belächeln oder ignorieren. Die Mystik muß jedoch bei einer Zusammenstellung der menschlichen Ausdrucksformen genauso genannt und berücksichtigt werden wie das rationale Denken. Der Mensch besteht aus der Gesamtheit seiner Äußerungen, seien sie nun jedermann klar sichtbar oder »latent«. Funktionen, die zeitweise unter bestimmten Bedingungen nur potentiell vorhanden sind, können unter Umständen in ihrem Wesen genauso real sein wie diejenigen Erscheinungen, die, für jedermann sichtbar, ständig vorkommen. Unsere Wissenschaften ignorieren alles sogenannte Subjektive. Tatsächlich jedoch müßte man die durch Selbstbeobachtung und die durch Untersuchung von außen erhaltenen Daten gerechterweise nebeneinander verwenden, um zu einem wirklich vollständigen Bild über den Menschen zu kommen. Beide Betrachtungsweisen richten sich ja auf dasselbe Objekt, nur betrachtet die eine den Menschen von innen und die andere von außen. Es besteht kein Grund dafür, die eine Betrachtungsweise höher zu bewerten als die andere.[34] Das entscheidende Argument ist, daß im Gefolge mystischer Praktiken objektiv feststellbare Psi-Phänomene auftreten – so zum Beispiel die medialen Operationen der Filipinos –, die nach unseren wissenschaftlichen Vorstellungen nicht zu erklären sind und die der Verstand nicht für möglich hält.

Wenn die mystischen Bewußtseinszustände offensichtliche, reale Wirkungen auslösen können, so muß ihnen selbst auch zwangsläufig eine Realität zugrunde liegen.

Doch zurück zu unserem ersten Beobachtungstag in Baguio. Nach diesem Gespräch mit Agpaoa war ein Patient aus Hamburg an der Reihe, operiert zu werden. Er hatte ein Darmleiden; seine Beschwerden lagen vor allem im linken Bauchbereich. Die Operation erfolgte ähnlich wie die zuerst beschriebene, nur ging Agpaoa offensichtlich mit der rechten Hand noch tiefer in den Körper hinein als bei der ersten Operation. Agpaoa entfernte ein größeres Gewebestück, das wie ein Adhäsionsstrang aus dem Darm aussah. Danach erfolgte am gleichen Patienten eine Hämorrhoidenoperation. Hierzu ging Agpaoa mit bloßen Händen in den Anus hinein, legte nach längerem Herumsuchen anscheinend die zu entfernende Vene frei und ließ sie durch ein Mitglied unserer Gruppe mittels einer langen Zange mit sanfter Gewalt herausreißen. Dieser Eingriff war unblutig. Der Patient hatte dann noch eine kleine Schmerzstelle am Glutaeus (Gesäßmuskel), und Agpaoa entfernte schließlich etwas Blutiges, was von den anwesenden Medizinern für eine entartete Lymphdrüse gehalten wurde.

Mittlerweile ging es auf Mittag zu, und Agpaoa beendete für diesen Tag seine operative Tätigkeit.

In den nächsten Tagen sahen wir weitere Operationen, die wir meist auch im Film festhielten. Bei einem Amerikaner wurde eine Operation im Prostatabereich durchgeführt und ein kleiner gutartiger Tumor vom Testis entfernt, ohne daß der Patient irgendwelche Schmerzen empfand. Wir sahen Hämorrhoiden- und Krampfaderoperationen, wobei der Erfolg der Krampfaderoperation nicht eindeutig war. Eine angebliche Herzoperation an einem Deutschen ließ für die Zuschauer relativ wenig erkennen.

Herzoperationen gehören für Agpaoa zu den schwersten Eingriffen. Er leitete sie durch langes Streichen an Kopf und Oberkörper ein, wie es von magnetopathischen Behandlungen her bekannt ist. Dann wurden Augen und Ohren des Patienten mit nassen Wattebäuschen zugedeckt bzw. zugestopft. Schließlich ging der Heiler mit zeitweise geschlossenen Augen – wie um sich besser konzentrieren zu können – seitlich mit den Händen an den Brustkorb heran, wobei ein Handtuch uns Zuschauern weitgehend die Sicht nahm. Man hatte den Eindruck, daß Agpaoa die neugierigen Blicke der Zuschauer bei schwierigen Operationen störten. Seine Hände waren nach kurzer Zeit blutig, und er brachte anscheinend kleine blutige Substanzen hervor. Er behauptete, daß er Kalkablagerungen beseitigt und die Mitralklappen »gereinigt« habe. Bei dem Herzleiden handelte es sich um einen Klappenfehler mit Verwachsung infolge einer rheumatischen Infektion. Der zweiundsechzigjährige Patient litt an starken Insuffizienzerscheinungen. Der Erfolg dieser Operation war zweifelhaft. Der Patient wurde später noch einmal unter Ausschluß von Zuschauern operiert. Die Atemnot – die allerdings auch stark psychogener Natur sein konnte – war nach Angaben des Patienten durch die Operation nicht gebessert. Vielleicht hat Agpaoa tatsächlich sklerotische Ablagerungen auf paranormalem Wege entfernt, die Herzklappenverwachsung jedoch nicht beseitigen können. Der Patient hatte den Eindruck, daß Agpaoa gar nicht bis an das Herz herangegangen sei. Das braucht keineswegs gegen Agpaoa zu sprechen; denn wie noch gezeigt werden wird, scheinen die philippinischen Operateure in vielen Fällen Krankheitsherde auch psychokinetisch zu beeinflussen und zu operieren.

Am Ende eines Operationsvormittags demonstrierte er uns, wie er ein breites Stück festes Heftpflaster ohne Zuhilfenahme einer Schere mit seinen bloßen Fingern zu durchtrennen vermag. Er wickelte hierzu vor unseren Augen eine etwa acht Zentimeter breite Leukoplastrolle ab und ließ einen von uns das freie Ende halten, während er die Rolle in der linken Hand hielt. Jetzt konzentrierte er sich und »schnitt« dann mit der Handkante oder auch mit der Kante seines Mittelfingers das Heftpflaster durch wie mit einem scharfen Messer. Als nächstes wurde das abgetrennte Ende auf den anderen abgerollten Streifen der Heftpflasterrolle aufgeklebt, und Agpaoa trennte auf die gleiche Weise den doppelten Streifen von der restlichen Rolle ab. Das wiederholte er mehrmals, wobei er zum Durchschneiden des Heftpflasters schließlich nicht mehr seine Hand, sondern die herausgestreckte Zunge benutzte oder sogar nur pustete. Zum Schluß war ein etwa 20 Zentimeter langer Streifen von sechs übereinander geklebten Schichten Heftpflaster entstanden. Er ließ diesen an beiden Enden von zwei Personen unserer Gruppe halten und »schnitt« diese Schicht von sechs Heftpflastern ohne sichtbare Anstrengung mit dem Mittelfinger seiner gespreizten Hand durch, wobei er mehrmals zum »Schnitt« ansetzen mußte.

Derartige Demonstrationen sind mit Vorsicht aufzunehmen, denn es ist unter Umständen tatsächlich möglich, ein Heftpflaster der verwendeten Art mit einem kurzen, harten, reißenden Schlag aufzutrennen. Wie der später entwickelte Film jedoch zeigte, hatte Agpaoa die Trennung an jenem Tag ohne nennenswerten mechanischen Kraftaufwand durchgeführt, indem er ganz leicht mit dem Finger über das Pflaster strich.

Der Einwand, das Heftpflaster könne vorgelockert gewesen sein, ist nicht stichhaltig; denn dann hätte das Pflaster – das, wie üblich, sehr fest auf der Rolle klebte – bereits bei dem mit ziemlichem Kraftaufwand erfolgenden Abwickeln reißen müssen. Außerdem kann man selbst ein vorgelockertes Heftpflaster normalerweise weder mit der Zunge trennen noch durchpusten. Später wiederholte Agpaoa diese Experimente nochmals, wobei er sogar acht Schichten übereinander klebte. Wahrscheinlich handelte es sich hier um eine psychokinetische Leistung.

Seitdem die Agpaoa-Operationen durch die Philippinenreise des Amerikaners Harold Sherman 1966 auch in der westlichen Welt bekannt wurden, fehlte es nicht an Wissenschaftlern, die die Operationen Agpaoas als Schwindel abtun wollten.

Der bekannteste Verfechter der Betrugshypothese war der amerikanische Arzt Dr. Wanderman. Wanderman wurde 1966 von Sherman nach den Philippinen gerufen, gewissermaßen als wissenschaftlicher Kronzeuge für die Echtheit der Agpaoa-Operationen.

Es kam aber ganz anders. Wer sich längere Zeit mit den Psi-Phänomenen befaßt hat und praktische Erfahrungen besitzt, kann sich des Eindrucks nicht erwehren, daß hier manchmal Kräfte zu wirken scheinen, die mit einer regelrechten Eigenintelligenz dem ernsthaften Forscher, der nach stichhaltigen, objektiven Beweisen sucht, im letzten Moment einen Strich durch die Rechnung zu machen bestrebt sind. So war es auch hier.

Sherman war sich seiner Sache ziemlich sicher, und Agpaoa begrüßte Shermans Absicht, einen Mediziner aus den USA herbeizuholen. Er verschob sogar interessante Operationen für das Wochenende, an dem Dr. Wanderman kommen sollte. Doch dieser kam nicht. Schwierigkeiten bei der Beschaffung des Visums zwangen ihn zu einer zweimaligen Verschiebung seiner Reise, und schließlich kam er mit mehreren Tagen Verspätung an. Anfangs zurückgestellte Patienten hatte Agpaoa inzwischen in dringenden Fällen doch operiert, andere waren, verärgert über die lange Wartezeit, wieder fortgegangen. Jedenfalls standen bei der Ankunft Wandermans keine Patienten zur Verfügung, obwohl Agpaoa sonst ständig von Patienten belagert wurde.

Dann verpaßte Dr. Wanderman einige interessante Operationen, da er sich zu Bekannten nach Manila begeben hatte. Nach seiner Rückkehr kam ein Patient, dem Agpaoa einen Backenzahn mit den bloßen Fingern zog. Der amerikanische Mediziner vermutete darauf, daß der Zahn schon stark gewackelt habe. Als kurze Zeit später ein weiterer Patient mit dem gleichen Anliegen kam, bat Agpaoa Dr. Wanderman, den Zahn auf seine Festigkeit zu prüfen. Der Arzt mußte zugeben, daß der zu ziehende Zahn festsaß. Nachdem Agpaoa den Zahn dann ebenfalls schmerzlos mit den Fingern herausgezogen hatte, meinte Wanderman, das sei uninteressant.

Schließlich kam ein Patient mit einer oberflächlichen Zyste in der Bauchgegend. Als Agpaoa sie öffnete und ausdrückte, war der amerikanische Mediziner entsetzt über eine derartig primitive Arbeitstechnik, die unbedingt zu schweren Infektionen führen müsse. Wanderman sah dann noch eine weitere Zystenoperation, und schließlich bekam er noch ein oder zwei Unterleibsoperationen zu sehen. Außer Harold Sherman war bei den Operationen der bereits mehrfach zitierte japanische Wissenschaftler Dr. Hiroshi Motoyama anwesend. Agpaoa forderte Dr. Wandermann auf, einmal in die Operationsstelle hineinzugreifen, was dieser ablehnte. Auch Blut- und Gewebeproben nahm er nicht an. Er reiste nach kurzer Zeit wieder ab und behauptete, die Operationen Agpaoas seien Schwindel.

Dr. Wanderman vermutete, daß Agpaoa bei seinen Operationen nicht in den Körper des Patienten hineingehe. Er benutze eine Membran, die er geschickt über den Körper des Patienten ausbreite, und gleichzeitig spritze er eine rote Flüssigkeit darauf. An dieser Attrappe manipuliere er herum und erwecke bei oberflächlichen Beobachtern den Eindruck, als operiere er. Wenn Agpaoa den Körper des Patienten wirklich öffne, etwa bei den Zystenoperationen, dann benutze er eine Rasierklinge, die er unter der linken Hand verborgen halte. Wanderman gab zu, die Rasierklinge nicht gesehen zu haben. Er wisse aber, daß man den Körper nicht mit der bloßen Hand öffnen könne. In einer Sendung des amerikanischen Fernsehens sagte Dr. Wanderman, daß er den Fall Agpaoa nicht weiter für untersuchenswert halte.[228]

Gegen einen Betrug bei den von unserer Gruppe beobachteten Operationen Agpaoas sprechen praktisch alle Umstände, unter denen Agpaoa seine Eingriffe vorführte. Die meisten der uns vorgeführten Operationen fanden im Hotel »Villa La Maja« statt und wurden von unserer ganzen Gruppe beobachtet. Sie fanden bei normalem Zimmertageslicht statt. Wir standen mehr oder minder kreisförmig um den Operationstisch und um Agpaoa herum. Gefilmt wurde ebenfalls von verschiedenen Seiten.

Wenn Agpaoa seine linke Hand manchmal bei der Operation etwas zusammengekrümmt hält, so nicht wie Dr. Wanderman behauptet, weil er in der Innenhand eine Rasierklinge versteckt hält, sondern weil die linke Hand eine mehr passive Rolle spielt und dazu benutzt wird, die Operationsstelle offen zu halten, während die rechte Hand die eigentlich aktive Arbeit bei der Operation leistet. Ich habe speziell von hinten unter die linke Hand Agpaoas geschaut, als dieser sie beim Operieren verdächtig still hielt, jedoch nie eine Rasierklinge oder dergleichen sehen können. Das einzige Hilfsmittel, das ich bei Agpaoas Operationen entdecken konnte, war lediglich ein Stück Watte oder Gaze, das er vor unseren Augen in einer Waschschüssel mit Wasser anfeuchtete und an die Operationsstelle legte und das er auch manchmal in die Wunde hineinzunehmen schien, vielleicht, um damit, wie schon gesagt, glatte Gewebe besser fassen zu können, vielleicht aber auch, um eine Abscheidungsgrundlage für einen eventuellen »Materialisationsprozeß« zu haben.*

* Siehe Kapitel »Materialisationen – des Rätsels Lösung?«

Ich habe mich früher einmal sehr für Zauberkunststücke und Illusionen interessiert, alle möglichen Vorführungen der internationalen Spitzenklasse gesehen und selbst als Amateur gezaubert. Ich nehme auch heute noch jede Gelegenheit wahr, mir solche Vorführungen anzusehen. Ich weiß, daß auf dem Gebiet der Täuschung und des Betruges sehr viel möglich ist, aber es gibt auch hier Grenzen. Jeder Zauberkünstler braucht gewisse Voraussetzungen für die Durchführung von Tricks und Illusionen, sei es einen speziellen Anzug mit genügend Versteckmöglichkeiten, sei es einen speziellen Tisch mit verborgenen Dingen und meist auch einen freien Rücken. Absolut unerwünscht sind einem Zauberkünstler ihn *allseitig* umgebende Kameraleute, die Filmapparate mit Zeitlupeneinstellungen betätigen.

Man stelle sich einen Zauberkünstler vor, der in einem fremden Haus auf einem Glastisch ohne irgendwelche geheimen Fächer arbeitend, mit Rollkragenpullover und hochgezogenen Ärmeln, mit enganliegenden Hosen, in denen bestimmt nur Kleinigkeiten versteckt sein könnten, von sechs Filmkameras umgeben, unter den Augen von acht bis zehn einigermaßen intelligenten, scharf beobachtenden Zuschauern – drei Ärzte, ein Naturwissenschaftler und mehrere clevere Geschäftsleute – eine Membran auf den Bauch des Patienten bringen, gleichzeitig ein Achtelliter blutähnliche Flüssigkeit darüber spritzen, die Illusion einer Wunde hervorrufen und mit einer Tiegelzange manchmal tief die Bauchdecke eindrücken soll, ohne daß der Patient aufschreit, dann vorher mitgebrachte Fleischstücke und tumorartige Gewebe von der Größe einer Pflaume oder eines Hühnereis aus der Blutlache herauszieht, mitunter in dem Blut herumplätschert wie in einer Waschschüssel und danach durch einen Trick den größten Teil des Blutes wieder verschwinden läßt, ohne daß es irgendwo aus seinem Anzug tropft. Wenn Agpaoa ein derartig einmaliger Zauberkünstler wäre, dann hätte er garantiert nicht viele Jahre lang für wenige Pesos von früh bis in die späte Nacht hinein arme Filipinos operiert, sondern wäre ein Star auf den berühmtesten Varietébühnen der Welt geworden.

Hier gäbe es nur eine sinnvolle Betrugshypothese, nämlich die der Massenhypnose. Die später in Deutschland entwickelten Filme jedoch widerlegten eindeutig diese Täuschungsmöglichkeit.

Sie bewiesen vielmehr, daß wir in Baguio sehr richtig beobachtet hatten.

Von anderen amerikanischen Medizinern wurde behauptet, sie hätten von Agpaoa Blut- und Gewebeproben mitbekommen, die sich bei der Untersuchung als Hühnerblut und Hühnerfleisch herausgestellt hätten. Nichts ist absurder, als Agpaoa für so töricht zu halten, amerikanischen Ärzten Hühnerblut mitzugeben. Doch das Gerücht kursiert und wird von vielen Leuten geglaubt. Agpaoas Reaktion auf diese Beschuldigungen war die, daß er den Patienten keinerlei Blut- oder Gewebeproben mehr mitgab.

Andererseits erschien es uns natürlich auch verdächtig, daß Agpaoa uns keine Blut- oder Gewebeproben überließ. Hierfür schien es aber noch andere Erklärungen zu geben als die Betrugshypothese. Wir schlossen schon damals die Möglichkeit keineswegs aus, daß bei diesen paranormalen Prozessen der spezifische Charakter des Blutes verändert würde, und das gleiche mochte für die Struktur der Gewebe gelten. Die an früherer Stelle berichteten eigenartigen Wirkungen heilender Hände auf biologische Prozesse waren uns damals bereits bekannt. Wahrscheinlich ging von den Händen Agpaoas bei der Operation eine noch viel stärkere Ausstrahlung aus als bei magnetopathischen Heilern westlichen Stils, so daß chemische Veränderungen des Blutes oder der Gewebe uns durchaus nicht absurd, sondern eher wahrscheinlich erschienen. Im übrigen erkannte einer der Ärzte, der spezielle Erfahrungen als Pathologe besaß, bei den Hämorrhoidenoperationen Agpaoas die herausoperierten Gewebe als Venen und bei einer Prostataoperation Prostatagewebe.

Manche Gewebe jedoch schienen den Medizinern Rätsel aufzugeben. Sie sahen von vornherein anders aus als mit dem Messer herausgeschnittene. Aber auch aus einem Tier hätte man Gewebe von derartiger Form nicht auf übliche Art abtrennen können. Es drängt sich der Eindruck auf, daß sich hier ein uns völlig unbekannter Abtrennungsmechanismus auswirkte, was an sich ganz logisch ist; denn es handelt sich ja um eine *messerlose* Operation. Es wird später gezeigt werden, daß sich hier höchstwahrscheinlich Prozesse abspielen, die unseren akademischen Wissenschaften bisher noch vollkommen unbekannt sind. Gerade deshalb sind aber die philippinischen Operationen so ungeheuer interessant.

Unter den Ärzten unserer Gruppe war einer, Dr. H., der nur wenige Tage in Baguio bleiben konnte und nur die eben beschriebenen Operationen Agpaoas gesehen hatte. Er war nach seiner Rückkehr nach Europa daher auch der skeptischste. Er faßte das Ergebnis seiner Beobachtungen einige Wochen später — als er genügend Abstand von seinen Beobachtungen hatte — etwa wie folgt zusammen:

»Ich sah im Abstand von einem Meter in die gespreizte Wundhöhle hinein. Ganz offensichtlich schien der Leib an dieser Stelle aufgetrennt und offen zu sein. Man sah erstaunlicherweise ein blutig-gelblich erscheinendes Körpergewebe. Ich konnte mich aber nie orientieren und aus dem Aussehen etwa bestimmen, welche anatomischen Teile vor uns lagen. Das steht ganz im Gegensatz zum Eingriff in unseren chirurgischen Kliniken, wo man üblicherweise mit einem geschulten Blick sogleich feststellen kann, in welcher Körperregion man sich ungefähr befindet. Ich habe allerdings während meines Kurzaufenthaltes keine Darmoperation gesehen, wo ich dann eventuell die anatomischen Gegebenheiten besser hätte feststellen können.«

Der Mediziner sagte weiter, daß er ohne histologische Untersuchung über die herausgetrennten Gewebeteile nichts sagen könne. »Einzelne hatten das Aussehen von lymphknotenähnlichem Gewebe, einige waren von bindegewebeähnlichem Äußeren, dann wiederum von grobgefäßlichen Wandteilen. Die Präparate wurden uns nicht ausgehändigt, ich kann deshalb darüber nichts sagen. Auch das Blut wurde nicht untersucht, und ich spreche deshalb von blutähnlicher serös aussehender Flüssigkeit. Es wurden auch Klumpen von gestocktem Blut entfernt.

Ich beschränke mich auf die erstaunliche Feststellung, daß Agpaoa anscheinend mittels einer noch nicht bekannten Kraft Leibesöffnungen nur mit bloßen Händen an beliebiger Stelle durchführen kann, daß er dann etwas aus dem Leib entfernt und daß sich nach Wegnahme seiner Hände der Leib wiederum völlig schließt. Nach jeweiligem Abwischen der oberflächlich aufliegenden blutähnlichen Lache sieht man keinerlei Narben!«[89]

Soweit das gründlich überlegte, sehr vorsichtige Urteil eines Mediziners. Auch er zweifelte nicht daran, daß Agpaoa die Fähigkeit hatte, den Körper des Patienten zu öffnen. Gleichzeitig wird aber aus seinen Worten auch wieder klar, daß es sich bei Agpaoa nicht um Operationen der westlichen Chirurgie handelt und daß das Operationsfeld ein anderes Bild bietet als bei Eingriffen im Chirurgiesaal. Es handelt sich eben nicht um »normale« Operationen, sondern um »paranormale«.

Über den therapeutischen Wert der Leistungen Agpaoas konnte an Ort und Stelle natürlich niemand von uns eine Aussage machen. Das subjektive Befinden der Patienten war nach den Operationen bei einigen wesentlich gebessert, in anderen Fällen jedoch nicht in überzeugender Weise.

Die Eingriffe Agpaoas und der anderen Heiler gaben uns damals große Rätsel auf. Es waren da das Problem der Schmerzlosigkeit, die Tatsache, daß offensichtlich keine Infektionen auftraten, und neben weiteren unerklärlichen Phänomenen insbesondere das anschließende Öffnen und Schließen des Körpers. Der letzte Punkt dürfte die stärksten Kontroversen ausgelöst haben. Die meisten Mediziner erklären so etwas einfach für Unsinn, während sie für die Schmerzlosigkeit die Hypnose- bzw. Suggestionstheorie zur Erklärung heranziehen.

Durch die Initiative Dr. Naegeli-Osjords trafen sich die wissenschaftlich interessierten Teilnehmer unserer Gruppe täglich nach den Operationen im Hotelzimmer des Züricher Arztes. Dabei legten wir unsere gemeinsamen Beobachtungen schriftlich nieder und diskutierten Erklärungsversuche. Wir waren einstimmig der Ansicht, daß man die eine oder andere Demonstration auch durch einen raffinierten Trick vortäuschen könnte, auf keinen Fall aber die ganze Serie der im Laufe eines Vormittags durchgeführten Eingriffe.

Die Frage der Schmerzlosigkeit war unserer Ansicht nach nicht durch Hypnose oder Suggestion zu erklären. Allerdings hatte bereits der um 1830 in Indien praktizierende britische Arzt J. Esdaile viele schwere und schwerste Operationen mit dem Messer durchgeführt, ohne daß die Patienten Schmerzen litten und ohne ein Anästhetikum zu verwenden, einfach indem er die zu operierenden Personen hypnotisierte und ihnen in diesem Zustand Schmerzlosigkeit suggerierte.[45, 277] Normalerweise mußte damals zur Schmerzausschaltung stets eine Vollnarkose angewandt werden, da die örtliche Betäubung erst gegen Ende des vorigen Jahrhunderts aufkam. Wegen der noch fehlenden Erfahrungen und mangels guter Kreislaufmittel war der Narkosetod während der Operationen sehr häufig. Esdaile operierte seine hypnotisierten Patienten mit einer für damalige Verhältnisse sensationell niedrigen Tödlichkeitsquote, und auch die Infektionsgefahr schien in der Hypnose herabgesetzt zu sein. Trotz dieser eindeutigen Erfolge bezeichnete man Esdailes Methode als »unwissenschaftlich« und ihn selbst als Scharlatan, nur weil er es gewagt hatte, gegen die üblichen medizinischen Arbeitsmethoden zu verstoßen. Unter dem Druck der gegen ihn gerichteten Angriffe stellte er das Operieren von Hypnotisierten ein.[45]

Mehr als hundert Jahre später wurde dieses Verfahren in den USA aufgegriffen und mit Erfolg praktiziert – jetzt jedoch hatte es seine praktische Bedeutung weitgehend eingebüßt, da inzwischen Carl Ludwig Schleich die Möglichkeit der örtlichen Betäubung entdeckt hatte, die in vielen Fällen natürlich bequemer ist, und für die Vollnarkose stehen heute ja auch wesentlich bessere Techniken zur Verfügung als vor hundertvierzig Jahren. Damals aber wäre Hypnose als Narkoseersatz in vielen Fällen das ideale Mittel gewesen.

Man sieht an diesem Beispiel, wie durch Voreingenommenheit, Engstirnigkeit und vielleicht auch verletzte Eitelkeit eine Entdeckung, die sich segensreich hätte auswirken können, unterdrückt und so lange blockiert wurde, bis sie ihren praktischen Wert weitgehend verloren hatte.

Heute wissen wir, daß für die Schmerzausschaltung keineswegs eine tiefe Hypnose nötig ist, in der sich der Patient im Schlafzustand befindet, sondern daß man auch im wachen Zustand Schmerzlosigkeit suggerieren kann – durch sogenannte Wachsuggestion. Der Patient nimmt dann alle Vorgänge seiner Umgebung wahr, hat ein normales Bewußtsein von sich selbst, nur spürt er als Ergebnis der Suggestion keinen Schmerz. Der bulgarische Arzt und Parapsychologe Dr. Georgi Losanow demonstrierte diese Methode am 24. August 1965 bei einer komplizierten Leistenbruchoperation vor der Fernsehkamera für das bulgarische Fernsehen.[169] Durch suggestives Sprechen wird hierbei im Patienten die Gewißheit erzeugt, daß er keinerlei

Schmerzen haben werde, daß die zu operierende Stelle vollkommen gefühllos sei, bis diese Vorstellung das Denken und Fühlen des Patienten derartig beherrscht, daß sie sich realisiert. Der Patient spürt dann tatsächlich bei der Operation keinen Schmerz.

Aufgrund umfangreicher Beobachtungen möchte ich allerdings behaupten, daß Hypnose und Suggestion westlichen Stils nicht ausreichen, um das Phänomen der Schmerzlosigkeit bei den philippinischen Operationen zu erklären. Bei der Durchführung einer Hypnose oder Suggestion, wie man sie hier versteht, ist es normalerweise notwendig, daß der Hypnotiseur *verbale Suggestionen* erteilt. Vor keiner der vielen Operationen Agpaoas und anderer Operateure, die wir beobachteten, wurde Schmerzlosigkeit *suggeriert*. Zwar sahen sich die meisten Patienten vor ihrer eigenen Operation Eingriffe bei anderen an und erhielten dadurch Gewißheit, daß keinerlei Schmerz auftritt. Doch dürfte dieses Wissen nicht genügen, um in allen möglichen Fällen und bei allen Arten von Operationen fast stets völlige Schmerzlosigkeit zu erreichen. Eine Reihe von Patientinnen hatte sogar große Angst vor Schmerzen und spürte dennoch keinen Schmerz.

Wir sahen bei einem älteren Patienten eine Unterleibsoperation, bei der anscheinend ein gutartiger Tumor vom linken Testis entfernt wurde. Selbst wenn dieser Tumor ein in die Operation durch Taschenspielerei hineinmanipuliertes falsches Gewebe gewesen wäre, hätte der Patient bei der durch Agpaoa durchgeführten manuellen Behandlung eines derartig empfindlichen Organs heftige Schmerzen empfinden müssen, was aber nicht der Fall war. Wir waren ferner Zeugen, wie Agpaoa einer schwer krebskranken Amerikanerin eine Injektion mit einer großen Spritze – die mehr nach dem Instrument eines Tiermediziners als nach dem eines Humanmediziners aussah – direkt in die Brust verabreichte, ohne daß die Patientin die leisesten Schmerzen empfand. Eine gelähmte Australierin erhielt vor den Augen einer Medizinerin eine Injektion direkt in den Rücken, ohne daß die Patientin etwas spürte und ohne daß irgendwelche Infektionen auftraten.

Alles dies einfach auf die große Glaubensbereitschaft der Patienten zurückzuführen, spricht für oberflächliches Urteilen. Unter den Patienten waren genügend sehr skeptisch eingestellte Personen, die ebenfalls keinen Schmerz empfanden. Außerdem können die besten Hypnotiseure selbst bei längerer Vorbereitung nicht nahezu hundert Prozent aller Patienten und Zuschauer hypnotisieren, vor allem dann nicht, wenn keine verbalen Suggestionen gegeben werden. Und was nützten solche verbalen Bemühungen, wenn der Hypnotiseur eine Sprache spricht, die sein Gegenüber gar nicht versteht?

Neben der normalen Hypnose oder Suggestion gibt es aber auch noch die paranormale Hypnose, die »Mentalsuggestion«, wie sie an früherer Stelle genannt wurde. Die Leistungen der Mentalsuggestion, von den Motoyamaschen Experimenten über die Versuche Wassiliews bis zu Durows Telepathiedemonstrationen mit Tieren, zeigen ein imponierendes Spektrum an Möglichkeiten, und es mag naheliegen, die Schmerzlosigkeit der philippinischen Operationen auch auf dieser Basis erklären zu wollen. Doch eine telepathisch übertragene Schmerzlosigkeit würde wahrscheinlich die ganze Konzentrationskraft des Operateurs aufbrauchen, die er doch zur Hauptsache wohl für andere paranormale Prozesse bei der Durchführung der Operationen benötigt, und würde auch dann kaum bei vielen Patienten gelingen. Deshalb ist es unwahrscheinlich, daß die »philippinische Anästhesie« auf diese Weise zustande kommt. Vielleicht enthält sie normal-suggestive, mentalhypnotische Komponenten, doch zur alleinigen Erklärung dürften sie nicht ausreichen.

Viel wahrscheinlicher ist, daß eine starke Bioplasma-Ausstrahlung der Hände des Operateurs die Hauptwirkung hervorruft, entweder die Nervenleitungen unterbricht oder auf das Biofeld des Patienten in einer Weise einwirkt, die uns heute noch unbekannt ist. Vielleicht bestehen auch gewisse Ähnlichkeiten zur Wirkungsweise der Akupunktur. Daß letztlich jedoch die Kraftfelder des Heilers, speziell seiner Hände, eine entscheidende Rolle bei den paranormalen Operationen spielen, dürfte indes richtig sein, und zwar sowohl hinsichtlich der Erzeugung der Schmerzlosigkeit als auch hinsichtlich der Verhinderung von Infektionen. Auf eine mögliche andere Ursache für die Schmerzlosigkeit wird in dem Kapitel über die Materialisation eingegangen.

Ebenso suchten wir damals das messerlose Öffnen und das narbenfreie Schließen des Körpers mit den Kraftfeldern des Körpers bzw. mit dem von einigen Sowjetforschern angenommenen Bioplasmakörper in Verbindung zu bringen.

Wir wissen noch nicht viel über die Kräfte, die die Zellen im menschlichen Körper zu Geweben zusammenhalten. Es ist für uns lediglich eine Erfahrungstatsache, daß die Zellen die feste Form des Körpers aufbauen, aber über die ursächlichen Kräfte, die den Zusammenhalt bewirken, besteht keineswegs Klarheit. Die amerikanische Heilerin Olga Worral behauptet, der Zusammenhalt der Zellen des Körpers und die Formgebung des Körpers kämen durch die Kraftfelder des Bioplasmakörpers zustande (wenn sie ihn auch »Astralkörper« nennt). Dieser stelle das Ursachenfeld der biologischen Strukturen dar.

Das Zustandekommen der unendlich vielen Formen in der belebten Natur ist schon immer ein Rätsel gewesen und hat viele Köpfe zum Nachdenken angeregt, ohne daß es gelungen wäre, dieses Geheimnis zu entschleiern. Die Morphologie ist nach wie vor eine rein beschreibende Wissenschaft. Manche glauben, sie könnten die Erklärung für dieses Problem in den sogenannten DNS, den Desoxyribonukleinsäuren, finden, doch dies sind lediglich Informationssymbole; sie stellen den Zellkode dar, können aber keine Anordnung der Zellen zu bestimmten Formen und Mustern bewirken. Dazu ist ein Kraftfeld notwendig, ein übergeordnetes, organisierendes Biofeld.

Wir glaubten damals in Baguio auf dieser Basis eventuell eine Erklärung für das Phänomen des Eindringens in den Körper ohne Messer und für das narbenfreie Schließen zu finden: Durch den Operateur wird partiell das Kraftfeld des Energiekörpers, der angeblich die materielle Struktur zusammenhält und die Formgebung bewirkt, gestört oder vorübergehend aufgehoben, wodurch sich an der Operationsstelle die materielle bzw. morphologische Struktur auflockert oder sogar auflöst, so daß der Operateur in den Körper einzudringen scheint wie in weiche Butter oder der Körper von ihm regelrecht geöffnet wird. Nach der Wiederherstellung der normalen Struktur des Energiekörpers nimmt die Zellenanordnung die ursprüngliche Form an, und es ist äußerlich alles wieder wie vorher.

Ein ganz primitiver Vergleich möge das erläutern:

Wenn man Eisenfeilspäne auf ein Blatt Papier streut und jetzt ein Magnetfeld einwirken läßt, dann ordnen sich die Eisenfeilspäne durch die magnetischen Feldlinien zu ganz bestimmten Mustern und Figuren. In dieser Position werden die Späne durch die magnetischen Kräfte festgehalten und können nur nach Überwindung eines mehr oder minder großen Widerstandes aus ihrer Position herausbewegt werden. Wird jetzt das Magnetfeld aufgehoben, dann lockert sich die Festigkeit der Eisenfeilspanmuster, und sie können mit einem Minimum an Kraftaufwand auf dem Blatt aus ihrer ursprünglichen Position fortbewegt werden. Wird das Magnetfeld wieder eingeschaltet, so wird das Feld – wenn die Störung des Anordnungsmusters nicht zu stark war – die ursprüngliche Struktur wiederherstellen. Ähnliche Demonstrationsfiguren lassen sich durch andere Kräfte vorführen, zum Beispiel in der Akustik.

Analog kann man womöglich auch die Vorgänge bei den philippinischen Operationen erklären. Wie die Eisenfeilspäne durch das magnetische Kraftfeld in ihrer festen Position gehalten werden, so wird das Zellengefüge des Körpers durch ein übergeordnetes Kraftfeld, vielleicht das Feld des Energiekörpers, dirigiert, natürlich im Zusammenwirken mit physiologischen und physikalischen Kräften, nur daß das biologische Feld ungleich komplizierter in seiner Struktur ist als ein normales Magnetfeld. Durch partielle Aufhebung des Feldes im Energiekörper des Patienten an der Operationsstelle wird der Zusammenhalt der Gewebestruktur aufgelockert, und der Operateur kann regelrecht in den Körper »eintauchen«.

Dieses »Eintauchen« in die geschlossene Körperdecke konnte der Verfasser später deutlich einige Male bei dem Heiler Marcelo Jainar beobachten. Einmal ging er mit seinem abgespreizten Mittelfinger direkt in die gespannte Kniekehle eines ausgestreckten Beines hinein. Es gab hier nicht die geringste Möglichkeit einer optischen Täuschung, da sich diese Stelle der Haut nicht rein mechanisch tiefer eindrücken läßt, so wie Jainar es hätte tun müssen, um ein Eindringen in den Körper vorzutäuschen. Da außerdem hierbei kaum Blut auftrat, war deutlich zu erkennen, daß Marcelo mit ein bis zwei Fingergliedern im Gewebe steckte.

Wir kamen im Laufe unserer Diskussionen auf ein Phänomen zu sprechen, das sich in der Zeit nach dem Zweiten Weltkrieg in der Schweiz abspielte und das Dr. Naegeli-Osjord näher kannte. Es hatte eine unverkennbare Ähnlichkeit mit manchen Aspekten der philippinischen Operationen. Zwar haben wir es hier mit einem extremen Einzelfall zu tun, doch ist er von Wissenschaftlern einmalig gut bezeugt worden.

Es handelt sich um den am 6. August 1912 in Rotterdam geborenen Holländer Mirin Dajo – sein wirklicher Name war wahrscheinlich Henskers Arnold –, der 1947 in öffentlichen Veranstaltungen im Züricher Corso-Theater die Zuschauer den Atem anhalten ließ. Man stach ihm vor aller Augen ein Florett durch den Leib, wobei lebenswichtige Organe durchbohrt wurden, ohne daß der europäische Fakir zusammenbrach und offensichtlich auch, ohne daß er dabei irgendwelche Schmerzen empfand. Er war in Begleitung zweier Landsleute aufgetaucht, seinem Partner de Groot und einem gewissen Otter, der angeblich die eigenartige Begabung Mirin Dajos entdeckt hatte. Dajo erklärte, sie durch seelisch-geistiges Training entwickelt zu haben. Sie basierte auf seiner felsenfesten Überzeugung, daß der Degen ihm nichts anhaben könne. Er empfand, wie er sagte, nicht die geringste Spur von Angst, was zweifellos eine wichtige Voraussetzung für seine Leistungen war. Er arbeitete mit der Suggestion: »Wo der Degen hinkommt, da bin ich nicht!« Er spürte lediglich einen leichten Widerstand beim Einstechen – ähnlich wie mancher Patient bei den philippinischen Operationen. Wenn die Waffe aus dem Körper herausgezogen wurde, blieb nur eine leichte Narbe zurück. Viele Zuschauer des Florett-Phänomens sollen ohnmächtig geworden sein. Als jedoch einer gar einen Herzschlag bekam, wurden Dajo öffentliche Demonstrationen verboten.[171]

Dr. Naegeli-Osjord kannte Mirin Dajo persönlich und berichtete mir nähere Einzelheiten über diesen Fall.

Mirin Dajo stellte sich mehrmals den Wissenschaftlern. So auch am 31. Mai 1947 im Züricher Kantonsspital. Neben Professoren, Studenten und Journalisten ist an diesem Tag auch der Chef der Chirurgischen Abteilung anwesend, Professor Dr. Werner Brunner. In Gesellschaft seiner zwei holländischen Begleiter erscheint

Mirin Dajo, macht seinen Oberkörper frei und sammelt sich. Die Zuschauer lächeln. Die meisten erwarten vermutlich einen imponierenden Zauberkünstlertrick. De Groot nimmt den Degen und stößt ihn Mirin Dajo von hinten in den Rücken und durch den Körper hindurch, so daß die Spitze der Waffe vorn gut zwei Handbreit aus dem oberen Bauch herausragt. Es fließt kein Blut. Die Zuschauer lächeln nicht mehr; sie sind erstarrt. Dennoch sind die Wissenschaftler nicht überzeugt. Sie möchten gern eine Röntgenaufnahme machen. Mirin Dajo ist einverstanden. Er muß sich hierfür sogar ein Stockwerk höher begeben und steigt, den Degen im Körper, sicher die Treppe hoch und geht anscheinend mühelos den Korridor entlang bis zum Röntgenraum. Hier wird die Röntgenaufnahme gemacht und sofort entwickelt. Das Ergebnis ist eindeutig: Mirin Dajo ist von dem Degen durchbohrt, lebenswichtige Organe müßten eigentlich verletzt sein, und der Fakir müßte sich in einem Zustand höchster Lebensgefahr befinden.

Erst nach zwanzig Minuten wird das Florett aus dem Körper herausgezogen und hinterläßt nur eine geringfügige Narbe.

Auch in Basel wurde Mirin Dajo klinisch getestet und ließ sich nach authentischen Berichten sogar von Wissenschaftlern selbst mit der Waffe durchstechen. Seine Kondition unterlag allerdings Schwankungen, wie es ja auch bei den philippinischen Operateuren beobachtet wird. An manchen Tagen war er zu seinen Demonstrationen nicht in der Lage.

Ein reicher Privatmann machte Mirin Dajo ein extravagantes Angebot. Er sollte gegen eine hohe Geldsumme einen an einer Kugel befestigten Spieß verschlucken. Dieser Spieß war ungefähr zehn Zentimeter lang und einen Zentimeter dick, an der freien Seite keilförmig zugespitzt und an einer etwas kleiner als faustgroßen Kugel angeschweißt. Das Material war Stahl.

Der »dunkle Aspekt« unter den beiden Begleitern Mirin Dajos war Otter, der auch den Geldbeutel aufhielt. Er veranlaßte Mirin Dajo das Angebot anzunehmen. Der Fakir war sich seiner Sache aber nicht sicher. Er hoffte, den Speer mit der Kugel nach dem gleichen Prinzip wieder nach außen zu befördern, das beim Durchstechen mit dem Degen wirksam wurde. Er schien an eine vorübergehende Auflösung der Struktur seines Körpergewebes beim Degenstoß zu glauben und hoffte anscheinend, durch eine kurzzeitige Dematerialisation dieses Gewebes die Kugel direkt nach außen hindurchzubringen.

Dieses Vorhaben klingt natürlich phantastisch. Mirin Dajo selbst war auch sehr unsicher und gab sich zu dem Versuch nur widerstrebend her – was schon mal eine schlechte Voraussetzung für dermaßen schwierige paranormale Experimente ist.

Der Fakir verschluckte das Ungetüm aus Stahl, aber weiter gelang sein Vorhaben nicht. Schließlich mußte er sich in die Chirurgische Klinik begeben, diesmal aber nicht zu einer sensationellen Demonstration seinerseits, sondern zur Operation. Die Chirurgen operierten ihn – nicht ganz ohne menschlich verständliche Genugtuung. Mirin Dajos Leib wurde geöffnet und die Kugel mit dem Speer herausgenommen. Bereits nach anderthalb Tagen verlangte Mirin Dajo auf eigene Verantwortung aus dem Krankenhaus entlassen zu werden, was man ihm gestattete, nachdem er eine Verzichtserklärung unterschrieben hatte. Einen weiteren Tag später besuchte er Dr. Naegeli-Osjord, um ihn dafür zu gewinnen, seine weiteren Versuche ärztlich zu kontrollieren. Dr. Naegeli-Osjord untersuchte Dajo zunächst, insbesondere die Operationsstelle. Die Wunde war zweieinhalb Tage nach der Operation in dem Maße verheilt wie eine entsprechende Operationswunde normalerweise nach drei Wochen!

Dennoch schien dieses mißlungene Experiment Dajos Ende vorzubereiten. Er hatte eine Hungerkur geplant: Er wollte achtzig Tage ohne Speise durchhalten und nur ganz wenig Flüssigkeit zu sich nehmen. Hierzu begab er sich zunächst zu Freunden nach Winterthur.

Mirin Dajo befaßte sich ferner mit Bilokationsexperimenten. Er war, wie Robert Monroe[142, 157], überzeugt davon, daß sein »geistiges Selbst« – vielleicht auch sein Bioplasmakörper? – seinen physischen Körper verlassen und wieder in ihn zurückkehren könne. Er versetzte sich dazu nach dem Vorbild indischer Yogis durch eine Art Selbsthypnose in einen Zustand, in dem seine Lebensfunktionen stark reduziert waren und in dem er oft viele Stunden verharrte. Er sagte, er ginge auf Seelenreise! Derartige Experimente werden auch auf den Philippinen durchgeführt, und zwar bei der Ausbildung medialer Operateure und Medien.

Wenige Tage nachdem Mirin Dajo nach Winterthur gefahren war, erhielt Dr. Naegeli-Osjord in Zürich einen Telefonanruf von Dajos dortigen Freunden. Man war in Sorge um den Fakir. Er hatte gesagt, er wolle, wie schon öfter, einen Tag »aus seinem Körper heraustreten«. Jetzt, nach anderthalb Tagen, habe man in seinem Zimmer nachgeschaut und ihn wie tot vorgefunden.

Tatsächlich hatte Mirin Dajo bei diesem Experiment der extremen Bewußtseinsversetzung den Tod gefunden.

Obwohl dieser Fall eines medizinischen Wunders wissenschaftlich exakt dokumentiert ist, hat er das Denken der Wissenschaft nicht beeinflußt! Er läßt sich einfach nicht in das Ideengebäude unseres westlichen Denkens einordnen, und als Einzelfall kann man ihn ja auch leicht ignorieren.

Gewisse Analogien des Mirin-Dajo-Phänomens zu den Vorgängen bei den philippinischen Operationen scheinen offensichtlich zu sein. Bei dem Degen-Phänomen Mirin Dajo wie bei dem Agpaoa-Phänomen erhält man den Eindruck, daß unsere materiellen organischen Strukturen in ihrer tieferen Ursachenebene über den Bioplasma- oder Energiekörper durch geistige Kräfte zusammengehalten werden — nach ganz bestimmten Baumustern, geistigen Urbildern im Sinne Platons. Durch eine Einwirkung auf dieser tiefen Ursachenebene werden Effekte möglich, lassen sich Kraftfelder aufheben, die praktisch zu einer Auflockerung bzw. Auflösung der materiellen Struktur führen, die sich aber sofort wieder anordnet bzw. bildet, wenn das Störungsfeld in der bioplasmatischen und spirituell-geistigen Ebene beseitigt ist, und zwar analog zu dem bereits beschriebenen Eisenfeilspan-Muster im Magnetfeld, das natürlich nur einen ganz primitiven Vergleich darstellen kann.

Der Vergleich der philippinischen Heiler mit Mirin Dajo erscheint vielleicht abwegig, aber er drängt sich einem doch auf, wenn man erlebt, daß philippinische Operateure manchmal mit ihrer rechten Hand tief in den Körper eindringen und nachher die ursprüngliche Struktur wieder unbeschädigt vorliegt. Der Unterschied scheint lediglich darin zu bestehen, daß Mirin Dajo diese Auflockerung der organischen Strukturen und ihre spätere Wiederherstellung am eigenen Körper durchführt, die Operateure dagegen am Körper anderer Menschen.

Die philippinischen Heiler sind davon überzeugt, daß es eine geistig-spirituelle Kraft ist, die durch sie wirkt und sie dazu befähigt, paranormal zu operieren. Diese Kraft sei es auch – davon sind sie überzeugt –, die den Körper öffnet und wieder schließt, indem sie auf den »Astralkörper« einwirke.

Sie glauben, daß die Fähigkeit zur Ausübung der medialen Chirurgie in vielen Menschen verborgen liegt. Um aber jene Kraft zu aktionieren, muß man eine bestimmte Stufe der spirituellen Entwicklung erreicht haben. Hierzu sei es nötig, daß man ständig an sich arbeite. Das beginnt mit Übungen, das eigene Gefühlsleben zu kontrollieren und mit Konzentrationsübungen. Von größter Bedeutung seien Meditationsübungen und das Gebet. Die Philippiner sind ein von Natur aus tief religiöses Volk mit einem starken Bedürfnis nach Metaphysik. In spiritualistischen Kapellen treffen sich Männer und Frauen zu Veranstaltungen, bei denen Gottesdienst, Übungen zur Entwicklung medialer Kräfte und Heilbehandlungen miteinander kombiniert sind. Erinnern wir uns daran, daß in frühchristlicher Zeit Gottesdienst und geistiges Heilen ebenfalls oft miteinander verbunden waren.

Placido und die »Spiritual Church of the Philippines«

Agpaoa nahm mich an einem Samstagabend zu einer Zusammenkunft in die »Spiritual Church of the Philippines« am Rande von Baguio mit. Die »church« machte äußerlich eher den Eindruck einer Scheune als einer Kirche. Auch innen hatte der große Raum gewisse Ähnlichkeit mit der Tenne einer Scheune. Der Fußboden war aus Lehm, auf primitiven Bänken ohne Rückenlehne saßen Einheimische, etwas mehr Frauen als Männer. Die Frauen hatten kleine Kinder mitgebracht, die in Decken eingewickelt waren und schliefen. Vorn, auf einer Erhöhung, stand ein großer Tisch mit Stühlen. Die meisten Anwesenden machten einen ärmlichen Eindruck. Eine Öllampe gab spärliches Licht. Ich nahm auf einer der vordersten Bänke Platz. Nach längerer Zeit trat ein jüngerer, gutaussehender Filipino auf die erhöhte Plattform und hielt eine Ansprache in Tagalog. Es schien eine Predigt zu sein. Der Redner machte einen außergewöhnlich sympathischen Eindruck und hatte feine, durchgeistigte Gesichtszüge. Ich vermute, daß es sich um den Heiler Gonzales handelte, der wenige Wochen später eines plötzlichen Todes starb. Dann wurde aus einer Bibel vorgelesen.

Es folgten Ansprachen von anderen Filipinos, die jeweils etwa zehn bis fünfzehn Minuten dauerten und sich über anderthalb Stunden erstreckten. Die Anwesenden hörten andächtig zu. Agpaoa hatte mich mit einem Filipino namens Placido bekannt gemacht, der Englisch sprach und mir Erläuterungen gab. Auch er hatte eine Ansprache gehalten und sagte mir jetzt, daß das »automatic writing« begänne.

Unter »automatischem Schreiben« versteht man ein Schreiben ohne jegliche bewußte Kontrolle durch den Schreibenden. Es ist gewissermaßen ein Schreiben im Trancezustand, in welchem dem Schreiber der Inhalt des Geschriebenen nicht zum Bewußtsein kommt. Die Hand wird von einer Kraft bzw. Intelligenz geführt, die außerhalb seines Bewußtseins liegt. Manche Menschen haben die Angewohnheit, Männchen zu malen, während sie über etwas nachdenken. Im Prinzip ist das wohl schon eine Vorstufe zum automatischen Schreiben. Psychologen westlichen Stils werden sagen, daß beim automatischen Schreiben das Unterbewußtsein die bewegende Ursache – die *causa movens* – sei.

Beim »Männchenmalen« wirken sich meist relativ oberflächennahe Bezirke des Unterbewußtseins aus; dennoch können entsprechend geschulte Psychologen aus diesen Kritzeleien nicht selten interessante Schlüsse ziehen. In der Hypnose oder in speziellen Trancezuständen werden indessen extrem tiefe Schichten erreicht. Bei diesen Zuständen sind die oberen Schichten weitgehend ausgeschaltet, und die Tiefenschichten der menschlichen Psyche können sich mitunter ungehemmt manifestieren. So kann es bei fortgeschrittenen Formen des automatischen Schreibens vorkommen, daß Dinge niedergeschrieben werden, die dem Oberbewußtsein des Betreffenden vollkommen fremd erscheinen. Einen Teil dieser Niederschriften wird der Psychoanalytiker zweifellos als dennoch zur betreffenden Person gehörend nachweisen können. Es gibt aber automatische Niederschriften, die sich psychologisch nicht mehr erklären lassen, beispielsweise wenn

Medien – und es hat genügend gegeben – in fremden Sprachen, die sie nie gelernt oder gesprochen haben, seitenlange Niederschriften zustande bringen, die oft auch in ihrem Gehalt weit über das intellektuelle Niveau der schreibenden Person hinausgehen, und von denen das Medium nach dem Erwachen aus dem Trancezustand nichts weiß.[11, 16, 17] So soll der Anfang der fünfziger Jahre verstorbene Brasilianer Carlos Mirabelli nach Aussagen zuverlässiger Zeugen und Experten in Tieftrance automatische Niederschriften über die unterschiedlichsten Themen in mehr als zwanzig verschiedenen Sprachen produziert haben.

Die Niederschriften waren oft mit Unterschriften historischer Persönlichkeiten versehen, wobei der Inhalt teilweise jedoch weder der Bildung noch dem Wesen der unterschriebenen Persönlichkeit entsprach. Dennoch waren anwesende Experten sich im allgemeinen darüber einig, daß das Medium unter normalen Umständen über diese Themen nicht hätte schreiben können. Bei der medizinischen Kontrolle des Mediums im Trancezustand wurde extrem schneller Puls – 120 bis 150 Schläge pro Minute – festgestellt, ferner eine Körpertemperatur von 37,5° C, Unempfindlichkeit gegen Hitze, Kälte und Nadelstiche u. a. m.[80]

Es gibt zwei Theorien, die man zur Erklärung heranziehen kann, die *animistische* und die *spiritistische.* Die animistische Theorie sucht alle Erscheinungen aus verborgenen Kräften der eigenen Seele heraus abzuleiten, die in den tiefsten Schichten der Psyche eines jeden Menschen von Anfang an vorhanden und nur nicht entfaltet sind, während die Spiritisten die Existenz außerkörperlicher Intelligenzen annehmen, die sich über das Unterbewußtsein medial veranlagter Menschen manifestieren können. Wie dem auch sei, alles geht hierbei über die tieferen Schichten des Unterbewußtseins.

Das echte automatische Schreiben ist jedenfalls eine Form der Medialität, und zwar spricht man hier von *Schreibmedien.* Personen, die im Trancezustand anfangen zu sprechen und – manchmal mit total veränderter Stimme – über Dinge reden, die sie normalerweise nicht wissen können, oft auch in Sprachen, die sie nie gehört haben, nennt man *Sprechmedien.*

An jenem Abend in der »Spiritual Church« setzten sich einige

Frauen an den Tisch, die angeblich Medien waren. Sie hatten weiße Blätter vor sich liegen und nahmen nun einen Bleistift zur Hand, wobei sie den Stift auf das Papier gerichtet hielten, ohne daß der Unterarm sich auf die Tischplatte aufstützte. So warteten sie auf eine »Führung« ihres Schreibwerkzeuges durch »andere Kräfte«.

Nach einiger Zeit begann sich bei einigen Schreiberinnen die Hand anscheinend in Bewegung zu setzen. Bei manchen stieß der Bleistift heftig gegen die Schreibunterlage, bei anderen flog er mit unheimlichem Tempo über das Papier.

Tony Agpaoa hatte uns einmal gesagt, daß das automatische Schreiben eine der Vorübungen zum Erlernen der medialen Chirurgie sei, und es leuchtete mir ein, daß hier eine gewisse Analogie bestand, insofern, als die philippinischen Operateure ja in ihren Handbewegungen auch irgendwie »geführt« werden, und zwar ebenfalls durch eine Intelligenz oder geistige Kraft, die außerhalb ihres eigenen Bewußtseins zu liegen scheint.

Unsere deutsche Gruppe hatte an einem früheren Abend unter Agpaoas Leitung bereits einen eigenen Versuch mit dem automatischen Schreiben gemacht. Während uns dabei philippinische Medien mit monotonen Gesängen in eine Art Trancezustand zu bringen suchten, warteten wir auf automatische Schreibbewegungen der in unseren Fingern schreibbereiten Bleistifte. Wir spürten mitunter ein Zucken in den Fingerspitzen und hatten das Gefühl, als wolle sich der Bleistift in Bewegung setzen. Aber dann schaltete sich stets sofort unser europäischer Verstand ein, der neugierig fragte, was das wohl für ein Wort werden würde, oder der uns sagte, daß dies doch alles Unsinn sei, und prompt war jeder Ansatz zum automatischen Schreiben blockiert.

Dieses mißglückte Experiment mit dem jetzigen vergleichend wurde mir klar, daß die Philippiner über gänzlich andere Möglichkeiten zur Aktivierung seelischer Tiefenschichten verfügen als wir Europäer. Der westliche Verstand – auf den wir so stolz sind, und das nicht zu Unrecht – hat nicht nur neue Möglichkeiten geschaffen, sondern auch andere Möglichkeiten zugeschüttet.

Es würde zu weit führen, den Verlauf des Abends in der Spiritualistenkirche in allen Einzelheiten zu schildern. Die automatischen Niederschriften wurden von einem Trancemedium gedeutet, worüber ich wenig sagen kann, da ich nicht die Sprache der Einheimischen verstand. Es handelte sich – wie ich von Placido hörte – um Aussagen religiösen Inhalts, um Hinweise auf Bibelstellen, die dann gesucht und laut vorgelesen wurden. Es kamen dann nacheinander viele weitere Filipinas und Filipinos nach vorn und versuchten sich nacheinander im automatischen Schreiben, was jedoch meist nur ein unleserliches Gekritzel wurde – aber es waren ja auch erst Lernende.

»Jetzt kommen magnetische Übungen!« erklärte mir Placido. Eine Reihe von Personen stellen sich um den großen Tisch herum. Der Leiter der Veranstaltung streckte seine gespreizten Hände aus und drückte sie gegen die Tischplatte, während er sich seelisch-geistig zu konzentrieren schien. Dasselbe machten die anderen Anwesenden, die um den Tisch herum standen. Es erinnerte beinahe an eine Séance mit Tischrücken. Nach einiger Zeit schienen einige Filipinos nicht mehr in der Lage zu sein, ihre Hände vom Tisch abzuheben. Anscheinend unter großem Kraftaufwand zogen sie ihre Hände bis an den Rand der Tischplatte, und dort gelang es ihnen, den Tisch loszulassen. Diese Versuche wurden dann mit anderen Personen wiederholt, wobei einige regelrecht in Trance gerieten. Ein paar Männer standen immer bereit, um solche Personen aufzufangen, falls sie umfallen sollten.

Der Versuchsleiter stand außerhalb der Gruppe und beobachtete die Mitwirkenden scharf. Plötzlich trat er an eine Frau heran, die mit ihren Händen am Tisch wie »festgeklebt« zu sein schien, und versetzte ihr mit der flachen Hand einen leichten Schlag gegen die Stirn. Im gleichen Moment verdrehte die Frau ihre Augen und fiel in tiefe Trance, wobei sie nach hintenüber kippte. Sie wurde vom Versuchsleiter aufgefangen. Es sprangen sofort einige weitere Filipinos hinzu. Die Frau war jetzt steif wie ein Brett, hatte die Augen geschlossen und wurde von den Helfern in den Saal hinuntergetragen, wo man sie auf eine Bank legte. Eine andere Filipina übernahm die Fortführung des Experiments oder der Behandlung. Sie begann auf die Bewußtlose einzureden, worauf diese heftig zu atmen und zwischen röchelnden Lauten Worte in Tagalog auszustoßen begann. Aus den Worten wurden Sätze, deren Inhalt mir leider entging. Vielleicht handelte es sich um eine Art Hypnotherapie oder Psycho-Katharsis, vielleicht auch um etwas anderes. Placido sprach von »Besessenheit«.

Zwischendurch redete das daneben sitzende Medium mit beruhigender Stimme auf die in Tieftrance befindliche Filipina ein, die allmählich ruhiger wurde. Das Röcheln hörte auf, und schließlich war es unheimlich still.

»Astral travelling!« flüsterte mir Placido zu. Auch die Filipinos sind also der Ansicht, daß in solchen Zuständen tiefster Trance oder Hypnose der Geist bzw. die Seele sich vom Körper abtrennen und weit entfernte Plätze aufsuchen könne. Daß es in solch einem Zustand gänzlich unerklärliche Kontakte von Unterbewußtsein zu Unterbewußtsein über weiteste Entfernungen gibt, kann wohl als eine wissenschaftlich erhärtete Tatsache angesehen werden. Auch Fernheilungen durch »astral travelling« – wie sie von den philippinischen Spiritualisten angeblich praktiziert werden – sollte man daher nicht von vornherein als absurd bezeichnen.

Die Versuchsperson oder die Patientin – ich weiß nicht, welcher Ausdruck hier zutreffender wäre – lag schließlich wie leblos da, das Gesicht war totenähnlich entspannt und sehr blaß, um nicht zu sagen, grau verfärbt. Alle Anwesenden verharrten in absoluter Stille, kein Laut der Ungeduld war zu hören, wie es bei Europäern zu erwarten wäre, wenn man ihnen zumuten würde, lange Zeit still dazusitzen, ohne daß sich etwas Besonderes ereignet. Ich weiß heute nicht mehr, wie lange dieser Zustand dauerte, ich kann nicht einmal sagen, ob eine halbe oder eine ganze Stunde oder noch länger. Agpaoa behauptete mir gegenüber, daß solche »Seelenexkursionen« – wie er sie nannte – mitunter über die ganze Nacht ausgedehnt werden. Es ging jetzt auf Mitternacht zu, und das leitende Medium gab der Frau jetzt offenbar den Befehl zum Wiedererwachen. Doch die in Tieftrance Befindliche schien nicht zu reagieren. Das Medium begann, »magnetische Striche« entlang dem Körper der Bewußtlosen auszuführen. Aber auch diese Behandlung hatte keinen Erfolg. Selbst auf abermaliges energisches Ansprechen reagierte die Frau nicht. Sie machte tatsächlich den Eindruck einer Toten, und mir wurde klar, daß zwischen dem, was bei uns im Westen unter Hypnose verstanden und dem, was auf den Philippinen teilweise auf diesem Gebiet praktiziert wird, wahrscheinlich ein großer Unterschied besteht. Ich kann nicht ausschließen, daß es möglich wäre, auf den Philippinen durch bloße Anwendung tiefster Hypnose zu töten.

Jetzt kam plötzlich Unruhe unter den bisher so unbeweglich still gebliebenen Filipinos auf. Mehrere Leute sprangen herbei und massierten die Entrückte an den Händen und an den Füßen; einer bestrich den Kopf, andere massierten den Körper. Dann hörte man schlagartig damit auf und wartete. Nach ein oder zwei sehr lang erscheinenden Minuten begann sich die Brust der Bewußtlosen unmerklich zu bewegen, und man wartete weiter geduldig ab, bis sich die Gesichtszüge wieder belebten, und unter dem ruhigen Zureden des Mediums schlug die Frau schließlich ihre Augen auf und blickte, zunächst noch etwas verwirrt, um sich.

Danach kam eine neue Phase des Abends bzw. der Nacht: »Magnetic healing.« Es kamen kranke Personen oder solche, die irgendwelche Beschwerden hatten, nach vorn auf das Podest, und mehrere Filipinos betätigten sich als Magnetiseure. Manche Patienten wurden zum Magnetisieren auf den Tisch gelegt, andere setzten sich nur auf einen Stuhl.

Ich wandte meine Aufmerksamkeit der Arbeit eines Heilers zu, der einem auf dem Tisch liegenden Filipino die Magengegend massierte. Diese Behandlung beeindruckte mich wenig.

Jetzt rief mich Placido. Er hatte einen kleinen Jungen von etwa acht Jahren, dem er einen Zahn ziehen wollte. Es war der erste oder zweite Backenzahn rechts unten. Leider versäumte ich zu probieren, wie fest er noch saß. Placido berührte den Zahn zunächst mit den Fingern und sagte, er gäbe erst eine »magnetische Spritze«, um Schmerzunempfindlichkeit zu erzeugen. Dann legte er etwas Watte um den Zahn, um ihn fester fassen zu können. Ich stand direkt neben dem Kleinen und ging mit meinen Augen dicht an seinen Kopf heran, um genau sehen zu können. Placido hob den Zahn mit Daumen und Zeigefinger anscheinend ohne Kraftaufwand heraus. Der kleine Patient zuckte nicht mit der Wimper. Er empfand offensichtlich nicht den geringsten Schmerz. Selbst wenn der Zahn schon etwas locker war, hätte man von einem achtjährigen Jungen dennoch eine kurze Schmerzäußerung erwarten können.

Doch was jetzt kam, verblüffte mich noch mehr. Während des Abends hatte mir Placido einmal gesagt, er würde vielleicht heute nacht auch »psychic surgery« machen — »wenn Gott es will«. Nun wurde eine Frau auf den Tisch gehoben und ihr Bauch freigemacht. Placido ging mit seiner gespreizten rechten Hand im Abstand von einigen Zentimetern über die freigemachte Körpergegend hinweg, wie um eine radiästhetische Diagnose zu stellen. Dann entblößte er seine Arme, spreizte seine Hände und bewegte sie von oben auf den Leib der Filipina zu. Was jetzt folgte, sah zunächst nach einer Art Massage der Bauchdecke aus, doch nach kurzer Zeit sickerte aus der Haut der Patientin eine blutartige Flüssigkeit hervor. Und jetzt spielte sich alles ab wie bei einer Operation Agpaoas. Mit seinen kleinen Händen schien Placido deutlich in den Körper einzudringen, und nach längerem Herumsuchen zog er mit der rechten Hand ein langes, schleimiges, eitriges Etwas heraus. Nach meiner Ansicht wäre es unmöglich gewesen, ein derart lockeres, zystenartig eitriges Gewebe in den Operationsbereich einzuschmuggeln, ohne daß es schon vorher auseinandergelaufen wäre.

Danach folgte das »one-two-three«, und die linke Hand war ebenfalls zurückgezogen. Außer einer kleinen Blutlache auf dem Bauch war nichts mehr zu sehen, was an eine Operation erinnerte. Jemand anders wischte das Blut ab; mit Wasser wurde nachgewaschen. Die Frau ordnete ihre Kleider, erhob sich von dem Tisch und nahm wieder dort Platz, wo sie zuvor gesessen hatte.

Die Heiler von Rosales

Da wir möglichst viele Operateure kennenlernen und bei ihrer Arbeit beobachten wollten, organisierte Agpaoa für uns einen Tagesausflug nach Rosales, einem kleinen Städtchen in den Lowlands. Es ist ein Zentrum der Operateure der bereits erwähnten Unio Espiritista Cristiana Filipinas. Die Union soll mehr als vierhundert Zentren, über die ganzen Philippinen verstreut, haben, wo an bestimmten Tagen Heilbehandlungen stattfinden. Sie werden in einer Kirche im Anschluß an einen Gottesdienst durchgeführt. Die Vereinigung wurde Anfang unseres Jahrhunderts gegründet, und seit 1948 etwa nehmen Kranke aus allen Teilen des Landes sie in Anspruch. Die Satzungen der Union sind von höchstem ethischen Niveau.[43, 267] Sie verlangen den selbstlosen Einsatz der Operateure für ihre Kranken und verbieten ihren Mitgliedern, sich für ihre Leistungen bezahlen zu lassen. Früher mußten die Heiler sogar die Annahme von freiwilligen Gaben für ihre Behandlungen und Operationen ablehnen. Dabei leben viele von ihnen in für unsere Begriffe primitivsten Verhältnissen. Agpaoa machte man früher Vorwürfe, weil er für seine Operationen freiwillige Spenden annahm. Wie wir aber erfuhren, nehmen die Operateure der Union heute auch jede Art Honorar an. Es sind in der Regel sehr bescheidene Gaben, denn die meisten Filipinos, die sich von den medialen Operateuren behandeln lassen, sind sehr arm.

Das ganze Städtchen Rosales machte einen ärmlichen Eindruck. Wir hielten vor einem sehr einfachen größeren Gebäude, und Agpaoa sagte uns, daß dies eine Kirche sei. Beim Eintreten bot sich uns ein unerwarteter Anblick. Auf primitiven Bänken saßen oder lagen Menschen, offensichtlich überwiegend Kranke. Vorn, wo bei uns der Altar zu stehen pflegt, stand auf einem Podest, genau wie in der »Spiritual Church« von Baguio, ein schlichter Tisch. Darüber hing eine gelb-weiße Fahne mit einem Wappen und der Aufschrift: Unio Espiritista Cristiana Filipinas. Auf dem Tisch lag – von einer einfachen Glühbirne ohne Lampenschirm schwach beleuchtet – eine Kranke, und hinter dem Tisch stand ein Operateur, der im gleichen Stil zu operieren schien wie Agpaoa. Beim Näherkommen sahen wir, daß er gerade einen Eingriff in der Magengegend vornahm. Die Patientin lag mit offenen Augen ruhig da, anscheinend ohne eine Spur von Schmerz zu empfinden. Ihr Kopf ruhte auf einer abgegriffenen Bibel, die hier bei allen Operationen als Kopfkissen fungierte. Der Heiler entfernte etwas blutiges Gewebe, zog dann die linke Hand vom Körper fort, und nach Fortwischen der blutähnlichen Flüssigkeit war keinerlei Narbe zu sehen. Der Operateur wusch sich in einer Blechschüssel die Hände. Das Blut an der

Operationsstelle wurde von einem Mädchen fortgewischt, das dann mit der Waschschüssel durch eine Seitentür die Kirche verließ, um mit frischem Wasser für die nächste Operation zurückzukommen.

Ehe wir uns versahen, war der nächste Patient auf den Tisch geklettert, und die kranke Stelle war freigemacht. Der Operateur tastete sie hellfühlend ab, ohne sie zu berühren, und ging dann auch mit den Händen an den Körper heran, wobei sehr schnell Blut auftrat, und nach kurzer Zeit schienen seine Hände in den Körper eingedrungen zu sein. Die Operationswunden bzw. Körperöffnungen waren nicht so groß wie bei manchen Operationen Agpaoas, aber der Heiler arbeitete mit einem ungewöhnlichen Tempo. Die Operationen und Behandlungen – er öffnete den Körper nicht in jedem Fall – wurden in einem regelrechten Fließbandverfahren durchgeführt, in einer Stunde fünfzehn bis zwanzig. Da wurde ein zweijähriges Kind, das vor Angst laut schrie, auf den Tisch gelegt und aus seinem Bauch geronnenes Blut herausgeholt. Eine Geistesgestörte, die sich wehrte, mußte zunächst beruhigt werden, dann wurde ihr Kropf operiert. Tatsächlich schien er nach der Operation wesentlich kleiner geworden zu sein; weitere Operationen bei dieser Patientin sollten folgen. Verschiedene Patienten mit »weak lungs«, wie der Heiler es nannte, also mit »schwachen Lungen«, wurden auf dem Rücken operiert. Der Operateur ging hier oberflächlich in den Körper hinein und nahm »blood clots« – Blutklumpen, geronnenes Blut – heraus. Anschließend wurde der Patient mit den Händen »magnetisiert«.

Nach einem weiteren Eingriff machte der Operateur eine Pause, und wir wurden ihm vorgestellt. Er hieß Marcelo Jainar, wurde aber nur bei seinem Vornamen angeredet. Marcelo war Mitte Vierzig und operierte, wie er sagte, seit 1954. Er war ein vollkommen anderer Typ als Agpaoa. Er sprach schlecht Englisch und war längst nicht so gewandt im Auftreten wie Agpaoa. Er lebte wohl auch in viel einfacheren Verhältnissen, hatte eine Familie mit sechs Kindern und operierte den ganzen Tag für ein paar Pesos. Neben dem Operationstisch stand ein weiterer Tisch, an dem ein Buchführer und Protokollant saß, der auch die freiwilligen Gaben für die Operationen entgegennahm. Viele Patienten waren so arm, daß sie überhaupt nichts geben konnten, andere hielten nur ein paar Centavos in der Hand. Auch Arzneimittel wurden an diesem Tisch ausgegeben. Wir gingen mit Marcelo vor die Kirche und unterhielten uns mit ihm. Er sagte, daß er hier zweimal in der Woche heile, Donnerstag und Samstag. Die Leute, die zu ihm kämen, seien so arm, daß sie nicht zum Arzt gehen könnten. Für die Operationen in seiner Kirche, die er selbst gebaut habe, verlange er nichts. Marcelo machte einen durch und durch ehrlichen, gutherzigen und bescheidenen Eindruck. Sich diesen aufrichtigen Menschen als einen raffinierten Zauberkünstler vorzustellen, war einfach unmöglich. Er sagte, seine Heilfähigkeit sei plötzlich über ihn gekommen »wie der Lichtstrahl Gottes über Saulus, der zum Paulus wurde«. Auch er habe vorher die Kirche verflucht.

Filmen konnte man in der Kirche der Unio Espiritista leider nicht, da die Lichtverhältnisse es nicht zuließen. Ich habe aber Marcelo später noch mehrmals operieren sehen und gefilmt, da er oft nach Baguio zu Agpaoa gefahren kam und dort operierte.

Wir gingen mit Marcelo wieder in die Kirche und waren nicht wenig überrascht, einen anderen Operateur bei der Arbeit zu sehen. Es war Carlos, ein noch recht junger Heiler, der im gleichen Stil arbeitete. Bei ihm wurde in ganz eindeutiger Weise bei einigen Eingriffen Darmgewebe und Darmschlingen sichtbar, was ich bei Marcelo nicht beobachten konnte. Dessen interessanteste Operationen waren zwei sogenannte Augenoperationen. Der eine Patient, der angeblich auf dem rechten Auge nichts sah, legte sich auf den Tisch, den Kopf auf die Bibel. Ein Handtuch wurde noch unter den Kopf gelegt, um ein Herunterlaufen des Blutes zu verhindern. Dann wurden dem Patienten die Ohren mit Watte zugestopft, und Marcelo ging einfach mit dem Zeigefinger oder dem Mittelfinger in die Augenhöhle neben dem Augapfel hinein. Er stocherte in einer Weise darin herum, die einem Zuschauer mit empfindlichem Gemüt wahrscheinlich einen Schock versetzt hätte. Es floß reichlich Blut. Bei einer zweiten Augenoperation ging es noch erheblich wilder zu. Der Patient hatte im rechten Auge eine hellweiße Pupille, also handelte es sich offensichtlich um grauen Star. Marcelo bohrte mit dem Finger so vehement in dem Auge herum, daß es wie ein einziges blutiges

Loch aussah, worauf er noch mehrmals stark mit dem Daumen gegen den Augapfel preßte, und zwar ruckartig. Das Blut floß über das ganze Gesicht und auch in das linke Auge hinein, so daß schnell eine Helferin mit Watte und Handtuch hinzueilte und das gesunde Auge trocknete. Auf die mitunter bei paranormalen Operationen auftretenden ungewöhnlich großen Blutmengen wird in einem späteren Kapitel eingegangen werden. Ob Gewebe oder dergleichen aus dem Auge herausgenommen wurden, war in Anbetracht der Menge von Blut und Blutklumpen nicht zu erkennen. Auf jeden Fall wurde das Auge schließlich gesäubert, der Patient stand auf und behauptete, jetzt besser sehen zu können, was allerdings keinen Aussagewert hat; denn der weiße Fleck war nachher ebenfalls noch da. Das für mich Erstaunlichste war die Tatsache, daß der Heiler bei einer derartigen brutal anmutenden Methode offensichtlich nichts kaputtgemacht und der Patient keinerlei Schmerz empfunden hatte.

Vollkommen unbegreiflich war auch folgende Behandlungstechnik: Einigen Patienten wurde anscheinend der Leib geöffnet – meist in der Magengegend, und, wie es aussah, ein mit einer Arznei getränkter Wattebausch eingelegt. Danach schloß sich die Wunde wieder narbenlos, wobei die »Einlage« anscheinend im Körper blieb. Der Patient wurde zur Entnahme der Watte wiederbestellt. Wir sahen auch mehrere Patienten, denen angeblich acht Tage vorher getränkte Watte einoperiert worden war, die jetzt vor unseren Augen als großer blutiger Klumpen herausgenommen wurde.

Hinsichtlich der mysteriösen Watteeinlagen konnten wir uns nicht zu einer Stellungnahme entschließen, obwohl wir nach allem, was wir in den letzten Tagen bereits erlebt hatten, so etwas keineswegs mehr für schockierend hielten. Daher horchten wir auf, als wir von einem Erlebnis hörten, das ein halbes Jahr später einige Deutsche in eben dieser Kapelle von Rosales hatten und das sie nachher in eine peinliche Situation brachte. In dieser Gruppe befand sich ein parapsychologischer Schriftsteller, Rudolf E. Passian, der für die Authentizität seiner Erfahrungen jederzeit eintritt. Im folgenden ist sein Bericht wiedergegeben, der unsere einige Monate früher gemachten Beobachtungen bestätigt und gleichzeitig ein weiteres Argument darstellt, für die

Behauptung, daß die philippinischen Operateure Körper öffnen und narbenlos schließen können.

»Im Mai 1971 reiste ich auf die Philippinen, um mich mit eigenen Augen über die sogenannte messerlose Chirurgie der Filipinos zu informieren. Ich befasse mich seit langem mit dem Studium paranormaler Phänomene. Zusammen mit einer deutschen Landsmännin, einem Techniker und einem aus Österreich stammenden Mediziner beschafften wir uns eine philippinische Reiseführerin, die uns mit ihrem Mann in zwei Taxis durch die Lowlands zu einigen medialen Operateuren führen sollte. Schließlich kamen wir nach Rosales, wo wir in die Kapelle der Unio Espiritista Cristiana Filipinas geführt wurden. Hier beobachteten wir die ersten medialen Operationen. Es war gerade eine Heilerin bei der Arbeit.

Der Techniker unserer Gruppe hatte bereits mit eigenen Augen bei den Indios in Amerika erstaunliche Dinge erlebt. Er hatte dort den Häuptling eines Stammes kennengelernt, der zum erstenmal mit Weißen in Berührung gekommen war. Dieser Häuptling operierte nach Aussagen des Technikers ebenfalls in einer uns vollkommen unerklärlichen Weise, indem er zwar nicht den Körper mit den Händen öffnete, sondern ein Bambusstäbchen dazu benutzte, dann aber auch Eiterherde und Gewebe entfernte und zuletzt mit der Hand über die operierte Stelle strich – ähnlich wie der Brasilianer Zé Arigo –, und die Wunde war geschlossen!

Dieser Techniker hatte nun vom Kriegseinsatz her eine Geschwulst im Darm, die er sichtbar bis zum Darmausgang drücken konnte. Dieses Leiden verursachte ihm allwöchentliche Blutungen. Er war eineinhalb Jahre vorher in Deutschland deswegen operiert worden, doch ohne dauerhaften Erfolg. Diese Geschwulst hoffte er bei Agpaoa loszuwerden.

Als wir uns nun in der Kapelle von Rosales befanden und die Operationen der Heilerin beobachteten, wurde auf einmal der Techniker aufgrund der Intervention der philippinischen Führerin – die sehr temperamentvoll und gesprächig war – aufgefordert, seinen Oberkörper freizumachen und sich auf den Tisch zu legen. Nach kurzem Zögern war er einverstanden. Die Heilerin öffnete den Bauch des Technikers in der bekannten

Weise. Die deutsche Begleiterin filmte, auf einem Stuhl stehend. Da ihr jedoch beim Anblick dieser Operation übel wurde, übernahm ich das weitere Filmen, wodurch meine Aufmerksamkeit von der genauen Beobachtung der Operation etwas abgelenkt war und mir einige Einzelheiten entgingen. Nach der Operation wurde dem Patienten gesagt, es sei ein Wattebausch in den Körper hineinpraktiziert worden. Die Umstehenden behaupteten, daß die Heilerin, als die Operation bereits beendet schien, einen Wattebausch genommen hätte, diesen zwischen ihren Händen auf dem Körper des Patienten hin und her fahrend, in die Ferne schauend, anscheinend im Körper des Patienten habe verschwinden lassen. Die Heilerin sagte jetzt, die Watte befände sich im Körper, sie sei magnetisiert und müßte in einigen Tagen wieder herausgeholt werden. Der Patient müsse sich also nochmals zu ihr bemühen.

Taschenspielerei oder echtes Paraphänomen?

Ich weiß, daß es Materialisationen und Dematerialisationen gibt. Ich weiß es aus der älteren Fachliteratur, die ja viel ergiebiger ist als die heutige, aber trotzdem konnte ich es nicht glauben; denn meine Aufmerksamkeit war, wie gesagt, durch das Filmen abgelenkt worden. Ich ließ die Angelegenheit auf sich beruhen. Nach einem Besuch in Urdenata bei dem Heiler Johanito kehrten wir nach Manila zurück. Beim Abschied von unserer Reiseführerin sagte diese unserem Techniker nochmals in aller Eindringlichkeit, daß er unbedingt noch einmal zu der Heilerin nach Rosales fahren müsse, um die Watte entfernen zu lassen. Der Techniker jedoch interessierte sich nicht für die angebliche Watte, sondern wollte bei Agpaoa seine Darmgeschwulst loswerden und hatte nur noch einige Tage Zeit, da sein Philippinen-Aufenthalt sehr kurz bemessen war.

Am nächsten Tag waren wir in Baguio bei Agpaoa. Er hatte gerade eine größere Reisegruppe mit ausländischen Patienten bei sich und alle Hände voll zu tun. Dennoch gelang es uns, ihn für den Fall des Technikers zu interessieren. Bei der Voruntersuchung waren zwei Mediziner anwesend. Der Tumor in der Nähe des Darmausgangs war offensichtlich. Agpaoa sagte, er müsse hier zwei Operationen durchführen, in Abständen von zwei bis vier Tagen, da sonst zu starke Blutungen auftreten würden.

Noch am selben Tag wurde die erste Operation durchgeführt, und zwar im Hotelzimmer. Hier spielte sich nun folgendes ab: Der Patient lag mit entblößtem Oberkörper auf dem Rücken. Die Operation sollte beginnen. Da stellte Tony plötzlich die Frage: ›Wann ist bei diesem Patienten das letztemal etwas gemacht worden?‹ Ich hatte Angst, Agpaoa könnte vielleicht die Operation ablehnen, wenn er erführe, daß man bereits bei der ›Konkurrenz‹ in Rosales war. Da der Patient vor einiger Zeit in Deutschland operiert worden war, sagten wir: ›Vor anderthalb Jahren!‹

›No, no, no!‹ sagte Tony ganz entschieden, ›das muß erst vor kurzem gewesen sein!‹

Es blieb uns nichts weiter übrig, als zu gestehen, daß wir bei der Konkurrenz in Rosales gewesen waren. Es fielen Namen, und Tony, der bereits in gebückter Stellung gewesen war, um mit dem Operieren zu beginnen, ging rückwärts bis zum nächsten Hotelbett, wo er sich niedersetzte. Er schien perplex und unschlüssig zu sein.

Wir setzten alles daran, um ihn zu überzeugen, daß der Techniker ja gewissermaßen in Rosales überrumpelt worden war und keineswegs die Absicht gehabt hatte, sich von der Heilerin operieren zu lassen.

Schließlich entschloß sich Agpaoa zur Operation. Er konzentrierte sich sichtbar, und man hatte den Eindruck, jetzt wolle er beweisen, daß er es besser könne als seine Kollegin in Rosales. Die Operation wurde am Bauch durchgeführt, im Nu schien er im Körper zu sein, unter seinen Händen floß das Blut, und man hörte die bekannten schmatzenden Geräusche, die oft auftreten, wenn er tiefer in den Körper hineingeht.

Tony machte seine knetenden Bewegungen mit den Fingern, nahm dann die Hände etwas auseinander, und in diesem Moment sah ich die Bescherung: Die Watte kam zum Vorschein, blutrot, durchsetzt mit roten Klumpen geronnenen Blutes. Tony hielt erschrocken inne und rief: ›Was ist das?‹

Es blieb uns wieder keine andere Wahl, als ihm zu erklären, daß dies die Konkurrenz gemacht habe. Agpaoa faßte sich jetzt schnell und gab seiner schweizerischen Assistentin Anweisungen. Diese zog jetzt mit dem einzigen Instrument, das Tony mitunter benutzt, einer langen Zange, die Watte aus der Wunde heraus und warf sie in den Eimer. Sie erklärte, manche Heiler legten ›magnetisierte‹ Watte in den Körper ein. Diese hätte die Aufgabe, ›kranke Stoffe‹ anzuziehen. Dann würde die Watte wieder entfernt, oder aber sie werde durch den normalen Stoffwechsel abgebaut.

Tony operierte dann in der gewohnten Weise weiter... Er versprach, obwohl nur noch knapp drei Tage bis zur Abreise des Patienten blieben, sein möglichstes zu tun. Der entscheidende Eingriff fand dann am letzten Tag vor dem Abflug des Technikers von Baguio am frühen Morgen zwischen 6 und 7 Uhr statt. Es war ein Sonntag. Wir haben den Eingriff gefilmt mit 16-mm-Kamera. Tony Agpaoa nahm die ganze hühnereigroße Geschwulst heraus.

Der Techniker hat inzwischen nur ein einziges Mal – kurz nach seiner Rückkehr von den Philippinen – Blutungen gehabt, seitdem nicht mehr. Er ist gesund. Es ist seitdem ein gutes Jahr vergangen. Es haben sich keinerlei Beschwerden mehr eingestellt!«

Soweit der Bericht von Rudolf E. Passian.

Tony – Porträt eines Heilers

Nach eineinhalb Wochen Aufenthalt auf den Philippinen und im Hotel »Villa La Maja« war ich, als die meisten Mitglieder unserer Gruppe nach Europa zurückflogen, in Agpaoas Haus am Stadtrand von Baguio übergesiedelt. Es ist für philippinische Verhältnisse sehr geräumig, mit großen Aufenthaltsräumen, ohne im westlichen Sinn luxuriös zu sein. Das Erdgeschoß enthält neben einem großen Raum, der auch als Speisezimmer für die Patienten dient, mehrere Schlafzimmer für Gäste. Das erste Stockwerk ist in der gleichen Weise angelegt und wird von der Familie Agpaoa bewohnt.

In einem seitlichen Anbau befindet sich – durch eine Glastür mit dem Aufenthaltsraum des Erdgeschosses verbunden – ein kleinerer Raum, in dem man durch eine Öffnung im Fußboden von etwa 2 × 2 Metern in das im Tiefparterre gelegene Behandlungszimmer Agpaoas hinunterblicken kann. Man steht an einer Balustrade direkt über dem Tisch und dem daraufliegenden Patienten, kann also von hier aus die Operation in geradezu idealer Weise beobachten und filmen.

Im Vorbau seines Hauses, vom Behandlungsraum durch eine Tür betretbar, befindet sich ein großer, heller Andachtsraum mit Wandgemälden in buntesten Farben. Die Malereien an der Stirnseite zeigen legendäre Stationen in Agpaoas Leben.

Im Hause Agpaoas wohnend, hatte ich Gelegenheit, viele weitere Operationen, unter anderem auch von dem Rosales-Heiler Marcelo, zu beobachten, der zweimal wöchentlich kam, um Behandlungen durchzuführen. Ich konnte darüber hinaus viele weitere Beobachtungen machen, die mir später für die Beurteilung der paranormalen Operationen im Hinblick auf die gegen Agpaoa erhobenen Vorwürfe der Taschenspielerei sehr wichtig waren.

Ich lernte auch den Menschen Tony Agpaoa näher kennen, hatte häufig Gelegenheit, mich mit ihm zu unterhalten, und nahm viele Gespräche mit dem Kassettenrekorder auf. Agpaoa ist ein Mensch mit vielen Gesichtern und vielen Seelen in seiner Brust. Dadurch ist er für jemanden, der Menschen studieren will, ein ebenso interessantes wie kompliziertes Untersuchungsobjekt. Außerdem lebt er weitgehend in Bewußtseinszuständen, um die sich unsere Psychologie und Menschenkunde bisher noch nicht bemüht hat. Insofern ist es sehr schwierig, um nicht zu sagen unmöglich, ein vollständiges und gerechtes Bild von ihm entwerfen zu wollen.

Tony Agpaoa wurde am 2. Juni 1939 in einer Bambushütte in Rosales als Sohn armer Eltern geboren. Seine Mutter ist schon vor längerer Zeit gestorben. Tonys erste Kindheitserinnerungen – und hier wird der Skeptiker ungläubig lächeln – waren sehr ungewöhnlicher Art: der Anblick der gerade aufgehenden Sonne, unter deren glitzerndem Strahlen seine gerade erwachenden Augen blinzeln mußten – nicht aber von seinem Bett in der Bambushütte aus, sondern aus der Baumkrone eines hohen Caimito-Baumes –, und dann das Rufen von Menschen, die eine Leiter an den Baum stellten und ihn unter Schelten und Ankündigung harter Strafen herunterholten. Angeblich soll Tony

Agpaoa als Kind häufig in der Nacht von seinem Schlaflager verschwunden und am Morgen im Wipfel eines Baumes wiedergefunden worden sein. Er selbst wußte nie, wie er dahingekommen war. Sein Vater ist heute noch bereit, die Wahrheit dieser Behauptung zu beschwören.

Die sich einem kritischen Europäer anbietenden Erklärungshypothesen sind: Auswüchse philippinischer Phantasie oder ein sehr eigenartiger Fall von Somnambulismus, also Schlafwandeln, was im Zusammenhang mit Tonys paranormalen Fähigkeiten sehr interessant wäre. Ferner sollte man sich noch die Möglichkeit offenhalten, daß es sich um etwas anderes handelt, vielleicht um ein noch unbekanntes Paraphänomen oder aber auch um eine Mischung aus allen drei Faktoren.

In jener Zeit entstanden in seinem Bewußtsein auch die ersten Vorstellungen von seinem »Protector« – einer geistigen Wesenheit, die ihn behütete und tröstete. Daher hatte er anfangs auch den Namen »Comforter« – Tröster. Wie es zu diesem Beschützer kam, wird kaum je geklärt werden können. Vielleicht hörte Tony die Erwachsenen sagen, er müsse einen sehr wachsamen Schutzengel haben, weil er nie von dem Baum heruntergefallen sei, woraus er in seiner Phantasie den »Protector« machte. Vielleicht gibt es aber auch noch andere Erklärungsmöglichkeiten. Tatsache ist, daß Tony überall nach dem »Protector« suchte und schließlich das Gefühl hatte, von ihm geführt zu werden.

Schon als kleiner Junge ahnte er, daß es Bewußtseinszustände gab, von denen die Menschen um ihn herum nichts wußten, und weiter, daß ihm viele Dinge und Zusammenhänge bewußt wurden, ehe er in der Lage war, sie in Worte zu fassen. Er fühlte sich eins mit der ihn umgebenden Natur, und nichts kam ihm fremd vor. Er schien sich an vieles zu »erinnern«, was für ihn eigentlich hätte neu sein müssen. Unwillkürlich denkt man dabei an Platos These: »Alles Lernen ist nur ein Wiedererinnern der Seele.«

Tony Agpaoa hat zweifellos – im Sinne der westlichen Psychologie – eine stark eidetische Anlage und ist zu stärksten Leistungen der Imagination befähigt. Er konnte in den Wäldern sitzen und bis zur Selbstvergessenheit meditieren und sich »mit dem Unsichtbaren füllen«. Da er Stimmen und Töne, etwa den

Gesang eines Vogels, den er früher einmal gehört hatte, »zurückholen« und dann so deutlich hören konnte, als sänge dieser Vogel tatsächlich, nahm er an, die Töne müßten irgendwo auf Abruf gespeichert sein.

Es sind dies typische Merkmale des auf der magischen Stufe lebenden Menschen. Lehrgänge zur Entfaltung außersinnlicher Kräfte im Menschen beginnen auch bei uns im Westen im allgemeinen damit, die Imaginationsfähigkeit für Sinneswahrnehmungen zu entfalten, und in dem Wort »Imagination« steckt ja als Wortstamm »Magie«.

Auffällige Analogien zu den Berichten über Agpaoas Kindheit weist Ruth Montgomerys Darstellung der Jugend des Heilers Phil A auf.[143] Auch er lief angeblich als kleiner Junge tagelang von zu Hause fort und blieb in den Wäldern und an den Seen seiner damals noch wenig besiedelten Heimat. Nachdem Bestrafungen sich als nutzlos erwiesen hatten, gewöhnten sich seine Eltern schließlich an derartige Vorkommnisse. Der kleine Phil A fühlte sich im Walde wohl, allein mit den Tieren und Pflanzen – ebenso wie der kleine Tony Agpaoa. Von beiden wird berichtet, daß sie als kleine Kinder nie Angst hatten, allein und über Nacht im Walde zu schlafen.

Ähnlich wie Tony Agpaoa durch seinen »Protector« bekam Phil A seit seiner frühesten Kindheit einen ständigen Strom von Instruktionen und Erklärungen von »höheren Kräften« über das Leben und die Erzeugung menschlicher Energien, etwas, das er anderen nicht näher beschreiben konnte, ihm aber derart natürlich erschien, daß er meinte, alle anderen Menschen müßten etwas Ähnliches erfahren. Er war der Ansicht, daß diese Instruktionen und Informationen jedem Menschen zugänglich seien, der nur zu »lauschen« verstände. Im Prinzip das gleiche sagte Tony Agpaoa, der davon sprach, daß alles Wissen der Menschheit irgendwie gespeichert sei – vielleicht in einer Art »kosmischem Gedächtnis« – und daß man durch Meditation hieraus jede Art von Belehrung erhalten könne.

Das wichtigste Erlebnis seiner Kindheit, das sein ganzes ferneres Leben bestimmen sollte, hatte er mit acht oder neun Jahren. Er erzählt es so: Sein Spielkamerad Pedro Gonzales war beim Herumtollen auf einen spitzen Gegenstand gefallen und schien schwer verletzt. In der Leistengegend klaffte eine große, stark blutende Wunde. Die Eltern des Jungen und andere Leute liefen herbei und wußten nicht, was sie tun sollten. Tony sah die blutverschmierte Haut und das schmerzverzerrte Gesicht des Freundes. »Du wirst Wunden öffnen und schließen!« hörte er eine Stimme in sich und fühlte ein warmes Pulsieren in seinen Händen. Es wurde unangenehm heiß. Langsam legte er seine Hände über Pedros Wunde, und als er sie nach einigen Sekunden zurückzog, hatte sich die tiefe, blutige Wunde geschlossen. Es war nur noch etwas geronnenes Blut zurückgeblieben.

Die Nachricht von diesem »Wunder« breitete sich wie ein Lauffeuer aus. Zu Hause warteten schon Nachbarn, die von Tony berührt werden wollten. Er berührte sie, und alle fühlten sich geheilt oder zumindest gebessert. Tony Agpaoa begann, an seine Heilkraft zu glauben.

Die kleinen Filipinos und Filipinas liefen stets barfuß. Oft verletzten sie sich dabei die Füße. Tony berührte die blutenden Zehen und Fußsohlen, und das Blut hörte auf zu fließen. Selbstverständlich bewies nichts, daß das Bluten nicht auch von allein aufgehört hätte, aber niemand ließ sich davon abbringen, daß Tonys Heilkraft das Blut und die Schmerzen gestoppt hatte, und die Wunden sich durch ihn schlossen.

Splitter und Dornen, die Tony herauszog, schienen ihm regelrecht in die Finger zu springen. Andere Philippiner konnten auch Splitter herausziehen, aber Wunden, aus denen Tony die Splitter herausgezogen hatte, entzündeten sich nicht und schienen schneller zu heilen.

Tony wandte sich auch der Behandlung innerer Krankheiten zu. Ein junges Mädchen brachte den jungen Burschen nicht wenig in Verlegenheit, als sie auf ihren Unterleib deutete und sagte, es täte dort weh. »Berühre ihn und hole es heraus!« Vater, Mutter und Tochter beobachteten den errötenden Tony. Schließlich berührte er die angeblich schmerzende Stelle am Unterleib des Mädchens, und unter seinen Fingern schien sich etwas im Leib der Patientin zu bewegen.

»Drücke es zum Nabel hin!« hörte er eine Stimme in sich. Tony bewegte seinen Zeigefinger, bis er ihn direkt über dem geheimnisvollen Etwas unter der Haut im Leib des Mädchens spürte und drückte es in Richtung auf den Nabel. Das komische Etwas kam auf einmal zum Nabel heraus. Es war weich und unangenehm anzuschauen. Tony mußte weggucken. Die Mutter ergriff die Initiative und begutachtete das »Ding«. Das Mädchen sagte nur: »Die Schmerzen sind fort!« Der Vater aber stand auf dem Standpunkt, Tony hätte den Teufel aus ihr ausgetrieben.[10]

Es war dies die zweite Phase in der Entwicklung der operativen Fähigkeiten Agpaoas. Er schien etwas aus dem Körper herauszuholen, ohne diesen zu öffnen, und zwar etwas, womit ein Mediziner nichts anfangen kann. Die Frage ist: Was passierte hier, medizinisch gesehen, wirklich? Dieses Problem wird später noch untersucht werden. Wahrscheinlich handelt es sich *nicht* um Tumore oder Gewächse oder integrierte spezifisch menschliche Gewebe, sondern um paranormale Produkte, die bei dieser Art der Behandlung beginnender degenerativer organischer Prozesse auftreten.

Tony hatte das Gefühl, daß bei solchen »inneren Krankheiten« irgend etwas im Körper des Patienten auf seine Berührung reagierte. Er sah angeblich dunkle, unheimliche Wolken oder Formen im Körper der Patienten, die er im Körper bewegen und über die natürlichen Öffnungen und die Schleimhäute des Körpers herausbringen konnte, wo sie dann als eigenartige Substanzen austraten. Hätte man diese pathologisch untersucht, wäre man wahrscheinlich zu dem Ergebnis gelangt: kein menschliches Gewebe!

Vermutlich spielen sich hier Prozesse ab, die zu dem Paraphänomen »Materialisationen« gehören. Bei solchen »inneren Krankheiten« handelt es sich, wie gesagt, wahrscheinlich um Krankheiten auf einer Stufe der Vorbereitung, vielleicht im vorklinischen Stadium. Diese Phänomene stehen möglicherweise in engem Zusammenhang mit dem von den sowjetischen Paraforschern angeblich entdeckten Bioplasmakörper. Agpaoa selbst sagt heute, er arbeite am »Astralleib« des Patienten.

Die dritte und höchste Stufe der Agpaoa-Chirurgie entwickelte sich noch später. Tony hatte bei manchen Patienten das Gefühl, daß Krankheitsherde, die er als dunkle Wolken oder Formen im Körper des Betreffenden »sehen« konnte, auf seine

Bemühungen nicht oder nur sehr widerstrebend reagierten. Es gab offensichtlich »Wunder«, die er nicht vollbringen konnte. Er sah manchmal Gebilde, die er etwas nach den Körperöffnungen hin zu bewegen vermochte, die dann aber wieder an die alte Stelle zurückglitten und die er nicht aus dem Körper »herausbekam«.

Eine Patientin mit einem solchen Leiden wollte Tony wieder nach Hause schicken. Er sagte zu ihr: »Dein Inneres schmerzt dich, aber der Schmerz hört mich nicht, er reagiert nicht auf meine Hände!« Hier handelte es sich wahrscheinlich um einen klinisch manifesten ausgewachsenen Tumor.

Die Frau ließ sich jedoch nicht abweisen und folgte Agpaoa, wohin er auch ging. Schließlich entschloß er sich, sie erneut zu untersuchen – und damit beginnt die Geschichte einer Agpaoa-Behandlung, die beinahe schon zur Legende geworden ist. Tony »sah« den Krankheitsherd deutlich durch die braune Haut der Filipina, doch ließ sich dieser wieder nicht bewegen.

»Ich bekomme es nicht zu einer Körperöffnung hin. Wenn ich ein Chirurg wäre, dann würde ich die Stelle einfach aufschneiden.« Er knirschte mit den Zähnen und fuhr in Gedanken mit seinen Fingerspitzen über den Leib der Frau.

Entsetzen packte ihn, als er das rohe Fleisch einer offenen Wunde an dieser Stelle hervortreten sah. Es war, als hätte er mit einem Messer in den Körper hineingeschnitten. Blut strömte heraus.

»Halte die Wunde mit der linken Hand offen und greife mit der rechten Hand in den Leib hinein«, hörte er die Stimme des »Protectors«, »dann nimm die dunklen Gebilde mit allem, was daran hängt, heraus.« Tony zog den Tumor heraus – er kannte damals das Wort »Tumor« freilich noch nicht –, seine Hände waren voll Blut, das unaufhörlich weiter aus der Wunde strömte.

»Bringe das Blut zum Stillstand, oder du bringst die Frau um!« hörte er eine Stimme hinter sich.

Tony geriet in Todesängste. »Wie soll ich das Blut stillen?«

»Du hast den Körper mit deinen Fingerspitzen geöffnet, versuche ihn zu schließen, indem du mit der Hand darüberstreichst!« sagte die Stimme. Es war die gleiche Technik, die auch der Brasilianer Zé Arigo anwandte.[185]

Tony strich mit seiner flachen Hand über die Wunde, ohne sie direkt zu berühren. Die Augen der Umstehenden folgten ihm. Die Wunde hatte sich geschlossen, es war nur noch eine kleine Lache gerinnenden Blutes zurückgeblieben. Keine Narbe war zu sehen. Tony wollte sich bei demjenigen bedanken, der ihm die richtigen Anweisungen gegeben hatte, aber er war nicht zu sehen. Niemand der Anwesenden außer Tony hatte ihn gehört.

»Dann habe nicht ich dies getan, sondern du!« sagte er und meinte seinen »Protector«.

»Keiner von uns beiden, Antonio!« kam die Antwort, »sondern *die* Hand, die in allen Händen ist! Denn Gott ist überall!«

»Aber bitte, laß mich ohne Blut operieren! Ich kann es nicht ertragen! Sein Anblick und sein Geruch verursachen mir Übelkeit«, flehte Tony.

»Nicht nur dir, Antonio, sondern den anderen auch! Aber ohne Blut würde niemand glauben. Nicht einmal diejenigen, die geheilt worden sind! Aber meinetwegen — vielleicht etwas weniger Blut!«

Damit hatte Tony die letzte Stufe seiner Ausbildung erreicht. Er zog von Ort zu Ort und heilte die Kranken.

Entsprechende drei Stufen der Heiltätigkeit lassen sich bei den meisten philippinischen Operateuren erkennen — manchmal mehr manchmal weniger scharf ausgeprägt.

1. Stufe: »Magnetic healing«, von westlichen Magnetopathen auch praktiziert, von der westlichen Schulmedizin als Suggestiveffekt angesehen. Ähnliche Leistungen vollbrachten wahrscheinlich auch Leute wie Rasputin, der Magier am Hofe des letzten Zaren, der das Bluten von Wunden stillen konnte — z. B. die lebensgefährlichen Blutungen des Zarensohnes Alexej, der ein »Bluter« war, das heißt, sein Blut hatte nicht die bei jedem gesunden Menschen vorhandene natürliche Fähigkeit zu gerinnen, wodurch kleinste Wunden lebensgefährlich wurden.

2. Stufe: Der Heiler entdeckt, daß er manche inneren Krankheiten als »dunkle Wolken« oder »Formen« im Körper der Patienten »sieht« und diese mit seinen Händen an bestimmten Körperstellen in Form von festen Substanzen zum Austritt bringen kann, ohne daß der Körper geöffnet wird.

Daß diese Leistungen irgendwelche Analogien in der Schulmedizin haben, ist zweifelhaft, dagegen könnte man Parallelen in der biologischen Therapie und der Naturheilkunde finden. Die Naturheilärzte sprechen oft davon, daß »etwas aus dem Körper heraus müßte«, und leiten die Krankheit »über die Haut aus«. Tatsächlich stellen durch biologische Kuren induzierte Hautausschläge mitunter den Wendepunkt einer chronischen Krankheit dar und den Beginn einer generellen Umstellung und Kräftigung des Gesamtorganismus. Ob die Vorstellung der biologischen Medizin von der »Reinigung« des Körpers richtig ist oder nicht, kann an dieser Stelle nicht weiter untersucht werden, es soll hier nur eine formale Analogie zu gewissen Praktiken der Filipinos gezeigt werden, wo anscheinend etwas in viel, viel kürzerer Zeit auf paranormalem Wege aus dem Körper »herausgeholt« wird, das heißt nicht auf dem normalen Wege der uns bekannten chemisch-physiologischen Funktionen des menschlichen Körpers, sondern aufgrund uns unbekannter Naturgesetze; denn gewiß stehen auch die Leistungen der philippinischen Operateure nicht im Gegensatz zur Natur und den Naturgesetzen, sondern nur im Gegensatz zu den uns bisher bekannten Tatsachen.

3. Stufe: Der mediale Chirurg öffnet den Körper, eliminiert klinisch manifeste Herde und schließt den Körper danach narbenlos.

In der täglichen Praxis werden diese drei Arten der Behandlung nebeneinander vorkommen, ja, sich sogar überschneiden, wie ja die meisten Kategorisierungen Verfälschungen und Vergewaltigungen der Wirklichkeit sind. Wahrscheinlich erfordern die Behandlungen von Stufe 1 in Richtung Stufe 3 ein zunehmendes Maß an medialer Kraft. Außerdem scheint heute eine häufige Kombination der Stufe 2 mit der Stufe 3 vorzukommen: Um eine Eliminierung im Sinne der Stufe 2 durchzuführen, öffnet der Heiler oberflächlich, wodurch der an sich auch ohne Öffnen mögliche Prozeß leichter und glatter abläuft.

Tony Agpaoa zog also von Ort zu Ort und operierte kranke Landsleute. Er öffnete Körper und schloß sie narbenlos. Das, was er aus den Wunden herausholte, zog manchmal eigenartige Fleischsträhnen von mitunter andersartiger Gewebestruktur nach sich – andersartig im Vergleich zur Hauptmenge an Gewebe –, als ob eine Art von »Wurzeln« an der Gewebemasse festsäße, die er aus dem kranken Körper herausgezogen hatte.

Diese eigenartigen Gewebeformen, die man weder bei einer chirurgischen Operation im westlichen Stil finden kann noch in einem Fleischerladen, waren uns schon in den ersten Tagen unseres Philippinen-Aufenthalts aufgefallen und hatten die Gesichter der Mediziner mit Ratlosigkeit gezeichnet. Diese »Wurzeln« findet man bei fast allen Heilern von Zeit zu Zeit wieder. Sie lassen auf das Auftreten von Materialisationen schließen.*

Auf einen Punkt, merkte Tony bald, mußte er besonders Obacht geben. Er durfte keine Schwangere operieren, sonst löste er eine Fehlgeburt aus. Das führte dazu, daß schwangere unverheiratete Mädchen zu ihm kamen und den Katholiken Agpaoa in Gewissenskonflikt brachten. Er meditierte und hörte die innere Stimme des »Protectors«, der ihn davor warnte, absichtlich Fehlgeburten auszulösen.

Der junge Tony wurde in seiner Gegend eine Berühmtheit, aber gleichzeitig spürte er, daß es damit immer schwieriger bzw. unmöglich wurde, es allen Leuten recht zu machen. Mädchen, denen er die Abtreibung versagt hatte, waren wütend auf ihn und verbreiteten allerlei böse Gerüchte.

Wenn Tony einen Tag lang in einem Dorf geheilt hatte, kamen die Geheilten und brachten ihm aus Dankbarkeit Geschenke. Mancher Arme brachte ihm ein Ei, meist schon gekocht, damit es beim Herunterfallen nicht ausliefe, andere brachten eine Melone, reichere Patienten schenkten Hühner, Ferkel und Ziegen.[10]

Agpaoa glaubt, daß sich jede gute Gabe aufgrund metaphysischer Gesetzmäßigkeiten, die wir noch nicht kennen, für den Geber günstig auswirkt und daß die Gabe dem Geber um ein Vielfaches irgendwie wieder zufließen wird. Mit den Geschenken sei es ähnlich wie mit dem Geld, das kursieren und arbeiten müsse, wenn die Wirtschaft gedeihen soll. Er verschenkte die erhaltenen Gaben zum größten Teil wieder an Bedürftige weiter, da er ja nur wenig zum nächsten Behandlungsort mitnehmen und nicht alle Eier und Melonen selber aufessen konnte.

Auch das brachte ihm Antipathien ein, denn viele derjenigen,

* Siehe Seite 261 ff.

die ihm Geschenke gebracht hatten, waren böse, wenn er sie weiterverschenkte. Andere sagten, er dürfe eigentlich überhaupt nichts annehmen. Er erfuhr indessen auch, daß es sinnlos war, sich gegen Anschuldigungen zur Wehr zu setzen. Und so schwieg er auch meist zu den Beschuldigungen, die schon sehr bald und über zwanzig Jahre hinweg von mancher Seite gegen ihn erhoben wurden – nämlich, daß er ein Taschenspieler und Betrüger sei. Er hat Geduld und hat gelernt zu warten. Er ist überzeugt, daß die Wahrheit über die Existenz der paranormalen Chirurgie sich durchsetzen wird, wenn die Zeit dafür reif ist.

Er sieht in der Ablehnung dieser Phänomene eine Auswirkung des weltweiten Materialismus unserer Tage, aber er glaubt, daß auf diese materialistische Epoche eine Zeit der allgemeinen Spiritualisierung folgen wird, in der die fundamentalen Wahrheiten des Christentums eine neue Belebung erfahren werden.[9]

Tony Agpaoa ist zweifellos ein fortgeschrittener Mystiker, der auf dem Boden des Christentums steht, aber auch ebenso stark in den Lehren der indischen und fernöstlichen Mystik verankert ist, ohne daß man die Frage beantworten kann, woher er dieses Wissen hat; denn er hat ganz bestimmt nur sehr wenig gelesen, was für seine Behauptung spricht, er schöpfe sein Wissen und seine Informationen aus seinen Meditationen.

Die fernöstliche Versenkungstechnik, die in letzter Zeit auch im Westen immer mehr Aufmerksamkeit auf sich lenkt, scheint die bereits in anderem Zusammenhang geschilderte Behauptung zu stützen, daß der Meditierende über die Tiefen des Unterbewußtseins Kontakt mit Informationsquellen bekommen kann, aus denen er dann Offenbarungen erfährt, die sich kaum aus den Erfahrungen seines bisherigen Lebens ergeben können.

Agpaoa führt jedes Jahr ein sechzehntägiges Fasten durch, während dem er nur Wasser trinkt und etwas Honig ißt. In der Karwoche verharrt er in stundenlangen Gebeten und mystischen Übungen in seiner Kirche oder zusammen mit anderen Heilern in den Bergen. Doch möge man daraus nicht schließen, Agpaoa stilisiere sich zum Heiligen. Dieser Eindruck wäre ebenso falsch wie die entgegengesetzte Ansicht.

Agpaoa lebt nicht nur in einer höheren, sondern genausogut in der diesseitigen Welt; er lebt das Leben auf der ganzen Skala der menschlichen Möglichkeiten. Darin liegt, im Vergleich zu anderen Heilern, wahrscheinlich gerade das Außergewöhnliche an ihm. Er hat auch durchaus seine menschlichen Schwächen. Er raucht sehr viel, wahrscheinlich mehr als seiner Gesundheit auf die Dauer zuträglich sein kann. Er trinkt gern – wenn auch ziemlich mäßig – Alkohol und würde sicherlich mehr trinken, wenn es seine paranormalen Fähigkeiten nicht negativ beeinflussen würde. Tony Agpaoa ist alles andere, nur kein Spießbürger. Er verfügt über eine enorme Vitalität – was wahrscheinlich die Voraussetzung für seine Leistungen auf dem Gebiete der medialen Chirurgie ist. Und er hat große Sympathien für das schöne Geschlecht. Er ist eben ein echter Filipino, hat das Temperament und das Blut der Südseeinsulaner, liebt Abenteuer und spielt gern Bingo, ein philippinisches Glücksspiel.

Es wäre naiv und verfehlt, ihn mit westlichen Wertmaßstäben beurteilen zu wollen: Er lebt auf einer gänzlich anderen gedanklichen Ebene als der Europäer und als der Durchschnitts-Filipino, deshalb werden viele seiner Verhaltensweisen falsch und ungerecht beurteilt. Aber daran hat er sich gewöhnt.

Agpaoa glaubt, allein zu wissen, welchen Weg er zu gehen hat, womit keineswegs behauptet sei, daß seine Wege immer richtig sind. Zweifellos begeht er Irrtümer wie jeder Mensch, doch er sucht daraus für sein weiteres Leben zu lernen. Neben seiner Aufgabe als medialer Operateur sieht er es als sein Ziel an, zu einer stärkeren Spiritualisierung der Menschen beizutragen. Daß ihn schon allein aus diesem Grunde bei der heutigen materialistischen Einstellung viele Menschen für »verrückt« halten, nimmt Agpaoa in Kauf; denn eines seiner hervorstechendsten Merkmale ist eine für westliche Begriffe unbegreifliche Ruhe und Geduld, ein Gefeitsein gegen negative Einflüsse von außen – wahrscheinlich das Ergebnis langjähriger Meditationen und geistiger Übungen. Stundenlanges Warten bringt ihn nicht im geringsten aus der Ruhe. Ebenso kann er dann auch andere einmal warten lassen, was uns ungeduldige – oft schon neurotisch ungeduldige – Europäer dann gleich zu verstimmen pflegt.

1966 lebte Agpaoa noch in Quezon City am Rande von Manila, wo der amerikanische Psi-Forscher Harold Sherman ihn drei Wochen lang beobachtete. Er beschreibt die aufreibende

Atmosphäre, in der Agpaoa hier zu arbeiten hatte.[228] Inmitten eines unbeschreiblichen Lärms von der Straße her, so daß man mitunter sein eigenes Wort kaum verstehen konnte, inmitten des Schreiens von kleinen Kindern, die die Filipinas mitgebracht hatten, Tag und Nacht von ganzen Scharen von Patienten belagert, die alle behandelt und operiert werden wollten, inmitten dieses hektischen Treibens, das jedes normale Nervensystem ohne große Arbeitsleistung schon ruiniert haben würde, zumindest ein westeuropäisches Nervensystem, inmitten dieses aufreibenden Milieus arbeitete Agpaoa mit immer gleichbleibender Ruhe und Hilfsbereitschaft.

In jungen Jahren war er Mitglied der Unio Espiritista Cristiana Filipinas. Er trat aus, weil ihm viele Ansichten der streng spiritistisch eingestellten Vereinigung zu eng waren, obwohl er die Mitglieder wegen ihrer Aufrichtigkeit und Selbstlosigkeit sehr schätzte und ihre Überzeugungen achtete, ohne sie jedoch in allen Punkten teilen zu können. Die Heiler der Union heilten damals nur im Anschluß an stundenlange Gottesdienste und unter Einhaltung ganz bestimmter Zeremonien. Agpaoa hielt das für nicht notwendig und sagte: »Warum soll man stundenlange Gottesdienste abhalten und die Schwerkranken liegen lassen, bis sie vielleicht vor der Operation sterben? Beten kann man des Nachts, den Tag sollte man zum Heilen benutzen.«

Professor Tolentino, langjähriger Förderer der Union, behauptet heute, Agpaoa sei ausgeschlossen worden, weil er seine Heilkraft kommerzialisiert hätte und unter den Einfluß »böser Kräfte« geraten sei. Er sagte 1966 voraus, daß »es mit Tony ein böses Ende nehmen« werde. In einer deutschen Zeitschrift stand sogar — vielleicht auf diese Quelle zurückgreifend —, Agpaoa sei unter den Einfluß einer Mafia geraten.

Von anderer Seite wird berichtet, Agpaoa praktiziere »Schwarze Magie«, das heißt, er benutze seine magischen Kräfte für bösartige Zwecke. Wer die Lebhaftigkeit der Filipino-Phantasie kennt, wird solche Dinge nicht unbedingt ernst nehmen, obwohl es klar ist, daß Agpaoa in seinem Leben Krisen durchzustehen hatte und wahrscheinlich noch weitere vor sich hat. Sein kometenhafter Aufstieg vom armen Filipinoknaben zu einem umschwärmten Heiler, der Patienten aus aller Welt anzieht, ist eine Entwicklung, die jedem Menschen in den Kopf steigen könnte.

Dazu kommen seit Jahrzehnten schon die dauernden Angriffe derjenigen, die ihn als Betrüger hinstellen und denen zu widersprechen er inzwischen aufgegeben hat. All das ist nicht ohne Rückwirkungen auf seine Verhaltensweise und läßt die Frage offen, ob es ihm gelingen wird, seine Ziele zu erreichen, oder ob er sein unerschütterliches seelisches Gleichgewicht einmal verliert.

Was von vielen beanstandet wird und die Gegner der medialen Chirurgie am meisten reizt, ist Tonys Hang zur Publicity. Hätte er ihn indessen nicht, wüßte bis heute wahrscheinlich kaum ein Europäer etwas von der philippinischen Chirurgie.

In den sechziger Jahren hatte er angeboten, seine Leistungen vor westlichen Wissenschaftlern zu demonstrieren. Die erste Reaktion der Beobachter wurde bereits geschildert. Dr. Wanderman bezeichnete Agpaoas Operationen als »Trick«. Auch von der AMA (American Medical Association) sind die philippinischen Operationen offiziell als Schwindel erklärt worden, obwohl Harold Sherman und mehrere Wissenschaftler 1966 öffentlich für die Echtheit vieler dieser Eingriffe eingetreten sind. Im Oktober 1967 reiste Harold Sherman ein zweites Mal nach den Philippinen. Die Amerikaner Joseph Ruffner, Joe Plaza und James Osberg hatten einen Charterflug organisiert. Joseph Ruffner war ein Jahr zuvor durch eine Operation Agpaoas von einer schweren Rückenverletzung geheilt worden.

Jetzt sollten über hundert medizinisch unheilbare oder in ihrem Zustand schwer zu beeinflussende Fälle von Tony Agpaoa operiert werden. Praktisch von allen Patienten lagen medizinische Krankenberichte vor, so daß man nachher den Erfolg der Operationen Agpaoas gut hätte beurteilen können. Harold Sherman war, von Mr. F. J. Liddon, einem prominenten amerikanischen Geschäftsmann begleitet, vorausgeflogen und erwartete die Ankunft des Charterflugs auf dem Flughafen von Manila.

Am Nachmittag des 5. Oktober 1967 landete die Chartermaschine. Der Flughafen war von einem Heer von Reportern und Kameraleuten belagert. Offizielle Vertreter der Philippine Medical Association hatten sich zur Begrüßung eingefunden und auch Tony Agpaoa, der kurz vorher von Manila nach Baguio übergesiedelt war. Als er erfuhr, daß sogar Beamte des Philippinischen Geheimdienstes NBJ erschienen waren, und zwar, um ihn wegen unerlaubten medizinischen Praktizierens festzunehmen, zog er es vor, sich unter die Menge der Schaulustigen zu mischen. Was sich nun abspielte, erinnert beinahe an einen Kriminalfilm mit grotesken Verfolgungsjagden.

Die NBJ-Männer sollten offensichtlich versuchen, die Krankenbehandlungen zu verhindern, um die Amerikaner zu »schützen« — was bedeutet hätte, daß diese die weite Reise umsonst gemacht hatten. Agpaoa hatte nun nicht Busse, sondern dreiundzwanzig Taxis bestellt, in die die Patienten umgeladen wurden. Der Umtransport der zum Teil schwerkranken, durch die lange Flugreise außerdem noch erschöpften Patienten bei philippinischer Hitze unter der durch die Anwesenheit der Polizei zum Bersten gespannten Atmosphäre spottete, nach der Darstellung Harold Shermans, jeder Beschreibung. Man vermutete, daß die Kranken nach Baguio gebracht werden sollten. Die Polizei schien bereit, die Verfolgung aufzunehmen, doch die Taxis fuhren wie auf ein Kommando sternförmig nach allen Himmelsrichtungen auseinander, und es gelang, die verwirrten Verfolger abzuschütteln. Auf großen Umwegen wurden die Kranken jetzt nicht nach Baguio, sondern in ein etwa sechzig Meilen von dort entferntes Hotel am Chinesischen Meer gebracht. Die Fahrt ging über schier unbefahrbare und wegen der hereinbrechenden Nacht gefährliche Bergstraßen, und Harold Sherman bezeichnete es später als ein Wunder, daß alle Patienten lebend am Bestimmungsort ankamen. Da jeden Augenblick damit gerechnet werden mußte, daß der Schlupfwinkel entdeckt würde, wurde unverzüglich mit dem Operieren begonnen.

James Osberg, der sich für die Organisation der ganzen Reise und die Sicherheit der Gruppe verantwortlich fühlte, versuchte inzwischen, einen »Waffenstillstand« wenigstens für die Zeit zu erwirken, die für das Operieren aller amerikanischen Patienten benötigt wurde. Er wollte sich selbst als Versuchsobjekt zur Verfügung stellen: In Gegenwart von Vertretern der Philippine Medical Association sollte ein Heiler einen Eingriff an ihm selbst vornehmen, wobei dann offenbar werden würde, ob es sich um Betrug handle oder um eine echte Operation.

Ein philippinischer Arzt, Dr. Padua, verlangte, daß die Testpatienten von der philippinischen Ärzteschaft gestellt werden müßten. Er selbst bot zwei drastische Fälle an: einen Patienten mit einem großen Blasenstein und einen anderen mit einer Kugel im Kopf. Man war gespannt, ob Osberg einen Heiler finden würde, der bereit wäre, so schwere Fälle zu operieren. Sicherlich hatte man mit einer Ablehnung gerechnet. Doch zum Unbehagen der Ärzte wurde das Angebot sofort angenommen. Darauf ließ der Vertreter der philippinischen Ärzteschaft, Dr. Molano, mitteilen, daß selbst wenn ein Heiler diese beiden Operationen erfolgreich ausführen würde, dieser trotzdem wegen illegalen Operierens verhaftet werden würde.[229]

Harold Sherman nannte dies »das unglaubliche Eingeständnis, daß selbst dann, wenn die Echtheit der medialen Chirurgie über alle Zweifel bewiesen werden würde, die medizinischen Autoritäten alles daran setzen würden, ihre Anwendung zu verhindern«.

Es muß sehr nachdenklich stimmen, wenn man sich bei der Entscheidung über den Wert oder Unwert wissenschaftlich hochinteressanter Phänomene auf juristische und bürokratische Argumente zurückzieht.

Unter diesem unglaublichen Druck wurden die Operationen durchgeführt. Als schließlich das Hotel von der Polizei gefunden wurde, soll Agpaoa – als Kellner verkleidet und Gäste bedienend – nicht erkannt worden sein. Ein großer Teil der Operationen ist dann an entlegenen Orten in den Bergen durchgeführt worden, wohin man die Patienten bei Nacht schmuggelte.

Daß unter derartigen Umständen nicht alle erhofften Heilergebnisse eintraten, kann nicht verwundern. Nach einer Woche Arbeit war Agpaoa völlig erschöpft und äußerte gegenüber Sherman, daß viele der ausgesucht schweren Fälle unbedingt eine Nachbehandlung in Form des »magnetic healing« in einer ruhigen und entspannten Atmosphäre benötigt hätten.

Die Namen der Patienten wurden von den Organisatoren des Fluges auch nach der Rückkehr in die USA streng geheimgehalten, um irgendwelchen weiteren Komplikationen vorzubeugen. Mit einigen Patienten hatte Harold Sherman jedoch schon vor der Reise Kontakt gehabt. Nach seinen Aussagen waren bei diesen zum Teil echte und dauerhafte Heilerfolge zu verzeichnen.

Daß all die unliebsamen Erfahrungen mit der Polizei, mit Neidern und mit voreingenommenen Wissenschaftlern auf Agpaoas Verhalten trotz seiner bemerkenswerten Selbstkontrolle und Nonchalance nicht ohne Einfluß blieben, sollte niemanden verwundern. Von seinen Gegnern aber wurde das wachsende Mißtrauen Agpaoas freilich ohne jede psychologische Einfühlung als die Verschlagenheit eines Betrügers gedeutet.

Agpaoas Haus am Rande von Baguio liegt in einem Talkessel und ist nach drei Seiten hin von Bergen umgeben, die Südseite hat freien Ausblick. Tagsüber ist es auch im Winter hier meist sehr warm. Trotzdem klang ein hartnäckiger Schnupfen nicht ab, den ich mir gleich zu Beginn meines Philippinen-Aufenthaltes im Hotel »Villa La Maja« geholt hatte, sondern weitete sich immer mehr zu einer Stirnhöhlenvereiterung aus.

Seit einer Mandelentfernung vor über zwanzig Jahren hatte ich unter einer starken Disposition zu Stirnhöhlenkomplikationen zu leiden. Ebenso hatte ich häufig starken Schnupfen. Die Stirnhöhlenvereiterung, die ich nun bekam, war nicht von jener akuten Art, bei der es schnell zur Krise und dann zu deren Überwindung kommt, sondern von schleichender chronischer Form. Ich litt unter Kopfschmerzen, hatte dauernd leichtes Fieber, besonders abends, aber auch am Tage fühlte ich mich schwach und unlustig, irgend etwas zu unternehmen. Beim Putzen der Nase kam ständig eitriger, mitunter blutiger Ausfluß. Im Hotel war bereits von einem europäischen Arzt eine Akupunkturbehandlung durchgeführt worden, die nicht den geringsten Erfolg gehabt hatte. Agpaoas Vater Moises hatte mir dann mehrere Tage lang Stäbchen mit einer mentholartig riechenden Salbe tief in die Nasenlöcher gesteckt, was zwar immer eine kurze Erleichterung brachte, aber die Stirnhöhlenvereiterung im Endeffekt nicht beeinflußte. Gegen Ende meines Aufenthalts in Baguio fragte ich schließlich Tony, ob er meine Sinusitis operativ beseitigen könne. Er bejahte und wollte mich am nächsten Tag operieren. Gleichzeitig sollte auch ein Eingriff in meinem Magen- und Darmgebiet vorgenommen werden, da ich vor dreizehn Jahren wahrscheinlich einmal schwere Magen- bzw. Duodenalgeschwüre gehabt hatte und seit dieser Zeit des öfteren an gewissen Beschwerden in diesem Bereich litt, die allerdings nicht so stark waren, daß ich mich in Deutschland deshalb zu einer Operation entschlossen hätte.

Ich rechnete zwar mit einer Besserung der Stirnhöhlenvereiterung durch Agpaoas Operation, glaubte jedoch nicht an eine totale Heilung, da unter den zahlreichen Operationen, die ich bisher gesehen hatte, auch solche gewesen waren, bei denen der Patient hinterher keine zufriedenstellende Besserung spürte. Tatsächlich dachte ich noch vor der Operation darüber nach, was ich wohl in Deutschland später zur Ausheilung der Sinusitis und zur Beseitigung meiner Schmerzen zu unternehmen hätte. Ich weise darauf besonders hin, um denen zu widersprechen, die von vornherein alle Heilerfolge Agpaoas als Glaubensheilungen erklären wollen und behaupten, die Patienten kämen mit einer starken emotionalen Spannung und in der Erwartung eines Wunders nach Baguio, wodurch eine psychogene Heilung ausgelöst würde. Wenn das auch für manche Personen zutreffen mag, so darf das doch nicht verallgemeinert werden. Ich selbst behaupte, daß ich dieser Operation gelassen entgegensah, keine »Wunderheilung« erwartete, aber auch nicht die leiseste Angst vor dem Eingriff hatte, da ich bei den vielen von mir beobachteten Operationen *nicht eine* gesehen hatte, bei der der Patient Schmerzen empfand oder sonst irgend etwas »schiefging«.

Die Hauptgründe für meinen Wunsch, mich von Agpaoa operieren zu lassen, waren in Wirklichkeit anderer Natur. Nachdem ich nun schon vielen paranormalen Operationen zugeschaut hatte, interessierte es mich einfach, so etwas am eigenen Leibe zu erleben. Ein weiterer Grund war, daß ich mein Filmrepertoire noch erweitern wollte; denn ich hatte noch keine Operation am Kopf gefilmt und wollte also meine Stirnhöhlenoperation von einem Landsmann filmen lassen.

Am nächsten Morgen, als Agpaoa zur Operation erschien, stellte ich fest, daß die Lichtverhältnisse zum Filmen sowohl in Tonys Operationsraum als auch in meinem Gastzimmer ungenügend waren. Spontan dachte ich, es wäre ideal, wenn man den Eingriff draußen auf dem Hof durchführen könnte, wagte aber diesen mir etwas kurios erscheinenden Wunsch nicht auszusprechen. Da sagte aber Agpaoa schon, meine Enttäuschung wegen der Lichtverhältnisse bemerkend: »Operieren wir doch im Hof!«

Stativ und Filmkamera waren im Nu aufgebaut. Herr G. war freundlicherweise bereit zu filmen. Ich nahm auf einem Stuhl mitten auf dem kleinen Hof Platz, umgeben von einer Schar junger Hunde, Hühner und einem Truthahn. Im Hintergrunde grunzten Ferkel. Tony wartete mit dem Beginn des Eingriffs, bis sein Vater eine Schüssel mit Wasser, ein Handtuch und etwas Watte brachte. Ich hatte aber schon mein eigenes Handtuch um den Hals gelegt, schloß jetzt wegen des hellen Sonnenlichts die Augen und konzentrierte mich ganz auf die Registrierung der Empfindungen bei dem Eingriff. Die einzige gedankliche Ablenkung, die sich manchmal in mein Bewußtsein schob, war die Frage, ob Herr G. wohl mit der Bedienung des Filmapparates zu Rande kommen werde.

Ich fühlte nun zunächst, wie Tony Agpaoa mit seinen gespreizten Händen langsam an Schläfe und Kopf entlangstrich, ganz nach Art der magnetischen Behandlung. Dies mochte eine halbe bis eine Minute gedauert haben, als ich spürte, wie er mit zwei Fingerspitzen der einen Hand von unten gegen die Nase drückte, während er die andere Hand gegen die Stirn- und Nasenwurzelgegend preßte. Schlagartig setzte starkes Nasenbluten ein, und Tony rief: »›ha‹ sagen, ›ha‹ sagen!«, was ich auch tat. Gleich darauf schien meine Nasenwurzel unter dem Druck seiner Finger irgendwie weich zu werden – anders kann ich die Empfindung nicht beschreiben. (Später habe ich versucht, das Gefühl durch Drücken mit den Fingern, mit einem nassen Lappen oder Watte zu imitieren, was absolut unmöglich war.)

Jetzt schien die ganze Stirngegend »weich« zu werden. Ich hatte das Gefühl, als drücke Agpaoa in einer matschigen Substanz herum, ohne daß dies mir aber Schmerzen bereitete oder auch nur unangenehm gewesen wäre. Ferner spürte ich Blut fließen, einmal sogar in den Hals hinein. Dieses Blut oder die blutähnliche Flüssigkeit war körperwarm.

Wie der Film später zeigte, hatte Agpaoa äußerlich an der Stirn keinerlei blutige Operation durchgeführt. Es spielte sich alles am oberen Nasenrücken bzw. an der Nasenwurzel ab. Mein Gefühl, daß die Stirn weich sei, kam höchstwahrscheinlich dadurch zustande, daß – wie Agpaoa später erklärte – Blut und Eiter aus den Stirnhöhlen mittels seiner »magnetischen Kraft« in die Nasenhöhle hineingezogen wurde. Von hier aus ging der Herd jedoch nicht durch die Nasenlöcher nach außen ab und auch nicht durch die Verbindung mit dem Rachenraum, sondern der Herd wurde – für uns vollkommen unverständlich – wahrscheinlich über einen paranormalen Dematerialisationsvorgang an der Nasenwurzelgegend nach außen eliminiert.

Die eigentliche Operation mochte eine halbe bis eine Minute gedauert haben, dann spürte ich, wie mit einem Handtuch über mein Gesicht gewischt wurde und man mir mit den gleichen mentholähnlich riechenden Stäbchen, die mir schon vor diesem Eingriff ein paarmal ohne nennenswerten Erfolg appliziert worden waren, in die Nasenlöcher fuhr. Das machte auch diesmal wieder Tonys Vater. Dann bestrich Tony zur Nachbehandlung »magnetisch« Kopf, Stirn und Schläfe, und der Eingriff war beendet.

Vater Moises zeigte in die Waschschüssel, in der ein lockeres, blutiges Stück fleischigen Gewebes schwamm, das Tony, wie ich erfuhr, ebenfalls entfernt hatte, und zwar offenbar durch die Nasenwurzel.

Jetzt erst kam mir zum Bewußtsein, daß ich völlig frei und unbehindert atmen konnte, und zwar nicht nur ebensogut wie vor Beginn der Erkrankung, sondern so gut wie seit Jahren nicht mehr. Es wurde mir klar, daß sich im Laufe der Zeit wahrscheinlich eine Verengung der Nasengänge entwickelt hatte, an die ich mich laufend angepaßt und die ich deshalb als normal empfunden hatte, so daß ich zuletzt gar nicht mehr wußte, was wirklich freies Atmen heißt.

Gleichzeitig wurde ich gewahr, daß ein durch das ständige leichte Fieber bedingtes Frostgefühl verschwunden war und ich mich in jeder Hinsicht gesund fühlte. Aus der Nase kam selbst bei starkem Schneuzen nur noch glasklarer Schleim, während kurz vorher ausnahmslos eitrige Absonderungen herauskamen.

Seit diesem Tag sind bis heute, bis zum Augenblick der Niederschrift dieses Berichts, zwei Jahre vergangen, und ich glaube jetzt das Recht zu haben, ein endgültiges Urteil über diesen Eingriff Agpaoas abzugeben: Ich habe seit damals keinen Schnupfen mehr gehabt, geschweige denn eine Stirnhöhlenkomplikation, obwohl ich häufig Witterungsbedingungen ausgesetzt war, in denen ich mir früher mit Sicherheit einen schweren Schnupfen zugezogen hätte, da ich eine große Anfälligkeit für Schnupfen hatte.

Dieser schnelle, elegante und völlig schmerzlose Eingriff Agpaoas war eine Meisterleistung, die nichts Analoges in der westlichen Medizin hat. Bis dahin hatte ich etwa zehn Stirnhöhlenvereiterungen von unterschiedlicher Intensität und Dauer durchgemacht, die ich als Vergleichsmaßstäbe zur Beurteilung der Leistung Agpaoas habe. Den Heilerfolg Agpaoas als Psychogenese hinzustellen, muß mir selbst völlig absurd erscheinen.

Und dennoch: Ein halbes Jahr später wurde der Film von dieser Operation im »Gesundheitsmagazin« des Zweiten Deutschen Fernsehens gezeigt, dem ich, nichts Böses ahnend, meine Filme und meine Krankengeschichte zur Verfügung gestellt hatte. Der Kommentator der Sendung sagte sinngemäß etwa Folgendes: »Agpaoa drückt mit Blut oder roter Flüssigkeit getränkte Watte gegen die Stirn des Patienten und erzeugt so die Illusion einer Operation. Die Erleichterung, die der Patient verspürte, rührte von den Mentholstäbchen her, die dem Patienten nach der angeblichen Operation in die Nase gesteckt wurden.«

Ich enthalte mich eines Kommentars zu dieser Darstellung. Die Methode der Berichterstattung besagt genug.[243]

Etwa zehn bis fünfzehn Minuten nach der Stirnhöhlen-Operation wurde der Eingriff im Magen-Darm-Bereich vorgenommen. Da ich hierbei liegen mußte, fand die Operation in meinem Zimmer statt. Etwa ein halbes Dutzend Zuschauer – Filipinas, die bei Lucy Agpaoa zu Besuch waren und vom Fenster aus schon die Operation im Hof beobachtet hatten – war anwesend. Tony begann meine Bauchdecke leicht abzutasten. Interessant war mir, daß er zuerst die Blinddarmgegend »abfühlte« und eine Weile unschlüssig schien. Vielleicht irritierten ihn irgendwelche Verwachsungen, die ich von früher häufig aufgetretenen Blinddarmreizungen zurückbehalten haben mag. Aber schließlich ließ er davon ab und wandte seine Aufmerksamkeit ganz dem Magen-Zwölffingerdarm-Bereich zu. Ich mußte meine Beine leicht anziehen. Als ich mich etwas aufrichten wollte, spürte er sofort eine Verspannung bei mir und sagte: »Relax!« Ich fühlte dann seine Hände ganz weich in der Nabelgegend. Als ich nach einigen Augenblicken wieder nach vorn lugte, sah ich seine rechte Hand schon teilweise im Körper drin und zu meiner großen Überraschung eine Blutlache, die ich überhaupt nicht fühlte. Ich hätte gedacht, man müßte Blut auf der Bauchdecke doch als Flüssigkeit spüren. Jetzt hörte ich leise plätschernde oder schmatzende Geräusche und hatte das Gefühl, daß Agpaoa mit knetenden Fingern im Körper herumsuchte, wobei ich kein Gefühl dafür hatte, ob es oberflächennah oder tiefer sein mochte. Dann spürte ich ganz deutlich, daß er tief aus dem Körperinnern etwas herauszuziehen versuchte, was stärkeren Widerstand leistete, ohne daß ich Schmerzen empfunden hätte. Jetzt schien innen etwas nachzugeben, und im gleichen Moment zog Agpaoa ein längeres Stück Gewebe heraus, das wie ein Stück Darm aussah, aber nicht vom Duodenum, sondern eher vom anschließenden Jejunum (Teil des Dünndarms) stammen mochte.

Dann folgte das bekannte »one, two, three«, und seine Hände hatten sich vom Körper entfernt. Auf meinem Bauch lagen in einer kleinen Blutlache noch einige Klümpchen geronnenen Blutes. Moises wischte mit dem Handtuch die Operationsstelle sauber und rieb sie mit einer Salbe ein.

Nach einer kurzen Ruhepause erhob ich mich. Ich spürte keinerlei Schwäche, keinerlei Schmerzen und freute mich schon auf das Mittagessen.

Als es soweit war, erlebte ich allerdings eine unangenehme Überraschung. Ich setzte mich wie immer mit bestem Appetit an den Tisch, war aber dann nach einigen Löffeln Suppe nicht mehr in der Lage weiterzuessen, ohne daß mir in irgendeiner Weise übel gewesen wäre. Auch am Abend aß ich nur mit Widerwillen etwas. Im Laufe des nächsten Tages kam der Appetit allmählich wieder. Am Nachmittag trank ich dann zwei Tassen Kaffee und aß bereits ein Stück Torte, was mir keinerlei Beschwerden bereitete. In den folgenden Wochen spürte ich eine deutliche Veränderung meiner Eßgewohnheiten, insofern, als ich weniger aß als früher, was mich indessen nicht weiter störte. Auch hatte ich in der ersten Zeit nach dem Eingriff eine ganz auffällige Überempfindlichkeit gegen kalte oder auch nur kühle Speisen und Getränke, die plötzliche, krampfartige Bauchschmerzen bewirkten.

Zwei Jahre später glaube ich sagen zu können, daß meine ohnehin nur zeitweise auftretenden Beschwerden nachgelassen oder sogar aufgehört haben. Manche Speisen, die ich früher gemieden habe, esse ich heute ohne Beschwerden. Dennoch kann ich natürlich nicht mit Sicherheit sagen, ob das der Erfolg der Operation ist oder einen anderen Grund hat. Eine eindeutige Aussage wie hinsichtlich der Sinusitis-Operation kann ich in diesem Fall nicht machen. An späterer Stelle komme ich auf diese meine zweite Operation noch einmal zu sprechen.

Am letzten Tag meines Aufenthalts in Baguio – es war ein Sonntag – beobachtete ich vormittags von der Balustrade im kleinen Aufenthaltsraum aus den Heiler Marcelo im Behandlungsraum Agpaoas einen Stock tiefer bei seiner Arbeit. Marcelo kam, wie schon gesagt, öfter von Rosales herüber, um im Hause Agpaoas zu operieren. Die Patienten waren Einheimische.

Für Skeptiker, die immer noch an einen »Trick« glauben, erwähne ich jetzt folgende Tatsachen: Marcelo war an diesem Sonntagmorgen von Rosales mit dem Postomnibus angereist. Er hatte keine Jacke an, sondern nur ein kurzärmeliges Hemd, und nichts weiter bei sich als eine dünne Aktentasche, die während der ganzen Operation zwei bis drei Meter vom Tisch auf dem Boden an der Wand stand. Marcelo operierte zwei Stunden oder etwas länger. Während dieser Zeit entfernte er sich nie vom Operationstisch, während die Patienten laufend wechselten. Es assistierten ihm zwei junge Männer aus dem Hause Agpaoas, der siebzehnjährige Robert und der neunzehnjährige Gärtner Agpaoas, die bestimmt keine »Taschenspielergehilfen« waren. Sie assistierten beim Operieren nur aushilfsweise. Die Assistenten wechselten bei Agpaoa und Marcelo sehr häufig, und es ist völlig absurd anzunehmen, daß die gelegentlichen Helfer allesamt »auf die Schnelle« zu Komplizen eines großangelegten Schwindels ausgebildet worden wären. Außerdem konnte man von meinem Standort oberhalb des Operationstisches aus jede

Bewegung von Heiler und Assistent genau beobachten. Marcelo entfernte bei seinen zahlreichen Eingriffen oft erhebliche Mengen Gewebe, die alle in den neben dem Operationstisch stehenden Plastikeimer geworfen wurden. Schon nach einer Stunde Operationstätigkeit waren die im Plastikeimer befindlichen Gewebeteile zu einer derartigen Menge angewachsen, daß es völlig absurd wäre anzunehmen, Marcelo hätte das alles irgendwie an seinem Körper versteckt gehabt und wäre damit vielleicht sogar stundenlang bei heißestem Wetter im Bus gefahren.

Mit mir beobachteten zwei weitere Gäste Agpaoas die Arbeit Marcelos, Herr G. aus Deutschland und Miss Cheryl Baker aus Australien. Cheryl Baker, damals dreiundzwanzig Jahre alt, war schon seit sieben Jahren an den Rollstuhl gefesselt. Sie litt an einer Querschnittslähmung im Lendenbereich – nach ihrer eigenen Aussage die Folge einer fehlerhaft durchgeführten Lumbalpunktion in Australien. Cheryl Baker hatte keine Angehörigen mehr, hatte ihren wenigen Besitz verkauft und war nach den Philippinen gereist, wo sie nun schon sechs bis acht Wochen bei Agpaoa verbrachte. Tony Agpaoas Bemühungen brachten ihr damals eine Besserung der Sensibilität in den gelähmten Körperpartien. Die Lähmung ging während ihres Aufenthaltes auf den Philippinen leider nicht zurück. Später flog sie dann über Hongkong, Nepal, Israel und Deutschland nach England. Unterwegs arbeitete sie mitunter als Stenotypistin, um sich das Geld für die Weiterreise zu verdienen. Sie war ein bewundernswertes Beispiel für Lebensmut, das man manchem Hypochonder vor Augen halten könnte. Cheryl Baker wollte ein Buch schreiben: »Im Rollstuhl um die Welt!«

Nachdem wir längere Zeit Marcelo bei seiner Arbeit zugeschaut hatten, gesellte sich Tony Agpaoa zu uns, und wir unterhielten uns über interessante Dinge, zum Beispiel über seine legendäre Fähigkeit, durch Fixieren mit den Augen unerklärliche Wirkungen auszulösen. Auch habe ihn, so sagte Agpaoa, schon als Kind das Feuer fasziniert. Er konnte stundenlang vor einem Feuer sitzen und den züngelnden Flammen zuschauen. Er glaubte, daß er das Feuer durch seelisch-geistige Konzentration beeinflussen könne.

Dazu erzählte er mir folgende Begebenheit aus seiner Jugend:

Eines Tages war ein Ball, den ihm sein Freund Alfredo über eine Hütte hinweg zuwerfen wollte, am Rand des überhängenden Strohdachs in einer Mulde hängengeblieben, und alle Bemühungen der beiden Jungen, ihn wieder herunterzuholen, scheiterten. Schließlich forderte Alfredo seinen Spielkameraden Tony, dem man damals schon wunderbare Fähigkeiten im Umgang mit Feuer nachsagte, auf, an der Stelle, wo der Ball lag, durch die Kraft seines Blicks ein Loch in das Strohdach zu brennen. Von seinem Freund angestachelt, fixierte Tony konzentriert die Stelle des Strohdachs, wo der Ball lag. »Brenne es durch! Brenne es durch! Brenne es durch!« dachte er dabei ganz intensiv.

Nach einiger Zeit sagte Alfredo mit etwas unsicherer Stimme: »Antonio! ... Das Dach beginnt zu rauchen!«

Tony jedoch konnte noch nichts feststellen und konzentrierte sich nur noch stärker auf die Vorstellung, ein Loch in das Strohdach zu brennen. Dann sah auch er um den Ball herum einen glimmenden Kreis auf dem Strohdach, der sich immer mehr ausdehnte, ohne offen zu brennen ... und schließlich fiel tatsächlich der Ball herunter.

Alfredo sprang hinzu und fing ihn auf, ließ ihn aber sofort wieder fallen. Er war nämlich sehr heiß.

»Lösch das Feuer!« rief Alfredo, aber Tony hatte jetzt seine Selbstkontrolle vollkommen verloren. Die beiden Jungen rannten noch in die Hütte, um alle Gegenstände herauszuholen, während das Dach schon lichterloh brannte. Gleich darauf stürzte die ganze Hütte zusammen.

Später mußte Tony zur Demonstration vor Alfredos Vater einen kleinen Heuhaufen auf die gleiche Weise in Brand setzen, was angeblich ebenfalls gelang. Genauso habe er auf die gleiche Art Verbrennungen auf der Brust des erbosten Vaters hervorgerufen!

Tony soll dann diese Fähigkeit dazu benutzt haben, durch Fixieren mit seinen Augen Blüten und Blätter von Pflanzen in ihrem eigenen Saft zum Zusammenschmelzen zu bringen, um sie in dieser Form seinen Kranken zu verordnen. Ferner behauptet Agpaoa, äußerliche Leiden der Patienten – z. B. Hauterkrankungen – durch konzentrierten Blick geheilt oder beseitigt zu haben. Diese Fähigkeit sei ihm wieder genommen worden, da er hierfür noch nicht reif gewesen war. Das soll im Alter von vierzehn Jahren gewesen sein. Tony erwartet, daß ihm diese Kraft einmal wiedergegeben werde.[228]

Solche Erzählungen werden unserem westlichen Verstand zunächst als die Auswüchse philippinischer Phantasie erscheinen. Doch vielleicht steckt mehr dahinter, als man glaubt. Wissenschaftler in Ost und West haben sich in den letzten Jahren mit den Wirkungen des menschlichen Blickes und des menschlichen Auges befaßt. Das Auge ist ja ein ganz besonders komplexes Organ. Entwicklungsgeschichtlich hat es sich als eine Ausstülpung des Gehirns differenziert und steht mit diesem noch in direktem Zusammenhang. Außer seiner Funktion als Wahrnehmungsorgan des sichtbaren Spektrums der elektromagnetischen Strahlen hat das Auge wahrscheinlich noch eine ganze Reihe weiterer Fähigkeiten, wenn diese auch bei den meisten Menschen latent sind und den offiziellen Wissenschaften heute noch unbekannt.

Man denke an die Bedeutung des Blickes bei der Hypnose!

Auch im Tierreich spielt der Blick eine große Rolle. Die brasilianische Riesenschlange *Python mulurus* bringt ihre Beute (z.B. Hasen) allein durch Fixieren zum Erstarren und verschlingt sie anschließend.[277]

In Indien lernte ich den Mungo kennen, eine kleine Schleichkatzenart, der einer der besten Hypnotiseure der Tierwelt ist. Er liefert sich mit manchen Giftschlangen regelrechte Duelle im gegenseitigen Anstarren und Faszinieren. Meistens siegt der Mungo. Was einem als Touristen in Indien von Gauklern auf der Straße allerdings vorgeführt wird, ist meist ein sehr ungleiches Duell, da den Schlangen vorher die Giftzähne entfernt worden sind, so daß sie im Kampf gegen den Mungo überhaupt keine Chance haben.

Diese Wirkungen des Blicks bei Mensch und Tier hat man bisher immer nur rein psychologisch zu erklären versucht, und die Theorie, daß vom Auge eine uns noch nicht bekannte Strahlung ausginge, wurde wissenschaftlich nicht ernst genommen. Doch schon in den zwanziger Jahren wurde diese Theorie von dem bereits erwähnten russischen Dompteur Durow und dem Telepathen Juri Kamenskij vertreten. Durow hatte durch jahrelange

Praxis in seinem Beruf erfahren, daß der menschliche Blick das wildeste Tier zähmen könne. Durow untersuchte auch die Wirkungen des Blicks auf das Genick anderer Menschen. Er starrte Leuten ohne deren Wissen ins Genick, und sie drehten sich um. Der Erfolg dieses Experiments soll bei Durow hundertprozentig gewesen sein.[169]

Der Blick spielt auch bei manchen Leistungen der Psychokinese eine bedeutsame Rolle. Die Ursache der Psychokinese ist – wie bereits ausgeführt – vermutlich in der Aussendung von Bioplasma bzw. bioplasmatischer Energie zu sehen. Die Bioplasma-Aussendung wiederum kommt vermutlich durch das Wirken des Energiekörpers bzw. Bioplasmakörpers zustande. Sowohl nach Ansicht der alten indischen Yogalehren als auch von asiatischen Wissenschaftlern, die umfangreiche Untersuchungen an fortgeschrittenen Yogis durchgeführt haben, besitzt der Energie- oder Bioplasmakörper eine Reihe von Energiezentren, sogenannte *Chakras,* die mit bioplasmatischen und paranormalen Prozessen in Beziehung stehen. Es soll sieben solcher Energiezentren, also Chakras, im Menschen geben.[151] Eines dieser Zentren liegt in der Stirngegend – das sogenannte Ajna-Chakra – und scheint mit den paranormalen Wirkungen des Blicks bei manchen Formen der Psychokinese zusammenzuhängen.

Bei den Experimenten mit dem Leningrader Medium Nina Kulagina scheinen die optischen Zentren im Gehirn des Mediums besonders beansprucht zu werden; denn nach anstrengenden Psychokinesen trat vorübergehende Blindheit auf. Es scheint hier tatsächlich ein Zusammenhang zwischen optischem Zentrum, Auge, Blick, Bioplasma, Ajna-Chakra und Psychokinese zu bestehen. Das Inbrandsetzen des Strohdaches einer Hütte durch den Blick Agpaoas ist im Prinzip möglicherweise nichts weiter als eine sehr imponierende psychokinetische Leistung. Denn eine Erhitzung ist letztlich eine Steigerung der kinetischen Energie der Moleküle, die bei genügender Steigerung der molekularen Bewegungen einen chemischen Vorgang, hier einen Verbrennungsvorgang, auslösen kann. Übrigens soll auch die Kulagina psychokinetische Hautverbrennungen hervorrufen können,[93] so wie es Agpaoa angeblich bei Alfredos Vater fertigbrachte.

Wir unterhielten uns an jenem Sonntagvormittag mit Tony Agpaoa noch über viele andere unglaubliche Dinge, und gegen Mittag lieferte er uns dann noch ungewollt eine Demonstration speziell seiner telepathischen Fähigkeiten.

Herr G. war wegen eines schwierigen Leidens nach Baguio gekommen. Vor mehr als anderthalb Jahrzehnten hatte er sich bei einem Verkehrsunfall im Ausland den rechten Unterschenkel gebrochen, der in einem südafrikanischen Krankenhaus behandelt worden war. Die Bruchstelle heilte nicht zusammen, und Herr G. mußte eine lästige Stütze anschnallen, um gehen zu können. Außerdem hatte das Leiden infolge ungleichen Wachstums der Beine ungünstige Auswirkungen auf die Wirbelsäule, was zu starken Rückenschmerzen führte. Tony sollte etwas fertigbringen, das die westliche Medizin nicht vermocht hatte, nämlich die Bruchstelle nach über fünfzehn Jahren »zusammenschweißen« oder sonst irgendwie zusammenwachsen lassen. Agpaoa hatte Eingriffe am Rücken vorgenommen, und die Rückenschmerzen waren nach Aussagen des Patienten weitgehend beseitigt. Aber auf die eigentliche Operation am Unterschenkel wartete Herr G. nun schon drei Wochen. Für heute hatte sie Tony angeblich angekündigt, doch hatte er an diesem Morgen bisher noch kein Wort davon gesagt.

Jetzt saß Tony im großen Aufenthaltsraum auf dem Sofa und hatte sich hinter einer großen Zeitung verschanzt. Herr G. wurde langsam ungeduldig. Wahrscheinlich war Tony heruntergekommen, um zu operieren, aber er schien mit sich selbst noch nicht im klaren zu sein oder zu fühlen, daß die Kraft nicht da war. Herr G. bat mich, Agpaoa wegen seiner Operation anzusprechen, aber ich meinte, er sollte ihn doch lieber selbst fragen.

Daraufhin machte – in meiner Anwesenheit – Herr G. folgendes: Während Tony hinter seiner Zeitung versteckt war, setzte der Patient sich an der gegenüberliegenden Seite des Aufenthaltsraums vor der Hausbar auf einen Hocker, konzentrierte sich geistig auf Tony und fragte in Gedanken: »Werde ich heute operiert? Werde ich heute operiert? Werde ich heute operiert? ...« Nach der dritten gedanklichen Wiederholung sprang Agpaoa plötzlich auf, warf die Zeitung ärgerlich beiseite, sagte laut: »Nein, heute nicht!« und ging hinaus.

Das war eine interessante Demonstration telepathischer Fähigkeiten. Gleichzeitig wurde klar, daß Agpaoa bei schweren Operationen keineswegs jederzeit aufgrund eines bloßen Willensentschlusses operieren kann, sondern daß ein unwägbarer und wissenschaftlich nicht faßbarer Faktor hinzukommen muß, mag man ihn nun Stimmung, Inspirationsbereitschaft, Kontakt zu anderen Dimensionen oder noch anders nennen, etwas, das aus den tiefsten Schichten der Psyche kommt, die nicht jederzeit einfach vom Oberbewußtsein gesteuert werden können.

In diesem Zusammenhang wurde auch noch einmal die Unwahrscheinlichkeit der Betrugshypothese offenkundig. Ein Zauberkünstler kann einen gut eingeübten Trick jederzeit vorführen und braucht ihn nicht drei Wochen lang hinauszuschieben!

Am Nachmittag gab es dann eine Überraschung, als Tony plötzlich wieder bei uns erschien und sagte, Herr G. werde jetzt operiert. Der Eingriff wurde im Zimmer des Patienten durchgeführt. Dieser lag in seinem Bett auf dem Rücken, das rechte Bein war freigemacht und ein großes Handtuch untergelegt. Außer Vater Moises war ich der einzige Zuschauer.

Offensichtlich war Agpaoa jetzt »sehr stark«. Er hockte vor dem Bett des Patienten, und man sah ihm größte Konzentration an. Fast schon ehe er mit seinen Fingerspitzen den Unterschenkel berührt hatte, trat das Blut aus dem Bein hervor. In Sekundenschnelle war eine große Wunde entstanden, und ich konnte die jetzt offene Bruchstelle mit den Knochenenden sehen. Die Operationswunde war sehr unangenehm anzuschauen. Es sah aus wie ein »Salat« aus Blut und rohem Fleisch.

Agpaoa schien die Vorstellung zu haben, er könne die beiden Knochenenden an der Bruchstelle auf paranormalem Wege mittels einer Knochenplastik gegeneinander fixieren. Ob er diese einoperiert hat oder nicht, weiß ich nicht; denn ich stand auf der anderen Seite des Bettes, und jetzt wurde das Handtuch hochgeschoben und nahm mir die Sicht. Bei sehr schwierigen Operationen scheinen Agpaoa die Blicke neugieriger Zuschauer zu stören. Ich vermute, daß Agpaoa an dieser Stelle der Operation merkte, daß sein Vorhaben, eine Knochenplastik einzuoperieren, nicht durchführbar war und er einen anderen Weg einzuschlagen versuchte. Er schien eine Zeitlang in der Wunde zu arbeiten und legte dann einen großen Verband an. Der Patient mußte liegen bleiben. Ich konnte die weitere Behandlung nicht verfolgen, da ich am selben Abend Baguio verließ.

Es gibt für mich keinen Zweifel, daß Agpaoa das Bein geöffnet hatte. Ich habe ein Foto in dieser Phase der Operation gemacht, das zwar unterbelichtet ist, aber dennoch deutlich die geöffnete Bruchstelle erkennen läßt. Leider war die Operation erfolglos. Zwei bis drei Monate später sprach ich Herrn G. in Deutschland wieder. An dem Zustand seines Beines hatte sich nach seinen Aussagen nichts geändert. Die Knochenenden wakkelten nach wie vor gegeneinander, und er konnte ohne Stütze nicht gehen. Er brauchte für die Operation kein Honorar zu zahlen und auch nur für zehn Tage Vollpension im Hause Agpaoas, obwohl er fast vier Wochen dort gewohnt hatte.

In diesem Fall konnten weder westliche Medizin noch Agpaoa helfen. Komplizierte Knochenoperationen hat Agpaoa früher überhaupt nicht vorgenommen. Er hoffte, diese Fähigkeit unter anderem durch ein vierzigtägiges Fasten intensivieren zu können. Aber solche Operationen stellen für ihn auch heute noch das größte Problem dar. Interessant ist, daß der berühmte brasilianische Heiler Zé Arigo bei Knochenoperationen ebenfalls Schwierigkeiten zu haben schien, da er sie angeblich grundsätzlich ablehnte. Tony Agpaoa sagte mir später bei seinem Besuch in Deutschland, daß seine Finger »für Knochenoperationen zu weich« wären. Wie es heißt, sollen unter den nordamerikanischen Indianern paranormale Operateure vorkommen, die erfolgreiche Knochenoperationen durchführen.

Eigentlich wollte Agpaoa am nächsten Morgen mit seinem Wagen nach Manila fahren und mich mitnehmen. Doch dann wollte er plötzlich noch am gleichen Sonntagabend aufbrechen.

Das war typisch für ihn. Nichts liebte er weniger als einen festen Zeitplan. Die Inspirationen des Unterbewußtseins lassen sich nicht reglementieren. Improvisieren stellt für Agpaoa einen besonderen Reiz dar, und er liebt Überraschungen über alles. Höchstwahrscheinlich würden seine paranormalen Fähigkeiten verschwinden, wenn man ihn zwänge, sie einem Tagesablauf anzupassen, den wir für normal halten, und sie Gesetzen unterzuordnen, die wir gewohnheitsmäßig anerkennen.

Juan Blance

Bevor ich die Philippinen wieder verließ, wollte ich noch den in Manila ansässigen Heiler Juan Blance kennenlernen, über den ich in amerikanischen parapsychologischen Veröffentlichungen gelesen hatte. Seine Operations- und Behandlungstechnik sollte gänzlich anderer Art sein als die der paranormalen Operateure in Baguio und Rosales. Juan Blance, so hatte ich gehört, sei ein Heiler, der den Körper des Patienten ohne Instrumente öffnen, ihn aber nicht wieder schließen könne, so daß nach seinen Eingriffen eine Wunde zurückbleibe, die auf natürlichem Wege heilen müsse.

Ich hatte die Adresse eines Taxifahrers, der mich zu Blance bringen sollte, aber der Mann war gerade krank. Nun war ich auf mich allein angewiesen und wußte nur, daß der Heiler in dem Vorort Pasig wohnen sollte. Doch das half mir nicht viel weiter, denn auch dort konnte mir kein Passant, kein Polizist und kein Taxichauffeur die genaue Adresse sagen, und selbstverständlich hatte er weder einen Telefonanschluß noch ein Schild an der Tür. Daß ich ihn trotzdem fand, war schon beinahe ein halbes Paraphänomen. Langsam und ratlos fuhr ich mit einem Taxi kreuz und quer durch die Straßen von Pasig mit ihren ländlich anmutenden einfachen Holzhäusern inmitten schöner Gärten. Auf einem schmalen Weg durch eine Laubenkolonie sah ich vor einer Gartenlaube eine Anzahl Leute sitzen, die sich lebhaft unterhielten. Vielleicht sollte man hier noch einmal fragen. Als wir hielten und ich die Autoscheibe herunterdrehte, rief die Frau, die das Gespräch in der Gruppe beherrscht hatte, lachend den anderen zu: »Wetten, daß der zu Blance will?«

Ein freundlicher Filipino führte mich auf einem schmalen Pfad durch Gärten, vorbei an Hütten und Kaninchenställen, Katzen und Hunden, unter aufgehängter Wäsche hindurch und über Hühnerhöfe, und als ich schon dachte, der Weg wolle überhaupt kein Ende nehmen, wies mein Führer auf die offene Tür eines Holzhäuschens. Eine Treppe führte hoch, eine andere nach unten in einen kellerartigen Raum, in dem eine Gartenbank stand – wohl eine Art Wartezimmer. Auf einem Stuhl saß ein junger Mann – Blances Assistent, wie sich herausstellte.

Ich äußerte den Wunsch, Mister Blance bei seiner Arbeit zuschauen zu dürfen, und er wurde sogleich geholt. Als er die Treppe herunterkam, erkannte ich ihn aufgrund der Abbildungen in Harold Shermans Buch *Wonderhealers of the Philippines*[228] sofort. Blance war damals dreiundvierzig Jahre alt, groß und massiv gebaut. Er wollte mich gern bei seinen Operationen und Behandlungen zusehen lassen, bedauerte aber, daß zur Zeit kein Patient da war. Die Patienten kämen meist in der Frühe zwischen 3 und 10 Uhr.

Ich wollte mich gerade bis zum nächsten Morgen verabschieden, als doch noch ein Patient kam, ein älterer Mann. Blance lud mich ein zuzuschauen. Er schob einen Vorhang beiseite, und wir traten in einen kleinen, in einfachster Weise ausgestatteten Raum, der kein Fenster hatte. Ein länglicher Tisch war als Krankenliege zurechtgemacht, ein paar Stühle und eine Art Schreibpult waren noch da, und eine Deckenlampe gab helles Licht.

»High blood!« sagte Blance zu mir in bezug auf den Patienten und meinte damit offensichtlich zu hohen Blutdruck. Der alte Mann legte sich mit dem Bauch nach unten auf den Tisch und machte den Hals frei. Blance griff jetzt meine rechte Hand und sagte, er werde »seine Kraft« auf mich übertragen. Ich mußte meine Rechte zur Faust ballen und den Zeigefinger abspreizen. Dann führte Blance mit meiner Hand etwa zwanzig Zentimeter über dem Genick des Patienten eine kurze ruckartige Bewegung durch die Luft aus und deutete gleich darauf auf eine Stelle im Genick des Patienten. Ich sah dort einen feinen, kurzen Schnitt, wie mit einer Rasierklinge geritzt.

Jetzt wurde eine auch in unserer Volksmedizin bekannte Prozedur angewandt, eine Art Schröpfverfahren. Hierzu reichte der Assistent von Blance eine alte Münze, die auf den Schnitt im Genick gelegt wurde, der noch nicht blutete. Auf die Münze kam mit Alkohol oder Kokosnußöl getränkte Watte, die angezündet wurde. Dann stülpte der Heiler ein kleines Glas darüber, etwa von der doppelten bis dreifachen Größe eines Likörglases, und drückte es fest gegen die Haut. Die Flamme unter dem Glas ging schnell aus, da der Sauerstoff der Luft im Nu verbraucht war. Durch den jetzt unter dem gläsernen »Schröpfkopf« entstandenen Unterdruck bildete sich an der Schnittstelle eine immer größer werdende Beule, und die Wunde begann zu bluten. Das Blut stieg im Glas bis zur Hälfte des Volumens an. Dann kippte Blance das Glas ab, wobei ein Teil des Blutes darinblieb. Der Rest wurde aus dem Genick des Patienten abgewischt. In dem Blut befanden sich »blood clots«, also wieder Klumpen geronnenen Blutes. Blance drückte nun die Wundränder zusammen und sagte, die Wunde würde schnell heilen.

Nach diesem Patient kam noch ein anderer, der anscheinend unter Schnupfen oder Sinusitis zu leiden hatte. Er setzte sich auf einen Stuhl, und Blance fuhr mit einem von Watte umwickelten Stäbchen tief in die Nase hinein. Als er es wieder herauszog, saß ein mehr als erbsengroßer Pfropf aus dunkelbrauner Masse darauf.

Schließlich kam eine Frau, die auf der rechten Bauchseite Beschwerden hatte, vielleicht war es eine Blinddarmreizung. Auf jeden Fall passierte jetzt etwas, was mich beinahe noch mehr verwirrte.

Blance tastete den freigemachten Leib der Patientin in der Blinddarmgegend ab, knetete dann die Haut mit den Fingern, nahm die Hände etwas beiseite und starrte mit seinen Augen wie hypnotisiert auf die massierte Körperpartie. Auch ich starrte jetzt dorthin, zwar nicht hypnotisiert, aber doch perplex; denn aus der Haut sickerte eine gelbliche Flüssigkeit heraus, wie sehr dünnflüssiger Eiter, Lymphe oder dergleichen. Blance nahm einen Eßlöffel und löffelte die Flüssigkeit fort.

Was ich hier zu sehen bekam, mutete beinahe an wie eine Varieténummer von Kalanag, so daß ich beschloß, für heute zu meinem Hotel zurückzufahren und morgen in aller Frühe gut ausgeruht und mit klarem Verstand wiederzukommen.

Am nächsten Morgen war ich um sechs Uhr früh in Blances Wartezimmer. Der Heiler und sein Assistent waren auch schon dort und lasen Zeitung. Es waren im Moment keine Patienten da. Der Assistent erzählte mir, daß im Durchschnitt bis zu siebzig am Tag kämen. Bis halb sieben kam niemand, dann jedoch gleich eine Gruppe von Personen, anscheinend eine ganze Familie.

»Ulcers«, erklärte Blance und deutete auf den Vater der Familie. Er schien Magengeschwüre zu meinen. Der Patient legte sich auf den Tisch, die Magengegend wurde freigemacht, und es spielte sich im wesentlichen das gleiche wie gestern beim ersten Patienten ab. Blance benutzte wieder meinen Finger, um einen »Schnitt aus der Distanz« zu machen, diesmal jedoch nicht im Genick, sondern in der Magengegend des Patienten. Ich schaute diesmal ganz konzentriert auf die Stelle, wo der Schnitt entstehen würde, um ihn gewissermaßen *in statu nascendi* zu sehen, aber als wollte er mir einen Streich spielen und mich für meine Neugier bestrafen, schob Blance seine gespreizte Linke dazwischen – allerdings eindeutig ohne den Patienten zu berühren –, so daß ich erst, als er die Hand wieder fortnahm, den kleinen zarten Schnitt entdeckte. Nun kam wieder die Prozedur mit der Münze, der mit Alkohol getränkten Watte, mit dem Abbrennen der Watte unter dem Glas, dem Sammeln des Blutes im Glas. Dann wurde dieses beiseite genommen, Blance drückte mit seinen Fingern von beiden Seiten der noch mit Blut verschmierten Wunde gegen das Fleisch, und jetzt traute ich meinen eigenen Augen nicht mehr: Aus der Wunde kam etwas heraus, das beinahe so aussah wie eine dicke Raupe. Es war ein blutiges, aber einigermaßen festes Gewebe, dessen Grundfarbe rotbraun zu sein schien, und das mehrere Zentimeter lang war, und Blance tat es in eine kleine Schüssel mit Wasser.

»The root«, erklärte er. Die kleine Schnittwunde, die durch das Heraustreten der »Wurzel« größer geworden war, blieb offen. Blance sagte, sie müsse von allein heilen.

Gleich darauf setzte sich eine ältere Frau auf den »Operationsstuhl« – offenbar die Großmutter. Sie deutete auf ihre Augen. Anscheinend hatte sie dort Beschwerden. Blance massierte leicht mit beiden Daumen die geschlossenen Augen, zog dann die Lider etwas auseinander und wartete ab. Im nasalen Augenwinkel erschien ein zunächst punktförmiges Etwas, das, während es sich den Weg nach außen bahnte, immer größer wurde, und schließlich trat eine linsengroße, länglich abgerundete hellbraune Masse regelrecht im Zeitlupentempo heraus und fiel Blance direkt in die aufgehaltene Hand.

Jetzt riß der Zustrom von Patienten für längere Zeit nicht mehr ab. Die Behandlungen gingen immer kolossal schnell. Daher brauchten die Patienten praktisch kaum zu warten. Meistens wartete sogar Blance auf Patienten. Er las dann Zeitung oder löste Kreuzworträtsel. Wenn längere Zeit niemand kam, ging er in seine Wohnung hinauf. Er machte immer einen total entspannten Eindruck, und vor einer Behandlung benötigte er offensichtlich keine Zeit, um über den Fall nachzudenken oder sich auf seine Kräfte zu konzentrieren. Man hatte den Eindruck, als arbeite er gar nicht selber, sondern werde von irgendwoher wie ein Roboter gesteuert. Manchmal ging er nach Aufsetzen des Schröpfglases hinaus in das Wartezimmer und spazierte hin und her, um dann genau in dem Moment zurückzukommen, wo das Blut im Glas zu steigen aufhörte und das Glas abgenommen werden mußte. Wenn aus einer Schnittwunde nach dem Fortnehmen des Glases eine »root« herauszukriechen schien, machte er den Eindruck, als sei er in einer Art Trancezustand, aber dennoch aufs äußerste konzentriert.

Blance heilt – wie mir sein Assistent erzählte – seit 1958. Er hat wohl auch eine große Anzahl von amerikanischen Patienten behandelt. Bekannt wurde er 1966 durch die Heilung eines amerikanischen Jungen. Der kleine Danny Guin aus Sun Valley, Kalifornien, Sohn aus erster Ehe der Mrs. Donna Morel, litt an einem nicht-osteogenen Fibrom im Bereich des linken Oberschenkelkopfes, einem gutartigen Bindegewebstumor im Hüftbereich. Die Ursache des Leidens war unbekannt. Es wurde im Mai 1962 bei dem damals fünfjährigen Kind festgestellt. Es traten Reizerscheinungen, Gewichtsverlust, Erschöpfung, Gehbehinderungen auf. Nach längerer Behandlung erfolgten operative Eingriffe am 29. Dezember 1964 und am 18. März 1965. Das Fibrom erschien jedoch von neuem. Danny bekam Krücken.

Nach fast vierjähriger erfolgloser medizinischer Behandlung in den USA hörte Mrs. Morel von philippinischen Heilern und griff nach diesem Strohhalm der Hoffnung. Ihr Mann war während des Zweiten Weltkrieges in Deutschland gewesen und hatte dort Gelegenheit gehabt, die Stigmatisierte Therese Neumann in Konnersreuth zu sehen und zu beobachten, wie am Karfreitag an ihrem Körper die Wundmale Christi erschienen.

Er stand deshalb auf dem Standpunkt, daß es Dinge gäbe, die wir nicht erklären könnten, und machte seiner Frau keinerlei

Schwierigkeiten, als diese unter Einsatz all ihrer finanziellen Reserven mit ihrem Sohn nach den Philippinen fliegen wollte. Donna Morel war bereit, dieses Risiko auf sich zu nehmen sowie auch das, sich in den Augen ihrer Bekannten lächerlich zu machen.

Am 13. April 1966 fanden sie sich im Hause Professor Tolentinos ein, wo in dem im Parterre gelegenen Wohnzimmer ein medialer Operateur Kranke behandeln sollte. Bei für unsere Verhältnisse kaum erträglicher Schwüle warteten etwa zwanzig Patienten, als der braunhäutige Eleuterio Terte, der Veteran unter den philippinischen Heilern – von manchen als Lehrer Agpaoas bezeichnet – die Treppe aus dem ersten Stock herunterkam. Der Schreck fuhr Mrs. Morel in die Glieder, als Terte gleich auf ihren Sohn blickte und ihn heranwinkte. Die Mutter schüttelte energisch den Kopf. Erst wollte sie sehen, was dort gespielt wurde, ehe sie bereit war, ihren Sohn diesem dunklen Mann anzuvertrauen. Sie sah mehrere Operationen – dann ermunterte sie Danny, mit seinen Krücken auf den Heiler zuzuhumpeln. Man hob ihn auf den Tisch, und Terte berührte die kranke Stelle, bevor man noch Zeit hatte, ihm zu erklären, um was es sich handelte, und sagte, die Sache sei zu ernst für eine sofortige Operation, der Patient benötige erst eine stärkende magnetische Behandlung, ehe eine Operation durchgeführt werden könne.

Terte griff dann in eine in der Nähe liegende offene Bibel und machte Gesten, als hielte er eine medizinische Spritze in der Hand, die er scheinbar gegen den linken Schenkel Dannys richtete, und er »spritzte«, ohne daß man etwas Reales sehen konnte. Der kleine Patient aber fühlte einen Stich.

Die endgültige Operation sollte später in Baguio stattfinden, wohin Terte am nächsten Tag reiste. Doch dann erfuhr man, daß am gleichen Abend noch der Heiler Juan Blance im Hause Tolentinos arbeiten würde und die Operation am kleinen Danny durchführen könnte.

Um 6 Uhr abends wurde die eigentliche Operation von Blance ausgeführt. Der von zwei Assistenten begleitete Blance gewann sofort das Vertrauen der Amerikaner durch seine ruhige, sichere und freundliche Art. Er legte seine schwere Hand auf

Dannys Kopf und sagte nach einer Weile, Danny wäre jetzt stark genug, man könne operieren.

Es folgten die üblichen Prozeduren: das Öffnen mittels psychokinetischem Schnitt, die Münze mit der von Alkohol getränkten Watte, das Anbrennen des Alkohols, das Aufsetzen des Schröpfglases und das Entfernen des Gewebes aus der Wunde. Hier griff Blance jetzt in die Wunde hinein, zog das zu entfernende Gewebe zu dreiviertel heraus und unterbrach dann, um Mrs. Morel eine Blitzlichtaufnahme machen zu lassen. Dann zog er das ganze Gewebestück heraus und drückte die Haut zusammen, ohne jedoch die Wunde paranormal zu schließen.

Es folgten noch zwei weitere Operationen durch Blance an späteren Tagen. Die letzte Heilbehandlung fand am 17. April 1966 durch den Heiler Ading statt. Ading massierte und führte magnetische und chiropraktische Behandlungen durch.

Nach den USA zurückgekehrt, läuft alsbald Danny Guin ohne Krücken und hat Beschwerden nur noch bei Überanstrengungen. Das Hinken verschwindet allmählich. Am 26. April 1966 wird eine Röntgenaufnahme gemacht, die jedoch aufgrund unsachgemäßer Ausführung keinen klaren Schluß zuläßt, da die Aufnahme unter einem ungünstigen Winkel aufgenommen wurde. Am 24. Juni 1966 wird eine erneute Röntgenaufnahme gemacht. Befund: Keinerlei Anhaltspunkte für einen Tumor mehr vorhanden!

Die atrophierte, also unterentwickelte Muskulatur des linken Beines hat sich weitgehend wieder normalisiert und dem gesunden Bein angepaßt. Noch leichte Anomalie hinsichtlich der Lagerung des Oberschenkelkopfes in der Hüftgelenkpfanne, die sich nach Ansicht der amerikanischen Ärzte mit dem Wachstum ausgleichen dürfte.

Während ich nun bei Blance war, kam, von Frau und Kind begleitet, ein Mann in die Sprechstunde, der ebenfalls schlecht laufen konnte und über starke Hüftschmerzen klagte. Blance sagte mir, dies sei ein ganz ähnlicher Fall wie der des kleinen Amerikaners; so etwas bekäme man nicht häufig zu sehen.

Mit Mühe kroch der Patient auf den Tisch, legte sich auf die gesunde Seite, und die kranke Hüfte wurde freigemacht. Eine ansehnliche Beule wölbte sich an der kranken Stelle hervor und deutete auf eine große Geschwulst hin. Blance schien sich diesmal ganz besonders stark zu konzentrieren. Mit dem Zeigefinger der Frau des Patienten »öffnete« er. Dann folgte das Übliche: Münze, Watte, Alkohol, Feuer, Schröpfglas. Als das Glas schließlich mit viel Blut entfernt worden war, kam die entscheidende Phase dieses Eingriffs. Und jetzt stand Blance — seine glänzenden Augen auf die Operationsstelle fixiert — in stärkster Spannung vor dem Patienten. Mit einer unerwarteten Behendigkeit griff der sonst eher phlegmatisch Wirkende mit seinen Fingern an bestimmte Stellen neben der Wunde. Aus der kleinen Öffnung zwängte sich eine hellrote Gewebemasse hoch, und es kam ein mehr als pflaumengroßer rundlicher Tumor heraus.

Wo vor dem Eingriff die Haut geschlossen gewesen war, nur durch den Tumor ausgebeult, war jetzt nach der Entfernung der Geschwulst eine recht große, klaffende, unangenehm aussehende Wunde. Sie wurde mit Wasser ausgewaschen und mit Watte gereinigt. Infektionsgefahr schien Blance ebensowenig zu befürchten wie Tony Agpaoa. Zum Schluß wurde ein Stück Heftplaster darübergeklebt, und der Patient stieg wieder vom Tisch herunter. Er hatte während der ganzen Behandlung keinerlei Schmerzbekundung von sich gegeben.

Ich sah zufällig, wie Blance zwei oder drei Pesos in die Hand gedrückt bekam, also etwa zwei Mark für diese großartige Leistung! Der Patient bekam dafür seinen Tumor überreicht. Man gab ihm noch ein Stück Papier zum Einwickeln dazu, und dann nahm er ihn mit nach Hause. Nur noch ein wenig hinkend, verließ er mit seiner Frau und seinem kleinen Kind das Häuschen des Heilers.

Über das endgültige therapeutische Ergebnis kann ich natürlich nichts sagen, doch halte ich ein gleiches Resultat wie bei Danny Guin durchaus für wahrscheinlich. Daß bei dieser Operation ein eindeutig paranormales Geschehen vorlag, erhellt — abgesehen von dem psychokinetischen Öffnen des Körpers — daraus, daß der Tumor nicht auf chirurgischem Wege abgetrennt wurde, sondern vermutlich ebenfalls psychokinetisch.

Wahrscheinlich war bei den paranormalen Leistungen Blances, die ich zu sehen bekam, das Ajna-Chakra des Bioplasmakörpers stark aktiv; denn der Heiler starrte in manchen Fällen mit äußerster Konzentration auf die kranke Körperstelle, ohne daß er mit seinen Händen viel zu machen schien.*

Mitunter ereignete sich auch folgendes: Blance massierte die Bauchdecke leicht mit seinen Fingern, ohne den Körper geöffnet zu haben, wobei sich unter seinen Händen teigige Substanzen bildeten oder aus dem Körper herauszukommen schienen, die meist von grauer oder brauner Farbe waren. Manchmal hatten diese eigenartigen Substanzen auch ganz spezielle Formen. So sah ich zum Beispiel etwas, was man normalerweise als Taschenspielertrick ansehen würde, aber in genau der gleichen Weise in Harold Shermans Buch über die philippinischen Wunderheiler beschrieben ist. Dort handelte es sich um eine Hautkranke, die an einer stark juckenden Flechte litt. Ich sah nun bei Blance eine Patientin, die offensichtlich Unterschenkelgeschwüre gehabt hatte, welche jetzt geschlossen waren, der Patientin aber noch ein starkes Jucken oder sogar Schmerzen bereiteten.

Blance griff mit seinen Fingern an die betreffende Hautstelle der Beine und hatte beim Abnehmen der Finger von der Haut jedesmal kleine, spindelförmige, saatkornartige Substanzen an den Kuppen, Partikel, wie sie auch Sherman beschrieben hatte.[228] Blance warf sie jedesmal mit einem kleinen Ruck in die Waschschüssel, als wenn sie eine Tendenz hätten, an seinen Fingern haften zu bleiben. Dieser Vorgang erschien mir absolut unerklärlich und unwahrscheinlich, und ich blickte mit großer Aufmerksamkeit vorher auf seine Finger. Blance hatte äußerst kurz geschnittene Fingernägel. Der an Fingernägeln normalerweise vorhandene Rand war praktisch ganz abgeschnitten, was ich bei den philippinischen Operateuren übrigens fast immer feststellte — wahrscheinlich um Verletzungen durch Kratzen zu vermeiden. Unter seinen Fingernägeln konnte Blance also die »Saatkörner« nicht versteckt haben. Manchmal kamen diese merkwürdigen Substanzen wie im Zeitlupentempo aus der Haut heraus.

Ich bin jederzeit bereit, diese Sache als »Trick« abzutun, so-

* Vgl. Seite 112 f.

fern mir jemand in der gleichen Weise dies als echten Trick vorführt. Blance machte alle Bewegungen ruhig und keineswegs schnell. Er trug außerdem ein kurzärmeliges Hemd.

Derartige Vorgänge sind wahrscheinlich nur auf der Basis paraphysikalischer Materialisationsphänomene erklärbar. Die seltsamen Formgebungen mögen mit Vorgängen in den magischen Schichten der Seele zusammenhängen. Vielleicht läßt sich diese Seite des Problems einmal durch die Tiefenpsychologie der Jungschen Richtung erklären.

Blances Methoden lassen sich etwa folgendermaßen zusammenfassen:

In fortgeschrittenen Fällen macht er einen »psychokinetischen Schnitt« und holt nach einer Art Schröpfverfahren aus dem Körper Tumore oder sonstige kranke Gewebe heraus. Dieses Vorgehen hat eine gewisse Ähnlichkeit mit dem, was im vorigen Kapitel als die dritte Stufe der Agpaoa-Chirurgie bezeichnet wurde. Der Unterschied besteht außer in der anderen Öffnungstechnik vor allem darin, daß Blance die Wunde offensichtlich nicht wieder schließen kann. Doch sind seine Operationen ebenso wie die Agpaoas und der anderen philippinischen Heiler völlig schmerzlos.

In anderen Fällen – möglicherweise handelt es sich hier um nicht so weit fortgeschrittene Erkrankungen oder um nicht ganz so scharf lokalisierte, also mehr diffuse Herde – bringt er eigenartige Substanzen teigiger oder auch flüssiger Art durch einen uns noch unbekannten Vorgang aus dem Körper heraus, ohne ihn zu öffnen. Dies sieht wie ein Diffusionsvorgang aus, das heißt, als wenn der Körper etwas in »natürlicher« Weise bei Schwitzkuren oder bei Hautausschlägen herausbringt, nur daß solche Vorgänge zeitlich unvergleichlich viel langsamer ablaufen und meist auch nicht so genau lokalisiert sind wie bei Blances Eingriffen.

Wahrscheinlich handelt es sich aber doch nicht um einen Diffusionsprozeß, sondern um einen Materialisationsvorgang, der nach uns unbekannten Gesetzen abläuft. Vielleicht besteht zwischen dieser Art der Behandlung und dem, was im vorigen Kapitel als die zweite Stufe der Agpaoa-Chirurgie bezeichnet wurde, eine Analogie.

Ich war mehrere Tage bei Blance und habe viele Eingriffe und Behandlungen der unterschiedlichsten Art an fast allen Körperpartien gesehen. Ich behaupte, daß unter den Umständen, unter denen Blance arbeitete, ein Betrug in den meisten Fällen unmöglich war, und daß es sich um echte paraphysikalische Phänomene handelte, die auf der Basis unseres bisher wissenschaftlich akzeptierten Wissens nicht zu erklären sind.

Blance wirkt unkompliziert, ruhig und ist wahrscheinlich sehr gutmütig. Man sollte meinen, er neige zur Bequemlichkeit, und ist dann überrascht, wenn man ihn flott und ohne Überlegungspausen arbeiten sieht. Er befindet sich während seiner Operationen wahrscheinlich in einem seelischen Ausnahmezustand.

Ich versuchte, hierüber Näheres von ihm zu erfahren, bekam aber nichts weiter aus ihm heraus, als daß er »von Gott geführt« werde, während er operiert. Das sagte er mit solcher Überzeugung und Selbstverständlichkeit, daß ich mich mit dieser Antwort zufriedengeben mußte. Er sagte ferner, daß er kein Honorar verlangen dürfe, sondern nur freiwillige Spenden annehme, sonst würde er seine Heilkraft verlieren.

Auf meine Frage, ob er auch sich selbst heilen könnte, wenn er einmal krank sei, lächelte er, wie ein Weiser über jemanden lächelt, der eine sehr einfältige Frage gestellt hat, und sagte, er könne gar nicht krank werden, denn Gott erhalte ihn gesund. Er sei in seinem ganzen Leben noch nie krank gewesen.

Ich fragte, woher er denn wisse, welches Organ eines Patienten krank sei. Er sagte, wenn er mit der Hand über den Kranken hinwegstreiche, dann »sehe« er das kranke Organ bzw. die Krankheit. Er spüre so etwas wie einen elektrischen Strom durch seine Arme und Hände fließen, und dann werde er bei seiner Behandlung regelrecht geführt.

Zu Beginn meiner Besuche bei ihm hatte ich ihn einmal hinsichtlich seiner diagnostischen Fähigkeiten getestet, indem ich mich selbst von ihm untersuchen ließ. Er war dazu mit seiner Hand im Abstand von zehn bis zwanzig Zentimetern über meinen Körper hinweggeglitten, wobei er – wie Agpaoa – über der Blinddarmgegend innehielt und unschlüssig schien. Ich wollte wissen, ob mein Blinddarm in Ordnung sei. Nach einigem Zögern sagte er: »It is now okay!« Er ist jetzt in Ordnung!

Auch über meiner Stirn verweilte seine Hand unschlüssig, bis ich ihm sagte, daß ich hier von Agpaoa operiert worden sei.

Ich ließ dann von Blance eine chiropraktische Behandlung bei mir vornehmen, die ganz gegen die Gepflogenheiten der westlichen Chiropraktik verstieß und wahrscheinlich eine Mischung aus normaler und paranormaler Leistung war. Während ich im Jahr zuvor etwa zehnmal beim Chiropraktiker war, habe ich danach keinen mehr in Anspruch zu nehmen brauchen, ohne daß ich natürlich zu behaupten wage, daß dies Blances Verdienst sei.

Diese Einschränkung mag manchem vielleicht undankbar erscheinen, aber es liegt darin eine vom wissenschaftlichen Standpunkt aus notwendige Vorsicht, die mich stets veranlaßt hat, die auf den Philippinen von mir beobachteten Phänomene lieber zu untertreiben als in irgendeinem Punkt übertrieben darzustellen. Es sollte nämlich nach unserer Rückkehr von den Philippinen ein heftiger Meinungsstreit um diese Phänomene entbrennen, der sich bis zur Leidenschaftlichkeit steigerte und heute noch andauert.

Die Kontroverse um die mediale Chirurgie

Mitte Mai 1971 flog eine Gruppe von etwa zwanzig Patienten nach Baguio zu Agpaoa. Reporter zweier deutscher Illustrierten, *Stern* und *Revue*, sowie der Hamburger Internist Dr. Peter Wartenberg und Professor Hans Bender, Direktor des Instituts für Grenzgebiete der Psychologie an der Universität Freiburg im Breisgau, begleiteten die Gruppe bzw. folgten ihr eine Woche später. Die Reise von Wartenberg und Bender wurde vom *Stern* finanziert.

Ein »Team« von zwanzig Patienten, die nach keinen bestimmten Gesichtspunkten ausgewählt worden waren, ein paar Reporter und Kameraleute mit ihren Apparaturen und der damit verbundenen Unruhe sowie zwei der westlichen Schulmedizin verpflichtete Wissenschaftler bietet natürlich eine denkbar ungünstige Voraussetzung für die Operationen Agpaoas und deren objektive Beurteilung.

Eine objektive Beurteilung setzt Unvoreingenommenheit voraus. Ob wirklich Unvoreingenommenheit von seiten der beiden Wissenschaftler bestanden hat, erscheint fraglich in Anbetracht der Tatsache, daß ein Mitarbeiter Benders bereits vor (!) dessen Reise nach den Philippinen einen Film hergestellt hat, der die »blutigen Öffnungen« eines Körpers als Trick »entlarvte«. Schließlich kann man auch schulmedizinische Operationen im Film als Trick darstellen, ohne daß jemand an der Existenz echter Operationen zweifeln würde.

Die Gruppe blieb etwa vierzehn Tage auf den Philippinen. Sofort nach ihrer Rückkehr erschien in der *Neuen Revue* ein positiver Artikel über Agpaoa. Um so größer war die Überraschung bei der Mehrzahl der Patienten, als fünf Wochen später der *Stern* einen großangelegten Bildbericht brachte, der die Operationen Agpaoas als Schwindel darzustellen suchte.

»Der Heiland mit den flinken Fingern« lautete die Überschrift. Der Bildbericht wurde ironisch, um nicht zu sagen zynisch, kommentiert.

So hieß es unter anderem: »Der Heiland fordert kein Geld! Er nimmt, was er kriegen kann!... Was man von Tony hört: ›Ich bin das Werkzeug einer göttlichen Macht!‹ ähnelt den beschriebenen Wunderheilungen Jesu Christi. Nur: Jesus nahm kein Geld!... Tony hat es zu Wohlstand gebracht, ihm gehören ein Reisebüro, ein Frisiersalon und ein Schneideratelier.«

Jedem strebsamen Menschen im Westen billigt man einen gewissen Wohlstand zu. Wenn Agpaoa für seine heute sechsköpfige Familie eine Existenzgrundlage geschaffen hat, dann sollte man ihm daraus keinen Vorwurf machen, zumal er noch weitreichende Pläne hat, für deren Realisierung er nun einmal Geld benötigt.

Agpaoa besitzt nach zwanzigjähriger Tätigkeit als Heiler ein eigenes Haus, das für philippinische Verhältnisse vielleicht komfortabel erscheint, für europäische Verhältnisse trotz der Größe der Aufenthaltsräume aber durchaus keine höheren Ansprüche zufriedenstellen würde. Tony Agpaoa besitzt in seinem Haus noch nicht einmal ein Zimmer für sich. Die Hälfte des Hauses ist für die Unterbringung und Behandlung der Patienten bestimmt.[266] Was hätte man wohl gesagt, wenn er unter primitiven Verhältnissen in einer ärmlichen Hütte leben und operieren würde?

Man muß sich also fragen, wie dieser Mensch, dessentwegen der *Stern* seine Leute auf die Philippinen geschickt hatte, hätte aussehen und leben müssen, um Gnade vor den Augen des Hamburger Teams zu finden.

Wenn manche Dinge in Agpaoas Haus und seiner Kapelle nicht auf westdeutschen Geschmack, sondern auf philippinischen zugeschnitten sind, dann sollte man als Gast im Ausland in diesem Punkt eine gewisse Zurückhaltung wahren, sonst wird es leicht und nicht ohne Berechtigung als Arroganz ausgelegt und als peinlich empfunden.

Doch jetzt zu dem angeblichen Trick: Der *Stern* zeigte ein ganzseitiges Foto, das Agpaoa als Taschenspieler entlarven sollte. Im Kommentar dazu heißt es, Agpaoa spanne eine Folie über den Bauch, die sich sichtbar vom eingedrückten Bauch abhebe. »Aus dieser dünnen Schicht bestehen auch die herausoperierten Organe. Tony fabriziert sie in der Kuhle auf dem Bauch mit Hilfe von Watte und zeigt sie sogar den Patienten, bevor der Gehilfe das ›Organ‹ im Abfalleimer verschwinden läßt. Bei dem Kneten in der Kuhle entsteht eine Pfütze aus vorgetäuschtem Blut. Die Erklärung: Tony drückt aus der nassen Watte einen ganz bestimmten Farbstoff, der zunächst wie Wasser aussieht und mit einem zweiten Farbstoff, mit dem jeder Patient vorher eingerieben wird, rot reagiert!«

Wie man aus einer Plastikfolie mit Hilfe von Watte und Farbstoffen in Windeseile täuschend echte Imitationen von menschlichen Geweben und Organen fabrizieren soll, dürfte eigentlich auch nur paranormal zu erklären sein.

Bei unserem Aufenthalt im Januar in Baguio waren bei den Operationen drei Mediziner anwesend, darunter einer mit genaueren pathologischen Kenntnissen. Die von Agpaoa entfernten Gewebe wurden von uns angefaßt und begutachtet. Es ließ sich natürlich ohne histologische Untersuchung nicht immer sagen, ob es sich um spezifisch menschliches Gewebe handelte, aber man wird doch wohl nicht allen Ernstes behaupten wollen, daß drei Mediziner und ein Chemiker eine Plastikfolie, Watte und Farbstoff nicht von einem tierisch-menschlichen Gewebe unterscheiden konnten. Der pathologisch geschulte Arzt erkannte sogar in einigen Fällen das operierte Gewebe als »Venen« (bei der Hämorrhoidenoperation) und als »typisches Prostatagewebe« (bei einem Eingriff in der Prostatagegend).

Die Plastikfolie sollte noch sehr lange durch die Lande geistern. Ein gutes halbes Jahr später baten Dr. Naegeli-Osjord und sein paraphysikalischer Mitarbeiter die Redaktion der Zeitschrift, ihnen den Film, aus dem das entscheidende Foto stamme, für kurze Zeit leihweise zur Verfügung zu stellen. Man antwortete, daß es sich nicht um einen Film handle, sondern um ein Dia. Dr. Naegeli-Osjord bat um eine vorübergehende Aushändigung des Dias. Sie wurde zugesagt. Nach erneutem Bitten schickte man ihm schließlich zwanzig Dias, die alle völlig belanglos waren. Das entscheidende Dia war nicht dabei. Weitere Anfragen wurden nicht beantwortet.

In vielen, dem *Stern* nachgeschriebenen Artikeln ist die Plastikfolie als unanfechtbare Tatsache hingestellt worden. Doch bis heute hat noch niemand auch nur eine dieser vielen »Folien« mitgebracht, obwohl inzwischen Hunderte von Mitteleuropäern und Amerikanern dort waren, Agpaoa beobachtet und die Folie gesucht haben. Worum es sich hierbei vermutlich handelt, wird im nächsten Kapitel erklärt werden.

Zu der Behauptung, in der Salbe bzw. in der Flüssigkeit, mit der die Patienten eingerieben werden, befänden sich Farbstoffe, die eine Rotfärbung hervorrufen und in Verbindung mit dem Wasser in der Watte Blut vortäuschen, ist folgendes zu sagen: Die Salbe besteht aus asiatischen Heilkräutern. Ich habe einige Schachteln dieser Salbe, die im Behandlungsraum Agpaoas lagen, mit nach Hause gebracht und besitze auch mehrere Fläschchen der Flüssigkeit, mit der die Patienten manchmal eingerieben werden. Ich warte immer noch auf denjenigen, der mir zeigt, wie man mit Hilfe von Wasser eine blutartige Flüssigkeit daraus herstellen kann, die wie Blut gerinnt.

In diesem Zusammenhang sei auch auf die von anderer Seite geäußerte Behauptung der »präparierten Watte« eingegangen, Watte, die angeblich einen sich rot färbenden Stoff enthalten soll.

Die Heilpraktikerin Sigrun Seutemann hat mehrfach aus einer mitgebrachten versiegelten Wattepackung die für die Operationen notwendige Wattemenge entnommen und sie Agpaoa direkt zur Operation gereicht. Agpaoa hat damit völlig arglos operiert. Die Operation und das dabei auftretende Blut unterschieden sich in nichts von seinen anderen Operationen.[226]

Außerdem hat jeder, der die Geduld und das Interesse aufgebracht hat, sich genügend Operationen anzusehen, Operationen erlebt, bei denen Agpaoa und auch andere Operateure eine derartig große Blutlache produziert haben, daß es unmöglich war, diese Flüssigkeitsmenge aus dem bißchen Wasser herauszuholen, das ein Wattebausch aufsaugen kann. Im übrigen wurde bei manchen Operationen überhaupt keine Watte verwendet!

Wenn ein Wissenschaftler eine Behauptung (keine Hypothese!) aufstellt, dann sollte er sicher sein, daß er sie beweisen kann. Im Falle der Behauptungen über die angeblichen Farbstoffe in der Salbe oder der Watte hätte man erst Laboruntersuchungen anstellen müssen, ehe man sie so leichthin aussprach.

Hier wurden jedoch aufgrund vager Vermutungen, die sich aus einer Voreingenommenheit ergaben, Urteile gefällt, die zwar keiner ernsthaften Prüfung standhalten, von Millionen ahnungsloser Leser, Hörer oder Zuschauer der Massenmedien aber für bare Münze genommen und zur weiteren Urteilsbildung herangezogen wurden. Wie weitreichend die Auswirkungen derartiger Manipulationen sein können, zeigt eine Veröffentlichung in einer wissenschaftlichen Zeitschrift. Im *Schweizerischen Bulletin für Parapsychologie,* November 1971, steht in einem Artikel über »Geistesoperationen – echt oder Betrug?«: »... Aus dem Gesagten sowie aus den Abklärungen von Professor Bender und dem Internisten Dr. Wartenberg (s. *Stern* v. 6. 7. 1971) dürfen wir schließen, daß Agpaoa wenigstens in vielen Fällen betrogen hat.«[129]

Es ist allerdings sehr bedenklich, wenn wissenschaftliche Zeitschriften – und die eben zitierte ist nicht die einzige, die das getan hat – sich auf Illustriertenaussagen stützen.

Um die Phänomene bei den philippinischen Operationen richtig zu verstehen, braucht man neben praktischen Erfahrungen und einem sehr guten Einfühlungsvermögen auf dem Gebiet der Paraphänomene sehr viel Geduld und die Bereitschaft zu unermüdlichem Suchen. Man muß so viele und so verschiedenartige Operationen und Operateure sehen wie nur möglich, und erst dann sollte man das Beobachtete analysieren. Die vollkommene Aufklärung dieser gänzlich neuartigen Vorgänge dürfte die Aufgabe einer ganzen Generation von Psi-Forschern sein. Der mit dem *Stern*-Team mitgereiste Parapsychologe blieb nur wenige Tage in Baguio, sah nur Operationen von Agpaoa und lernte keinen anderen paranormalen Operateur kennen.

Daß das Blut, das bei diesen paranormalen Prozessen auftritt, unter Umständen nicht mehr die ursprünglichen Eigenschaften von spezifisch menschlichem Blut besitzt, hatte unsere Gruppe im Januar bereits vermutet. Die Untersuchung eines Blutflecks ergab dann laut Illustriertenbericht auch, daß es kein Blut sei. Die naheliegende Frage, was es denn in Wirklichkeit gewesen ist,[73] hat bis heute niemand beantwortet! Die Bemerkung in der Illustrierten, Kaliumrhodanid mit Eisenchlorid erzeuge eine blutrote Färbung, ist nur eine Scheininformation, die den Leser irreführt. Es war mit Sicherheit kein Eisenchlorid und kein Rhodanid, denn das hätte der analysierende Chemiker sofort ohne jede Schwierigkeit festgestellt!

Zu einer Zeit, in der Psi-Forscher in Ost und West den Einfluß heilender Hände auf die verschiedensten biologischen Vorgänge nachgewiesen haben und nicht mehr bezweifelt wird, daß Heiler und Medien chemische Veränderungen an gewissen Stoffen allein durch gedankliche Konzentration zustande bringen, sollte es wirklich nicht mehr als unwahrscheinlich gelten, daß auch bei derartig einschneidenden Prozessen, wie die philippinischen Operationen sie darstellen, chemische Veränderungen des Operationsblutes stattfinden. Wenn die Existenz para*physikalischer* Phänomene wissenschaftlich bewiesen ist — und sie ist ja längst bewiesen! —, dann wäre es ziemlich unvernünftig, die Möglichkeit para*chemischer* Vorgänge von vornherein auszuschließen.

Nun zu den Heilerfolgen der Operationen Agpaoas.

Die Darstellungen der Heilerfolge Agpaoas aus der Sicht des *Stern*-Artikels unterscheiden sich zumindest bei einer Reihe der Fälle ganz eindeutig von den Aussagen der beteiligten Patienten.

Hier der zum Schluß der Reportage angeführte Fall des Diplomchemikers Arnold Koops. Da heißt es wörtlich:

»Der Diplomchemiker Arnold Koops leidet an einer Geschwulst am Darmausgang. Er hat nichts dagegen, daß der Professor, der Arzt und wir zwei Journalisten dabei sind, als Tony ihn operiert. Wir stehen unmittelbar neben der Pritsche. Damit hat Tony nicht gerechnet, aber er zögert, uns wegzuschicken. Zunächst versucht er, die kastaniengroße Geschwulst in den Darm zurückzudrücken. Dann deckt er sie mit viel Watte ab. Herr Koops dreht den Kopf herum und ermuntert Tony: ›Nur zu, ich will morgen nach Hause fliegen.‹ Da blickt Tony ärgerlich auf den Arzt Dr. Wartenberg und sagt, er müsse den Eingriff auf den nächsten Morgen verschieben. Früh um sechs erscheint er dann bei Herrn Koops im Hotel und arbeitet ohne Zeugen. Der Patient sagt uns nach seiner Rückkehr am Telefon: ›Die Geschwulst ist nach wie vor an der gleichen Stelle.‹ Am 10. Juli startet um 18 Uhr 30 vom Frankfurter Rhein-Main-Flughafen eine Maschine mit Gläubigen nach Manila. Sie schwören darauf, daß Tony sie heilt. Heil Tony! Mit Rücksicht auf die Intimsphäre der Patienten wurden deren Namen geändert. Die richtigen Namen sind der Redaktion bekannt.«

Der Leser denke an das vorige Kapitel zurück. Es wurde dort das Erlebnis des parapsychologischen Schriftstellers Rudolf E. Passian wiedergegeben. Nach seinen Angaben ist der in seinem Bericht angeführte Techniker identisch mit dem Diplomchemiker Koops aus der *Stern*-Reportage.

Der Bericht von Passian sei daher in den hier interessierenden Punkten wiederholt bzw. ergänzt:

»Am nächsten Morgen waren wir in Baguio bei Agpaoa. Er hatte gerade eine größere Reisegruppe mit ausländischen Patienten bei sich und alle Hände voll zu tun. Dennoch gelang es uns, ihn für den Fall des Technikers zu interessieren. Bei der Voruntersuchung waren zwei Mediziner anwesend. Der Tumor in der Nähe des Darmausgangs war offensichtlich. Agpaoa sagte, er müsse hier zwei Operationen durchführen, in Abständen von zwei bis vier Tagen, da sonst zu starke Blutungen auftreten würden.

Die beiden Mediziner faßten dies als Ausrede Agpaoas auf, um diesen offensichtlichen Fall nicht in ihrer Gegenwart operieren zu müssen. Wir ärgerten uns über diese Voreingenommenheit und benachrichtigten die Mediziner deshalb nachher nicht für die entscheidenden Eingriffe.«

Der erste Eingriff fand noch am gleichen Tag statt, und es wurde hier die von der Rosales-Heilerin eingelegte Watte eliminiert. Dieser Vorfall wurde ausführlich berichtet und soll hier nicht wiederholt werden. Passian sagt weiter:

»Der entscheidende Eingriff fand dann am letzten Tag vor dem Abflug des Technikers von Baguio am frühen Morgen zwischen 6 und 7 Uhr statt. Es war ein Sonntag. Wir haben den Eingriff gefilmt – mit 16-mm-Kamera. Tony nahm die ganze hühnereigroße Geschwulst heraus.

Der Techniker hat inzwischen nur ein einziges Mal – kurz nach seiner Rückkehr von den Philippinen – Blutungen gehabt, seitdem nicht mehr. Er ist gesund. Es sind seitdem zwei Jahre vergangen. Es haben sich keinerlei Beschwerden mehr eingestellt!«

Hier der Fall einer Patientin, die im *Stern*-Bericht als »Frau John aus Bochum« bezeichnet wurde. Sie war in sehr schlechtem Allgemeinzustand nach Baguio gekommen. Sie hatte einen großen Gallenstein; Blutbild und spektralanalytische Blutuntersuchung mit Computerauswertung sowie Gewebetest waren äußerst ungünstig und deuteten auf vom Unterleib ausgehende Praecancerose im fortgeschrittenen Stadium hin. Dieses Untersuchungsergebnis hatte den Ausschlag für ihre Reise nach den Philippinen gegeben, zumal sie angeblich wegen eines Leberschadens keine Narkose vertragen konnte bzw. große Angst davor hatte. Außerdem hatte sie aus früheren Jahren auf beiden Augen einen Netzhautschaden und trug starke Gläser. Frau John kam von den Strapazen des Philippinen-Aufenthaltes sehr geschwächt zurück und war total deprimiert, als sie erfuhr, daß laut Röntgenbefund Agpaoa ihren Gallenstein *nicht* entfernt hatte. Insgesamt hatte Agpaoa sieben Eingriffe an ihr vorgenommen. Auch für den Erfolg ihrer Unterleibsoperationen erwartete die Patientin jetzt nichts Gutes. Doch hier kam auf die eingesandten Blut- und Gewebeproben und aufgrund einer spektralanalytisch mit Computer ausgewerteten Blutuntersuchung die Antwort, daß eine entscheidende Wende zum Guten eingetreten war. Wenn auch Krebstests in der Medizin nicht als unbedingt zuverlässig gelten, ist eine entscheidende positive Änderung unter derart strapaziösen Bedingungen dennoch beachtenswert. Ob die Psychogenese-Theorie unter diesen Umständen zur Erklärung der Besserung ausreicht, erscheint fraglich, zumal die Patientin durch die Enttäuschung infolge des Gallensteinbefundes keineswegs mehr blind an Tony glaubte. Ihr Zustand wurde auch weiterhin durch spektralanalytische Blutuntersuchungen verfolgt und besserte sich sukzessiv, sie nahm an Gewicht zu und wurde viel leistungsfähiger. Die Augenoperation war ebenfalls erfolgreich. Gleich nach der Operation stellte die Patientin fest, daß sie eine andere, schwächere Brille benötigte. Eine spätere Untersuchung ergab eine deutliche Verbesserung der Sehkraft.

In der *Stern*-Reportage wurde nur über den unveränderten Gallensteinbefund berichtet, die beiden für Agpaoa positiven Punkte hat man verschwiegen.

Die Patienten der *Stern*-Reise berichteten einstimmig, daß in der Gruppe während des Philippinen-Aufenthalts eine sehr gespannte Atmosphäre herrschte, was Agpaoa zweifellos stark bei seiner Arbeit behinderte. Agpaoa spürte von Anfang an Voreingenommenheit und Mißtrauen gegen sich.

Die Abhängigkeit medialer Leistungen von der Stimmung des Mediums und der Stimmung der anderen anwesenden Personen wurde in diesem Buch bereits behandelt.

Tatsächlich können mediale Leistungen unter Umständen durch die Anwesenheit einer einzigen Person blockiert werden, was keineswegs ein negatives Urteil über die betreffende Person darzustellen braucht. Im *Stern*-Artikel heißt es — natürlich ironisch gemeint —, »Tony behauptet, Dr. Wartenberg sende ›unheilvolle Schwingungen‹ aus und störe ihn«.

Der Leningrader Wissenschaftler Eduard Naumow hat nach jahrelangen Erfahrungen mit dem Medium Nina Kulagina geäußert: »Es ist schwierig, manchen Wissenschaftlern begreiflich zu machen, daß Emotionen einen großen Einfluß auf die Leistungen des Mediums haben. Diese Wissenschaftler glauben, daß man Menschen ein- und ausschalten kann wie Maschinen. Sie scheinen nicht zu verstehen, daß ihre eigenen Kraftfelder ebenfalls auf das Medium einwirken können. Einige dieser Wissenschaftler, die kein Verständnis für Psychologie und Bioinformation haben, strahlen Unfreundlichkeit und Mißtrauen aus, die das Medium auffängt. Gewöhnlich können wir Psychokinese jederzeit demonstrieren. Wenn aber negativ eingestellte Menschen zugegen sind, braucht das Medium oft bis zu vier oder gar sieben Stunden, ehe die Phänomene auftreten; wenn es dagegen von ihm freundlich gesinnten Menschen umgeben ist, nur fünf Minuten.«

So erging es Agpaoa wahrscheinlich auch am ersten Abend nach der Ankunft der deutschen Gruppe. Er erschien im Hotel und wollte eine Patientin am Mittelohr operieren. Frau L. H. war zwei Jahre vorher infolge unsachgemäßer Behandlung bei einer Mittelohrvereiterung das Trommelfell geplatzt und nicht wieder zusammengeheilt. Ein Jahr darauf wurde ihr an einer deutschen Universitätsklinik in einer zweieinhalbstündigen Operation bei nur örtlicher Betäubung eine Plastik eingesetzt, die jedoch nicht dicht war und ihr schließlich derartige Beschwerden verursachte -- dauernde Neigung zu Reizungen und Entzündungen, Kopfschmerzen und Schwindelgefühlen –, daß aufgrund einer Untersuchung in der betreffenden Universitätsklinik im Januar oder Februar 1971 eine erneute Operation für unumgänglich gehalten wurde.

Durch eine befreundete Ärztin erfuhr Frau L. H. von den Operationen Agpaoas. Obwohl ihr gesagt worden war, daß der Erfolg sehr ungewiß sei, war sie nach Baguio gekommen.

Agpaoa ließ die Patientin auf einem Stuhl Platz nehmen. Als er mit der Vorbehandlung begann, stürzten sofort Zuschauer herbei, die Blitzlichter der Fotografen leuchteten auf, die Filmkameras der Reporter surrten, und Agpaoa wurde derart nernös, daß er die magnetische Behandlung abbrach und die Operation auf den nächsten Tag verschob.

Am nächsten Morgen in aller Frühe erschien Agpaoa im Hotel. Die Operation erfolgte im Zimmer der Patientin. Es war nur noch die Assistentin Agpaoas anwesend. Tony setzte die Patientin auf einen Stuhl vor einem Spiegel, damit sie die Operation selbst beobachten konnte. Nachdem er sich konzentriert hatte, machte er magnetische Striche entlang ihres Kopfes und drückte dann leicht mit seinen Fingern auf eine Stelle hinter ihrem linken Ohr. Die Patientin sah auf einmal Blut an ihrem Kopf und Hals herunterlaufen. Kurze Zeit später legte Agpaoa angeblich ihre blutverschmierte Tympanoplastik auf den Tisch mit den Worten: »Give it back to your medical doctors.«

Dieser Vorgang ist für unser normales Denken unvorstellbar. Es sah so aus, als habe Agpaoa die im Jahr zuvor einoperierte Tympanoplastik nicht durch den äußeren Gehörgang entfernt, sondern von einer Stelle hinter dem Ohr aus. Auch bei meiner eigenen Stirnhöhlenoperation wurde der Herd und wahrscheinlich noch ein polypartiges Gebilde nicht durch die natürlichen Nasenöffnungen, sondern direkt an der Nasenwurzel aufgrund eines paranormalen Prozesses nach außen geholt.

Die recht kritische Patientin war keineswegs von der Leistung

Agpaoas überzeugt. Zwei Tage später — bei einer Badefahrt zum Chinesischen Meer — fiel sie bei einer unvermutet hohen Welle von ihrem Schwimmring herunter ins Wasser, ihre Badekappe wurde fortgerissen, und Wasser drang ihr in die Ohren. Sie bekam einen fürchterlichen Schreck, denn jetzt mußte sie normalerweise ohnmächtig werden. Doch zu ihrem Erstaunen passierte nichts. Da wurde ihr klar, daß offensichtlich nicht nur die Tympanoplastik von Agpaoa entfernt, sondern gleichzeitig auch das Loch im Trommelfell geschlossen worden war, was später in Deutschland von ihrem Arzt bestätigt wurde, wenn auch das Trommelfell an einer Stelle sehr dünn war.

Zwei Jahre nach der Operation durch Agpaoa erfuhr ich auf telefonische Anfrage bei der Patientin, daß das Trommelfell immer noch in Ordnung ist.

Diese großartige Leistung Agpaoas, bei der er in etwa zwei Minuten ein hoffnungslos lädiertes Trommelfell wahrscheinlich psychokinetisch wieder schloß, nachdem ein Operationsteam einer Universitätsklinik sich zwei Stunden lang mit mangelhaftem Ergebnis darum bemüht hatte, wurde in dem *Stern*-Bericht nicht erwähnt.

Weitere Krankenberichte von dieser Reisegruppe würden dem Geschilderten nichts grundsätzlich Neues hinzufügen: Agpaoa hat Heilerfolge aufzuweisen, die im Sinne unserer westlichen Medizin und Naturwissenschaft unerklärlich sind. In anderen Fällen ist das Ergebnis seiner Operationen negativ, doch scheinen kaum durch eine Operation bedingte Verschlimmerungen aufzutreten.

Dem Leser ist durch die *Stern*-Reportage ein völlig falsches Bild vermittelt worden. Man kann durch einseitiges Hervorheben bestimmter Punkte und durch Weglassen anderer eine Situation total entstellt wiedergeben, was hier offensichtlich getan wurde — aber nicht nur das, es wurde auch ganz eindeutig Nichtzutreffendes behauptet. Auch wurde dem Leser verschwiegen, daß es auf den Philippinen außer Agpaoa noch viele andere Heiler gibt.

Nach dieser Illustrierten-Reportage setzte ein regelrechtes Kesseltreiben gegen Agpaoa ein. Kurz nach dem Erscheinen der betreffenden *Stern*-Nummer reiste am 10. Juli 1971 eine weitere

Gruppe von fünfundzwanzig deutschen Patienten nach Baguio, die von einem Team des Deutschen Fernsehens begleitet wurde. Dieses Team hatte die offenkundige Absicht, die Entlarvung Agpaoas fortzusetzen.

Am 2. August 1971 wurde in der Sendung »Report« über diese Reise berichtet. Auch hier unterschied sich die Darstellung wesentlich von den Aussagen anderer Zeugen. Beide Darstellungen seien im folgenden gegenübergestellt. Der Leser mag sich sein eigenes Urteil bilden.

Zunächst der Text des Berichts in »Report«, Berichterstatter Immo Vogel.

»Tony Agpaoa, der Sohn eines philippinischen Reisbauern, der Schlagzeilen in aller Welt macht! Schon heute gibt es mehr Legenden über diesen Zweiunddreißigjährigen als über wesentlich ältere derartige Männer. Die faszinierendste Legende: Er könne mit der bloßen Hand operieren, den Bauch öffnen ohne Narkose, ohne die in der Medizin übliche Hygiene und ohne eine Narbe zu hinterlassen. Seit seinem siebenten Lebensjahr operiert der Wunderheiler auf den Philippinen. Seit sechs Jahren hatte er Hunderte von Patienten aus Amerika, Australien und Japan. In diesem Jahr kamen die ersten Hilfesuchenden aus Deutschland. Ein Freiburger Touristik-Unternehmen vermittelt die Reisen inklusive Flug, Vollpension und die Aussicht auf Heilung von hartnäckigen Leiden.

Mitte Juli flog wieder eine Gruppe kranker deutscher Touristen voller Hoffnung nach Manila. Vor dem Abflug ließen wir einige der Patienten noch einmal von Schulmedizinern untersuchen oder unterrichteten uns bei den behandelnden Ärzten.

Frau W.: Die rechte Niere dieser Frau ist bei früheren Operationen entfernt worden. In der linken Niere befindet sich ein relativ großer Nierenstein. Der Fall ist ernst!

Herr A. aus Basel leidet unter einer starken Linsentrübung des rechten Auges. Außerdem möchte sich Herr A. noch seine starken Krampfadern am linken Bein beseitigen lassen.

Der Heilpraktiker Jürgen S. leidet unter einer älteren Kopfverletzung. Die Deformierung der Pupille im rechten Auge ist ein Anhaltspunkt dafür.

Diese drei flogen mit zwölf anderen Kranken achtzehn Stunden von Frankfurt nach Manila. Das Domizil des Wunderheilers Tony Agpaoa ist noch weitere sieben Autostunden von Manila entfernt.

Tony Agpaoa soll sich bereits im Alter von zwei* Jahren von der katholischen Kirche abgewandt und seine eigenen Glaubensbrüder um sich geschart haben. Seitdem fühlt er sich als Werkzeug einer göttlichen Macht. Einen Vergleich mit Jesus Christus scheut er nicht. In einer Art Gottesdienst bereitet er seine neuen Patienten auf ihre Heilung vor. Eine Mischung aus Religion, mystischem Aberglauben und seiner eigenen Heilslehre.

Wer nicht bereit ist, sein Innenleben zu ordnen, seine Seele zu läutern, läuft Gefahr, nicht geheilt zu werden. Jede Heilung beginnt mit einer sogenannten Operation, bei der nach einigen Minuten immer irgend etwas aus dem Körper entfernt zu werden scheint. Mit einer Diagnose hält sich Tony nicht lange auf. Für einen guten Spiritisten angeblich sichtbar, erzeuge er gelbe Schwingungen bei einer Operation, baue ein Kraftfeld um den Patienten auf, das alles mit überirdischer Kraft, die er in seinem Kopf zusammenziehe. Mit bloßer Hand, so heißt es, könne er Millionen Bakterien abtöten. Deshalb sei trotz unhygienischer Verhältnisse eine Infektion unmöglich. Nach der Behandlung dürfen die Patienten wieder völlig ihren Urlaub genießen.

Wir fragten, wo er seine Kraft hernehme und ob er jeden heilen könne.

›Ich bete, ich meditiere, ich konzentriere mich. Bevor ich heile, bete und meditiere ich viel. Ich bin gewohnt, bevor ich operiere, mich immer auf himmlisches Geschehen einzustellen. Ich denke, wir können die heilen, die glauben in dieser Welt!‹

Ein fester Glaube soll Wissen und kritische Nachforschungen ersetzen. Bei den Versuchen, in einen angeblich offenen Bauch zu gelangen, wurde uns bereits an der Oberfläche durch ein glattes, folienartiges Material Einhalt geboten. Der Körper war also nicht geöffnet. Wir bauten dem Wunderheiler eine Brücke!

Unsere Frage: ›Täuschen Sie die Operation nur vor, um durch die Suggestion eine psychogene Heilung zu fördern?‹

* Versehen der Fernsehredaktion

›Nein, es gibt Fälle, bei denen wir operieren müssen. Andere heilen wir durch Autosuggestion. Wieder andere durch Fernbehandlung – wie wir es nennen. So gibt es für uns viele Heilmethoden. Wir verändern niemand, wir versuchen höchstens, ihn zu beeinflussen, und können ihn heilen, solange er uns vertraut.‹

Nach mehrmaligem Nachfragen erhielten wir eine Probe von der verspritzten roten Flüssigkeit... Wann, wo und bei wem die Probe entnommen werden sollte, entschied Tony selbst. Trotzdem kamen wir in den Besitz von fünf weiteren Proben anderer Operationen, die wir alle untersuchen ließen. Mit aller Vehemenz wehrte er sich gegen die Entnahme einer Gewebeprobe des Materials, das er bei den Operationen zutage fördert. Tony weiß, warum er dieses Material nicht untersuchen läßt. Die folgenden Aufnahmen zeigen, die Bauchöffnungen sind Täuschungen. Geschickte Täuschungen allerdings. Er spannt eine Art Folie über die Bauchdecke. Bei genauem Hinsehen wird deutlich, wie ihm das Folienmaterial, das die Öffnungen darstellen soll, aus den Fingern gleitet! Hier deutlich sichtbar unterhalb des Zeigefingernagels!

Auch bei einer anderen Operation wird deutlich, wie ihm die Folie rechts zwischen den Zeigefingern wegrutscht.

Tony Agpaoas spätere Erklärung für die Folie auf dem Bauch – deren Existenz er vorher erst abgestritten hat –, es handle sich tatsächlich um eine Schutzschicht, die er über die Wunde lege. Sie bestünde aus Ektoplasma, materialisierte überirdische Kraft, die er sich – nur für wenige Auserwählte sichtbar – aus dem Kopf zöge. Bei Fällen, wo er, wie hier bei einer Krampfaderoperation, sofort sichtbare Erfolge aufweisen könnte, scheint seine Kraft zu versagen, oder er findet Argumente dafür, daß die Heilung erst nach Wochen sichtbar sein wird. Nach der Operation an Herrn A. waren die Krampfadern noch genauso sichtbar wie vorher.

Bei diesem Geschwür an einem Oberschenkel hätte er auch den letzten Ungläubigen überzeugen können. Wohl kaum jemand hätte noch an seiner Kraft gezweifelt, wenn das Bein nach der Operation wieder schlank gewesen wäre. Er aber verspricht den Erfolg erst für Wochen, dann, wenn die deutschen Touristen in sicherer Entfernung wieder zu Hause sind.

Eine Bagatelle wie diese Warze sah er sich außerstande, zu entfernen. Erklärung seines Assistenten: Er habe die dafür erforderlichen Arzneien vergessen.

Manche Menschen versäumen die Heilung, weil sie nicht glauben, bevor sie nicht Zeichen und Wunder gesehen haben. Eine von fünfundzwanzig Thesen Agpaoas, warum er einen Menschen nicht heilen kann. Wir sind gekommen, um zu sehen, und nicht, um zu glauben, und in der Tat, die Wunder blieben aus.

Ohnehin hat es uns Tony Agpaoa sehr schwer gemacht, ihm zu glauben. Wie sollen wir einem Mann glauben, der unsere Arbeit boykottiert, wo er kann, der uns keine Gewebeproben mitgegeben hat und der uns selbst nicht operiert hat.

Eine seiner Thesen lautet: Der, der einen unverzeihlichen Geist habe, könne nicht geheilt werden. Und ich glaube, in diesem Sinn haben wir einen unverzeihlichen Geist.

›Wie denken Sie über die Menschen, die Ihnen nicht glauben?‹

›Nun, die Erleuchtung wird ihnen kommen! Früher oder später werden sie die Wahrheit finden!‹

Die Wahrheit kam schneller als vermutet ans Tageslicht. Das Gerichtsmedizinische Institut in Heidelberg stellte fest, bei den Blutproben, von denen Tony wußte, handelte es sich immerhin um Menschenblut. Allerdings bei mindestens einer dieser beiden Proben deckt sich die ermittelte Blutgruppe nicht mit der des operierten Patienten. Die Untersuchungen der anderen, von uns heimlich entnommenen Blutproben fielen alle negativ aus: kein Menschenblut!

Trotz des eindeutigen Schwindels fühlen sich viele Patienten nach den vorgetäuschten Operationen besser.«

[Es folgten jetzt Patientenbefragungen auf dem Heimflug. Mit einer Ausnahme sagten die Befragten, daß es ihnen wesentlich besser ginge.]

»Offensichtlich schlechter als vor dem Abflug ging es zwei schwerkranken Männern. Ihnen, die am meisten seiner Hilfe bedurft hätten, konnte der Wunderheiler nicht helfen. Trügerische Hoffnungen trieben sie auf die Philippinen, getäuscht von allzu unkritischen Berichten über die gottähnliche Heilkraft des Reisbauernsohnes. Einige allerdings fühlten sich tatsächlich besser. Auch der Parapsychologe Professor Bender vom Institut für

Grenzgebiete der Psychologie in Freiburg bezeichnete Agpaoas Operationen als Schwindel. Wie aber erklärt er das Wohlbefinden der meisten Patienten?«

Hans Bender führte die Besserung der Patienten auf Psychogenese zurück, auf die Glaubenseinstellung des Patienten, die in bezug »auf diesen Tony ungeheuer stark« sei und von dem Prestige abhinge, das ein Heiler besitze. Er bestritt die Fähigkeit Agpaoas, den Körper zu öffnen. Die Heilung von wirklichen organischen Krankheiten hielt er für sehr fraglich und wies auf den Gallenstein der Frau John aus dem *Stern*-Bericht hin. Bei einem anderen Patienten sei ein Prostata-Karzinom ebenfalls noch da. Bender äußerte sich besorgt darüber, daß solche Patienten, wenn sie sich besser fühlen und gestärkt zurückkommen, nicht zum Arzt gehen, um ihr Leiden kontrollieren zu lassen – vielleicht aus der dunklen Angst heraus, es könne wirklich nichts geschehen sein.

Der Fernsehreporter beendete die Sendung: »Tatsächlich lehnten alle diejenigen Patienten, die wir vor dem Flug untersuchen ließen, nachher trotz vorheriger Zusage die Untersuchung ab. Seit heute ist wieder eine deutsche Gruppe bei Agpaoa. Wieder schieben Schwerkranke notwendige Operationen auf mit Hoffnung auf einen Wunderheiler!«

Dem sei der Bericht gegenübergestellt, den Sigrun Seutemann, die Karlsruher Heilpraktikerin, die zusammen mit ihrem Gatten zu der Reisegruppe gehörte, über die gleiche Reise zu Agpaoa gibt. Die Darstellung von Sigrun Seutemann wurde mir von anderen Reiseteilnehmern bestätigt.

»Nach der Ankunft und Unterbringung der Reisegruppe – zu der Reporter des Deutschen Fernsehens unter Leitung von Immo Vogel gehörten – in Baguio, begann am folgenden Tag Agpaoa mit der Behandlung der Patienten. Die Fernsehreporter waren bei den Operationen anfangs ebenfalls anwesend.

Die Patienten der Gruppe waren mit der neuesten Nummer des *Stern* nach Baguio gekommen, in der Agpaoa als Taschenspieler hingestellt wurde, der mittels Plastikfolie eine Körperöffnung imitiere. Dieser Bericht wurde Agpaoa natürlich sofort überreicht. Agpaoa gestattete den Reportern dennoch das Filmen aus allernächster Nähe und aus jeder beliebigen Richtung. Ich war bei sämtlichen Operationen anwesend. Alle Eingriffe, die das Fernsehteam filmte, wurden mit 16-mm-Kameras auch von anderen Teilnehmern des Gruppenfluges mitgefilmt. Auf keinem der Filme ist eine Plastikfolie zu erkennen. Auch während der Operationen Agpaoas konnte niemand der Anwesenden trotz eifrigen Suchens eine Plastikfolie entdecken, auch nicht die Fernsehreporter, obwohl sie mehrfach aufgefordert worden waren, sie zu zeigen.

Agpaoa verbat sich jedoch die heimliche Entnahme von Blut- und Gewebeproben. Als er bemerkte, daß man ihm dennoch heimlich Proben entwenden wollte, schloß er die Fernsehleute für mehrere Tage vom Zuschauen bei weiteren Operationen aus. Agpaoa führte viele, zum Teil sehr anstrengende Operationen durch, unter anderem eine Herzoperation an der Pulmonalklappe bei mir selbst. Es handelte sich hier um eine arteriographisch nachgewiesene Gefäßveränderung, die seit dem sechsten Lebensjahr bestand und in letzter Zeit schwere Angina-pectoris-ähnliche Anfälle ausgelöst und sich immer mehr vergrößert hatte. Die Operation wurde ein hundertprozentiger Erfolg, der zur Beseitigung aller Herzbeschwerden führte.

Das Fernsehteam wollte nicht tatenlos herumsitzen und begab sich deshalb zur Deutschen Botschaft in Manila, von der man sich Unterstützung für die Entlarvung Agpaoas erhoffte. Dort wurde ihnen als renommierter Arzt Dr. Lothar Lissner empfohlen, ein deutschstämmiger Filipino, der in Manila praktizierte und durch seine Veröffentlichungen als Wissenschaftler in hohem Ansehen stand.

Dr. Lissner hatte noch nie von Agpaoa gehört, doch war er sofort bereit, bei der Entlarvung eines Schwindlers mitzuhelfen. Das ihm angebotene hohe Honorar lehnte er ab, da er dann – wie er sagte – nicht mehr objektiv sein könnte. Er wollte ein völlig unbefangenes Urteil abgeben. Er ließ sich lediglich die Unkosten für die Hotelübernachtung in Baguio erstatten.

Da Agpaoa mit dem Fernsehteam vorher vertraglich abgemacht hatte, daß kein philippinischer Arzt als Gutachter hinzugezogen würde, hatten die Reporter Dr. Lissner als einen zufällig auf den Philippinen weilenden Arzt aus Hongkong angekündigt. Agpaoa hatte zur Betreuung der Schwerkranken zwei philippinische Krankenschwestern engagiert. Wie es nun der Zufall wollte, hatten diese ihr Praktikum bei Dr. Lissner absolviert und erkannten ihn in Baguio freudestrahlend wieder. Damit war die Identität Dr. Lissners enthüllt.

Als am nächsten Tag Agpaoa zu den Operationen erschien, nahm er von der Anwesenheit des Arztes aus Manila Kenntnis, ohne etwas gegen dessen Anwesenheit bei den Operationen einzuwenden.

Die erste Operation fand an einem hoffnungslos Krebskranken statt. Agpaoa gab ihm nur noch vier Wochen Zeit, hoffte aber, ihm seinen schweren Zustand erleichtern zu können.

Vor der Operation trat Agpaoa vor Dr. Lissner, streifte die Ärmel hoch und forderte ihn auf, zu untersuchen, ob er irgend etwas verborgen hätte. Lissner fand nichts. Als Agpaoa mit der Operation begann, bat er den Arzt, mit seinen Augen ganz dicht an die Operationsstelle heranzugehen und genau zu beschreiben, was er sähe. Der Mediziner beschrieb, er sähe die Wunde, die Öffnung des Körpers, jetzt ein Stück des freigelegten Harnleiters und darüber einen Tumor von der Größe eines Gänseeis. Agpaoa legte den Tumor frei, lockerte ihn, entfernte ihn schließlich und legte ihn Dr. Lissner in die Hand. Der Tumor war körperwarm. Er roch entsprechend. Die Wunde wurde jetzt wieder in der bei Agpaoa üblichen Art geschlossen. Dr. Lissner war zunächst sehr verwirrt. Später kontrollierte man gemeinsam die Harnausscheidung des Patienten, die vorher durch den Tumor blockiert worden war. Sie kam in Gang, obschon die Niere rettungslos lädiert war.

Danach wagte Dr. Lissner die Frage, ob Agpaoa ihn selbst wohl auch operieren könne. Er litt seit langem an Polypen in der Nase. Agpaoa war einverstanden. Ich assistierte. Die Gattin Dr. Lissners war ebenfalls anwesend. Der Patient bekam ein großes Handtuch um den Hals gelegt, Agpaoa öffnete die Nase vom Nasenrücken her und forderte die etwas schockierte Frau des Arztes auf, sich die Nase ihres Mannes von innen anzusehen. Agpaoa legte dann die Polypen frei und forderte mich auf, mittels einer kleinen Zange die freigelegten Polypen abzuzwicken, was ich tat. Dann zog Agpaoa seine Hände weg, und die Nase war wieder geschlossen. Das Ganze hatte vielleicht zwei Minuten gedauert.

Dr. Lissner war sehr mit Blut beschmiert. Man wusch ihm das Gesicht, wonach er noch etwas überrascht und blaß sitzenblieb, obwohl er keinerlei Schmerzen empfunden hatte. Jetzt probierte er seine Nasenatmung aus und sagte begeistert, er bekäme jetzt zum erstenmal seit zwanzig Jahren wieder richtig Luft.

Am Ende der Operation hatte Agpaoa einen Wattebausch genommen, ihn in die blutende Wunde getaucht und Dr. Lissner dann in die Hand gedrückt: ›Lassen Sie es untersuchen!‹ sagte er. Der Arzt gab den Wattebausch jedoch dem Fernsehreporter und bat ihn, ihm nach der Laboruntersuchung Bescheid zu geben. Dr. Lissner hat keinen Bescheid erhalten.

Danach begab sich der Mediziner für einige Zeit zum Ausruhen auf sein Zimmer, wo er noch ein längeres Gespräch mit dem Fernsehreporter und einem Amerikaner hatte. Als er wieder zurückkam, sagte er, mit seinen Augen sei etwas nicht in Ordnung, und zwar sähe er jetzt nach der Operation plötzlich mit seiner Brille schlechter als ohne Brille. Vier Wochen später schrieb mir Dr. Lissner, daß er sich von einem Manilaer Augenspezialisten eine neue schwächere Brille hätte verordnen lassen und er zu seiner Überraschung die gleiche Sehkraft wieder hätte wie vor fünfzehn Jahren. Dr. Lissner ließ sich diese Tatsache von seinem Augenarzt schriftlich bestätigen, die auch diesem völlig unerklärlich war.

Der Arzt aus Manila sah sich in den nächsten Tagen noch eine Menge weiterer Operationen Agpaoas an. Wir fuhren zusammen auch in die Lowlands und beobachteten die Rosales-Operateure Marcelo und Carlos. Die für ihn überzeugendste und sensationellste Operation in den Lowlands erlebte er aber bei dem Heiler Mercado. Mercado gilt als ein Spitzenoperateur der Unio Espiritista Cristiana Filipinas und wurde von Agpaoa und Eleuterio Terte ausgebildet. Er operiert heute im Agpaoa-Stil. Wir suchten zusammen mit noch einigen Bekannten Mercado ohne vorherige Anmeldung auf. Dieser operierte gerade in seiner Kapelle, und es warteten etwa dreißig Patienten.

Nach einiger Zeit des Zuschauens wurde eine junge Frau hereingetragen. Dr. Lissner erkannte sofort den auf den Philippinen recht häufigen und gefürchteten Douglas-Abszeß und sagte mir, die Patientin sei nach seinem Dafürhalten verloren. Mercado stellte sofort alle anderen Kranken zurück und ließ die Frau auf den Operationstisch legen. Sie war sehr schwach und konnte nicht mehr die Beine ausstrecken; der Bauch war bretthart. Wir waren mit unseren Augen etwa vierzig Zentimeter vom Operationsfeld entfernt und konnten genauestens beobachten. Vor den Augen des entsetzten Dr. Lissner schob Mercado seine Hände in den Leib der Patientin hinein und holte nach kurzer Zeit zwei Handvoll giftgrünen Eiters heraus. ›Es gibt nur einen Eiter‹, rief der Mediziner, ›der derartig riecht – nämlich der beim Douglas-Abszeß!‹ Kurze Zeit später hatte Mercado die Öffnung bereits wieder geschlossen und ließ die Patientin, die natürlich etwas erschöpft wirkte, beiseite legen. Er verordnete ihr eine Stunde Ruhe. Danach könne sie nach Hause gehen.

Dr. Lissner, der bei diesem Erlebnis fast die Nerven verloren hätte, da er besondere Erfahrungen in der Behandlung des Douglas-Abszesses besaß, sagte jetzt zu mir: ›Ich will nichts mehr sehen, ich habe genug gesehen. Es gibt für mich keinen Zweifel mehr!‹

Nach Baguio zurückgekehrt – es war Samstag – bat Dr. Lissner die Herren vom Fernsehen zu sich. Es waren ferner noch einige weitere Personen anwesend, und Dr. Lissner gab sein abschließendes Interview für das Deutsche Fernsehen. In diesem Interview faßte er seine in den letzten Tagen gesammelten Erlebnisse und Erfahrungen zusammen. Er führte aus, daß es sich bei diesen Operationen um Phänomene handle, für die er keine Erklärung wisse. Mit Sicherheit könne er jedoch sagen, daß es sich nicht um Betrug handle!« Soweit der Bericht der Heilpraktikerin Sigrun Seutemann.

In »Report« fehlte nicht nur das Interview mit dem als Gutachter vom Fernsehteam herangezogenen Mediziner, nicht einmal der Name des Dr. Lissner wurde erwähnt.

Es wäre noch hinzuzufügen, daß von den zu Beginn der Fernsehsendung genannten drei Patienten zwei erfolgreich von Agpaoa operiert wurden: Die starke Linsentrübung des rechten Auges bei Herrn A. aus Basel wurde beseitigt, er sieht jetzt auf dem rechten Auge besser als auf dem immer gesund gewesenen linken. Fotos vor und nach der Operation durch Agpaoa liegen vor. Die starke Krampfader am linken Bein konnte Agpaoa zwar nicht beseitigen, aber wesentlich bessern, so daß der Patient kaum noch irgendwelche Beschwerden hat. Dem an einer älteren Kopfverletzung leidenden Heilpraktiker Jürgen S. nahm Agpaoa das rechte Auge aus der Orbita heraus und entfernte einen von dem Unfall herrührenden nicht resorbierten Blutrückstand, ein sogenanntes Hämatom, das dem Patienten starke Beschwerden verursacht hatte. Jürgen S. hat seitdem keinerlei Beschwerden mehr beim Bewegen des Auges. Sichtbarer Beweis für den Erfolg der Operation: Die vorher bestehende Pupillendeformation ist verschwunden.

Eine Woche nach »Report« brachte am 9. August 1971 das »Gesundheitsmagazin« des ZDF einen Filmbericht über die Operationen Tony Agpaoas. Diese Sendung war eine einzige Fehlinformation. Es wurden unter anderem Auszüge aus Filmen gezeigt, die ich, wie bereits berichtet, dem ZDF zur Verfügung gestellt hatte, im Vertrauen, daß sie weder manipuliert noch falsch kommentiert würden.

Zur zweiten in dieser Sendung gezeigten Operation Agpaoas: Es handelte sich um den am 28. Januar 1971 durchgeführten Eingriff im Prostatabereich bei Herrn W. Von diesem Film wurde der Anfang gezeigt, dann wurde ein Teil ausgelassen; es war derjenige, der dem Zuschauer wahrscheinlich am meisten imponiert hätte. Dann kam eine Szene, zu der einfach behauptet wurde, man sähe hier die ominöse Plastikfolie — obwohl ich noch niemanden gefunden habe, der sie auf diesem Film gesehen hat —, und danach die Phase, in der Agpaoa mittels einer Zange ein Gewebestück aus der Operationsstelle herauszog. Hierzu sagte der Fernsehkommentator sinngemäß: »Und jetzt zieht der Heiler die zusammengeknautschte Plastikfolie heraus.«

Was der Kommentator — der nie eine mediale Operation gesehen hatte — dem Fernsehpublikum nicht sagte, war, daß bei diesem Eingriff Agpaoas am 28. Januar 1971 auch drei Ärzte anwesend waren, darunter einer, der infolge seiner Tätigkeit besondere Erfahrungen im Identifizieren von Gewebe hatte. Jedes Gewebestück, das Agpaoa zutage förderte, wurde begutachtet, so auch die »zusammengeknautschte Plastikfolie«.

Doch davon erfuhr der Fernsehzuschauer nichts; denn sonst hätte er sich wahrscheinlich doch gewundert, daß drei Ärzte und ein Chemiker nicht in der Lage gewesen sein sollen, eine Polyäthylenfolie von menschlich-tierischem Gewebe zu unterscheiden.

Die Sendung schloß sinngemäß etwa mit den Worten: »Und damit wird das Gerede von den Operationen ohne Messer wohl endgültig beendet sein!«

Von allen Seiten fingen nun »Berichterstatter« an, ihre Leser über Agpaoa zu »informieren«.

Es mag nicht verwundern, daß die Boulevardpresse die Agpaoa-Geschichte mit den blutrünstigsten und naivsten Details ausschmückte, die natürlich allesamt am Redaktionsschreibtisch erdacht oder zumindest aufgebauscht und verfälscht worden waren. Fatal ist indessen, daß eine angesehene Fachzeitschrift wie *Ärztliche Praxis* in ihrer Ausgabe vom 2. November 1971 schrieb: »Antonio Agpaoa wurde schon mit sechzehn Jahren durch seine übersinnlichen Fähigkeiten berühmt, fiel dann aber einer Art Mafia in die Hände, die ihn kommerzialisierte.«

Entsprechend dem Niveau solcher Berichte war dann auch ein Teil der veröffentlichten Leserbriefe. Hier sei nur eine Zuschrift zitiert, die charakteristisch ist für das von den Massenkommunikationsmitteln angeheizte »gesunde Volksempfinden«: Frau Herta M. aus S. schrieb im September 1971 an die *Bunte Illustrierte* (Nr. 39):

»Ein Scharlatan... baut sich vom Geld der gutgläubigen Menschen Paläste. Daß aber auch noch deutsche und österreichische Reiseunternehmen diesen Wunderheiler unterstützen, das müßte vom Ärztekongreß verboten werden.«

In der zweiten Hälfte des Jahres 1971 wurde von gewissen Seiten tatsächlich in Erwägung gezogen, Gruppenflüge zu Agpaoa von Deutschland aus zu verbieten. Nur der Intervention von Dr. Lissner bei der Deutschen Botschaft in Manila soll es zu verdanken sein, daß man von diesem Vorhaben letztlich Abstand nahm. Es wird heute Freiheit, Selbstbestimmung und Mitentscheidung für alles und für jeden verlangt, Freiheit für die extravagantesten Absurditäten und Perversitäten, aber im Hinblick auf die Entscheidung, einen paranormalen Operateur aufzusuchen, glaubt man erwachsene Menschen bevormunden und auch gegen ihren Willen »schützen« zu müssen.

Es lohnt sich nicht, auf weitere Diffamierungen Agpaoas in der deutschen Presse einzugehen. Die Berichterstatter waren fast durchweg nicht auf den Philippinen gewesen, hatten von paraphysikalischen Vorgängen keine Ahnung und beriefen sich alle auf den Bericht im *Stern*. Ihr Verhalten ist psychologisch verständlich; denn die medialen Operationen auf den Philippinen sind für unseren westlichen Verstand eben noch allzu unwahrscheinlich, als daß man sie ohne äußerst gründliches und geduldiges Studium akzeptieren kann. Man denke in diesem Zusammenhang an die eingangs angeführten Beispiele ähnlicher Art aus der nahen und fernen Vergangenheit. Revolutionierend neue Erkenntnisse müssen sich immer erst gegen Widerstände durchsetzen.

Bedenklich jedoch muß im Falle Agpaoa die Gleichschaltung aller Massenmedien stimmen, die es einem schwermacht, nicht an Manipulation zu glauben. Hier wurde entgegen allen rechtsstaatlichen Prinzipien konsequent jede »für den Angeklagten« sprechende Aussage unterdrückt, überzeugende Gegenargumente ignoriert, unbequeme Wortmeldungen abgelehnt und die öffentliche Meinung auf »Betrugshypothese« manipuliert.

Bedauerlich daran ist, daß das Publikum es den Massenmedien dabei so leicht macht. Das Wort eines im Fernsehen auftretenden oder auch nur zitierten Wissenschaftlers wird von der Mehrzahl der Zuschauer als Evangelium hingenommen. In Fragen, in denen es sich um wissenschaftliches Neuland handelt, kann jedoch die Aussage eines einzigen Wissenschaftlers bzw. von Wissenschaftlern der gleichen Schule und des gleichen Fachbereichs, nicht entscheidend sein. Es wurden bereits genug Beispiele für wissenschaftliche Irrtümer angeführt. Irren ist nicht nur menschlich, es ist auch im Bereich der Wissenschaften verzeihlich, ja, oft sogar unvermeidlich. Doch wenn Experten auf einem bestimmten Gebiet diametral entgegengesetzte Ansichten vertreten, dann kann die Wahrheit nur gefunden werden, indem man alle Argumente in Betracht zieht und objektiv bewertet.

So hätte eine Fernsehdiskussion zwischen den beiden Parteien, den Anhängern der Psi-These und den Verfechtern der Betrugshypothese, den wahren Sachverhalt bestimmt wesentlich erhellen können.

Ein klärendes Gespräch zwischen Professor Bender und Dr. Naegeli-Osjord fand im September 1971 nach der ersten Anti-Agpaoa-Kampagne statt. Beide Parapsychologen legten ihre Standpunkte dar. In *Metapsichica,* der italienischen Zeitschrift für Parapsychologie, wurden die Erklärungen beider Wissenschaftler abgedruckt, sie seien im folgenden wiedergegeben.

Zunächst die Erklärung Professor Benders:

»Zum Problem der ›psychic surgery‹ möchte ich folgendes bemerken: Mein aufgrund wiederholter Beobachtungen gewonnener Eindruck trickhafter Vortäuschung der ›Operationen‹ bezieht sich ausschließlich auf Tony Agpaoa. Ich habe niemals ausgeschlossen, daß von anderen Heilern Eingriffe vorgenommen werden, die mit der bisherigen medizinischen Erfahrung nicht erklärt werden können. Dies festzustellen ist eine Frage gründlicher Untersuchung, die unbedingt vorgenommen werden sollte, zumal sich das Phänomen nicht auf die Philippinen beschränkt, sondern auch aus anderen Ländern, zum Beispiel Brasilien, berichtet wird.

Nach Aussagen von Augenzeugen soll Tony Agpaoa im Alter von sechzehn Jahren im Trancezustand unerklärliche Eingriffe vorgenommen haben, doch scheint mir alles dagegen zu sprechen, daß er es noch heute tut. Positive Bekundungen von Patienten, die sich von Tony Agpaoa behandeln ließen, scheinen mir Besserungen – teilweise erheblicher Art – zu betreffen, die auf psychogenem Wege entstanden sein können. Sicherlich geht von Tony Agpaoa eine starke Überzeugungskraft aus, die ihm bei gläubigen Patienten natürlich ein außergewöhnliches Prestige verleiht.

Zur Objektivierung meiner an Ort und Stelle gewonnenen Eindrücke bemühe ich mich um Nachuntersuchung möglichst vieler von Tony Agpaoa behandelter Patienten, besonders solcher, die der Auffassung sind, daß an ihnen erfolgreiche Körperöffnungen vorgenommen worden seien, und deren Heilung offensichtlich von Dauer ist.

Was ich bei Tony Agpaoa beobachtet habe, konnte mich nicht davon überzeugen, daß Agpaoa tatsächlich Körperöffnungen vornimmt. Ich stehe aber dem Problem nach wie vor offen gegenüber und werde die erste Gelegenheit ergreifen, andere Wunderheiler daraufhin zu untersuchen.

Prof. Dr. phil. Dr. med. H. Bender

Freiburg i. Br., 5. 10. 1971

Institut für Grenzgebiete der Psychologie und der Psychohygiene.«

Es folgt die anschließende Erklärung des Präsidenten der Schweizerischen Parapsychologischen Gesellschaft, Dr. Naegeli-Osjord:

»Anläßlich meiner Studienreise zu den ›Geistheilern‹ (psychic surgeons) auf den Philippinen hatte ich die Möglichkeit, eine erheblich größere Anzahl von Eingriffen in den menschlichen Körper mit bloßen Fingern und ohne Narkose zu beobachten, als Herrn Professor Dr. Hans Bender vergönnt war. Dies betraf nicht nur Operationen seitens Agpaoas, sondern auch seitens einer größeren Anzahl anderer ›Geistchirurgen‹, die – und dies erscheint mir wesentlich zu betonen – immer wieder auf andere Art und Weise in den Körper einzudringen und zu heilen vermögen.

Meines Erachtens verfügt Tony Agpaoa – und dies gilt auch für seine Kollegen – über Kräfte, die mit den konventionellen wissenschaftlichen Methoden nur teilweise erfaßt werden können. Daher kommt auch dem empirischen Erleben, das ich mit sehr vielen anderen Beobachtern und Patienten teile, Bedeutung zu. Da Prof. Bender während unserer gemeinsamen Besprechung in Zürich betonte, daß weder seine Beweise gegen, noch meine für die Tatsache eines paranormalen Eindringens in den menschlichen Körper seitens Agpaoas wissenschaftlich völlig objektiviert sind, bedarf es weiterer Untersuchung und Klärung.

Wie auch Prof. Bender möchte ich darauf hinweisen, daß das Phänomen der ›psychic surgery‹ nicht auf die Philippinen beschränkt ist, sondern esoterisches Geheimgut vieler Völker und Zeitalter beinhaltet. Ich verweise zudem auf die Untersuchungen des Tokioter Gelehrten Dr. Motoyama und des amerikanischen Forschers Dr. H. Puharich, die beide nach sehr gründlichem wissenschaftlichem Studium das Phänomen für echt erklären.

Dr. med Hans Naegeli-Osjord

Zürich, 28. 9. 1971
Schweizerische Parapsychologische Gesellschaft.«

Während Dr. Naegeli-Osjord ein Jahr nach seiner ersten Reise ein zweites Mal nach den Philippinen flog und dort vier Wochen blieb, sowie Anfang 1973 ein drittes Mal für einige Wochen die Phänomene an Ort und Stelle studierte, lehnte Professor Bender es bisher ab, nochmals nach den Philippinen zu fliegen.

Im Mai 1972 waren Dr. Naegeli-Osjord und der Verfasser in den USA auf dem Parapsychologischen Kongreß, den Harold Sherman alljährlich in Hot Springs veranstaltet. Ein Tag dieses Kongresses stand im Zeichen der »Psychic surgery«. Wir trafen mit Harold Sherman, Dr. Motoyama und amerikanischen Ärzten zusammen, sahen Filme von Sherman und Motoyama, die diese auf den Philippinen von Operationen Agpaoas und Blances gedreht hatten und erhielten eine Bestätigung unserer bisherigen Ansichten.

Im Juli 1972 wurden Filme der philippinischen Operationen auf dem Zweiten Parapsychologischen Kongreß in Moskau gezeigt und fanden ein lebhaftes Echo – insbesondere bei den Bioplasma-Forschern.[125]

Indes geht der Kampf gegen die Anhänger der philippinischen Operationen unvermindert weiter, ja, in einer schweizerischen Zeitung (*Schweizerischer Beobachter* Nr. 4 – Nr. 9, 47. Jahrgang, 1973) wurden Dr. Naegeli-Osjord und Sigrun Seutemann von einer offensichtlich jeder wirklichen Sachkenntnis baren Redaktion in geradezu primitiver Weise angegriffen, um nicht zu sagen angepöbelt.

Zu Anfang dieses Buches wurde die Frage gestellt, ob die offiziellen Wissenschaften sich im Hinblick auf die kompromißlose Ablehnung von grundsätzlich Neuem gegenüber früheren Jahrhunderten geändert hätten. Man ist versucht zu sagen, daß in diesem Punkte alles beim alten geblieben ist. Zwar verbrennt man die Verfechter neuartiger Anschauungen, die gegen die etablierten wissenschaftlichen Dogmen verstoßen, nicht mehr leibhaftig auf dem Scheiterhaufen, dafür sucht man aber ihren wissenschaftlichen Ruf zu »verbrennen«, um sie dadurch noch viel wirksamer aus der Welt zu schaffen. Das Ziel ist das gleiche geblieben, nur die Methoden sind verfeinert und verbessert worden!

Glaubt man denn allen Ernstes, daß die Forscher, die die philippinischen Phänomene seit über zwei Jahren mit äußerster Gründlichkeit an Ort und Stelle studiert haben, die oft simplen Einwände der Gegner nicht längst selbst schon durchdacht hätten? Dr. Naegeli-Osjord war dreimal auf den Philippinen, Sigrun Seutemann etwa zehnmal mit Gruppen von Patienten. Sie verfügt über ein Material an Krankengeschichten wie sonst niemand auf der Welt. Sollte man nicht etwas vorsichtiger sein und dieses Material erst einmal prüfen, ehe man a priori alles als Schwindel bezeichnet? Sigrun Seutemann hat mehrere tausend philippinische Operationen beobachtet und zusammen mit ihrem Gatten etwa tausend Fotos davon gemacht, von denen eine ganze Reihe jeden ehrlichen und aufgeschlossenen Mediziner in höchstes Erstaunen versetzen müßte.

Daß es unbedingt abzulehnen ist, wenn Reisebüros — die die Phänomene überhaupt nicht beurteilen können — aus rein geschäftlichen Erwägungen Propaganda für »Heilreisen« machen, darüber dürfte nicht der leiseste Zweifel bestehen. Man darf jedoch mit diesen Leuten nicht jene Forscher in einen Topf werfen, die sich intensiv und oft völlig uneigennützig um die wissenschaftliche Erforschung der Phänomene bemühen und sich auch nicht durch die oft in jeder Hinsicht unfairen und verleumderischen Angriffe, denen sie laufend ausgesetzt sind, von ihrer Überzeugung abbringen lassen.

Am 11. Februar 1973 wurde dem Fernsehzuschauer im ARD-Programm wieder eine Reportage zum Thema Agpaoa angeboten: »Die Opfer des Wunderheilers«. Redakteur der Sendung: Immo Vogel.

Über die Philippinen-Reise von Vogel im Sommer 1971 wurde bereits berichtet. In der neuen Sendung brachte man eine spezielle Auswahl der erfolglosen Fälle der damals mitreisenden Patienten. Anschließend wurde eine Operation Agpaoas von professionellen Zauberkünstlern imitiert.

Jeder logisch denkende Mensch wird einsehen: Die Tatsache, daß man etwas im Film täuschend ähnlich imitieren kann, beweist nicht im geringsten, daß das Original auch falsch sein muß — vor allem, wenn man bedenkt, daß der Film nicht live gesendet, sondern vorher im Studio hergestellt wurde, mit allen Möglichkeiten, Korrekturen vorzunehmen. Auch die Psychokinesen der Nina Kulagina kann ein Zauberkünstler in einem Film oder sogar in einer Vorstellung imitieren, ohne daß sich dadurch an der Echtheit der Phänomene bei der Kulagina etwas ändern würde. Ebenso ist es mit den Eingriffen Agpaoas.

In besagter Fernsehsendung wurde vor allem der Fall des als Alfred K. bezeichneten Patienten vorgeführt, der Ende Januar 1972 an Darmkrebs gestorben war. Die Fernsehdarstellung setzte im Sommer 1971 ein. Da K. jedoch bereits vorher auf den Philippinen gewesen war, soll hier ein vollständiger Bericht der Vorfälle gegeben werden.

K. war erstmals im Januar 1971 für nur wenige Tage dort. Er wollte zwei Wochen bleiben, reiste aber plötzlich heim, um eine Woche Zeit zu sparen, da er glaubte, daß nach zwei oder drei Eingriffen Agpaoas (Hämorrhoiden, Prostatabereich) bei ihm alles in Ordnung sei. Wieder in Deutschland, traten aber schon bald die alten Beschwerden wieder auf. K. suchte mich auf und bat mich, für Agpaoa auf englisch etwas auf Kassettenrecorder zu sprechen. Er erzählte mir, daß sein Facharzt die sofortige Operation verlangt habe. Es handle sich um einen malignen Tumor im Sigma-Bereich. Es bestände die Gefahr eines Darmverschlusses, deshalb sei eine Totaloperation mit Anlegung eines künstlichen Ausgangs erforderlich; Röntgenbilder hatte K. bei sich. Er sagte, eine solche Operation wolle er nicht auf sich nehmen; mit einem künstlichen Ausgang wolle er nicht mehr leben! Daher wollte er ein zweites Mal zu Agpaoa — vor Ostern 1971.

Agpaoa gab sich alle Mühe. K. ließ eine ganze Reihe paranormaler Eingriffe über sich ergehen und kam sehr geschwächt zurück. Er erholte sich aber in Deutschland außergewöhnlich schnell; sein Zustand besserte sich in geradezu unglaublicher Weise. Er nahm stark zu, während er vorher ein katastrophales Untergewicht hatte. Seine Darmblutungen hörten auf, und er brauchte kaum mehr Darmspülungen. In kürzester Zeit wirkte er um zehn Jahre verjüngt. Gegen die Hypothese, daß es sich lediglich um einen Suggestiv-Effekt gehandelt habe, spricht die Tatsache, daß dieser ja nach der ersten Philippinen-Reise auch schon hätte auftreten können, was aber nicht der Fall gewesen war.

Im Sommer traten plötzlich wieder die alten Beschwerden auf, und der fachärztliche Befund ergab erneut die Notwendigkeit einer sofortigen Totaloperation.

K. reiste jetzt mit dem Fernsehteam das dritte Mal auf die Philippinen. Nach den Eingriffen Agpaoas trat wieder eine schlagartige Besserung ein, und der Patient lebte mehrere Monate ziemlich beschwerdefrei. Ende Oktober oder Anfang November telefonierte ich mit ihm und erfuhr, daß er noch einmal nach den Philippinen fliegen wollte, da er »noch nicht ganz zufrieden« sei. Danach hörte ich von ihm persönlich nichts mehr. Andere berichteten mir aber, daß es ihm danach wieder gutgegangen sei, daß Ende Januar jedoch neuerlich Beschwerden aufgetreten seien und Alfred K. innerhalb weniger Tage im Krankenhaus gestorben sei.

Der vom Fernsehen hinzugezogene Mediziner gab an, bei K. keinerlei Narben festgestellt zu haben, die auf einen Eingriff Agpaoas hindeuteten, womit er nichts Neues, nichts Relevantes sagte, denn daß bei den paranormalen Operationen der Philippiner im allgemeinen keinerlei Narben auftreten, weiß ja inzwischen jeder, der sich mit diesem Phänomen beschäftigt hat.

Der Mediziner behauptete, daß der Patient wahrscheinlich heute noch leben könnte, wenn er sich in Deutschland rechtzeitig hätte operieren lassen. Darüber kann niemand eine sichere Aussage machen. Es soll dieser Annahme keineswegs widersprochen werden. Mit ziemlicher Sicherheit jedoch läßt sich wohl sagen, daß K. im Frühjahr 1971 nur noch wenige Wochen gelebt hätte, wenn er – bei Verzicht auf eine westliche Totaloperation – nicht von Agpaoa operiert worden wäre. K. litt wahrscheinlich an schwerem Darmkrebs, und Agpaoa hatte ihn fast ein Jahr lang einigermaßen beschwerdefrei gehalten. Daß hier möglicherweise eine westliche Totaloperation von vornherein ratsamer gewesen wäre, kann weder bestritten noch bewiesen werden. Der Patient lehnte eine Totaloperation ab – und das war seine persönliche Entscheidung! Noch kurz vor seinem Tod soll er anderen Patienten geraten haben, nach den Philippinen zu fliegen. Von einem »Leidensweg des A. K.« zu sprechen, wie es in der Fernsehsendung geschehen ist, dürfte wohl kaum den Tatsachen entsprechen, da der Patient, gemessen an der Schwere seiner Krankheit, ein erstaunlich beschwerdefreies Leben führte, täglich von früh bis spät in seiner Garage arbeitete, und der Tod nachher außergewöhnlich schnell eintrat.

Obwohl also niemand mit Sicherheit sagen kann, ob K. nach einer herkömmlichen Operation länger oder auch nur ebenso lange und auch ebenso – relativ – angenehm gelebt hätte wie nach der Behandlung durch Agpaoa, wird der Fall Alfred K. von den Gegnern der medialen Chirurgie natürlich als abschreckendes Beispiel ausgeschlachtet. Dabei übersieht man, daß auch in westlichen Krankenhäusern Patienten sterben. *Dennoch sei hier betont, daß niemandem der Rat gegeben werden kann, im Falle von Krebs auf eine Operation im westlichen Stil zu verzichten und nach den Philippinen zu reisen. Wer es dennoch tut, macht es ganz auf eigene Verantwortung und auf eigenes Risiko. Und das Risiko im Falle von Krebs dürfte sehr groß sein!* Ich kenne einen Fall von schwerem Lungenkrebs, den westliche Chirurgen als inoperabel bezeichneten. Der Patient hatte unter großen Beschwerden zu leiden. Er reiste dennoch in seinem schlechten gesundheitlichen Zustand nach den Philippinen. Agpaoa nahm Eingriffe an ihm vor, und der Patient lebte danach ziemlich beschwerdefrei. Er starb aber doch nach Ablauf der Frist, die unsere Chirurgen als maximale Lebensdauer vorausgesagt hatten.

In der Fernsehsendung wurden drei weitere Fälle erwähnt, in denen Agpaoas Operationen angeblich ebenfalls nicht geholfen hatten. Diese Patienten waren jedoch noch am Leben. Dann kam der Reporter darauf zu sprechen, daß Agpaoa unverständlicherweise einen so harmlosen Eingriff wie eine Warzenentfernung abgelehnt habe.

Hierzu ist zu sagen, daß Agpaoa die Beseitigung von Warzen unter Umständen für gefährlich hält, nämlich dann, wenn sie auf Akupunkturpunkten liegen. Auch einige westliche Ärzte stehen auf dem Standpunkt, daß sehr große bzw. seit langem vorhandende Warzen gewisse Notventile des Organismus darstellen. Die Entfernung dieser Warzen kann in manchen Fällen tatsächlich gravierende Folgen haben.

Andererseits gibt es auch absolut harmlose Warzen, die keinerlei Krankheit darstellen, und deshalb von einem geistigen Heiler nicht entfernt werden.

Verschwiegen wurden auch in dieser Fernsehsendung eindeutige Erfolge Agpaoas bei Patienten der Reisegruppe aus dem Sommer 1971, auf die ich bereits hingewiesen habe.*

Die gute Absicht der Initiatoren dieser Fernsehsendung soll gar nicht in Abrede gestellt werden. Vielleicht sind sie von der Richtigkeit ihrer Ansichten überzeugt. Doch sie haben nicht die geringsten Kenntnisse auf dem Gebiet paraphysikalischer Phänomene. Kein Wunder, daß wieder die alte Behauptung aufgefrischt wurde, es handle sich nicht um das Blut des Patienten, und daß erneut die Hypothese von der Plastikfolie herhalten mußte.

Das Motiv für solche Sendungen besteht möglicherweise darin, die Gruppenreisen, die von einem deutschen Reisebüro veranstaltet werden, zu boykottieren. Ob derartige Gruppenreisen mit Schwerkranken gerechtfertigt sind oder nicht, ist schwer zu entscheiden. Für Patienten, die ungeheilt zurückkommen, ist es gewiß eine große Enttäuschung; viele Patienten jedoch kommen beschwerdefrei zurück. Und wie viele Patienten werden täglich aus unseren Krankenhäusern statt geheilt enttäuscht entlassen?

Das Vorgehen der Gegner der philippinischen Operationen ist bedenklich. Dinge, an denen ganz offensichtlich »etwas dran ist«, wie man so sagt, lassen sich auf die Dauer nicht unterdrükken – am allerwenigsten mit unkorrekten Methoden, und indem einfach verschwiegen wird, was nicht in das Konzept hineinpaßt.

Allein eine offene, allseitige Diskussion – pro und contra – kann hier der rechte Weg sein, der Wahrheit näherzukommen. Doch bisher kamen im Deutschen Fernsehen nur die Gegner der philippinischen Chirurgie zu Wort.

Hier sei aus den Ausführungen des Intendanten des Südwest-

* Vgl. Seite 230 ff. und 241 ff.

funks und Vorsitzenden der ARD, Helmut Hammerschmidt, zum Thema der Redaktion von Rundfunksendungen – und natürlich gilt das erst recht für Fernsehsendungen – zitiert.

Es geht um die Frage, ob Redakteure allein ihre eigene und höchst persönliche, rein subjektive Meinung verbreiten dürfen:

»Im freien, unabhängigen Rundfunk einer pluralistischen Gesellschaft ist Pflicht eines jeden Redakteurs... auch Programmbeiträge zuzulassen und gegebenenfalls zu initiieren, die seiner Auffassung widersprechen. Dazu muß er, wenn ihm das nicht selbstverständlich ist, auch gezwungen werden können. Selbstverständlich darf man ihn nicht zwingen, etwas als Urheber zu veröffentlichen, was seiner persönlichen Meinung oder seiner Kenntnis des Sachstandes widerspricht. Aber jeder Redakteur *muß* Beiträge zulassen, die seiner Auffassung widersprechen. Wie anders kämen sonst Beiträge aller relevanten Meinungsrichtungen und Sachanschauungen zustande...«

Um die Operationen Agpaoas zu verstehen, müssen wir uns von einem einengenden Alternativdenken frei machen, das uns sagt: Entweder ist es eine Operation mit in jedem Fall klar sichtbarem Wundrand, Blut mit unveränderter Blutgruppe, spezifischem Gewebe, das auf normalem Wege herausbefördert werden muß – oder es ist ein Betrug! Es gibt noch eine andere, vielleicht sogar noch viele andere Möglichkeiten, die unser ganz auf der Basis bisheriger Erfahrungen entwickeltes Denken nicht ohne weiteres in Erwägung zu ziehen vermag.

Grundsätzlich neue Erfahrungen indessen sprengen den Rahmen der alten Denk- und Beurteilungskategorien. So ist zum Beispiel das Kriterium, ob es sich bei den Operationen Agpaoas um spezifisches Blut handelt oder nicht, zur Beurteilung der Echtheit oder Unechtheit der Operationen unbrauchbar; denn wenn derartig einschneidende Prozesse – wie hier behauptet – wirklich auftreten, dann kann man keineswegs von vornherein ausschließen, daß bei Agpaoas Operationen parachemische Veränderungen des Blutes auftreten. Wenn aber parachemische Veränderungen des Blutes auftreten, dann muß eine Beweisführung auf der Basis der Blutspezifität zu einem völligen Fehlurteil führen, wie es ja auch geschehen ist. Daß der Begriff der Parachemie keine Fiktion ist, hat unter anderen der Amerikaner Ted Serios bewiesen, der durch rein psychische Kräfte auf einer unbelichteten Platte ein Bild erzeugen konnte, das er in seiner Vorstellung entstehen ließ; das heißt, hier bewirken rein gedankliche Kräfte einen chemischen Prozeß in der Emulsion einer gegen Licht abgeschirmten Fotoplatte.[62, 63]

Ebensowenig wie es möglich ist, Wert oder Unwert der Psychoanalyse aufgrund der Kriterien und Beweismaßstäbe der behavioristischen Psychologie *vor* Sigmund Freud entscheiden zu wollen, ebensowenig wie man Schlüsse über physikalische Vorgänge im Bereich des Atomaren oder Subatomaren in jedem Fall aufgrund der rein thermodynamisch orientierten Physik des vorigen Jahrhunderts ziehen kann, ebenso unmöglich ist es, die Frage der Echtheit oder Unechtheit der paranormalen Operationen mit Kriterien entscheiden zu wollen, die ganz und gar aus den Erfahrungen der normalen Chirurgie stammen. Paranormale Vorgänge lassen sich eben nicht aus den bei normalen Vorgängen bekannten Gesetzmäßigkeiten ableiten.

Der wissenschaftliche Beweis eines Betrugs kann bei diesen grundsätzlich neuartigen Vorgängen nur erbracht werden, wenn nachgewiesen würde, daß die Gewebe vom Operateur zur Operation mitgebracht oder vorbereitet und durch Taschenspielerei in den Operationsbereich hineingeschmuggelt wurden. Einen anderen Überführungsbeweis gibt es im Bereich des Paranormalen nicht. Indizienbeweise sind hier nicht zulässig, da man ja die kausalen Zusammenhänge nicht kennt, also auch keine sicheren Schlußfolgerungen ziehen kann. Denn die Voraussetzung für einen logischen Schluß ist immer die Kenntnis der kausalen Zusammenhänge, das heißt die Kenntnis der Gesetzmäßigkeiten, nach denen die Vorgänge ablaufen. Und diese sind uns bei den medialen Operationen noch weitestgehend unbekannt.

Von Dr. Lissner stammte die Anregung, ein erfahrener Taschenspieler solle doch einmal sein Urteil über Agpaoa abgeben.

Dr. Naegeli-Osjord griff diese Anregung ein halbes Jahr später auf. Bei einem Besuch im Institut Métapsychique International in Paris lud man den Präsidenten der Pariser Zauberkünstlergilde, Dr. Tocquet, sowie einen Sachverständigen der Filmgesellschaft Cinéma ein. Es wurden den Herren die im Januar und Februar 1971 bei unserem Aufenthalt in Baguio von den Operationen Agpaoas gedrehten Filme vorgeführt. Die Sachverständigen kamen zu dem Schluß, daß es sich hier *nicht* um Tricks handeln könne.

Dieses Urteil deckt sich mit einer Bemerkung in Harold Shermans Buch *Wonderhealers of the Philippines.* Er berichtet da von einem amerikanischen Zauberkünstler, der bei einem Aufenthalt 1966 auf den Philippinen von Tony Agpaoa hörte und ihn aufsuchte, um seine »Tricks« kennenzulernen. Zu seiner Überraschung konnte er jedoch keine solchen feststellen und ging fort mit der Überzeugung, daß diese Dinge nichts mit Betrug zu tun haben.[228]

Dr. Naegeli-Osjord wies in seiner Stellungnahme in *Metapsichica* besonders darauf hin, daß die einzelnen Heiler unterschiedliche Operationstechniken anwenden. Und auch ein und derselbe Heiler arbeitet – sofern er bereits geübt ist – keineswegs nur nach einem einzigen Schema.

So scheint Agpaoa ein und dieselbe Operation auf verschiedene Weise durchführen zu können. Mitunter öffnet er den Körper deutlich sichtbar und geht mit seinen Händen tief in ihn hinein, bei einer anscheinend ganz ähnlichen Operation bleibt er an der Oberfläche, geht also mit seinen Händen keineswegs bis an den Herd heran, sondern scheint hier psychokinetisch zu arbeiten, also aus der Distanz. Beide Techniken unterscheiden sich wahrscheinlich allein schon durch den Verbrauch an medialer Kraft des Operateurs, und zwar erfordert die erste Operationsart offensichtlich mehr mediale Kraft vom Operateur als die zweite. Die zweite Arbeitstechnik wird auf den kritischen Mediziner, der an das Bild klinischer Operationen gewöhnt ist, nicht überzeugend wirken, und er hält es deshalb für Taschenspielerei, wenn der Heiler seine Hände über eine oberflächliche Wunde legt und plötzlich ein myomartiges Gewebe in der Hand hat. Das überzeugt den Skeptiker freilich nicht. Dennoch ist der Schluß, es handle sich um Betrug, falsch. »Le vrai n'est pas toujours vraisemblable!« Das Wahre ist nicht immer wahrscheinlich!

Im Kreise von Zuschauern, die ebenfalls eine gewisse Medialität oder eine mediale Anlage besitzen und die dem Operateur gegenüber positiv eingestellt sind, wird die mediale Kraft des

Operateurs »verstärkt«. Noch kennen wir den psychischen Verstärkungsmechanismus nicht, aber seine Existenz ist offensichtlich. Ist der Operateur von Skeptikern umgeben, so zehrt das an seiner Kraft, und er kann sich bis zur totalen Erschöpfung verausgaben.

Ich sah bei Agpaoa zwei analoge Operationen, die unter gänzlich verschiedenen Umständen durchgeführt wurden. In beiden Fällen wurde ein myomartiges Gebilde aus dem Körper geholt. Die erste Operation fand in seinem Haus unter den Augen von kritischen Europäern statt. Ich habe die Operation gefilmt. Agpaoa schien den Körper oberflächlich geöffnet zu haben, ohne daß er mit seinen Händen tiefer in den Körper hineinging, und unter seiner Hand kam dann auf einmal das Myom zum Vorschein. Zwei Mediziner waren bei der Operation anwesend. Agpaoa operierte in kurzärmeligem Hemd. Wer die philippinischen Operationen nicht wirklich studiert, wird bei solchen Eingriffen den Eindruck haben, es sei Taschenspielerei.

Die gleiche Operation sah ich dann auf einer Reise mit Tony in die Lowlands. Wir wollten eine Reihe anderer Heiler bei ihrer Arbeit beobachten. Nach einem Besuch in Rosales kamen wir zu dem bekannten Operateur José Mercado, aber der war an diesem Tag bereits mit allen Operationen fertig, und wir fuhren gleich nach Urdaneta weiter, wo der Heiler Johanito in einer Kapelle arbeitet. Doch bekamen wir nicht viel zu sehen, da Johanito durch anstrengende Operationen sehr erschöpft schien — vielleicht irritierte ihn auch unser plötzlicher Besuch. Jedenfalls machte er gleich nach unserer Ankunft eine längere Pause.

Agpaoa war an diesem Vormittag offensichtlich nicht auf eine operative Tätigkeit eingestellt, sah aber unsere Enttäuschung und schien in der Kapelle angesichts der gläubigen Menschen auf einmal »in Stimmung« zu kommen. Ein hoher Prozentsatz der Filipinos ist medial veranlagt, und so stellt eine Menschenmenge in einer Kapelle der Unio Espiritista Cristiana ein »kraftlieferndes Milieu« dar. Ohne jede Vorbereitung forderte Agpaoa den nächsten Patienten zur Operation auf. Eine Filipina kam nach vorn. Sie wurde auf den Tisch gelegt. Bei diesem Eingriff ging Agpaoa ganz offensichtlich sofort tief in den Körper hinein. Das Blut strömte, wie ich es sonst überhaupt nicht mehr erlebt habe. Agpaoa schien regelrecht in Ekstase zu geraten und plätscherte mit den Händen in der blutigen Wunde herum wie in einer Waschschüssel; die Zuschauer mußten beiseite springen, um nicht vollgespritzt zu werden. Agpaoa holte ein myomartiges Gebilde heraus. Ein Betrug war bei dieser improvisierten Operation völlig ausgeschlossen. Wir waren stundenlang in der größten Hitze unterwegs gewesen, Tony ganz leicht gekleidet mit kurzärmeligem Hemd. Die Hypothese, das Blut würde aus der Wassermenge in einem kleinen Wattebausch mittels eines Farbstoffes hergestellt, mußte bei den hier aufgetretenen Blutmengen absolut absurd erscheinen.

Der unterschiedliche Ablauf der beiden analogen Operationen zeigt, daß Skeptiker, die nur einen »Trick« suchen, eine stark »kraftzehrende Atmosphäre« schaffen, mit dem Ergebnis, daß sie den Operationstyp, den sie gern sehen wollen, nicht zu sehen bekommen, da dieser mehr Kraft vom Operateur verlangt, als er unter diesen Bedingungen zur Verfügung hat. Überflüssig zu sagen, daß kein Skeptiker auf die Idee kommt, die Schuld bei sich selbst zu suchen.

Vielleicht kann man sich jetzt auch vorstellen, welche Strapaze es für Agpaoa darstellt, eine große Gruppe ausländischer Patienten um sich zu haben, unter denen immer eine Reihe Leute sind, die ihn »auf die Probe stellen« oder gar »entlarven« wollen.

In einer medizinischen Zeitschrift wurde Agpaoa als »Betrüger« bezeichnet, weil ein angeblich von ihm herausgenommener Blinddarm bei einer Nachoperation in Rom noch gefunden wurde.

Selbst diese Tatsache – ihre Richtigkeit einmal vorausgesetzt – berechtigt nicht ohne weiteres zu der Behauptung, es sei alles Betrug.

Der mediale Chirurg orientiert sich nicht an den anatomischen Gegebenheiten wie der Schulmediziner, sondern an gänzlich anderen Faktoren – vielleicht an einer »Ausstrahlung« des kranken Gewebes, am sogenannten Bioplasmakörper oder an noch ganz anderen Dingen, die unseren Wissenschaften noch unbekannt sind. Wahrscheinlich greift er den Herd dann an im Sinne einer Auflösung (Dematerialisation) kranker Zellen oder Zellinhalte. Der Vorgang erfolgt im tranceartigen Zustand des Heilers, zumindest sind seine Hände in Trance. Über den genauen Vorgang ist sich der Heiler oft selbst keineswegs voll bewußt – daher ja auch die Bezeichnung »mediale Operationen«. Manche Heiler – wie der verstorbene Gonzales – arbeiteten in Tieftrance und wußten während der Operation überhaupt nicht, was sie machten. Auch Tony Agpaoa soll in jungen Jahren in Tieftrance gearbeitet haben. Heute benötigt er sie nicht mehr, ebensowenig wie Juan Blance und andere. Die Steuerung des medialen Vorgangs erfolgt aus den irrationalen Tiefenschichten der Psyche. Durch Rationalisierung versucht der Heiler den medialen Vorgang zu deuten, was oft gelingt; denn er hat ja in der Technik jahrelange Erfahrungen. Dennoch ist die Aussage des Heilers mit einer mehr oder minder großen Unsicherheit behaftet, so daß er ohne weiteres meinen kann, der Blinddarm sei herausgenommen, obwohl er nur pathologisches Zellgewebe zerstört oder auch nur behandelt hat, ohne wirklich Gewebe zu entfernen, oder es haben sich ganz andere, eine Heilung begünstigende Vorgänge abgespielt. Wer hier von Betrug spricht, verkennt das Wesen medialer Vorgänge im Zusammenhang mit paraphysikalischen Phänomenen. Oft meint der Heiler vielleicht auch, ein bestimmtes Organ operiert zu haben, in Wirklichkeit war er jedoch in der Nachbarschaft dieses Organs tätig. So sagte Agpaoa mir nach dem Eingriff im Magen-Darm-Bereich, er habe mir den Zwölffingerdarm herausgenommen, was natürlich nicht der Fall war.

Etwas Derartiges ist für den im Sinne der rationalen Medizin des Westens geschulten Chirurgen natürlich völlig unverständlich. Denn für ihn ist die richtige Diagnose die Voraussetzung für die Entfernung des kranken Herdes; ebenso wie ein Reisender Name und Lage seines Ziels kennen muß, um es erreichen zu können. Die Brieftaube jedoch kennt weder den Namen des Zielorts noch den der Zwischenstation, dennoch erreicht sie ihr Ziel mit großer Sicherheit. Der paranormale Operateur kennt weder die genaue Struktur noch die Bezeichnung der operierten Körperstellen im Sinne der Nomenklatur der westlichen Medizin, dennoch weiß er im allgemeinen genau, was krank ist und wo er mit der Behandlung ansetzen muß.

Der Mediziner westlicher Schule muß sich klarmachen, daß

anatomische und schulmedizinische Kenntnisse ja nur ein Mittel zum Zweck sind und nicht Selbstzweck. Der eigentliche Zweck jeglicher Behandlung ist letztlich immer die Beseitigung des krankhaften Zustandes. Die rationale Medizin mit ihren Methoden der Chirurgie ist nur *ein* Weg neben vielleicht noch einer ganzen Reihe von weiteren Wegen, von denen wir heute noch nicht einmal etwas ahnen.

Materialisationen - des Rätsels Lösung?

In der medialen Chirurgie der Philippiner spielen sich eindeutig paraphysikalische Prozesse ab, beispielsweise Psychokinesen. Wie in einem früheren Kapitel bereits angeführt, wird das Auftreten solcher Erscheinungen der Fernbewegung erst seit kurzem wissenschaftlich akzeptiert, genauer gesagt seit 1968 dank der hervorragenden Arbeiten mit dem von Professor Wassiliew entdeckten Medium Nina Kulagina.[169, 193]

Psychokinese ist auch im Spiel, wenn Juan Blance einen »Schnitt« in den Körper macht, ohne ihn zu berühren, und wenn Agpaoa ein Heftpflaster »durchpustet«. Psychokinese wirkt ferner bei manchen Operationen Agpaoas mit, zum Beispiel, wenn er einen tiefer im Körper liegenden Herd »hochholt«, ohne mit den Fingern bis an den Herd heranzugehen. Psychokinetisch kommen bei Blance – sobald er den »Schnitt« gemacht hat – auch Tumore, Metastasen usw. an die Körperoberfläche, nachdem sie von ihrem ursprünglichen Ort im Innern des Körpers wiederum psychokinetisch gelöst worden sind.

Mit Hilfe der Psychokinese ziehen die philippinischen Operateure vermutlich festsitzende Backenzähne. Jeder, der dieses Phänomen etwas gründlicher studiert hat, kommt zu der Überzeugung, daß das nicht mit einem stark entwickelten Daumen und einer starken mechanischen Kraftentfaltung zu bewerkstelligen ist; denn oft werden festsitzende Backenzähne auch an schlecht zugänglichen Stellen von dem Operateur spielend leicht herausgezogen. Tony Agpaoa »übertrug« 1965 diese Fähigkeit auf den amerikanischen Chiropraktor Nelson Decker*, der dann ebenso spielend feste Backenzähne zog, mit bloßen Fingern und ohne irgendwelche »Daumenstärkungsübungen« gemacht zu haben.[228]

* Vgl. Seite 302 ff.

Psychokinetisch hat Nina Kulagina bei einem vorsichtig ausgeschlagenen Ei das Eidotter vom Eiweiß getrennt und nachher wieder vereinigt, ohne die Form des Eigelbs zu verletzen.[169] Ist dieser Vorgang – seine offizielle Bestätigung vorausgesetzt – von dem der Abtrennung von Geweben im Körperinnern bei den philippinischen Operationen so grundsätzlich verschieden? Wer das eine akzeptiert, sollte das andere auch nicht mehr für unmöglich halten.

Doch Psychokinese im bisher behandelten Sinne allein vermag die Vorgänge bei den paranormalen Operationen ebensowenig zu erklären wie irgendein anderer Teilaspekt der Psi-Forschung. Solange wir nicht ein weiteres, in diesem Buch bisher nicht diskutiertes Paraphänomen in unsere Überlegungen einbeziehen, werden wir der Lösung des Problems nicht viel näher kommen. Das heißt, wir müssen uns mit der höchst seltsamen und wissenschaftlich heute noch genauso wie zu Anfang unseres Jahrhunderts umstrittenen Erscheinung der mediumistischen Materialisationen beschäftigten.[11, 84–86, 96] Man unterscheidet dabei zwischen einer Dematerialisation und einer Rematerialisation.

Unter Dematerialisation versteht man eine – unseren Wissenschaften bisher noch nicht bekannte – Auflösung von organischer Materie, wobei sie wahrscheinlich in eine grundsätzlich neue Zustandsart oder Energie übergeführt wird, jenseits der uns vertrauten Zustände fest – flüssig – gasförmig der stofflichen Welt und auch jenseits des physikalischen Plasmas liegend. Diese Zustandsform muß viel subtiler sein als die der Atome unserer stofflichen Welt – vielleicht den Elementarteilchen vergleichbar – und quasi unelektrisch, so daß sie ohne Schwierigkeiten feste stoffliche Strukturen durchdringen kann. Nehmen wir ruhig an, daß es sich dabei um das Bioplasma der russischen Forscher Injuschin und Sergejew handelt.* Somit wäre eine »Dematerialisation« der Übergang normaler organischer Substanz in Bioplasma. Unter »Rematerialisation« oder auch einfach »Materialisation« würde man die Rückführung oder Überführung von Bioplasma in den normalen stofflichen Zustand verstehen.

* Vgl. Seite 110.

Über das Auftreten unerklärlicher Materialisationsphänomene wird seit ältesten Zeiten bis zur Gegenwart aus den verschiedensten Kulturkreisen berichtet,[28, 43] wenn auch diese Berichte im europäischen Kulturkreis in den letzten Jahrzehnten äußerst selten geworden sind. Wahrscheinlich sind beginnende Materialisationsvorgänge auch die Basis für starke Psychokinesen.

Die Psychokinese scheint durch die Ausstrahlung von Bioplasma bei manchen Medien zustande zu kommen. In besonderen Fällen sieht es nun so aus, als trete eine gänzlich neuartige Fähigkeit des Bioplasmas auf, nämlich die Fähigkeit, sich unter bestimmten, uns noch unbekannten Bedingungen außerhalb des Körpers zu »materialisieren«, das heißt, sich so zu »verdichten« und zu strukturieren, daß sich neue organische Materie zu bilden scheint.

Nina Kulagina bewegte psychokinetisch sogar Aluminiumzylinder bis zu tausend Gramm Gewicht. Hierbei schienen keinerleit sichtbare Materialisationen aufzutreten, wenn auch einiges darauf hindeutet, daß der vierte Aggregatzustand der Materie, das physikalische Plasma, bereits manchmal wenigstens intermediär auftritt.[224] Es hat aber auch Medien gegeben, die viel schwerere Gegenstände psychokinetisch bewegt haben, zum Beispiel schwere Tische, ja, sogar Schränke.[96, 216, 258] Von sehr zuverlässigen Forschern wird berichtet, daß sich hier offensichtlich vom Körper des Mediums ausgehend bis hin zu dem zu bewegenden Gegenstand nicht nur ein unsichtbares und mit den Händen nicht fühlbares Kraftfeld aufbaut, sondern daß offensichtlich eine derartige Verdichtung und Strukturierung des Bioplasmas erfolgt, daß eine materielle Form entsteht, die man unter Umständen mit der Hand fühlen kann und die für das Bewegen schwerer Gegenstände verantwortlich sein soll.[217]

Wenn wir zunächst einmal hypothetisch das Bioplasma als einen fünften Aggregatzustand auffassen, der vielleicht identisch ist mit einer neuartigen biologischen Energie, dann wird unter dem dirigierenden Einfluß des Geistes bei so einem mediumistischen Materialisationsvorgang möglicherweise in kürzester Zeit eine Entwicklung aus dem Bioplasma über das Plasma eventuell bis zum festen Aggregatzustand hin durchlaufen.

Die erste Reaktion eines Wissenschaftlers wird sein, etwas

Derartiges für unmöglich zu halten, da es allen Erfahrungen der Physik widerspricht.

Hierauf ist zu antworten, daß auch die Psychokinese allen Erfahrungen der Physik zu widersprechen schien, ebenso wie die Telepathie. Und wenn Pascual Jordan sagte, die Parapsychologie müsse auf die Unterstützung der Physik für die Erklärung der Telepathie verzichten, so mag etwas Ähnliches zunächst auch noch für die paraphysikalischen Vorgänge der Materialisationen gelten. Hier handelt es sich eben um eine gänzlich andersartige biologische Energie, mit der die experimentelle Physik bisher noch nicht zu tun hatte, und deshalb kann man die Möglichkeiten der mediumistischen Leistungen nicht auf das beschränken, was aufgrund der bisherigen Forschungen der Physik als »möglich« gilt.

Von den Hauptarten der Paraphänomene – Telepathie, Hellsehen, Präkognition, Psychokinese, Materialisationsphänomene –, die ursprünglich von den offiziellen Wissenschaften alle geleugnet wurden, sind heute die Materialisationen die einzigen, die noch nicht als streng wissenschaftlich bewiesen gelten. Es dürfte aber – genau wie bei den anderen vier Paraphänomenen – lediglich eine Frage der Zeit sein, bis auch die grundsätzliche Möglichkeit von Materialisationsphänomenen wissenschaftlich zugegeben wird.

Vielleicht arbeiten sowjetische Psi-Forscher bereits auf diesem Gebiet; denn so ausgezeichnete Psychokinese-Medien, wie die Russen sie besitzen, sollte man auch zur Ausführung von Materialisationen bringen können – wenngleich unter Laborbedingungen vielleicht nur in bescheidenem Maße. Die Sowjets haben ja ihre Medien bekanntlich dazu erzogen, unter streng wissenschaftlichen Bedingungen zu arbeiten, obwohl das eine Leistungsminderung mit sich bringt. Es ist jedoch durchaus denkbar, daß von dort aus auch der wissenschaftliche Durchbruch für die Anerkennung der Materialisationserscheinungen erfolgen wird. Die Basis dafür scheint bereits vorhanden zu sein.

Im westlichen Europa ist zur Zeit kein einziges Materialisationsmedium bekannt. Ursache sind nicht zuletzt die allgemeinen Diffamierungskampagnen, denen sich derartige mit außergewöhnlichen Fähigkeiten begabte Personen ausgesetzt sehen, wodurch solche Begabungen dann im Keime erstickt werden.[87, 166, 182] In den USA und Brasilien gibt es echte Materialisationsmedien, aber auch betrügerische, und eine Trennung der Spreu vom Weizen erfordert sehr viel Erfahrung. Das hat dazu geführt, daß die meisten Wissenschaftler alle Erscheinungen dieser Art kurzerhand als Betrug abtun und sich nicht damit befassen, zumal ein großes Handikap für das Auftreten von Materialisationserscheinungen die Lichtempfindlichkeit der Phänomene besonders gegenüber den energiereicheren Strahlen des sichtbaren elektromagnetischen Spektrums ist.

Das macht die Ausschaltung von Tageslicht notwendig. Nur sehr starke und leistungsfähige Materialisationsmedien können auch bei Tageslicht Materialisationserscheinungen produzieren. Ein solches Medium war der Brasilianer Carlos Mirabelli. Seine Demonstrationen fanden bei hellem Tageslicht statt, in Gegenwart ganzer Gruppen von Ärzten und Forschern. Zur Ausschaltung jeglicher Betrugsmöglichkeit ließ sich das Medium an seinem Stuhl noch mit Stricken festbinden.[80] Derartige Leistungen sind jedoch Ausnahmen. Im allgemeinen werden Materialisationsmedien bei Rotlicht arbeiten oder bei völliger Dunkelheit, was natürlich die Möglichkeit des Betruges erleichtert.

Diese Tatsache hat viele Forscher dazu bewogen, all diese Phänomene pauschal zu diffamieren. Ein derartiges Verhalten ist jedoch nicht als wissenschaftlich anzusehen. Die Tatsache, daß ein Gebiet schwierig zu erforschen ist, ist kein Grund, seine Untersuchung einfach abzulehnen. Es gibt auf allen Sektoren der Wissenschaft Prozesse, die nur unter schwierigsten Bedingungen untersucht werden können. Die Phänomene der Natur stellen sich nun einmal nicht auf unsere Wünsche und die derzeitigen Untersuchungsmethoden der Wissenschaftler ein, sondern *wir* müssen unsere Untersuchungsmethoden dem jeweiligen Gegenstand anpassen.

Es ist heute überhaupt kein Problem mehr, ein Medium bei Rotlicht oder auch bei völliger Dunkelheit arbeiten zu lassen und dennoch jede Betrugsmöglichkeit auszuschalten. Schon in den ersten Jahrzehnten unseres Jahrhunderts haben eine ganze Reihe von Forschern Materialisationsphänomene unter streng wissenschaftlichen Bedingungen untersucht und ihr Vorhandensein bzw. ihr tatsächliches Auftreten bewiesen. Professor Julius Ochorowicz, der heute noch von seinen Landsleuten als der bedeutendste polnische Psychologe bezeichnet wird, experimentierte mit der jungen Polin Stanislawa Tomczyk und mit anderen guten Medien. Der Münchner Arzt Dr. Albert von Schrenck-Notzing veranstaltete schon vor dem Ersten Weltkrieg Séancen mit der Französin Eva Carrière, die er in ein Gazetrikot einnähte, und zwar von Kopf bis Fuß, und die außerdem vor streng wissenschaftlich kontrollierten Sitzungen sich total entkleiden und alle nur denkbaren Untersuchungen über sich ergehen lassen mußte, einschließlich gynäkologischer und rektaler Kontrolle, um sicherzustellen, daß sie nicht irgendwelche Materialien (z. B. Schleier) in das Laboratorium hineinschmuggle und damit Materialisationsphänomene »tricke«.[217] Prominente Gäste wurden von Schrenck-Notzing zu den Sitzungen eingeladen und bezeugten die Echtheit der Phänomene, unter anderem Thomas Mann,[136] dennoch fehlte es nicht an Leuten, die den Experimentator in unfairster Weise angriffen und verleumdeten, offensichtlich schon allein deshalb, weil er sich mit »derartigen Dingen« überhaupt befaßte. Viele Leute haben eigenartige Vorstellungen von dem Begriff »Wissenschaftlichkeit«; sie leiten ihn vom Untersuchungsgegenstand ab und nicht von der angewandten Methode. Es kann gar nicht deutlich genug gesagt werden: Die Wissenschaftlichkeit einer Untersuchung hängt nie vom Gegenstand ab, sondern stets nur von der Art, wie die Untersuchung durchgeführt wird. Und wer die Arbeiten Schrenck-Notzings gründlich studiert hat, wird bezeugen können, daß hier eine Leistung von hohem wissenschaftlichem Niveau vorliegt und ihm die Zukunft vollständig recht geben wird.

Ferner untersuchten einige berühmte italienische Wissenschaftler Materialisationserscheinungen, zum Beispiel Cesare Lombroso, Ernesto Bozzano und Professor Enrico Morselli, der als Skeptiker die Phänomene zuerst ablehnte, dann aber von ihrer Existenz überzeugt wurde.[144] Experimente von einmaligem Wert führten Anfang der zwanziger Jahre die beiden Franzosen Charles Richet und Gustave Geley durch. Richet war Mediziner an der Sorbonne, ein Mann von höchstem wissenschaftlichem Rang, der für seine physiologischen Arbeiten, speziell für die Entdeckung der Anaphylaxie, den Nobelpreis erhielt. Dr. Gustave Geley war Direktor des 1919 mit staatlicher Unterstützung ins Leben gerufenen Institut Métapsychique International in Paris. Beide experimentierten unter Ausschaltung aller nur erdenklichen Betrugsmöglichkeiten und Anwendung raffinierter Tests erfolgreich mit dem polnischen Medium Franek-Kluski. Richet legte die Ergebnisse seiner Arbeit auf dem Gebiet des Paranormalen in seinem Lebenswerk *Traité Métapsychique* nieder und betrachtet darin das Phänomen der Materialisationserscheinungen als wissenschaftlich bewiesen.[200] In den fünfziger Jahren experimentierte Dr. Hans Gerloff mit Einar Nielsen, einem Dänen, dem letzten großen Materialisationsmedium Europas.[78]

Man kannte damals noch nicht den Begriff Bioplasma, und die Forscher konnten deshalb auch keine konkreteren Vorstellungen über das Zustandekommen des Erscheinungsbildes der von ihnen beobachteten Phänomene haben, die dem gesunden Menschenverstand so unbegreiflich und absurd vorkommen mußten. Alle hier angeführten Forscher bestätigten die Beobachtung, daß gewisse Medien im Trancezustand zeitweise imstande sind, eine biologische Grundsubstanz – anscheinend aus den Zellen ihres Körpers – austreten zu lassen, sogenanntes *Ektoplasma,* das außerhalb des Körpers die verschiedensten Formen anzunehmen scheint und schließlich wieder in den Körper des Mediums zurückkehrt.

Dieser Vorgang besitzt eine formale Ähnlichkeit mit Erscheinungen bei manchen einzelligen Lebewesen, wie zum Beispiel den Amöben, die aus einer schleimartigen Masse, dem Protoplasma, bestehen, in welches ein Zellkern eingebettet ist. Im Protoplasma kann man trübere, von kleinen Körnchen und Tröpfchen erfüllte Innenschichten erkennen, das sogenannte Entoplasma. Die glasklare, körnerfreie Randschicht nennt man Ektoplasma. Amöben haben die Fähigkeit, ihre Gestalt zu verändern. Es können sich lappenartige Ausbuchtungen bilden, indem das Plasma im Innern in fließende Bewegung gerät, so daß eigenartige wurzelförmige Fortsätze entstehen, gewissermaßen eine primitive Form der Gliedmaßen des Menschen, die jedoch im Vergleich zu den menschlichen Gliedern sehr instabil und formunbeständig sind. Diese Plasmafortsätze, die man auch Pseudopodien (Scheinfüßchen) nennt, können sich an jeder Stelle des Zelleibes der Amöbe bilden. Auf Widerstände reagieren sie ebenso wie auf Licht.

Vielleicht nannte man die aus dem Körper der Medien austretende Substanz wegen dieser scheinbaren Analogie »Ektoplasma«; vielleicht meinte man aber auch, daß es sich um aus den Zellen des Körpergewebes des Mediums stammendes Ektoplasma handelt. 1915/16 stellte der englische Physiker W. J. Crawford bei seinem Medium Miß Holigher fest, daß von dessen Unterkörper eine etwa einen Meter lange Prolongation ausging, die, einem Rüssel vergleichbar, in der Lage war, sich an dem zu bewegenden Gegenstand »festzusaugen«, eine ziehende und stoßende Kraft auszuüben und bei der nötigen Verhärtung und Festigung als Träger für das Hochheben schwerer Gegenstände zu fungieren.[217]

Crawford markierte ohne Wissen des Mediums die zu bewegenden Gegenstände mit färbenden Substanzen. Nach Beendigung der Experimente fanden sich Abfärbungen unter der Kleidung des Mediums auf der Haut im Bereich der Bauchgegend, als ob sich die die Fernbewegungen verursachenden Materialisationen an dieser Stelle in den Körper des Mediums zurückgezogen hätten. Ferner setzten Crawford und andere Forscher ihre Medien während der Materialisationsséancen auf Waagen und kontrollierten das Gewicht während des Vorgangs. Sie stellten mitunter starke Gewichtsverluste für die Dauer der Ektoplasma-Exteriorisation fest, angeblich bis zu mehreren Kilogramm – in manchen Fällen sogar noch viel mehr –, was darauf schließen läßt, daß tatsächlich Substanz aus dem Körper des Mediums exteriorisiert wurde, aber, wie wir heute annehmen sollten, über den Zwischenzustand des Bioplasmas, mit anschließender Materialisation zum »Ektoplasma« an der Körperoberfläche. Doch ist die Bezeichnung »Ektoplasma« nicht sehr glücklich, denn nichts beweist bisher, daß das mediumistische Ektoplasma aus dem in den Zellen enthaltenen Ektoplasma der Zytologen herrührt und nicht aus gänzlich anderen Körpersubstanzen stammt. Es gibt daher auch die Bezeichnungen Teleplasma[217] und Medioplasma.[78] In der französischen und angelsächsischen Literatur hat sich jedoch die Bezeichnung »Ektoplasma« fest eingebürgert, weshalb sie auch hier verwendet werden soll.

Das Medium sitzt während der Ektoplasmabildung meist zusammengesunken da; es befindet sich bei starken Phänomenen in Tieftrance, wobei die Körperfunktionen extrem anomal verlaufen. Bei dem Brasilianer Carlos Mirabelli raste das Herz in einem beängstigenden Tempo, sein Gesicht war wachsbleich, und anwesende Ärzte fürchteten mitunter um sein Leben.[80] Bei geringfügigen Ektoplasmabildungen können Medien aber auch durchaus bei Bewußtsein sein.

Pioniere der Ektoplasmaforschung versuchten immer wieder, das Phänomen zu fotografieren. Es liegen bisher fast nur Schwarzweißaufnahmen vor. Die Farbfotografie war in der Frühzeit der Materialisationsséancen noch nicht entwickelt. Es existieren einige wenige Infrarotfilme, auf denen der ganze Prozeß in der Bewegung festgehalten ist. Es sei hier die Prognose gewagt, daß es die Sowjets sein werden, die den ersten wissenschaftlich akzeptierten Film über die Ektoplasmabildung bei einem Medium drehen und veröffentlichen werden.

Wer die vorhandenen Fotos genauer studiert hat, insbesondere die von Schrenck-Notzing und Gustave Geley, und wer außerdem genügend Agpaoa-Operationen sowohl in natura als auch in Filmen – farbig und schwarzweiß – gesehen hat, gewinnt den Eindruck, daß es sich bei dem, was Agpaoa manchmal aus dem Körper der Patienten herausbefördert und dem Ektoplasma Dr. Geleys um gleichartige Substanzen handelt.

Ektoplasmatische Prozesse spielen also sehr wahrscheinlich bei den Operationen Agpaoas und der übrigen philippinischen Operateure eine bedeutende Rolle, auch wenn sie dort unter anderen Umständen auftreten als bei Materialisationsséancen und in anderer Art, insbesondere da das von Agpaoa am Patienten produzierte Ektoplasma vermutlich hauptsächlich aus dem Patienten stammt, während es bei den westlichen Materialisationsséancen hauptsächlich vom Medium geliefert wird. Ferner erlangt das Ektoplasma bei den philippinischen Operationen eine stabile Endform, die zumindest für längere Zeit beständig ist, während das Ektoplasma der westlichen Medien meist – nicht immer! – noch während der Séance sich wieder auflöst und in den Körper des Mediums zurückkehrt. Vielleicht sollte man deshalb das von Agpaoa und anderen Heilern am Patienten produzierte Ektoplasma als »stabilisiertes Ektoplasma« bezeichnen.

Dieses stabilisierte Ektoplasma faßt sich an wie menschlich-tierisches Gewebe, ohne daß ein Mediziner klar sagen könnte, um was es sich wirklich handelt. Auch bei manchen nahezu strukturlosen Substanzen, wie der Heiler Blance sie zum Beispiel aus den Augen der Patienten holt oder manchmal durch die nicht geöffnete Körperdecke nach außen bringt, handelt es sich vermutlich um eine Form des Ektoplasmas im Sinne von Geley und Richet.

Aufschlußreich ist der Vergleich einer Zusammenstellung von Materialisations-Erscheinungsformen, die Geley 1918 veröffentlichte, mit den Phänomenen, die bei manchen Operationen Agpaoas auftreten. Geley schreibt:

»Vom Körper des Mediums geht eine Substanz aus, sie exteriorisiert sich. Die Substanz ist zuerst amorph oder polymorph. Sie geht aus dem ganzen Körper, aus den natürlichen Öffnungen, den Extremitäten, dem Scheitel des Kopfes, den Brustwarzen und den Fingerspitzen des Mediums hervor. Der häufigste Austritt, der am bequemsten zu beobachten ist, ist jener aus dem Munde: Man sieht dann die Substanz von der inneren Fläche der Wangen, dem Gaumensegel und dem Zahnfleisch aus sich exteriorisieren.«[75]

Die Substanz tritt in den verschiedensten Formen auf:

»Bald als streckbarer Teig« — wie mitunter auch bei Blance —, »bald als dünne Fäden, bald als Schnüre von verschiedener Stärke, als schmale, starre Strahlen, bald als breites Band, bald als *Membran,* bald als Stoff und als dünnes Gewebe mit unbestimmten und unregelmäßigen Umrissen. Am sonderbarsten ist das Aussehen einer weit ausgelegten Membran, die mit Fransen und Wülsten versehen ist und deren Aussehen ganz an ein Netz erinnert.«

Fast alle diese Formen scheinen auch bei den Operationen Agpaoas aufzutreten und sind mehrfach in Filmen festgehalten worden. Besonders interessant ist Geleys Erwähnung einer Membranform des Ektoplasmas. Er hat sie bei den untersuchten Medien zu einer Zeit festgestellt, als es noch keine Kunststofffolien gab! Liegt hier vielleicht die Erklärung für den angeblichen »Plastikfolien-Trick«, den einige Beobachter bei Agpaoa vermuteten, die ihn daraufhin als Schwindler hinzustellen versuchten? Wahrscheinlich treten bei manchen seiner Operationen intermediär manchmal membranartige Ektoplasmabildungen auf, die sich dann aber immer gleich wieder umstrukturieren.

Geley sagt dann: »Bei der Berührung macht die Substanz einen unterschiedlichen Eindruck. Gewöhnlich ist sie feucht und kalt, manchmal klebrig und zäh, seltener trocken und hart. Der Eindruck, den man erhält, hängt von der Form ab.«

Man vergleiche hierzu die Aussage des Mediziners, der laut *Stern*-Bericht bei einem Eingriff Agpaoas in die Operationsstelle hineingriff: »Das fühlte sich an wie eine leblose, straffe Kunststoffschicht, die nicht körperwarm war.« Kann es nicht sein, daß der Betrugshypothetiker eine ektoplasmatische Bildung gefühlt und diese für eine Plastikfolie oder etwas Ähnliches gehalten hat? Es spricht jedenfalls viel dafür.

Die intermediäre Bildung offensichtlich harter ektoplasmatischer Substanzen bei manchen mediumistischen Prozessen erinnert an viele andere bisher unverständliche Psi-Phänomene, für die sich auf dieser Basis möglicherweise auch eine wissenschaftliche Erklärung anbahnt.

In einer Veröffentlichung Anfang 1970 berichtete Dr. Hans Naegeli-Osjord über das Phänomen der Feuerunempfindlichkeit.[161] Er führte dort eine Reihe nicht anzweifelbarer Fälle an, in denen bei Völkern, die von unserer Zivilisation noch kaum berührt worden sind, als kultische Handlung das Feuerschreiten oder der Feuertanz üblich ist, so bei Eingeborenen auf Ceylon, bei Schamanenbeschwörungen in Malaysia, bei den Kahunas auf Hawaii. Sir William Crookes berichtete bereits Ende des vorigen Jahrhunderts von der Feuerunempfindlichkeit seines Mediums D. D. Home, weshalb viele an der Glaubwürdigkeit Crookes zweifelten.[265]

1935 soll der Inder Kuda Bux in London vor zwanzig Ärzten und Wissenschaftlern mit bloßen Füßen über eine auf 430° C erhitzte Fläche gelaufen sein, ohne sich dabei die Fußsohlen zu versengen. Vorher hatte sich der Fakir in einen Zustand der Versenkung und Konzentration versetzt.[69, 171]

Eine große Anzahl ähnlicher Fälle ist bekannt. Vertreter der »exakten Wissenschaften« früherer Jahrzehnte taten alle derartigen Berichte einfach als Täuschungen ab. Als eine Sensation ist es daher anzusehen, daß auf dem Internationalen Parapsychologen-Kongreß 1972 in Moskau in einem Film eine rumänische Tänzerin gezeigt wurde, die barfuß über glühende Kohlen ging, ohne sich im geringsten zu verbrennen.[125] Auch von Tony Agpaoa wurde früher gesagt, daß er sich gegen Feuer immunisieren könne.[10]

Diese unglaublichen Phänomene werden verständlicher, wenn man derartigen Leistungen Ektoplasmabildungen zugrunde legt. Vermutlich besitzt der Bioplasmakörper der Feuerschreiter in bestimmten seelischen Zuständen die Fähigkeit, auf den kritischen Körperoberflächen ein extrem hartes Ektoplasma zu materialisieren, das dem zerstörenden Einfluß hoher Temperaturen widersteht.

Vielleicht beruht auf der Bildung widerstandsfähigen Ektoplasmas auch die lange Zeit von Wissenschaftlern negierte Erscheinung, daß manche indische Yogis in der Lage sind, giftige Substanzen und scharfe Glasscherben ohne irgendwelche Schäden zu verspeisen.

Die Sowjets demonstrierten diese Leistungen ihrer Yogis ebenfalls im Film: Ein Yogi trank Salzsäure, schluckte Glasscherben, legte sich dann auf spitze Glasscherben und ließ Männer auf sich herumtrampeln. Sein Rücken zeigte nur leichte Druckstellen, aber keinerlei Verletzungen. Kann der Yogi die resorbierenden Darmschleimhäute durch Bildung eines abschirmenden Ektoplasmafilmes an der Resorption des Giftes hindern? Vielleicht ist auch die Leistung des Yogi, der im Eisgrab keine Temperatur verlor,[125] dadurch zu erklären, daß er sich mit einer isolierenden Ektoplasmaschutzschicht zu umgeben vermag.

Das sind bisher natürlich nur Vermutungen, aber man ersieht aus diesen Beispielen, daß einiges dafür spricht, daß es sich bei den Ektoplasma-Phänomenen um mehr handelt als nur um zweifelhafte Phantasieprodukte. Für das Verständnis der medialen Operationen ist es wahrscheinlich der Schlüssel. Vergleichen wir sie weiter mit den Feststellungen Dr. Geleys:

»Die Substanz erscheint und verschwindet manchmal wie ein Blitz und ist außerordentlich empfindlich, besonders gegenüber Lichtstrahlen.«

Vielleicht ist das der Grund, warum Agpaoa bei stärkerem Lichteinfall (zum Beispiel beim Filmen mit zusätzlicher Beleuchtung) die Operationsstelle meistens instinktiv mit den Händen bedeckt – was dann ohne weitere Überlegung und ohne Kenntnis der wirklichen Zusammenhänge gleich als Beweis betrügerischer Manipulationen ausgelegt wird.

Und weiter Geley: »Gleichwohl ist nichts variabler als die Wirkung des Lichts. In gewissen Fällen erträgt die Substanz selbst das volle Tageslicht!«

In bestimmten Phasen des Eingriffs zeigt Agpaoa mitunter auch die offene Operationsstelle.

Geley:»Die Substanz hat eine unmittelbare, unwiderstehliche Neigung zur Organisation. Sie bleibt nicht lange im ursprünglichen Zustand. Es kommt häufig vor, daß die Organisation so schnell vor sich geht, daß sie die primordiale Substanz nicht sehen läßt ... Ein anderes Mal sieht man gleichzeitig die amorphe Substanz und mehr oder weniger vollständige in ihre Masse verschmolzene Formen oder Bildungen, zum Beispiel Gliedmaßen, sogar Köpfe, Gesichter.«

Auch hierzu gab es bei Agpaoa Parallelen, wenn tumorähnliche Gebilde in völlig andersartigem Gewebe eingebettet waren. Auch denke man an seine Schilderungen aus den Anfängen seiner Tätigkeit, wo an den von ihm zutage geförderten Geweben manchmal seltsame lange wurzelförmige Strähnen gänzlich andersartiger Gewebestruktur hingen – Erscheinungen, die ich auch einige Male zu sehen bekam und die ganz im Gegensatz zu den Erfahrungen der westlichen Medizin stehen.

Geley hat ziemlich häufig vollständige Bildungen eines Organs gesehen: »Diese Bildungen sind in zahlreichen Fällen unter meinen Augen geschaffen und entwickelt worden, vom Anfang bis zum Ende des Phänomens.« Geley sah die Substanz sich zwischen den Fingern und den Händen des Mediums bilden. Wenn das Medium die Hände auseinanderzog, verlängerte sich die Substanz, und schließlich bildeten sich aus dieser die verschiedenartigsten Formen.[172]

Derartige Erscheinungsbilder wurden auch von Dr. Naegeli-Osjord, Sigrun Seutemann, dem Verfasser und anderen bei den Operationen Agpaoas und anderer medialer Operateure beobachtet. Unter dem Kraftfeld ihrer Hände finden wahrscheinlich – mit dem Ektoplasma des Patienten – morphogenetische Prozesse statt, die unseren Wissenschaften noch völlig unbekannt sind.

Man vergleiche hierzu die *Stern*-Reportage: Nachdem behauptet wurde, Tony spanne eine Folie über den Bauch, sie hebe sich sichtbar von dem eingedrückten Bauch ab, heißt es wörtlich: »Aus dieser dünnen Schicht entstehen auch die herausoperierten Organe. Tony fabriziert sie in der Kuhle auf dem Bauch mit Hilfe von Watte und zeigt sie sogar dem Patienten, bevor der Gehilfe das ›Organ‹ im Abfalleimer verschwinden läßt.« Nach den vorangegangenen Ausführungen wird der Irrtum der *Stern*-Berichterstatter verständlicher.

Nun wieder Geley: »Oft zeigen die Bildungen Mängel, Fehler, Lücken in ihren neugeformten Organen. Es gibt alle möglichen Übergänge zwischen den vollständigen und unvollständigen organischen Gebilden, und der Wechsel vollzieht sich oftmals unter den Augen der Beobachter.«

Manchmal entstehen derartig kümmerliche Formen und Scheinbilder, daß Geley sagt: »Sie sind das Erzeugnis einer Kraft, deren metapsychisches Raffinement gering ist und die über noch geringere Mittel der Ausführung verfügt, die aber tut, was sie kann.«

Hier ergibt sich eine geradezu frappierende Parallele zu den philippinischen Operationen:

Wir müssen uns diesen ektoplasmatischen Prozeß so vorstellen, daß körperinneres Gewebe »dematerialisiert«, also in Bioplasma übergeführt und – wahrscheinlich über ein Energiezentrum, also ein Chakra des Bioplasma-Körpers – nach außen gebracht wird. Dann erfolgt unter den Kraftfeldern der Hände des medialen Operateurs die Ektoplasmabildung als erste Stufe der Rematerialisation, indem sich zunächst primordiales, primitives Gewebe bildet, das sich dann je nach der Qualität des Rematerialisationsprozesses weiter strukturiert und im idealen Falle zu spezifischem Gewebe des betreffenden Patienten ausbildet.

Doch dieses ideale Endprodukt des Rematerialisationsprozesses wird im allgemeinen nicht erreicht. Es treten – mit den Worten Geleys – in der Rückbildung »Mängel, Fehler, Lücken« auf, ja, oft oder meist sogar bleibt der Prozeß auf einer primordialen, ektoplasmaähnlichen, strukturlosen oder strukturarmen Stufe stehen.

Mit einmaliger Deutlichkeit hatte ich Materialisationen bei Juan Blance beobachten können. Als auf der Bauchdecke eines Patienten in der Blinddarmgegend unter dem fixierenden Blick des Heilers eine Menge eiterähnlicher, gelber Flüssigkeit durch die Bauchdecke auszutreten schien, glaubte ich zunächst an einen eigenartigen Diffusionsvorgang. Heute bin ich überzeugt davon, daß es Materialisationsprozesse waren, Ektoplasmaphänomene, nur hier im flüssigen Endzustand.

Damals fragte ich mich schon, ob Agpaoa in allen Fällen, wo Blut bei seinen Operationen auftritt, wirklich den Körper des Patienten öffnet, oder ob das Blut nicht auf demselben Wege aus dem nicht geöffneten Körper des Patienten heraustreten könnte wie die eiterähnlichen Flüssigkeiten bei Blance, nämlich durch einen Materialisationsprozeß auf der Körperoberfläche. Und tatsächlich scheint es – zumindest in vielen Fällen – so zu sein, wie die Beobachtungen von Sigrun Seutemann inzwischen ergeben haben. Gleichzeitig werden hierdurch auch die unwahrscheinlich großen Blutmengen erklärt, die bei manchen Operationen auftreten, so bei den Augenoperationen Marcelos, die ganz im Gegensatz zu den üblichen Erfahrungen unserer Medizin stehen und bei Skeptikern den Verdacht erregen, es müßte irgendein Trick vorliegen. Auch sieht man jetzt deutlich, daß die Frage, ob echtes paranormales Geschehen oder Betrug vorliegt, nicht dadurch entschieden werden kann, daß man feststellt, ob der Körper »geöffnet« ist oder nicht. Auch wenn der Körper mitunter tatsächlich nicht geöffnet ist, muß man sich davor hüten, ohne weiteres von Betrug zu sprechen.

Wenn das Blut als Ergebnis eines Materialisationsprozesses auftritt – ohne daß der Körper geöffnet zu sein braucht –, dann wird es sehr oft nicht vollkommen bis zur Stufe des spezifischen Blutes ausmaterialisiert sein, es sei denn, Tony Agpaoa konzentriert sich ganz besonders darauf, den Materialisationsprozeß vollkommen bis zum spezifischen Blut zu führen, was sehr viel mediale Kraft verlangt. Das ist auch der Grund dafür, daß er es nicht haben will, daß man hinter seinem Rücken Blutproben mitnimmt, weil das zu Mißverständnissen führen kann. Denn meist lautet dann nach einer routinemäßig durchgeführten Untersuchung der Laborbefund: »Kein menschliches Blut!«, woraus dann der falsche Schluß gezogen wird, daß —, wenn es kein menschliches Blut sei, es eben Tierblut sein müsse! Also sei alles Betrug.

Geley: »Die Morphogenese aus dem exteriorisierten Ektoplasma des Mediums wird vom Medium über dessen Unterbewußtsein gesteuert. Geistige Bilder, die das Medium beherrschen, können durch das Ektoplasma Form annehmen. Der Gedanke, die Idee materialisiert sich in direkter Weise, weshalb man für diesen Vorgang den Ausdruck ›Ideoplastie‹ geprägt hat. Das Wort will die Modellierung durch die Idee der lebenden Materie bezeichnen.«

Bei den philippinischen Operationen wird die Formgebung bei der Rematerialisation bzw. aus der ektoplasmatischen Primordialsubstanz wahrscheinlich sowohl aus dem Organisch-Unbewußten des Patienten als auch durch geistige Vorstellungsmuster aus dem Unterbewußtsein des Operateurs bzw. einer über sein Unterbewußtsein wirkenden Intelligenz beeinflußt. Dadurch kommen ebenfalls eigenartige Formbildungen zustande, die unter Umständen keine Ähnlichkeit mehr mit den Formen menschlicher Gewebe haben.

Bei Blance in Manila werden oft ganz kuriose Rematerialisationsprodukte beobachtet, mit denen der Mediziner überhaupt nichts anfangen kann; zum Beispiel die Substanzen, die er aus den Augen der Patienten wie durch eine magnetische Kraft herauszieht, ohne sie direkt zu berühren, oder jene Gebilde, die er aus der Nase zieht, wobei er vorher ein Hölzchen als Präzipitationsunterlage hineinsteckt. Bei Hautleiden treten aus der Haut »saatartige« längliche Partikel heraus, die ganz bestimmt innerhalb des Körpers in dieser Form nicht existieren. Diese seltsame Formgebung, die sicherlich ideoplastischen Ursprungs ist, mag durch die Vorgänge in den magischen Tiefenschichten der Psyche des Heilers bedingt sein. Vielleicht liegt die Ursache aber auch außerhalb seines Unterbewußtseins. Manchmal holt Blance, wie schon beschrieben wurde, bis zu hundert dieser saatähnlichen Substanzen aus der Haut heraus — mitunter im Zeitlupentempo und darum für den Beobachter gut sichtbar —, woran sich dann im allgemeinen ein Abheilen oft extrem langwieriger Hauterkrankungen anschließen soll.

Diese Überlegungen würden auch die Tatsache erklären, daß manche Heiler Medizinern herausoperierte »Tumore« mitgegeben haben, die dann durch histologische Analyse als »Watte« identifiziert wurden. Hier erfolgte die Umwandlung von Bioplasma in Ektoplasma auf dem vom Heiler bei der Operation benutzten Wattebausch, der jetzt mit stabilisiertem Ektoplasma bedeckt ist. Materialisationen scheinen oft einer Unterlage zu bedürfen, auf die sie »aufwachsen« können, ähnlich wie bei konventionellen physiko-chemischen Prozessen eine Kondensation etwa aus der Gasphase durch das Vorhandensein oberflächenreicher fester Formen induziert bzw. erleichtert wird. So sind wahrscheinlich auch die Stäbchen, die der Heiler Juan Blance den Patienten bei Sinusitis in die Nase steckt, als Unterlage für Materialisationsvorgänge aufzufassen und möglicherweise hat auch die von Agpaoa oder anderen Heilern seines Stils bei der Operation benutzte Watte einen ähnlichen Zweck, nämlich die Induktion des Materialisationsvorganges, also den Übergang des Bioplasmas in das Ektoplasma zu erleichtern. Solche mit primordialen Materialisationsprodukten durchsetzten Wattebäusche haben schon viel Verwirrung gestiftet, da sie von manchen Heilern für »Tumore« gehalten und von Medizinern als »Schwindel« bezeichnet wurden. In Wirklichkeit sind sie weder das eine noch das andere. Hier erfolgte die Rematerialisation von aus dem Innern kommendem aufgelöstem Gewebe durch Niederschlagen auf dem vom Heiler bei der Operation benutzten Wattebausch, der total von dem Rematerialisationsprodukt eingehüllt und durchdrungen ist und vom Heiler für einen Tumor gehalten wird. Dieser falsche Tumor enthält jedoch außer der Watte tatsächlich aus dem Körper des Patienten stammende Substanz, die infolge mangelhaft durchgeführter Rückbildung (Rematerialisation) allerdings strukturlos ist und deshalb von den Medizinern nicht beachtet wird. Die histologische Untersuchung wird als abgeschlossen betrachtet, wenn der Hauptbestandteil Watte festgestellt ist.

Solche Dinge haben mit Betrug von seiten des Heilers nichts zu tun; denn kaum einer würde so dumm sein, einem Mediziner einen Wattebausch als Tumor mitzugeben, wenn er sich eines Betrugs bewußt wäre. Seitdem Agpaoa weiß, welche fatalen Fehlschlüsse bei der Untersuchung von Gewebeteilen gezogen werden, gibt er keine Proben mehr mit. Das wiederum nehmen die Anhänger der Betrugshypothese als Beweis dafür, daß Agpaoa etwas zu verbergen und folglich auch Angst habe, entlarvt zu werden. Keiner scheint bereit, einzusehen, daß die Frage, ob Betrug vorliegt oder nicht, gewiß nicht dadurch zu entscheiden ist, daß man einfach feststellt, ob es sich um spezifisch menschliches Gewebe im Sinne der wissenschaftlichen Pathologie handelt oder nicht. Es *waren* einmal spezifisch menschliche Gewebe, sind es aber oft infolge unvollständiger oder ideoplastisch in andere Richtung geleiteter Strukturierung des Ektoplasmas nicht mehr.

Wir haben uns an die kompliziertesten Phänomene gewöhnt. Keinem Laien wird es einfallen, schwer verständliche physikalische Tatsachen zu bestreiten, die mit unseren Alltagserfahrungen kaum in Einklang zu bringen sind. Man weiß, daß man dem sogenannten gesunden Menschenverstand keineswegs bedingungslos trauen kann. In Dingen der Paraphänomene glaubt jedoch die Mehrzahl der Laien, sich ein Urteil bilden und Schlüsse aufgrund einer oberflächlichen »Einmal-eins-ist-eins-Logik« ziehen zu können.

Ich zitiere weiter Geley: »Die den ektoplasmatischen Bildungen zugrunde liegende Primordialsubstanz geht wieder in das Medium zurück, da sie ja aus der Substanz des Mediums geschaffen wurde. Das Ektoplasma ist nämlich das teilweise exteriorisierte Medium selbst. Es besteht ein enger Rapport zwischen dem Medium und dem Ektoplasma.« Von dieser Darstellung unterscheiden sich die philippinischen Operationen.

Bei der Ektoplasmabildung der physikalischen Medien wird die exteriorisierte Substanz wieder in den Körper zurückgenommen, weil sonst die Lebensfähigkeit des medialen Organismus beeinträchtigt würde; denn die Substanz wurde gesunden Zellen, oft in großen Mengen, entnommen.

Das durch den Heiler am Patienten materialisierte Ektoplasma dagegen wird abgetrennt, wenn es nicht schon bei der Bildung isoliert auf der Haut erscheint. Die Abtrennung gefährdet den Patienten nicht, denn es handelt sich hier, im Gegensatz zu manchen Phänomenen bei Materialisationsséancen, um geringfügige Mengen. Deshalb treten auch die bei starken Materialisationsleistungen sonst beobachteten hochgradig anormalen physiologischen Erscheinungen des Ektoplasmalieferers — man denke an Carlos Mirabelli — bei den philippinischen Operationen nicht auf. Die Zielsetzungen sind hier eben völlig andere, wenn auch der paraphysikalische Grundvorgang derselbe ist — nämlich der Übergang von Bioplasma in Ektoplasma. Das Ziel der Operation ist ja, etwas aus dem Körper zu entfernen.

Wenn ein Rematerialisationsprozeß bei Agpaoas Operationen vorliegt, so ergibt sich die Frage: Woher stammt das als Voraussetzung für eine Materialisation betrachtete Bioplasma?

Das Nächstliegende wäre natürlich anzunehmen, daß dieses durch die Auflösung (Dematerialisation) des kranken Herdes im Körperinnern des Patienten erzeugt wird oder zumindest durch die partielle Auflösung kranker Substanzen.

In diesem Fall wäre der therapeutische Wirkungsmechanismus wenigstens einigermaßen klar. Wer jedoch selbst schon wissenschaftlich gearbeitet und geforscht hat, der hat sicherlich schon des öfteren erlebt, daß die Wirklichkeit nicht immer die, vom Standpunkt des Forschers aus gesehen, klaren und wünschenswerten Wege geht, die menschliche Theorien ihr »vorschreiben«. Und so scheint es auch hier zu sein. Wenn es immer so wäre, daß der Heiler den kranken Herd dematerialisiert und ihn an der Körperoberfläche wieder rematerialisiert, bestünde an der Realität der medialen Operationen keinerlei Zweifel mehr. Tatsächlich gibt es Fälle, wo Spontanheilungen auftreten, wo Herde augenblicklich nach Beendigung der Operation beseitigt sind. Der Verfasser selbst erlebte das bei seiner bereits geschilderten Stirnhöhlenvereiterung. Es gibt viele andere Beispiele.

Solche Spontanheilungen sind jedoch keineswegs die Regel. In vielen Fällen treten tatsächlich paradoxe Ergebnisse auf, worin ja auch die Ursache für die vielen Kontroversen zu sehen ist. Oft ergibt sich nach einer Operation, bei der der Heiler anscheinend große Gewebestücke entfernt hat, folgende Situation: Der Röntgenbefund ist anscheinend kaum verändert, die Beschwerden des Patienten aber sind fort, und nach einiger Zeit ist auch der klinische Befund dementsprechend, das heißt, der Patient ist jetzt tatsächlich gesund geworden, vorausgesetzt, er arbeitet nicht mit Suggestionen dagegen, beispielsweise durch die Aussage des Röntgenologen beeinflußt, daß sich überhaupt nichts geändert habe und folglich die ganze sogenannte Operation ein Schwindel gewesen sei.

Die Gegner der medialen Chirurgie argumentieren, daß hier der Patient bestenfalls psychogenetisch, also durch seinen eigenen Glauben geheilt werde. Der philippinische Heiler habe eine Entnahme von krankhafter Substanz nur vorgetäuscht, falsches Blut und tierisches Gewebe als menschliches ausgegeben, doch die felsenfeste Überzeugung des Kranken, nach der Prozedur gesund zu sein, läßt ihn die subjektiven Beschwerden nicht mehr empfinden; denn der Glaube könne bekanntlich Berge versetzen.

Auch hierzu muß gesagt werden: Die Hypothese ist sehr einfach, klar und einleuchtend – sie hat nur einen Nachteil, sie ist falsch! Bei den »herausoperierten« Geweben handelt es sich tatsächlich nicht um Schweinefleisch, um Hühnerdärme oder dergleichen, wie von manchen Seiten – sei es ganz ohne Untersuchung, sei es aufgrund einer sehr oberflächlichen Untersuchung – einfach behauptet wurde.

Wenn jemals solches Gewebe einwandfrei als nicht-menschliches Gewebe identifiziert worden ist, dann handelt es sich vermutlich um primordiale Materialisationen, also stabilisiertes Ektoplasma – wobei natürlich nicht auszuschließen ist, daß es auf den Philippinen auch Schwindler gibt, die mediale Operationen nur imitieren, weil sie keine paranormalen Fähigkeiten besitzen. Doch solche Schwindler, die überall zu finden sind, interessieren in diesem Zusammenhang nicht. Hier stehen die Eingriffe Agpaoas und anderer Operateure zur Diskussion, die echte mediale Eingriffe durchführen können.

Wenn man das Aufhören von Schmerzen zur Not psychogenetisch erklären kann, so versagt die Psychogenese-Hypothese jedoch vollkommen bei so paradoxen Erscheinungen, wie sie immer wieder auftreten: So berichtet die Heilpraktikerin Sigrun

Seutemann den Fall eines zwölfjährigen Jungen, Sohn eines Rechtsanwalts. Der Junge war von Geburt an durch eine Hornhaut- und Netzhautanomalie auf dem linken Auge blind. Er flog mit Sigrun Seutemann nach den Philippinen, und nach einer Operation durch Agpaoa gab der Patient an, mit dem linken Auge wieder sehen zu können. Man machte einen Sehtest, soweit das auf den Philippinen möglich war. Tatsächlich konnte das Kind mit dem linken Auge einwandfrei lesen. Nach der Rückkehr erfolgte die Kontrolle durch den Augenspezialisten in Basel, wobei das eigentlich Unerklärliche dieses Falles deutlich wurde: Der Spezialist stellte keinerlei Veränderung am organischen Befund des Auges fest, es war ihm unverständlich, wie das Kind auf dem linken Auge sehen konnte.

Derartige Fälle werden auch von manchen Heilungen in Lourdes berichtet. So soll eine Patientin – Madame Bire – ihr verlorenes Augenlicht schlagartig wiedererlangt haben, ohne daß sofort eine Änderung des klinischen Befunds am Auge feststellbar gewesen wäre. Erst nach längerer Zeit, als sie schon wochenlang wieder sehen konnte, wurde die Heilung auch klinisch manifest.[159, 160]

Man sieht also, daß man bei diesen Phänomenen seelisch-geistiges und medizinisches Neuland betritt, und daß es keine sterilere Einstellung gibt, als einfach alles für Schwindel und Suggestion zu erklären, um dadurch die weitere Erforschung dieser Dinge zu verhindern, weil sie unser traditionsreiches Denkgebäude ins Wanken bringen könnten.

Abschließend seien noch eine Reihe weiterer Probleme und Phänomene der philippinischen Operationen erwähnt, die mit dem Komplex Ektoplasma – Materialisationen zusammenhängen.

Daß Bioplasma unter Umständen in einer gewissen Distanz vom Körper des Mediums sich umwandeln und Wirkungen auslösen kann, beweist die Psychokinese. Ebenso können auch Materialisationen – also die Umwandlung vom Bioplasma in Ektoplasma – in einer gewissen Entfernung vom Bioplasmalieferer auftreten. Das wird bei echten Materialisationsséancen amerikanischer Medien immer wieder beobachtet. Es scheint hierzu auch eine gewisse Analogie bei den philippinischen Operationen zu geben, wenn nämlich Materialisationsprozesse in manchen seltenen Fällen in den Händen des Heilers schon einsetzen, ehe dieser den Körper des Patienten berührt hat. Hier glaubt der Skeptiker natürlich den ganz eindeutigen »Beweis« dafür zu haben, daß es sich um einen Schwindel handelt. Man kann bei der oberflächlichen Beobachtung dieser Phänomene zu absolut falschen Schlußfolgerungen kommen. Nicht umsonst fliegen diejenigen, die diese Phänomene wirklich gründlich untersuchen, immer wieder zum Studium der Vorgänge nach den Philippinen.

Viele Aspekte der philippinischen Operationen können im Rahmen dieses Buches nicht näher erörtert werden, da dies aus räumlichen Gründen nicht möglich ist oder auch den Rahmen des Allgemeinverständlichen überschreiten würde, wie zum Beispiel die Argumente der Physiker gegen die Existenz mediumistischer Materialisationserscheinungen. Der Physiker erwartet bei Prozessen der Materialisation bzw. Dematerialisation das Freiwerden ungeheuer großer Energien, zum Beispiel in Form von sehr harter elektromagnetischer Strahlung, was bei den mediumistischen Materialisationen offensichtlich nicht der Fall ist. Das soll keineswegs heißen, daß grundlegende Gesetze der Physik hier nicht mehr gelten, wie beispielsweise die Einsteinsche Masse-Energie-Beziehung, sondern das zeigt wahrscheinlich nur, daß wir noch nicht wissen, was Bioplasma ist, und seine Wechselwirkung mit den von uns bisher physikalisch erfaßten Energieformen überhaupt noch nicht kennen.

Vom Standpunkt einer Dematerialisation organischer Gewebe erscheint auch das Phänomen der Schmerzlosigkeit bei den philippinischen Operationen in vielen Fällen einleuchtend. Wenn sich tatsächlich zusammenhängende Zellbereiche und Gewebe dematerialisieren, dann schließt das auch die Auflösung der Nervenstrukturen in diesem Bereich ein, und es besteht keinerlei Anlaß mehr, bei diesem Prozeß Schmerz zu empfinden. Auch das Phänomen des messerlosen und schmerzlosen Eindringens in den Körper wäre auf dieser Basis akzeptabel, wobei natürlich keine Wundränder im Sinne westlicher Chirurgie zu erwarten sind.

Es soll jetzt noch eine Operation geschildert werden, bei der das Ektoplasma-Phänomen ganz besonders deutlich sichtbar wurde, und die ich im Februar 1973 – zwei Jahre nach meiner ersten Philippinenreise – beobachten konnte. Der Eingriff wurde von Tony Agpaoa in Manila in einem Hotelzimmer durchgeführt. Die junge Patientin litt an einem Gehirntumor, den westliche Chirurgen nur zum Teil hatten entfernen können. Tony hatte bereits eine ganze Anzahl von Eingriffen durchgeführt und schien eine kleine Entspannungspause zu benötigen, setzte zur allgemeinen Belustigung aller Anwesenden die Perücke der Patientin auf und tanzte ausgelassen durch das Hotelzimmer, um gleich danach am Kopfende der Patientin niederzuknien und mit stärkster Konzentration und größtem Ernst an die Arbeit zu gehen. Nachdem ein Assistent etwas nasse Watte auf den Kopf der Patientin gelegt hatte, begann Tony die von Haaren befreite Kopfhaut mit seinen gespreizten Fingern, unter denen und zwischen denen garantiert nichts verborgen sein konnte, leicht zu massieren. Dabei trat schnell etwas Blut bzw. blutartige Flüssigkeit auf, und unter seinen massierenden Fingern wurde Gewebe sichtbar, das wie rohes Fleisch aussah, sich zu einer hautartigen Substanz umzustrukturieren schien und nach kurzer Zeit einen größeren Bereich des Kopfes bedeckte.

Ein Laie auf dem Gebiet derartiger Phänomene hätte hier vielleicht von einer »Plastikfolie« gesprochen! Es sah jetzt tatsächlich so aus, als wenn sich auf dem Schädel die harte Schicht einer fledermausflügelartigen Hautsubstanz gebildet hätte. (Der Ausdruck »fledermausflügelartig« für derartige ektoplasmatische Bildungen stammt von dem bereits mehrfach zitierten Professor Charles Richet und anderen Forschern.)

Die Ektoplasmahaut schien jetzt wie am Kopf angewachsen; Agpaoa drückte an ihrem Rand leicht gegen den Schädel, die Hautfläche dem Blick freigebend, während er sich mit zeitweise geschlossenen Augen sehr stark konzentrierte. *Jetzt schienen sich unter dieser dem Schädel aufliegenden Haut Prozesse abzuspielen, die mich begreifen ließen, warum Richet, Crawford, Ochorowicz, Schrenck-Notzing und andere oft von einer »Embryogenese der Materialisationen« sprachen.* Tatsächlich erinnerte das, was sich da so unter Tonys Händen abspielte, an eine Art

Embryogenese im Zeitraffertempo. Wie sich in der Fruchtblase das fötale Gewebe entwickelt, so schien hier unter Agpaoas Händen und unter dem Schutz einer Ektoplasmahaut ein paranormaler Wachstumsprozeß abzulaufen, schien sich etwas auf paranormalem Wege zu materialisieren, zu bilden. Die schützende Haut straffte sich immer mehr, schien jetzt immer härter und gespannter zu werden, man sah nach kurzer Zeit eine gefärbte, dunkle Masse durchscheinen. Jetzt gab Agpaoa dem Assistenten ein Zeichen, und dieser schnitt äußerst vorsichtig die dicke und harte Membran an der Oberfläche auf und dehnte den Schnitt bis auf drei bis vier Zentimeter aus. Es quoll jetzt neben etwas blutartiger Flüssigkeit eine große Menge an geronnenem Blut und Blutklumpen heraus, und schließlich kam ein kleines Stück rohes Fleisch zum Vorschein, das der Assistent auf Agpaoas Anweisungen hin mit einer Zange faßte und – nicht ohne Schwierigkeit – herauszog. Es mußte mit der Schere noch abgetrennt werden. Es war ein längeres, stark blutverschmiertes, weiches Gewebestück, etwa von der Größe eines kleinen Fingers, aber etwas breiter. Dann behandelte Agpaoa die Stelle mit seinen Fingern, wobei mir die Sicht etwas genommen wurde, und warf schließlich ein mit vielen Blutklumpen vermischtes membranartiges Gewebe – das aber garantiert keine Plastikfolie war – in die Abfallschüssel.

Das war ein völlig neuartiger Operationstyp, den ich bei meinem ersten Aufenthalt auf den Philippinen nie gesehen hatte. Es wurde mir dabei nochmal ganz klar, daß die philippinischen Heiler an den Zellen und Geweben des menschlichen Körpers paranormale bzw. ektoplasmatische Prozesse induzieren können, die für uns absolutes wissenschaftliches Neuland sind und im Gegensatz zu normalen biologischen Vorgängen in ausgesprochenem Zeitraffertempo ablaufen. Wahrscheinlich liegt hierin auch die Erklärung für viele weitere Mißverständnisse, so etwa für das oft viel, viel schnellere Gerinnen des Blutes bei paranormalen Eingriffen im Vergleich zu normalen medizinischen Operationen oder die Behauptung, es handle sich um »altes« Blut und »alte« Gewebe bei den philippinischen Operationen.

Streiten könnte man sich darüber, ob die paranormalen Eingriffe der Filipinos als »Operationen« bezeichnet werden können. Selbstverständlich haben sie in vielen Fällen keine Ähnlichkeit mit den Operationen westlichen Stils, doch der Begriff »Operation« ist ja keineswegs in seiner Bedeutung streng festgelegt. Von »Operationen« spricht man in den verschiedensten wissenschaftlichen Disziplinen und versteht darunter die Durchführung von ganz unterschiedlichen Prozessen, zum Beispiel in der Mathematik, in der Chemie usw. Daher besteht nicht der geringste Anlaß, für die mit Psychokinesen und Materialisationen verbundenen Heilleistungen der Filipinos das Wort Operation verbieten zu wollen.

Materialisationsphänomene spielen sich auch bei manchen paranormalen Heilungen im Westen ab – etwa in dem Wallfahrtsort Lourdes in Südfrankreich.

Hier ein besonders bemerkenswerter Fall:

Der Engländer John Traynor wurde im Ersten Weltkrieg schwer verwundet. Mehrere MG-Geschosse trafen ihn, eins davon ging durch den rechten Oberarm. Die für die Motorik des rechten Armes notwendigen Nerven waren durchtrennt, er konnte den Arm nicht mehr bewegen. Die Folge war ein allgemeiner Muskelschwund im rechten Arm, die rechte Hand war zur Kralle gekrümmt, die ganze rechte Seite zum Skelett abgemagert. Dazu kamen schwere epileptische Anfälle, Lähmungen der Beine, später des Darmes und der Blase. Im Kopf hatte Traynor ein Loch von zweieinhalb Zentimeter Durchmesser. In diesem Zustand lebte Traynor acht Jahre. Er war Vollinvalide und sollte endgültig als Pflegefall in ein Krankenhaus eingeliefert werden. Am 22. Juli 1923 kam er mit einem Krankentransport aus Liverpool in Lourdes als menschliches Wrack an. Am 25. Juli fühlte er während der Sakramentsprozession plötzlich ein nie gekanntes Wohlgefühl seinen Körper durchströmen. Traynor erlebt eine Augenblicksheilung: Sein Arm ist plötzlich beweglich, das Loch im Kopf verschwunden, er kann wieder gehen und stehen. Nach kurzer Zeit war er ein starker muskulöser Mann, der sich als Kohlenhändler in Liverpool niederließ, wo er seinen Lastwagen selber fuhr und schwere körperliche Arbeit verrichtete. Er kehrte oft nach Lourdes zurück, um aus Dankbarkeit für seine Heilung unentgeltlichen Krankenpflegedienst zu leisten. Er starb 1943 in seiner Heimatstadt.[79, 211]

Hier haben wir es offensichtlich mit Materialisationen großer Gewebebereiche zu tun: Das Loch im Schädel verschwindet, das heißt, es wird durch vorher nicht vorhandene Materie ersetzt. Die zerstörten Nerven und atrophierten Muskeln sind in Sekundenschnelle regeneriert, wahrscheinlich auf dem Weg einer Dematerialisation kranken und Materialisation gesunden Gewebes. Es stellt sich die Frage: Erfolgte die Materialisation aus dem Zellvorrat des Kranken selbst oder stammte das zur Materialisation notwendige Bioplasma von den anderen Anwesenden?

Oder aber kommt das Substrat für den Materialisationsvorgang von irgendwo anders her, aus einer noch unbekannten kosmischen Energie nach Art der indischen Prana-Vorstellungen?

Der französische Arzt und Parapsychologe Dr. E. Osty berichtete vor Jahrzehnten von einer ihm bekannten wohlhabenden Dame, die lange Zeit in Lourdes als freiwillige Helferin an der Quelle in der Grotte von Massabielle tätig gewesen war. Ihre Hauptarbeit bestand darin, den Kranken ins Bad zu helfen und sie für kurze Zeit unterzutauchen. Sie hatte im Laufe ihrer langen Tätigkeit mehrmals Gelegenheit, außergewöhnliche Spontanheilungen von Schwerkranken beim Baden in der Quelle zu erleben. In solchen Fällen hatte sie in dem Augenblick, in dem vermutlich die Heilungen einsetzten, nämlich beim Eintauchen der Kranken in das kalte Quellwasser, das Gefühl, als werde ihr in allerstärkstem Maße Kraft abgezogen, so daß sie regelrechte Schwächeanfälle erlitt und mehrere Tage benötigte, um sich wieder zu erholen.[28]

Es sei hier jetzt noch mal die Frage aufgegriffen: Woher kommt speziell das Bioplasma für die Materialisationen bei den philippinischen Operationen?

Kommt es aus dem Körper des Patienten? Wenn ja, aus welchen Bezirken des Körpers? Aus den kranken Geweben oder auch aus anderen Bereichen? Steuert der Heiler von seiner Substanz etwas bei? Oder liefert er sogar die Hauptsubstanz, was in Anbetracht der zahlreichen Operationen, die er hintereinander durchführt, ohne spürbar an Kraft zu verlieren, unwahrscheinlich erscheint.

Eine sichere Antwort kann nicht gegeben werden. Alle diese Fragen sollten Gegenstand wissenschaftlicher Untersuchungen werden.

Höchstwahrscheinlich dürfte die Hauptmenge an Substrat für die Materialisationen von den operierten Patienten kommen, vermutlich aber steuert der Heiler auch eigene Substanz bzw. Kraft bei, zumal er ja selbst das Gefühl hat, sich aus dem Kosmos mit »göttlicher Kraft« immer wieder aufzuladen.

Die Herkunft der medialen Intelligenz

Unser Körper wird anscheinend von den Energiefeldern des Bioplasmakörpers beeinflußt bzw. gesteuert. Der Bioplasmakörper wiederum scheint in enger Abhängigkeit von unseren Gedanken, von unserem Denken und Fühlen zu stehen, kurz, vom Geist her beeinflußbar zu sein.

Offenbar wird in der Natur immer das »gröbere« System von einem »feineren« gesteuert und beeinflußt. Um die Jahrhundertwende sagten die Theosophen C. W. Leadbeater und Annie Besant: »Jede höhere Welt gibt das Kraftschema für die nächst niedere, dichtere Welt!«[120, 121]

Tatsächlich glauben sowjetische Paraforscher mit Hilfe der Hochfrequenzfotografie bewiesen zu haben, daß unser Denken, die Art unserer Gedanken, Vorstellungen und Gefühle das Bioplasmafeld beeinflussen und seine Strukturen formen können. Somit wäre der Bioplasma- oder Energiekörper das Bindeglied zwischen Geist und physischem Körper.

Während man dabei zu sein scheint, das Bioplasmafeld der Lebewesen wissenschaftlich in den Griff zu bekommen und mittels geeigneter Detektoren sichtbar zu machen, haben wir heute überhaupt noch keine Ahnung, was ein Gedanke letztlich ist. Es ist eine erstaunliche und meist übersehene Tatsache, daß das menschliche Denken, das unsere Zivilisation geschaffen und die ganze Welt verändert hat, ohne den Verbrauch größerer meßbarer Mengen der uns wissenschaftlich bekannten Energien vor sich geht. Die stärkste Verstandesleistung verbraucht jedenfalls unvergleichlich viel weniger chemisch-physikalische Energie als eine geringfügige Muskelbetätigung.[34]

Dennoch setzen die meisten Wissenschaftler als selbstverständlich voraus, daß seelische und gedankliche oder sogenannte geistige Energien streng an den Körper und seine chemisch-physiologischen Reaktionen gebunden sind und unabhängig vom Körper nicht auftreten können.

Das war die Einstellung der Wissenschaften vor hundert Jahren, und daran hat sich bis heute nicht viel geändert. In Wirklichkeit hat man für diese Anschauung nicht den leisesten exakten Beweis. Man muß sich immer wieder vor Augen halten, daß wir bis heute noch kein wissenschaftliches Instrument – keinen Detektor – besitzen, der uns *direkt* geistige Energien oder einen Gedanken nachweisen könnte. Das Messen von elektrischen Gehirnströmen (EEG) weist keinesfalls direkt die Gedanken und Gefühle nach – wie von Laien oft angenommen wird –, sondern möglicherweise lediglich deren Begleiterscheinungen.

Vielleicht gelingt es den Wissenschaftlern, in nicht allzu ferner Zukunft durch spezielle neuartige Detektoren auch die Gedanken sichtbar zu machen – vielleicht mit Hilfe fortgeschrittener Kirlian-Optiken. Vielleicht würden sich dann auch die Behauptungen bestätigen, die von Hellsehern seit langem aufgestellt werden, nämlich, daß sie bestimmte »Gedankenformen« wahrnehmen. Denn auch der Vorstellung, dem Gedanken, liegt eine objektive Realität zugrunde.

Interessant ist in diesem Zusammenhang die von dem amerikanischen Psychoanalytiker Dr. Jule Eisenbud exakt dokumentierte Tatsache, daß der Amerikaner Ted Serios in der Lage war, eine gegen Lichteinwirkung abgeschlossene Fotoplatte mit einem in seiner Phantasie erzeugten Bilde zu »belichten«.[62, 63]

Damit dürfte heute schon sicher sein: Der konzentrierte Gedanke, die durch Aufmerksamkeit beseelte Vorstellung stellt ein äußerst feines aber hochwirksames Kraftfeld dar, das direkt auf den Bioplasmakörper einzuwirken scheint und diesen »formt«, und von hier aus scheint die Wirkung auf den physischen Körper überzugehen.

So erscheinen viele Erfahrungstatsachen auch der westlichen Psychologie und Psychosomatik in einem ganz neuen, klareren Licht. Man sieht oder ahnt jetzt wenigstens einen Weg, auf dem viele bisher rätselhafte Erscheinungen zustande kommen. Man sieht den Weg, auf dem die geistige Vorstellung zur materiellen Form führt. Wenn man so sagen darf: Man kennt in groben Zügen den Weg der Materialisation bzw. Realisation einer Idee.

Die Erkenntnis, daß die Vorstellungen, die Gedanken oder allgemein das Denken den Bioplasmakörper beeinflussen, bestätigt die seit langem bekannte »Macht der Gedanken«, um die Philosophen und Lebenslehrer aller Zeiten — schon vor Jahrtausenden — gewußt haben. So soll bereits Buddha gesagt haben: »Macht über die Gedanken ist Macht über Leib, Leben, Schicksal!«[210]

Die Macht der Gedanken kann über die Beeinflussung des Bioplasmafeldes Krankheiten heilen. Die eingangs beschriebenen Placebo-Versuche zeigen das eindeutig. Ebenso kann ein Hypochonder sich auf dem gleichen Wege wirklich organisch krankmachen. Ohne diese Zusammenhänge näher zu analysieren und den exakten Realisationsweg zu kennen, haben viele große Menschen intuitiv den richtigen Nutzen daraus gezogen, indem sie eine sogenannte positive Gedanken- und Lebenseinstellung praktizierten bzw. forderten.

Der deutsche Lebensphilosoph und Psychologe Oscar Schellbach hat in den zwanziger Jahren seine Lehre vom Mental-Positivismus begründet, die in der Forderung nach einem radikalpositiv, das heißt bejahend eingestelltem Denken als dem besten und kürzesten Weg zur Erreichung von Zielen gipfelte. Lange bevor der Begriff »Kybernetik« geschaffen war, zeigte er in seinen »Denkgesetzen« einen Weg zur richtigen bzw. optimalen Programmierung der geistigen Ursachenebene im Menschen.

Schellbach nahm als letzte *causa movens* in der geistigen Sphäre die »Überzeugung« an, die letztlich durch das Denken erzeugt wird.[210] Nicht jede Vorstellung wirkt orientierend und dirigierend auf die Kraftfelder des Körpers, den Bioplasmakörper, ein und damit auch auf das Nervensystem, sondern es sind vor allem emotionell geladene Vorstellungen und Überzeugungen. Die Überzeugung steuert wahrscheinlich die Verhaltensweisen eines Menschen in der höchsten Instanz des Geistes. Die sogenannte Macht des Glaubens ist ja letztlich dasselbe, nur unterscheidet Schellbach die Überzeugung vom Glauben dadurch, daß die Überzeugung durch erkenntnisartige Prozesse zustande kommt, also durch die Art und Weise unseres Denkens, unter Einbeziehung der bisher gemachten Erfahrungen und des bisher angesammelten Wissens. Dagegen ist der Glaube in gewisser

Weise eine ohne kritische Verarbeitung akzeptierte Einstellung im Sinne eines absoluten Fürwahrhaltens, woraus sich dann gegebenenfalls eine mehr oder minder große Erwartungsspannung ergibt. Tatsächlich kann man sagen, daß der Mensch weitgehend das Ergebnis der Summe seiner Überzeugungen ist, die sich im Laufe seines Lebens in ihm gebildet haben. Positive Überzeugungen bringen ihn voran, negative können ihn total ruinieren. Kaum etwas läßt sich schwerer ausrotten als festeingefahrene, durch jahrelange Denkgewohnheiten automatisierte Überzeugungen. Sie lenken das Urteilen und Verhalten eines Menschen mit einer Zwangsläufigkeit, deren man sich normalerweise kaum bewußt ist. Daraus ergeben sich auch die Widerstände beim Aufkommen neuer Erkenntnisse. Ein Mediziner, der in langem Studium und vielleicht jahrzehntelanger Praxis den »normalen« Verlauf der Krankheiten und Operationen beobachtet und weitgehend theoretisch fundiert hat, muß überzeugt sein, daß die mediale Chirurgie ein Hirngespinst ist, sofern er nicht schon auf anderem Wege scheinbaren »Ausnahmen« von unseren Naturgesetzen begegnet ist, die seine Grundüberzeugung, daß sich alles nach den Gesetzen unserer akademischen Schulwissenschaften abspielt, ins Wanken gebracht haben.

Deshalb soll auch Max Planck resigniert gesagt haben, neue Ansichten setzten sich nicht auf die Weise durch, daß ihre Gegner überzeugt würden, sondern dadurch, daß diese ausstürben! Aber Überzeugung und Glaube steuern nicht nur unsere Verhaltensweisen und unser Urteilen, sondern sie wirken auch tief hinein in die Funktionen der Nerven und Organe des physischen Körpers.

Die Macht der Gedanken und des Glaubens bzw. der Überzeugung wird heute wissenschaftlich nicht mehr bestritten. Daß sich hieraus außergewöhnliche Wirkungen ergeben können, haben die westlichen Psychologen und Mediziner längst erkannt. Dennoch zieht man daraus nicht die notwendigen Konsequenzen. Im Gegenteil, oft ist die Grundeinstellung eine geradezu entgegengesetzte und zwar auf allen Gebieten des Lebens. Man hat den Eindruck, daß wissenschaftliche Erkenntnis und praktische Auswertung – auch für das tägliche Leben – nur in schwacher Korrelation miteinander stehen. Jedenfalls scheinen sowjetische Wissenschaftler viel praxisbezogener zu denken. Östliche und fernöstliche Psi-Forscher beobachten und beschreiben Paraphänomene nicht nur vom erhabenen akademischen Podest aus, sondern sie sind auch bestrebt, das mentale Neuland durch eigenes Erleben kennenzulernen. So ist beispielsweise Dr. Motoyama seit zwanzig Jahren auch als Akupunkteur tätig und zugleich ein hochentwickelter Yogi. Mehrere sowjetische Wissenschaftler sind selbst äußerst begabte Telepathie-Medien und Wünschelrutengänger.

Zurück zur Macht der Gedanken und Vorstellungen: Von Vorstellungen werden jedwede Leistungsfähigkeit und alle Fähigkeiten sowohl im Bereich des Körperlichen als auch in den geistigen Funktionen beeinflußt.

Der amerikanische Chirurg und Psychologe Maxwell Maltz berichtet folgendes interessante Experiment: Drei Versuchsgruppen von Studenten wurden hinsichtlich ihrer Fähigkeiten getestet, eine Zielscheibe mit einem Pfeil zu treffen. Nach diesem Test trainierte eine der drei Gruppen drei Wochen lang täglich weiter, die zweite Gruppe trainierte in den folgenden drei Wochen nicht mehr, und die dritte Gruppe trainierte rein imaginativ, also nur in der Phantasie. Diese Versuchspersonen stellten sich täglich eine bestimmte Zeitlang bildlich vor, wie sie den Pfeil mit größter Geschicklichkeit mitten ins Ziel werfen, und lobten sich regelrecht in diese Situation hinein. Analoge Gruppenversuche wurden mit Basketbällen gemacht, die ins Netz geworfen werden mußten. Nach drei Wochen ergaben erneute Tests, daß nach dem für die Bewertung benutzten Punktsystem die erste Gruppe, die drei Wochen lang trainiert hatte, sich um 24 Punkte verbessert hatte. Die zweite Gruppe zeigte unveränderte Leistungen, also keinerlei Verbesserung. Die dritte, imaginativ trainierte Gruppe, hatte sich im Durchschnitt um 23 Punkte verbessert.[133] Dieses Beispiel scheint zu beweisen, daß die letzte Ursache für derartige Leistungen in einer übergeordneten Ebene liegt, in der Ebene der Vorstellungen und Gedanken, im mentalen Bereich also.

Durch Phantasie und Vorstellungskraft erzeugte Vorstellungsmuster werden offensichtlich dem »feinstofflichen« Ursachenfeld im Menschen genauso aufgeprägt wie durch Praxis und Übung erzeugte Geschicklichkeit und Streben nach Realisierung — auch im Bereich des Körperlichen. Oscar Schellbach sagte daher in sehr lapidarer Weise: »Anfang und Ursache jeder Erscheinung und Wirkung ist die Idee als Urbild und Seele der Erscheinungen und Wirkungen.« Man ersieht daraus die große Bedeutung der Vorstellungen, die man in den Menschen weckt und die entscheidende Wichtigkeit einer richtigen »Programmierung« der geistigen Ursachenfelder im Menschen, um einen Ausdruck aus der Computersprache zu benutzen.[242]

Dr. Maxwell Maltz sagt, daß sich die Grenzen der menschlichen Leistungsfähigkeit sowie seine gesamte Verhaltensweise weitgehend aus dem sogenannten Self-image ergeben. Dieses Self-image ist das Bild, das jemand von sich selbst in sich trägt, von seinen Fähigkeiten, seinen eigenen Möglichkeiten, seinen eigenen Grenzen, seinem eigenen Wert. Nach Schellbach entspricht das weitgehend der Summe der Überzeugungen, die jemand besitzt. Für den Kybernetiker sind es die Programmierungsdaten, die das Self-image zustande bringen.[242] Im Prinzip meinen alle drei etwas sehr Ähnliches. Wer von seiner Unfähigkeit auf einem bestimmten Gebiet überzeugt ist, dessen Self-image ist auf diesem Sektor im Sinne eines Versagens »programmiert«. Der Betreffende müßte hier gewissermaßen über seinen eigenen Schatten springen, wenn er dennoch etwas Positives zustande bringen wollte. Er wird es aber erst dann können, wenn sich seine negative Überzeugung, seine negative Selbsteinschätzung, sein Self-image ändert. Ein negatives Self-image, eine negative Überzeugung, blockiert gewissermaßen den Krafteinsatz vom mentalen Ursachenfeld her. Seine inneren Kräfte — in der Sprache der westlichen Psychologie: die Kräfte seines Unterbewußtseins — werden überhaupt nicht in Aktion treten, wenn er von der Sinnlosigkeit einer Bemühung innerlich überzeugt ist. Umgekehrt wird ein Mensch alle Hebel in Bewegung setzen, wird sein »innerer Computer« auf Hochtouren arbeiten, wenn er ein ihn begeisterndes Ziel hat und von der Möglichkeit der Erreichung des Zieles überzeugt ist.

Maltz berichtet Fälle, wo Studenten in außergewöhnlich kurzer Zeit zu erstklassigen Leistungen auf einem Gebiet gelangten, auf dem sie sich zunächst für total unbegabt hielten. Es war gelungen, in ihnen die Überzeugung zu wecken, daß sie in Wirklichkeit begabt seien, das heißt, indem man ihr Self-image in positiver Weise veränderte.[133]

Bis zu einem gewissen Grad dürfte das auch für paranormale Fähigkeiten gelten. Der Nestor der tschechoslowakischen Psi-Forschung, Dr. Zdenek Rejdak, vertritt den Standpunkt – und nicht nur er allein –, daß in jedem normalen Menschen paranormale Fähigkeiten schlummern, die nur nicht zur Entfaltung gelangen. Nina Kulagina benötigt manchmal bis zu zwei Stunden stärkster Konzentration, ehe die erwartete Psychokinese eintritt. Welcher normale Mensch kommt schon auf die Idee, bei sich selber einmal zwei Stunden lang mit starker Konzentration einen ähnlichen Versuch zu machen? Und auch Nina Kulagina würde nie die Ausdauer und die Konzentration aufbringen, wenn sie nicht innerlich überzeugt wäre, daß es geht!

So sagt Tony Agpaoa, der auch andere Philippiner im paranormalen Heilen ausgebildet hat, die wichtigste Voraussetzung, einem Schüler die Fähigkeit zur medialen Chirurgie beizubringen, sei, ihm den Glauben zu vermitteln, daß er diese Fähigkeit tatsächlich besitze.

Man sieht hieran den tiefen Sinn eines positiven Glaubens an die Möglichkeiten eines Gelingens und an die eigene Kraft: Man erkennt die zentrale Bedeutung eines positiven Self-image. Heute wird in unserer Welt von vielen Seiten an der Produktion eines negativen Image des Menschen an sich gearbeitet, wodurch für den einzelnen ein negatives Self-image mit allen sich daraus ergebenden negativen Konsequenzen entsteht. Man kann natürlich viele Ursachen dafür anführen. Viele machen dafür aus der Freudschen Psychoanalyse kommende Begriffe und Wertvorstellungen verantwortlich,[262] die man aus Beobachtungen an Psychopathen abgeleitet, aus dem ursprünglichen Zusammenhang gerissen und einem anderen Bereich mit gänzlich anderen Bedingungen zugeordnet hat. Hieraus ergibt sich nicht selten die Vorstellung, daß der Mensch ein wahres Ungetüm ist, das sich zur Hauptsache aus Aggressionen, Sexualität, Egoismus und Zerstörungswut zusammensetzt, daß er mehr oder minder ein erbärmliches Geschöpf ist, das von tierischen Instinkten aus einem dunklen Unbewußten gesteuert wird und den aus seinem Innern kommenden Trieben wehrlos ausgeliefert ist.[133] Dies soll nicht gegen die Psychoanalyse sprechen, sondern lediglich gegen ihre falsche Anwendung – meist durch Menschen, die sie nur sehr oberflächlich, manchmal auch gar nicht kennen und doch aus ihr eine Bestätigung für ihre eigene Weltanschauung ableiten, kühn mit falsch verstandenem psychoanalytischem Vokabular um sich werfen, nur weil Psychoanalyse heute »in« ist, während sie vor wenigen Jahrzehnten noch verfemt war.

Doch nicht nur unsere Verhaltensweisen werden durch mentale Bilder und letztlich durch die hierdurch entstandenen Überzeugungen geprägt, sondern auch unsere körperlichen Funktionen stehen in engster Abhängigkeit von unserem Denken und der Macht der Vorstellungen und Überzeugungen, ja, sogar die organischen Strukturen des physischen Körpers sind durch gedankliche Kräfte über das Bioplasmafeld beeinflußbar, und neben diesen üblichen Realisationen bzw. Materialisationen über die normalen physiologischen Funktionen des Körpers – Dr. Gerloff nennt sie Umwegsrealisationen oder Umwegsmaterialisationen – gibt es die paranormalen Direktrealisierungen und Direktmaterialisierungen, in denen sich Ideen und Vorstellungen anscheinend nicht auf dem Umweg über die normalen physiologischen Funktionen des Körpers realisieren, sondern sich unmittelbar aus dem Bioplasmafeld heraus verwirklichen, so etwa bei der Telepathie, der Psychokinese und am imponierendsten bei den Materialisationsphänomenen, die im letzten Kapitel beschrieben wurden.

Hier seien einige Beispiele angeführt, die den Einfluß der Vorstellungen auf die Funktionen des Körpers demonstrieren:

Ein Hypnotiseur suggeriert einer Versuchsperson, der er einen kalten Löffelstiel gegen den Handrücken drückt: »Ich berühre Sie mit einem glühenden Eisenstab: Deutlich spüren Sie es!« Die Person verzieht schmerzhaft das Gesicht, und nach dem Fortnehmen des Löffels hat sich auf der Haut eine intensive Rötung gebildet, unter Umständen sogar eine Brandblase. Die Vorstellung, durch den Hypnotiseur in der Versuchsperson bzw. in ihrem Geist induziert, wirkte auf das bioplasmatische Energiefeld, das Ursachenfeld des physischen Körpers ein, das seinerseits die Reaktion im Gehirn und Nervensystem bzw. im Körper auslöste.

Und hier ein Erlebnis des bekannten Arztes und Entdeckers der Lokalanästhesie Carl Ludwig Schleich. Eines Tages kam ein wohlhabender Kaufmann in völlig aufgelöstem Zustand zu ihm mit der Bitte, ihm einen Arm zu amputieren. Er hatte sich mit einer Feder gestochen und glaubte nun, an Blutvergiftung sterben zu müssen. Nur eine Amputation, behauptete er, könne ihn noch retten. Mehrere Chirurgen hatten bereits die Amputation verweigert, und auch Schleich lehnte selbstverständlich ab. Zwar war die Wunde gereinigt, ausgesogen und desinfiziert worden und außerdem in jeder Hinsicht harmlos, doch ließ sich der Patient nicht von seiner fixen Idee abbringen. Schleich untersuchte ihn – ohne jeden objektiven Befund. Am nächsten Morgen war der Mann tot. Die Autopsie ergab keine erkennbare Todesursache. Schleichs Diagnose lautete: Tod durch Hysterie![208, 214]

Es ließen sich noch viele analoge Beispiele für den großen Einfluß gedanklicher und emotionaler Kräfte auf die Funktionen des Körpers anführen. Genauso aber, wie vom Glauben und der sicheren Erwartung getragene Gedanken sich in negativer Weise auswirken können, so kann dadurch auch Heilung – oft von schwersten Krankheiten – erreicht werden.

Schellbach berichtete in den fünfziger Jahren den Fall eines Bekannten, eines Schweden, der durch spinale Kinderlähmung als Erwachsener weitgehend gelähmt und an den Rollstuhl gefesselt war. Der unerschütterliche Glaube des Kranken an die Herrschaft des Geistes über die Materie und ein sehr lebhaftes Einbildungsvermögen gaben ihm die Kraft, sich wochenlang in die Vorstellung hineinzusteigern, daß er wieder laufen könne. Tatsächlich schien nach einigen Wochen seine Bewegungsfähigkeit zuzunehmen, was ihm neuen Mut gab, in seiner autosuggestiven Arbeit fortzufahren. Nach einem halben Jahr war er bereits so weit, daß er mit Hilfe von Krücken gehen konnte. Sein Gehvermögen soll sich nachher wieder fast normalisiert haben.

Ein Mediziner wird hier den Standpunkt vertreten: Wenn ein

Nerv zerstört ist, dann gibt es keine Regenerationsmöglichkeit mehr und keinerlei Heilungschancen. Unter den üblichen bisher beobachteten Bedingungen und Umständen trifft das natürlich zu. Aber unter total neuartigen Voraussetzungen können auch total neuartige Phänomene auftreten. In dem berichteten Fall hat die dauernde Beeinflussung der Energiefelder des Bioplasmakörpers durch ein völlig anderes Denken diese schließlich so verändert, daß es im Laufe der Zeit offensichtlich zu einer Umorganisation und wahrscheinlich auch zu einer Regeneration im Bereich der geschädigten Nerven und Muskeln kam und schließlich sogar die für unmöglich gehaltene Heilung eintrat.

Derartige Möglichkeiten erscheinen uns westlichen Menschen so unwahrscheinlich, daß wir sie meist überhaupt nicht in Erwägung ziehen. Kein »vernünftiger« Mensch denkt darüber nach, niemand kommt auf die Idee, dergleichen überhaupt zu probieren, geschweige denn deshalb sechs Monate lang ein hartes seelisch-geistiges oder körperliches Training auf sich zu nehmen.

Natürlich sind das Ausnahmeerscheinungen! Aber es sind deshalb Ausnahmen, weil derartige Versuche eben nur von Ausnahmemenschen durchgeführt werden. Es ist leider so, daß in der westlichen wissenschaftlichen Welt Ausnahmen viel zu wenig oder gar nicht beachtet werden. Die russischen Wissenschaftler dagegen stürzen sich auf jede Ausnahme, denn sie zeigt den Weg in wissenschaftliches Neuland. Ausnahmen haben ihre Ursache. Ein genaues Studium der veränderten ursächlichen Bedingungen kann oft den Weg zeigen, diese Ausnahme zu einem normal reproduzierbaren Phänomen zu machen.

Jeder moderne Arzt im Westen weiß um diese psychosomatischen Zusammenhänge, obschon es noch vor einigen Jahrzehnten den meisten Medizinern absurd erschienen wäre, Magengeschwüre — also eine organische Erkrankung — auf seelische Ursachen zurückführen zu wollen. Obwohl die philippinischen Operateure keine psychologische und psychosomatische Literatur studiert haben, kennen sie instinktiv den Einfluß gedanklicher Kräfte auf den Körper, vielleicht sogar in einem viel tiefer gehenden Maße als unsere westlichen Wissenschaften. Agpaoa spricht von der Macht des Glaubens und von der Notwendigkeit einer positiven gedanklichen Einstellung und Lebensauffassung als Voraussetzung für eine dauerhafte körperliche Gesundheit. Er weiß, daß negative Gedanken und Gefühle auf die Struktur des Energiekörpers einwirken und von hier aus dann Veränderungen im physischen Körper bewirken können. Für ihn ist die Krankheitserscheinung im Körper nur das Symptom einer im »Astralkörper« oder letztlich im Geistigen begründeten Fehlschaltung oder Fehleinstellung. Daher muß der Patient — soll ein dauerhafter Heilerfolg erzielt werden — auch sein Denken ändern. Agpaoa sagt, eine Krankheit wird wahrscheinlich wiederkommen, wenn der Patient nach der Operation nicht seine falsche Lebenseinstellung korrigiert und auf positives Denken umschaltet. Nichts erscheint aber den meisten Menschen schwieriger, als alte, eingefleischte Denkgewohnheiten zu ändern. Daher hat Agpaoa eine technische Hilfe für seine Patienten in Form einer Schallplatte geschaffen, mittels der sein Patient sein Denken im Sinne körperlicher Gesundheit und seelisch-geistiger Harmonie programmieren soll. Die Schallplatte nennt sich *Healer's Meditation* — Meditation eines Heilers. Die Meditation ist von Agpaoa mit phonetisch sehr klarer, suggestiver Stimme in englischer Sprache gesprochen und musikalisch wirkungsvoll untermalt. Sie hat zweifellos bei regelmäßigem, konzentriertem Anhören positive Wirkungen im Sinne einer richtigen Programmierung der geistigen Ursachenebene auf den ganzen Menschen, sofern man sich diesem Einfluß öffnet.

Dieses Prinzip — das eigene Unterbewußtsein anstatt durch einen Hypnotiseur durch eine Schallplatte zu beeinflussen — wurde erstmals 1930 von Schellbach ausprobiert und später von ihm weiter ausgebaut. Er nannte es »Seelophonie«. Die Person legt sich entspannt auf eine Couch oder setzt sich in einen Sessel, schließt die Augen, ohne einzuschlafen, schaltet alle störenden Gedanken ab und läßt jetzt die Schallplatte ablaufen, in dem Bewußtsein und der inneren Überzeugung, daß die von der Platte vernehmbaren Worte in das eigene Unterbewußtsein eindringen und einsinken wie die Suggestionen eines Hypnotiseurs. Die innere Einstellung des Patienten ist dabei von entscheidender Bedeutung. Mittels »Suggestionsschallplatten« lassen sich ganz gezielt die verschiedensten Verhaltensweisen in das Unterbewußtsein einspielen, wie man Daten in einen Computer einspeist. Es gibt »Schlafschallplatten«, die bei manchen Patienten schon nach mehrmaliger Benutzung den Schlaf schnell herbeiführen, wesentlich vertiefen und verlängern, andere Platten programmieren den nervösen Patienten auf Ruhe und Gelassenheit als beste Vorbeugung gegen Managerkrankheit und Herzinfarkt. Die Möglichkeiten einer positiven Programmierung des menschlichen Unterbewußtseins werden im Westen nur von wenigen Menschen erkannt und so gut wie gar nicht genutzt. Statt dessen speist man das Unterbewußtsein auf dem Wege über die Massenkommunikationsmittel mit negativen oder zumindest wertlosen, nichtssagenden und jede schöpferische positive Entwicklung eher blockierenden als fördernden Vorstellungen und Motiven, die eine Entfaltung der großen, in jedem Menschen liegenden Möglichkeiten verhindern: Schon vor Jahrzehnten behauptete Schellbach, daß der Mensch seine Möglichkeiten höchstens zu zehn Prozent ausnutze.[210] Einige Forscher auf diesem Gebiet nennen heute noch phantastischere Werte. In seiner Suggestopädie glaubt der bulgarische Parapsychologe Losanow ein Prinzip entdeckt zu haben, das die üblichen Lehr- und Lernmethoden weitaus übertrifft.[169] Mehrere Forscher des Westens haben das Losanowsche Institut in Sofia besucht und darüber berichtet, so Dr. Thelma Moss, USA,[145] Dr. Naegeli-Osjord, Schweiz u. a.

Innerhalb eines Monats wird angeblich Menschen aller Berufsstände unter Umgehung bewußter Gedankenarbeit das Verständnis einer neuen Sprache direkt ins Unterbewußtsein eingespeist. Das klingt so phantastisch, daß man geneigt ist, derartige Behauptungen ohne weitere Prüfung als unseriös abzutun. Man ist von vornherein von der Unsinnigkeit einer solchen Meldung überzeugt — und die Überzeugung steuert das weitere Verhalten. Falsche Überzeugungen von der mangelnden Leistungsfähigkeit des Menschen blockieren potentiell vorhandene Fähigkeiten. Man muß sich davon freimachen. Bei der Losanow-Methode befindet sich der Schüler in einem total entspannten Zustand und lauscht den Klängen einer angenehmen Musik, während der Lehrer ihm die neue Sprache »eingibt«.

Der Verfasser hat in einem vierzehntägigen Experiment diese Art, eine neue Sprache »einzuspeisen«, zu imitieren versucht, soweit das mittels Tonbändern und Schallplatten möglich ist, und ist zu der Ansicht gekommen, daß der Nutzeffekt der herkömmlichen Schulmethoden, eine neue Sprache zu lernen, sich durch Anwendung der Losanow-Methode tatsächlich um ein Mehrfaches steigern ließe, vorausgesetzt, daß der Schüler die Methode der Entspannung einigermaßen beherrscht. Wichtig ist, daß man den Lernstoff nicht rational zu verarbeiten sucht und sich nicht von vornherein unter Zwang setzt, ein bestimmtes Pensum zu absolvieren. Auch muß man sich von der Voreingenommenheit freimachen, daß die Kapazität des Gedächtnisses beschränkt sei, die »Speicher voll« seien etc. Man muß sich ständig suggerieren, daß das Gedächtnis nie überfüllt werden kann.

Auch das Lernen im Trancezustand bietet wahrscheinlich noch ungeahnte Möglichkeiten, die bisher von unseren Pädagogen überhaupt nicht in Erwägung gezogen worden sind. Im Trancezustand öffnet sich der menschliche Geist anscheinend neuen Dimensionen. Den in das Korsett des rationalen Denkens hineingepreßten westlichen Menschen bereitet es meist sehr große Schwierigkeiten, in Trance zu geraten, ja, viele können sich noch nicht einmal richtig entspannen.

Daß man sich im Westen mit der Erforschung des Trancezustandes nur relativ wenig beschäftigt hat, rührt vielleicht daher, daß der Einfluß von Sigmund Freud und seiner psychoanalytischen Schule besonders in letzter Zeit beherrschend geworden ist. Freud war ein entschiedener Gegner der Hypnose. Und Hypnose und Trancezustand sind verwandte Phänomene. Gewiß hat die Psychoanalyse viele neue Aspekte im Menschen entdeckt und neue Tatsachen zutage gefördert, doch haben die orthodoxen Vertreter dieser Richtung auch neue Vorurteile ins Leben gerufen und Dogmen geschaffen, die den Weg zu vielen im Menschen liegenden Möglichkeiten versperren, da sie dem Menschen Grenzen setzen, die durch andere psychologische Techniken durchaus zu überschreiten sind. Schade, daß Sigmund Freud sich erst gegen Ende seines Lebens der Parapsychologie zugewandt hat und davon nur wenig an die Öffentlichkeit gedrungen ist.[56] Es berechtigt indes zu Hoffnungen, daß sich in letzter Zeit immer mehr Psychoanalytiker für Paraforschung interessieren.

Im sowjetischen Einflußbereich haben sich die Wissenschaftler mit der Psychoanalyse Freuds wenig oder gar nicht befaßt. Sie bauten ursprünglich auf den Arbeiten Pawlows auf, was zwangsläufig zu einer intensiven Erforschung der Hypnose und damit zusammenhängender Phänomene führte.[277] Es spricht einiges dafür, daß die östliche Forschungsrichtung für die Erschließung der im Menschen ruhenden ungenutzten Möglichkeiten die ergiebigere ist. Doch läßt sich die Frage, ob die sowjetische Psychologie und Psychotherapie die »richtige« ist oder die westliche, stark an Freud orientierte, wohl gar nicht im Sinne einer Ja-Nein-Entscheidung beantworten. Wahrscheinlich haben eben die seelischen Strukturen des westlichen Menschen die Entwicklung der Freudschen Psychoanalyse bedingt, ebenso wie für den russischen Menschen die dortigen Methoden die geeigneteren sind.

Unter diesem Aspekte muß man auch viele Arbeiten russischer Forscher sehen, die von unseren Psychologen skeptisch beurteilt werden. Etwa die Experimente der sogenannten künstlichen Reinkarnation, die der Leningrader Mediziner und Hypnoseexperte Dr. Wladimir Raikow seit Jahren durchführt.[270] Im Prinzip ist das lediglich eine spezielle, offensichtlich aber hochwirksame Methode, um das Self-image eines Menschen zu ändern und dadurch verborgene Talente im Zeitraffertempo freizusetzen.

Raikow suggeriert seinen Versuchspersonen in tiefer Hypnose, sie seien berühmte Meister auf diesem oder jenem Gebiet, je nach der Begabung, die bei dem Experiment geweckt werden soll. So wurde ein Flugzeugingenieur in die Rolle eines großen Flugzeugerfinders hineinversetzt. Er begann sogleich mit dem Entwurf einer Photonen-Rakete für Raumfahrtzwecke. Als man ihn dann in die Person des Malers Ilja Repin hineinversetzte, begann er, Bilder zu malen, von denen er nach dem Erwachen aus der Hypnose nicht glauben wollte, daß er sie selbst zustande gebracht habe, so beeindruckt war er von ihnen. Generell sollen bei diesen Experimenten außergewöhnliche Talente zutage treten. Auf jeden Fall zeigten die Versuchspersonen schon nach wenigen Wochen künstlerische Leistungen, für deren Entwicklung sie auf normalem Wege eine viel, viel längere Zeit benötigt hätten.[187]

Bei diesen Experimenten werden also der Versuchsperson vom Hypnotiseur keinerlei Fähigkeiten übertragen, sondern nur in der Person bereits ruhende Möglichkeiten freigesetzt, die sich der oder die Betreffende normalerweise nicht zugetraut hätte. Unsere durch verstandesmäßiges Denken und jeweilige Lebenserfahrungen geprägten Überzeugungen blockieren diese Fähigkeiten. Durch die Raikow-Hypnose wird die die eigene Leistungsfähigkeit hemmende Kritik bis in die tiefsten Bereiche der Persönlichkeit hinein ausgeschaltet, und dadurch werden ungeahnte Möglichkeiten und Begabungen frei.

Vielleicht würde sich auf diese Weise auch die Fähigkeit zu medialer Chirurgie bei vielen entwickeln lassen. Wenn auch der philippinische Mensch hierfür besonders prädestiniert zu sein scheint, so sollte doch nicht von vornherein ausgeschlossen werden, daß auch westliche Menschen dieses paranormale Phänomen zustande bringen können.

Der amerikanische Chiropraktor Nelson Decker war 1965 monatelang auf den Philippinen und kam nach längerem Hospitieren bei dem damals bekanntesten Heiler der Unio Espiritista Cristiana Filipinas, Eleuterio Terte, schließlich zu Tony Agpaoa, mit dem er einige Wochen von Ort zu Ort zog. Er assistierte ihm bei seinen Operationen mit dem Ziel, ebenfalls einmal auf diese Weise operieren zu können.

Agpaoa sagt, wie wir wissen, die Voraussetzung dafür sei eine bestimmte spirituelle Einstellung, aus der heraus man in die Lage versetzt würde, eine von außen kommende »göttliche Kraft« (Prana? Mana? Bioplasma? Od oder psychotronische Energie?) in sich aufzunehmen und an den Patienten weiterzugeben.

Decker mußte sich geistigen Übungen unterziehen, meditieren und die Technik der Konzentration beherrschen lernen. Nach einigen Wochen sagte Agpaoa, daß er ihm jetzt die »Kraft« übertragen könne, und zwar zunächst bei der »einfachsten« Operation, nämlich dem schmerzlosen Zahnziehen ohne Anästhetikum und mit den bloßen Fingern. Decker sollte lediglich zwei Streichhölzer zwischen Finger und Zahn legen, um den Zahn besser fassen zu können. Nach gewissen Vorbereitungen »übertrug« Agpaoa Decker die angebliche Kraft.

Der erste Versuch, einen Zahn zu ziehen, mißlang, da Decker

vor Erregung die Hände zu sehr zitterten, so daß Agpaoa ihn selbst ziehen mußte. Der zweite Versuch – bei einem anderen Patienten – unter Agpaoas Leitung aber gelang, und danach hatte Decker keinerlei Schwierigkeiten mehr mit dieser Prozedur. Nach einiger Zeit soll er auch schwierigere Operationen durchgeführt haben.[228] Tony Agpaoa bestätigte dem Verfasser gegenüber die Berichte Nelson Deckers, der seinen eigenen Zustand bei den Eingriffen, die er unter Agpaoas Leitung durchführte, als eine Art Trance beschrieb, in der er jedoch seine Umgebung deutlich wahrnahm. Seine Hände indes waren völlig außerhalb seiner Kontrolle. Er hatte das Gefühl, als ob ein elektrischer Strom hindurchflösse, und beim erstenmal hätte er beinahe die Fassung verloren, als er unter seinen Händen das Blut des Patienten wahrnahm.

Decker konnte die Operationen jedoch nur ausführen, wenn Tony Agpaoa in der Nähe war. Es genügte, wenn dieser sich im Nebenraum aufhielt. Vollkommen allein konnte Decker jedoch nie operieren. Nach den USA zurückgekehrt, war er deshalb nicht in der Lage, mediale Operationen durchzuführen. Agpaoa sagte dem Verfasser, daß Nelson Decker spirituell nicht genügend entwickelt sei, um vollkommen aus eigener Kraft diese Eingriffe durchzuführen.

Das Phänomen, daß paranormale Fähigkeiten anscheinend von starken Medien für kurze Zeit auf andere Menschen übertragen werden können, wird von anderen Paraphänomenen ebenfalls berichtet, zum Beispiel vom sogenannten Feuergehen. Die hawaiischen Kahunas liefen über glühende Lava, ohne sich dabei die Füße zu verbrennen. Unter ihrer Leitung soll Dr. Brigham, Kurator des Museums in Honolulu, vor einigen Jahrzehnten dasselbe vollbracht haben.[69] Auch der bereits erwähnte Inder Kuda Bux soll diese seine Fähigkeit auf Zuschauer übertragen haben. Seine Anwesenheit war jedoch bei dem Feuerlaufen anderer immer notwendig.[171] Der Vorgang, den Kuda Bux in den dreißiger Jahren in London demonstrierte, wurde gefilmt.

Diese Tatsachen scheinen darauf hinzudeuten, daß es sich bei den paranormalen Leistungen um Fähigkeiten handelt, die potentiell mehr oder weniger in jedem Menschen vorhanden sind, die Bedingungen für ihre Manifestation sind jedoch bei nur wenigen Menschen gegeben. Vielleicht werden beim vorübergehenden »Übertragen« der Fähigkeit weniger direkt Energien übertragen, sondern lediglich im Betreffenden durch den Meister die mentalen Bedingungen induziert, die Voraussetzung für das Eintreten der Paraphänomene sind. Somit ist die eigentliche Ursache für die Fähigkeit zur Durchführung der medialen Operationen letztlich vielleicht in der mentalen Einstellung, in einem ganz speziellen Zustand des Bewußtseins und des Unterbewußtseins zu suchen.

Der moderne Mensch steht außerordentlich stark unter dem Einfluß seines verstandesmäßigen Denkens — wir sind in der rationalen Entwicklungsphase. Aber nach der Jungschen Tiefenpsychologie befinden sich in den unbewußten Tiefenbereichen der menschlichen Psyche eines jeden Individuums Niederschläge der einzelnen vorangegangenen Entwicklungsepochen der menschlichen Evolution. Nach Ansicht der meisten Tiefenpsychologen macht jeder Mensch in seiner Kindheit diese Entwicklungsstufen der Menschheit in zusammengedrängter Form noch einmal durch, wobei die einzelnen Phasen archaisch — magisch — mythisch durchlebt werden.[292] Wenn Kinder gern Märchen hören, so wird damit die magische Seite ihrer Seele angesprochen. Das Interesse für Sagen aus den antiken Götterwelten ist für die mythische Phase charakteristisch. Aber auch nach der Intellektualisierung, nach der Entwicklung des rationalen Denkens, spielen die magischen Elemente im Leben des einzelnen eine Rolle, deren Bedeutung wir heute wahrscheinlich weit unterschätzen. Sigmund Freud hat einige solcher Beziehungen aufgedeckt und gezeigt, wie magische Elemente beim Erwachsenen oft einen aus dem Unterbewußten kommenden Zwang ausüben und neben klarem verstandesmäßigem Denken zu albern anmutenden Verhaltensweisen führen und absurde Formen des Aberglaubens bedingen können.[29, 278, 292]

Aber man sei vorsichtig beim Umgang mit dem Begriff »Aberglauben«. Vielen Äußerungen des sogenannten Aberglaubens liegt ursprünglich ein echtes Wissen um magische Gesetzmäßigkeiten zugrunde, ein Wissen, das, von berufenen Menschen angewandt, keineswegs sinnlos war. Es ist ein Zeichen von Überheblichkeit, diese Dinge einfach als »primitiv« oder gar »pathologisch« hinzustellen, da wir doch alle Reste der magischen Epoche in uns haben und von diesen Schichten in uns beeinflußt werden. Darin liegt nichts Abwertendes, sondern sogar etwas Positives. Wahrscheinlich geht unsere Grundfähigkeit zu fühlen und zu empfinden, glücklich oder unglücklich zu sein, auf die magischen Elemente in unserer Psyche zurück.

Es ist viel über die magischen Seiten der Seele geschrieben worden. Sie werden in dicken Büchern, zum Beispiel im Zusammenhang mit dem Schamanismus,[64] diskutiert, aber den springenden Punkt – der jeden wirklichen Wissenschaftler elektrisieren müßte – umgehen die meisten Autoren, sie wagen ihn nicht zu berühren: die Tatsache nämlich, daß mitunter auf der magischen Stufe Leistungen möglich sind, die das rationale Denken nicht verstehen und die der rationale Mensch nicht erbringen kann.[107] Wir lächeln über magische Handlungen, weil sie unseren Erfahrungen und Kenntnissen von Kausalzusammenhängen nicht entsprechen; wir übersehen dabei aber, daß auf der magischen Stufe konkrete, oft vollkommen unerklärliche und allen rationalen Argumenten widersprechende Wirkungen ausgelöst werden, die der nicht auf dieser Stufe stehende Mensch nicht hervorrufen kann. So sind wahrscheinlich auch die Leistungen der philippinischen Operateure weitgehend Leistungen der magischen Seelenstufe.

Offenbar ist der Mensch, der auf der magischen Stufe lebt, ebenso wie die Tiere, an Informations- und Energiequellen angeschlossen, die dem normalen zivilisierten Europäer und Nordamerikaner nicht zugänglich sind. Und er scheint sich damit abgefunden zu haben, daß es so ist – vorausgesetzt, es ist ihm überhaupt aufgefallen. Wie viele rätselhafte Erscheinungen nehmen wir täglich einfach zur Kenntnis, ohne nach einer Erklärung zu verlangen! Denken wir nur an das Phänomen des Instinkts; den sechsten Sinn der Tiere, den wir im allgemeinen ohne Verwunderung als etwas Naturgegebenes betrachten. Woher wissen beispielsweise die Zugvögel, daß sie ganz bestimmte Flugrouten einhalten müssen, damit ihre Kräfte bis Afrika ausreichen und nicht etwa über dem Meer erlahmen? Wie finden Lachse und Aale den Weg zu den Laichplätzen, über größte Entfernungen und Widerstände hinweg? Ein Foxterrier wurde in einer Kiste von Frankfurt nach Brüssel geflogen, wo man ihn einem neuen Herrn übergab. Schon nach kurzer Zeit riß er aus und kam acht Tage später verwahrlost und halb verhungert bei seinem früheren Herrn in Frankfurt an. Woher wußte er den richtigen Weg?

Solche Fälle sind nicht selten. Sie setzen uns zwar einen Augenblick in Staunen, aber wir akzeptieren sie, ohne lange darüber nachzudenken. Kein Skeptiker zieht sie in Zweifel und wittert Betrug. Dabei handelt es sich um Phänomene, die im Grunde ebenso unerklärlich sind wie die Leistungen von Telepathen, Hellsehern oder den medialen Operateuren der Philippinen.

Es sei auch an die Versuche Cleve Backsters erinnert, an die geheimnisvolle Kommunikation zwischen Pflanzen und anderen Lebewesen.* Eine aufregende Vorstellung, gewiß, aber keine unglaubliche.

Erst wenn jemand zu behaupten wagt, daß der auf der magischen Stufe stehende Mensch solche geheimnisvollen und aufregenden Kommunikationen ebenfalls kennt und zu nutzen weiß, werden wir argwöhnisch. Reagieren wir so vielleicht nur aus Neid, in der Meinung, unsere Position verteidigen zu müssen, die wir plötzlich – »instinktiv«? – als die schwächere erkennen, ohne dies freilich zugeben zu wollen?

Indem wir uns vor der Diskussion über die hier auftauchenden Fragen drücken, vergrößern wir die Diskrepanz zwischen dem magischen Wissen der anderen und unserem rationalen Denken nur noch mehr. Die Annahme, daß Ausstrahlungen aller lebenden Natur existieren und daß ein Kommunikationssystem aller Zellen untereinander besteht, würde unsere Wissenschaft auf jeden Fall viel weiter bringen als die gegenteilige Annahme, daß dies unmöglich sei.

Auf dem Zweiten Internationalen Parapsychologen-Kongreß in Moskau im Juli 1972 wurde folgendes Experiment mit dem »Primitivbewußtsein der Zellen« berichtet: In hermetisch abgeschlossenen Glasgefäßen wurden zwei Fleischproben aufbe-

* Vgl. Seite 52 f.

wahrt, von denen die eine mit Viren verseucht war, die das Fleisch zersetzten, während die andere Probe keimfrei blieb. Wurden beide Gefäße nebeneinandergestellt, beobachtete man in beiden Gefäßen auch die gleichen Resultate; trennte man jedoch die Gefäße räumlich voneinander, blieb der Zersetzungsprozeß im keimfreien Gefäß aus.[125]

Vielleicht wirken die philippinischen Heiler durch die Mobilisierung uns unbekannter Energien auf das Primitivbewußtsein der Zellen und Gewebe ein, und »befehlen« diesen, sich zu lokkern oder zu öffnen. Der magisch empfindende Mensch »spricht« mit den Tieren, mit den Pflanzen, mit der Natur. Der magisch-mediale Operateur »spricht« mit den Zellen und Geweben des Körpers, und der Körper öffnet sich in der medialen Chirurgie.[185]

Daß die Zellen des menschlichen Körpers noch gänzlich neuartige, unbekannte und noch nie beobachtete Fähigkeiten besitzen, die sie uns noch nie gezeigt haben, weil die Voraussetzungen dazu noch nie gegeben waren, hat bereits in den dreißiger Jahren Alexis Carrel vermutet.[34] Sie scheinen auf die Ausstrahlungen spezifischer seelischer Zustände und Felder des Menschen zu reagieren.

Tiefenpsychologische Erklärungsversuche der medialen Operationen werden den Naturwissenschaftler im allgemeinen nicht befriedigen, aber wir müssen bei diesen komplexen Phänomenen alle nur denkbaren Methoden heranziehen, um die Erscheinungen umschreiben, beschreiben und erfassen zu können. Es gibt keine spezielle Methode, die allein in der Lage wäre, derartig komplizierte Phänomene zu erklären, wir müssen dabei sowohl analytische als auch synthetische Methoden anwenden.

Auch durch ganz bestimmte spirituelle Bewußtseinszustände kann der Mensch offensichtlich Kontakt zu neuartigen Informations- und Energiequellen bekommen.[251] Der religiöse Mystiker — ich meine den echten, nicht den Schwärmer und noch weniger den konfessionellen Fanatiker — fühlt sich geborgen im Schoße Gottes, und auch er ist damit an gänzlich neuartige Energiequellen angeschlossen, die dem modernen rationalen Menschen unerklärlich scheinen.[257] Es sei in diesem Zusammenhang nochmals an das über den Kapuzinermönch Pater Pio Berichtete und an die Stigmatisierte Therese Neumann aus Konnersreuth erinnert. Die Geschichte der Heiligen des Mittelalters würde weiteres Anschauungsmaterial hierzu liefern.

Wahrscheinlich ergeben sich die Leistungen der philippinischen Operateure aus der einmaligen Kombination von magischen Seelenelementen und mystisch-spiritueller Seelenhaltung.

Die philippinischen Heiler ziehen sich von Zeit zu Zeit aus ihrem alltäglichen Milieu zurück und gehen in die Berge, um ihren spirituell-mentalen Zustand wieder in die für paranormale Operationen notwendige »Form« zu bringen, da sie durch den Einfluß des Alltagsmilieus mit der Zeit aus ihrem seelischen Ausnahmezustand herausgebracht werden – so wie jeder Mensch vom Denkrhythmus seiner Umgebung wie durch einen Resonanzvorgang beeinflußt wird. Deshalb sind die Fähigkeiten der philippinischen Operateure auch keineswegs immer konstant, und scheinen abzufallen, wenn die Heiler sich zu sehr – wie sie sagen – mit »weltlichen Dingen« befassen, das heißt die Annehmlichkeiten unserer Zivilisation in allzu starkem Maß auf sich wirken lassen. Es heißt auch, die Heiler verlören ihre Fähigkeiten, wenn sie Geld annähmen. Sicherlich verlieren sie die Fähigkeit nicht, weil sie Geld annehmen, sondern weil sie ein anderes Leben führen und dadurch ihr Denken von der spirituellen Ebene mehr auf die materielle Ebene gerät.

Vielleicht werden eine fortgeschrittene Hochfrequenzfotografie oder andere neuartige Detektoren einmal objektive Aufnahmen ermöglichen, die zeigen, wie stark sich die Gefühlswelt eines Philippiners von der eines westlichen Menschen unterscheidet. Man wird dann den objektiven Beweis dafür erhalten, daß »Gefühle« keine irrealen Phantastereien sind, sondern konkrete, objektivierbare Machtfaktoren darstellen, Realitäten, mit denen auch der Wissenschaftler rechnen sollte.

Gänzlich neuartige Möglichkeiten dürften sich in einer späteren Zukunft einmal durch eine Kombination der sowjetischen Hochfrequenzfotografie mit dem amerikanischen Bio-Feedback-Verfahren ergeben. Unter Bio-Feedback versteht man die Aufzeichnung bestimmter physiologischer Funktionen, zum Beispiel bei speziellen seelisch-geistigen Übungen, und ihre sofortige Mitteilung an den Probanden.

Beim Üben der Selbsthypnose oder beim autogenen Training können bestimmte, mit dem psychologischen Vorgang zusammenhängende physiologische Funktionen wie galvanische Haut- und Gehirnströme registriert und dem Schüler während des Übens sofort angezeigt werden. Dieses Verfahren leitet sich aus den modernsten Ergebnissen der amerikanischen Lernpsychologie [40–42] ab und gestattet dem Schüler, den Lernvorgang auf dem Bildschirm eines speziellen Geräts zu beobachten. Er kann dadurch eventuell bestimmte Gehirnrhythmen, die bisher unkontrolliert abliefen, bewußt kontrollieren, korrigieren oder sogar erzeugen lernen.

Im Laboratorium von Dr. Elmar Green, Mitarbeiter der Menninger Stiftung (Kansas City), lernen nach einem solchen Verfahren Patienten ihre Körpertemperatur auszubalancieren und dadurch Kopfschmerzen zu beseitigen. Manche Personen sollen sogar gelernt haben, bestimmte Gehirnwellen und die damit verbundenen Bewußtseinszustände willkürlich zu erzeugen, bei sogenannten Theta-Wellen zum Beispiel das Gefühl eines großen Glücks und einer engen Verbundenheit mit Gott hervorzurufen, wie es möglicherweise die Mystiker des Mittelalters erlebt haben.[147]

Wenn einem Übenden nach dem Feedback-Verfahren kontinuierlich der Zustand seines Bioplasmafeldes angezeigt würde, beispielsweise als farbiges Kirlian-Bild auf einem Bildschirm, ergäben sich vielleicht Möglichkeiten der Erschließung seelischer und paranormaler Fähigkeiten, die heute noch niemand abschätzen kann; denn die Kirlian-Fotografie läßt die Bewußtseinszustände höchstwahrscheinlich in viel differenzierterer und unmittelbarer Form erkennen, als es die Messung physiologischer Größen gestattet.

Wir sagten, daß paranormale Fähigkeiten wahrscheinlich in fast jedem Menschen schlummern. Wenn sich nun jemand um ihre Entfaltung bemühen wollte, wäre das im allgemeinen wenig aussichtsreich, solange er keine klare Marschrichtung für seine Bemühungen hätte und gewissermaßen blindlings herumprobieren müßte. Selbst wenn er manchmal dicht am Ziel wäre, wüßte er es nicht und würde sich unversehens wieder davon entfernen. Beim gewöhnlichen Lernprozeß lernt man aus den Fehlern, die einem bewußt werden müssen. Das weitere Verhalten wird dann von diesen Erfahrungen beeinflußt. Wenn man ein unbekanntes kompliziertes Elektrogerät vor sich hat und bekommt beim Berühren einer bestimmten Stelle einen elektrischen Schlag, dann weiß man, daß man hier nicht mehr hinfassen darf. Auch wenn jemand Schreibmaschine schreiben lernt, sieht er Fehler sofort und weiß, daß er dieses oder jenes anders machen muß. Solche Erfahrungen und so ein Lernen sind bewußt. Die sich ganz im Unterbewußtsein abspielenden paranormalen Leistungen geben dem Schüler keine sofortige Antwort bzw. zeigen ihm nicht klar und deutlich, ob er sich in der richtigen Richtung bewegt oder in der falschen.[149] Die statistische Chance, auf dem üblichen Lernweg paranormale Fähigkeiten zu entwickeln, wäre sehr gering. Manche Paraphänomene haben eine lange Anlaufzeit. Reichenbach mußte im vorigen Jahrhundert manche seiner Sensitiven mitunter bis zu vier Stunden im Dunkeln »warten« lassen, ehe sie hellsichtig wurden. Wer kommt schon auf den Gedanken, vier Stunden in die Dunkelheit zu starren, um dann auszuprobieren, ob er die Fähigkeit hat, die »Aura« der Menschen zu sehen?

Mittels eines fortgeschrittenen Kirlian-Feedback-Verfahrens könnte man sicherlich viele Faktoren, die mit den paranormalen Leistungen zusammenhängen, bewußt machen, dann beeinflussen lernen und schließlich den für die jeweiligen Leistungen optimalen Bewußtseinszustand einüben. Auch ließen sich dann die speziellen Bewußtseinszustände, die für die Leistungen geistigen Heilens notwendig sind, relativ einfach über einen längeren Zeitraum aufrechterhalten. Ein solches Verfahren gliche gewissermaßen einem Spiegel für große Bereiche unterbewußter Abläufe und Funktionen. Genauso wie man in einem Spiegel seine äußere Erscheinung sieht und sich anhand dieses Bildes in vielerlei Hinsicht korrigieren kann, sei es in der Haltung, sei es in der Kleidung usw., so könnte ein Kirlian-Feedback-Verfahren einen Spiegel für die unsichtbaren Seiten des Wesens eines Menschen darstellen. Vielleicht ergäbe sich durch eine Kombination dieses Verfahrens mit der Psychoanalyse einmal ein ideales Mittel zur wirklichen Entfaltung des Menschen.

Es wird eines Tages vielleicht Lehrgänge geben, in denen man mittels Kirlian-Feedback unter der Leitung erfahrener Lehrer in wenigen Wochen oder Monaten dieselben Leistungen zustande bringt wie manche Yogis nur nach mehrjähriger harter Yoga-Schulung. Vielleicht wird man dann bei uns auch lernen können, die spirituellen Zustände zu erzeugen, die die Basis für die Durchführung der philippinischen Operationen sind... Aber wir wollen hier nicht zu weit ins 21. Jahrhundert vorgreifen. Für heute trifft noch zu, daß wir keine eindeutige Antwort auf die Frage nach der Herkunft des Wissens und der Kräfte für die Durchführung medialer Operationen geben können.

Zum Schluß dieses Kapitels seien noch zwei weitere Theorien angeführt, die die Herkunft rätselhaften Wissens in manchen Menschen zu erklären versuchen.

Die Anhänger der *Reinkarnation* glauben an eine frühere Existenz des Menschen, aus der er Kenntnisse in sein jetziges Leben mitgebracht hat. Der amerikanische Mediziner Professor Ian Stevenson beschäftigt sich seit Jahren mit dem Reinkarnationsproblem; er hat viele Fälle angeblicher Wiedergeburt in Indien, Ceylon, Libanon, Brasilien und Alaska studiert und umfangreiches Material zusammengetragen.[244, 245] Es gibt verschiedene Erklärungsmöglichkeiten für das Reinkarnationsphänomen, auf die hier jedoch nicht näher eingegangen werden kann.* [158]

Und nun die spiritistischen Deutungsversuche zu diesem Komplex: Das Wort »Spiritismus« ist im Westen verpönt, teils aus Voreingenommenheit, teils aus berechtigten Gründen; denn auf diesem Gebiet haben sich viele Scharlatane betätigt, und es wurde und wird noch viel betrogen. Das ändert jedoch nichts an der Tatsache, daß bei spiritistischen Sitzungen sehr oft echte Paraphänomene der verschiedensten Art auftreten. Die Hochburg des Spiritismus ist Brasilien, wo echte Phänomene und Betrug auf meist unentwirrbare Weise miteinander vermischt sind, der Betrug jedoch überwiegen soll.

Der ausgeprägteste und ehrlichste Spiritist unter den medialen Heilern war Zé Arigo, dessen operative und therapeutische Lei-

* Näheres in Morey Bernstein: *Protokoll einer Wiedergeburt;* in Vorbereitung im Scherz Verlag

stungen schon beschrieben wurden. Er behauptete, vom Geist eines verstorbenen deutschen Arztes geführt zu werden.[39] An jedem Werktag – morgens um sieben Uhr – sprach Arigo in seinem Arbeitszimmer ein Gebet und stellte sich geistig auf seinen »jenseitigen Führer« ein – den Geist eines angeblich gegen Ende des Zweiten Weltkriegs in einem Konzentrationslager umgekommenen deutschen Arztes Dr. Fritz, der in München und Wien praktiziert haben soll. Arigo versicherte, das Medium dieses Dr. Fritz zu sein. Wenn er mit ihm Kontakt hatte, veränderten sich sein Gesichtsausdruck und seine Persönlichkeit. Diese Veränderung seines Gesichtsausdrucks soll sogar auf Fotografien deutlich sichtbar gewesen sein.

Nach seiner Arbeit schloß sich Arigo für einige Minuten in sein Arbeitszimmer ein und verabschiedete sich von Dr. Fritz. Doch Arigos Frau behauptete, daß ihr Mann manchmal auch mit dem Geist des deutschen Doktors nach Hause käme, was sie sofort an seinem Benehmen und an seinem Gesichtsausdruck merke. Eigenartig war das Verhalten der Hunde, die Arigo freudig bellend zu begrüßen pflegten. Kam er aber *mit* seinem »geistigen Führer« nach Hause, dann waren sie irritiert und verkrochen sich mitunter sogar. Für andere Sensitive soll bei Arigo bisweilen ein Phantom des Dr. Fritz sichtbar gewesen sein – blond, mit wenig Haaren und einer blutigen Wunde über der Kinnlade, die von einem Schlag vor seinem Tode im Konzentrationslager herrührte. In den ersten Jahren seiner »Zusammenarbeit« mit Dr. Fritz sprach Arigo, wie es heißt, oft in deutscher Sprache, die er nie in seinem Leben gelernt hatte.

Das Phänomen des Zé Arigo – Dr. Fritz – gibt jedem denkenden Menschen große Rätsel auf, ganz gleich, ob man den Standpunkt der Spiritisten akzeptieren kann oder an einen Fall von Persönlichkeitsspaltung glaubt, was die Frage nach der Herkunft des Wissens und der operativen Leistungen jedoch in keiner Weise erklären würde.

Vielleicht liegt etwas Ähnliches vor wie bei den Experimenten des Dr. Wladimir Raikow mit »künstlicher Reinkarnation«[169]? Oder war es das »kosmische Gedächtnis«, das manche Forscher zur Erklärung vieler Phänomene anführen, mit dem Arigo Kontakt bekommen hatte? Waren es die Gesamterfahrungen der

Natur, die nach C. G. Jung im kollektiven Unbewußten, in den Tiefenschichten der menschlichen Psyche ruhen sollen? Oder war es wirklich das Intelligenzpotential eines Verstorbenen, das dessen physischen Tod überlebt hatte?

Es sieht so aus, als lägen im Falle Arigo und der philippinischen Operateure tatsächlich zwei grundsätzlich verschiedenartige Informationsquellen vor. Die philippinischen Operateure sind im allgemeinen in der Lage, einen kranken Herd auf paranormalem Wege zu lokalisieren. Ich habe aber eigentlich kaum eine Diagnose im Sinne der westlichen Schulmedizin – außer bei Diabetes u. ä. – erlebt. Das liegt daran, daß die philippinischen Heiler, ähnlich wie der amerikanische Heiler Phil A, ein Leiden mit anderen Augen betrachten als der westliche Mediziner und völlig andersartige Behandlungen vornehmen. Arigo dagegen stellte Diagnosen genau in der Sprache eines Schulmediziners. So sagte er zum Beispiel einem ihm gerade gegenübertretenden Patienten nicht nur, daß er zu hohen Blutdruck habe, sondern er gab die genauen Werte an, die unmittelbar danach von amerikanischen Medizinern an Ort und Stelle geprüft und für richtig befunden wurden. Bei einem Augenkranken stellte er nicht nur die Diagnose »Netzhauterkrankung«, wie ein guter philippinischer Heiler es machen würde, sondern Arigo nannte den genauen medizinischen Terminus: »Retinoblastom«.[185] Hunderte ähnlicher Fälle wurden verifiziert.

Das ist vor allem deshalb verblüffend, weil Arigo intelligenzmäßig einem Agpaoa und José Mercado weit unterlegen war. Niemand hat Arigo je ein Buch lesen sehen. Er soll nur zwei Jahre eine Schule besucht haben, die er wegen mangelnder Begabung verlassen mußte. Seinen Patienten verordnete er modernste pharmazeutische Präparate, oft in einer Kombination, die tiefsten Einblick in die physiologischen Funktionen des menschlichen Körpers verriet.

Die Theorie, daß es sich bei den Leistungen des Brasilianers um latentes Wissen aus den eigenen seelischen Tiefenschichten, den magischen Bereichen, dem kollektiven Unbewußten oder dergleichen gehandelt habe – wie sie bei den philippinischen Heilern bis zu einem gewissen Grade plausibel sein mag –, erscheint bei Arigo geradezu absurd; denn die seelischen Tiefenschichten der magischen Stufe oder das kollektive Unbewußte »denken« ganz bestimmt nicht in der Sprache und Terminologie der westlichen Schulmedizin.

Die Diagnose und die Verordnungen »hörte« Arigo in seinem rechten Ohr. Wenn er die Stimme in seinem rechten Ohr nicht hörte, konnte er keinerlei Diagnose stellen.

Mehrere Wochen vor seinem tödlichen Autounfall »sagte« Dr. Fritz Arigo, daß seine Zusammenarbeit mit ihm Anfang 1971 aufhören würde. Und so geschah es.

Auch auf den Philippinen ist der Spiritismus stark verbreitet. Manche Heiler, mit denen ich sprach, sind der Ansicht, von Wesenheiten aus einer höheren Daseinsebene geführt zu werden. Die Mehrzahl gab jedoch keine streng spiritistische Deutung für ihre Heilkraft, obschon sie alle an ein Jenseits glaubten und auch an Kontaktmöglichkeiten zwischen Lebenden und Verstorbenen.

Agpaoa erzählt, wie wir schon hörten, von einem »Protector«, der ihn von Jugend an führe. Ist es ein Jenseitiger wie Dr. Fritz? Darüber hat sich Agpaoa nie geäußert. Da er sich aber letztlich stets auf die »göttliche Kraft« beruft, die ihn erfülle, könnte »Protector« auch eine vom Heiler selbst geprägte individuelle Bezeichnung für seinen — und unseren — Gott sein.

Bewährungsprobe der Para-Operateure

Daß die Parapsychologie heute noch – nachdem sie bald ein Jahrhundert lang besteht – geradezu fanatische Feinde hat, die sie in Bausch und Bogen verdammen, zeigt ein Artikel, den der Jurist Dr. W. Wimmer im Januar 1973 in einer medizinischen Fachzeitschrift unter dem Titel »Parapsychologie und Kurpfuschertum« veröffentlicht hat. Darin wird die Beschäftigung mit paranormalen Erscheinungen geradezu zum kriminellen Delikt gestempelt und der Parapsychologie die Mitverantwortung an dem zunehmenden »Aberglauben in der Medizin« angelastet. Alle Paraphänomene im Rahmen der Heilkunde werden ohne jede Beweisführung rundweg als Aberglauben hingestellt, und die ganze Psi-Forschung wird einfach als »abergläubischer Mumpitz« bezeichnet.[286]

Neuartige, bahnbrechende, alles revolutionierende Erkenntnisse oder Entdeckungen in den Augen der Zeitgenossen lächerlich zu machen, erfordert nicht sonderlich viel Sachverstand und hat mit Wissenschaftlichkeit nicht das geringste zu tun. Es war seinerzeit nicht schwer, die Idee des Kopernikus lächerlich zu machen; denn die Vorstellung, daß die Menschen auf der anderen Seite einer angeblichen Erdkugel »kopfstehen« sollten, mußte die damaligen, an die Flachwelt-Vorstellung gewöhnten Menschen ja zum Lachen reizen. Und so lachen manche heute, wenn sie hören, daß eine russische Hausfrau allein durch gedankliche Konzentration Aluminiumzylinder bewegt und philippinische Heiler ohne Messer operieren.

Diese überzeugten Rationalisten lassen sich paradoxerweise so widerstandslos von ihren Emotionen hinreißen – von unkontrollierten Gefühlen, die sie doch zu gern ihren Gegnern, den Psi-Forschern ankreiden –, daß sie statt diskutabler Argumente nur noch geschmacklose Witzeleien von sich geben.[286]

Speziell zum Problem der paranormalen Heilungen sagt Wimmer: »Anstatt den Anteil der Suggestion bei den sogenannten Wunderheilungen zu beachten, wie es wissenschaftliche Denkweise erheischen würde, haben die Parapsychologen den Steinzeitglauben der ›Sympathie‹ wiederentdeckt.«

Wimmer spricht hier — sehr richtig — vom »Anteil« der Suggestion bei den sogenannten Wunderheilungen, die wir ja paranormale Heilungen nennen wollen, womit er selber klar ausdrückt, daß noch eine zusätzliche Komponente da sein muß, denn ein »Anteil« ist ja, wie das Wort sagt, keineswegs alles oder das Ganze. Den Anteil der Suggestion haben die Parapsychologen schon längst bemerkt, aber sie beachten auch den paranormalen Anteil, der eben nicht durch Suggestion zu erklären ist.

Es ist in höchstem Maße unwissenschaftlich, die Untersuchung eines unerklärlichen Phänomens einfach einzustellen und sich damit zufriedenzugeben, wenn man eine qualitative Teilerklärung gefunden zu haben glaubt, wie etwa die Suggestion zur Erklärung überraschender Heilungen. Jeder mit der Praxis vertraute Wissenschaftler weiß aus Erfahrung, daß eine Erscheinung oft — um nicht zu sagen meistens — durch mehrere ursächliche Komponenten bewirkt wird. Und beim paranormalen Heilen treten eben neben dem oft — aber keineswegs immer! — vorhandenen Suggestiv-Effekt noch zusätzlich andere, bisher wissenschaftlich nicht faßbare und daher meist übersehene Effekte hinzu, die häufig den Ausschlag geben.

Wie wenig Sachkenntnis viele lautstark sich äußernde Gegner des paranormalen Heilens und Operierens besitzen und wie unlogisch und oberflächlich sie mitunter denken, läßt sich an dem Argument ermessen, Agpaoa und andere mediale Heiler versagten bei einer ganze Reihe von Behandlungen völlig — womit offenbar zum Ausdruck gebracht werden soll: Wer nicht alle Krankheiten heilen kann, der soll es lieber ganz bleiben lassen.

Tatsache ist, daß auch die modernste Medizin des Westens weder diagnostisch und noch viel weniger therapeutisch das gesamte Spektrum der Krankheiten abdecken kann.[53] Um so peinlicher ist es, wenn auf paranormale Diagnose- und Heilmethoden gleich so allergisch reagiert wird wie hier:

»Konsequenzen für die Medizin? Schwerlich, es sei denn, man fasse die Abschaffung von Mikroskopen und Röntgenapparaten ins Auge und gebe die wissenschaftlichen Diagnosemethoden auf. Das Staatsexamen wäre dann folgerichtig auf die Prüfung hellseherischer Fähigkeiten zu reduzieren, wobei allenfalls noch das Problem zu lösen wäre, wie bei den bereits vom Jenseits aus praktizierenden Heilkundigen verfahren werden sollte. Die mühselige ärztliche Fortbildung entfällt, da ja Arzt nur werden kann, wer mit der Gabe der Hellsichtigkeit begnadet ist — wie die Medizinmänner und Zauberer der Naturvölker, die nach primitivem Glauben bemerken, was gewöhnlichen Sterblichen unsichtbar bleibt. Solche Schamanen brauchen sich nur in Trance zu versetzen, und schon sehen sie auf paranormale Weise den bösen Geist, der für die Krankheit verantwortlich ist. Manchmal, wenn der Zauberdoktor gerade wieder einmal einen unbequemen Konkurrenten aus dem Wege räumen will, sorgt er dafür, daß dieser durch sein Orakel als Krankheitsverursacher entdeckt und dann durch die Dorfgenossen als schuldiger Hexenmeister getötet wird. Ein Leben unter derartigen medizinischen Vorstellungen dürfte wohl ziemlich ungemütlich sein.«[286]

Gott sei Dank stammt dieser emotionale Erguß nicht von einem Mediziner, wenn er auch im Jahre 1973 von einer medizinischen Zeitschrift veröffentlicht wurde.

Kein vernünftiger Befürworter der Paramedizin wird auch nur die Einschränkung der bisherigen wissenschaftlichen Arbeiten und Forschungsmethoden der offiziellen Medizin für ratsam halten, aber warum soll man daneben nicht auch noch gänzlich neuartige Forschungsrichtungen zulassen, ohne deren Vertreter gleich von vornherein als Kurpfuscher und Scharlatane zu diffamieren. Wir leben in einer Zeit, in der keiner mehr beanspruchen kann, die alleinige absolute Wahrheit gepachtet zu haben und den einzig richtigen Weg zu kennen. Wir brauchen heute mehr denn je auf allen Gebieten des Lebens und von allen Seiten Toleranz und das ehrliche Bemühen, auch die andere Seite zu verstehen. Das gilt ebenfalls für die Wissenschaften. Wir brauchen viele Methoden und viele Wege, und wir können eins mit Sicherheit in unserer heutigen Zeit nicht gebrauchen: Einseitigkeit!

Die wissenschaftlichen Forschungen der offiziellen Medizin werden mit großem technischem, personellem und finanziellem Aufwand durchgeführt – ganz im Gegensatz zu den paranormalen Operationen der Philippiner und auch der westlichen Erfahrungsheilkunde. Eine Heilmethode ist aber keineswegs deshalb immer besser, weil sie komplizierter und aufwendiger ist als eine andere. Ohne zu verallgemeinern sei gesagt, daß es viele Fälle gibt, wo alte, einfache Methoden mit einem Minimum an Aufwand mehr leisten als teuerste modernste Verfahren und Behandlungen. Hier ein Beispiel:

Der Verfasser zog sich 1959 eine Knochenhautentzündung am Knie zu. Nach zwei Wochen war das Bein steif und schmerzte. Die Untersuchung in einer Universitätsklinik ergab: »Periostitis. Gipsverband für drei Wochen notwendig!« Da ich mir eine solche Behinderung damals nicht leisten konnte, probierte ich eine homöopathische Behandlung mit Salben aus, doch ohne Erfolg. Schließlich erinnerte ich mich eines lange zurückliegenden Gesprächs mit einem Kranken, bei dem angeblich der Wunstorfer Heilpraktiker Wilhelm Rehberg eine langwierige Knochenhautentzündung mittels Lehmumschlägen geheilt hatte. Ich machte einen dreistündigen Umschlag mit sogenannter Heilerde. Nach diesen drei Stunden konnte ich das Bein bereits wieder beugen. Am nächsten Tag, nach zwei oder drei weiteren Umschlägen, fuhr ich bereits Fahrrad, und in Kürze war ich wieder gesund. Psychogenese scheidet aus, da ich nie einen derartigen Erfolg erwartet hatte.

Viele sowjetrussische Wissenschaftler scheinen – wie sich auf dem Parapsychologischen Kongreß 1972 in Moskau zeigte – besonders an Heilmethoden interessiert zu sein, die mit einem Minimum an Aufwand gute Erfolge ermöglichen, nicht zuletzt wahrscheinlich, um die dadurch einzusparenden Mittel an Geld und Arbeitskraft für andere Forschungsaufgaben einsetzen zu können.[125] Deshalb interessieren sich Forscher wie Dr. Injuschin auch vor allem für sämtliche Formen des paranormalen Heilens, und aufgeschlossene Ärzte arbeiten mit »bioenergetischen Therapeuten« zusammen.

Bei uns ist nach § 21 der Berufsordnung dem Arzt nicht gestattet, zusammen mit Personen, die weder Arzt sind noch zu seinen berufsmäßigen Assistenten gehören, Untersuchungen durchzuführen oder zu behandeln. Nach Auffassung der Bundesärztekammer gilt dieses Verbot selbstverständlich auch in bezug auf Heilpraktiker. Ausdrücklich wurde festgestellt, daß die erheblichen Unterschiede, die zwischen Arzt und Heilpraktiker bestehen, eine Zusammenarbeit zwischen den beiden Heilberufen nicht zulassen (DÄ v. 21. 5. 1969).

Es ist ernsthaft die Frage zu stellen, ob eine derartig starre Ablehnung jeglicher nicht-akademischer Heiler in Anbetracht der heute sich schon abzeichnenden Möglichkeiten des paranormalen Heilens noch sinnvoll ist und im Interesse der Kranken liegen kann, oder ob man in einer demokratischen Gesellschaft es nicht dem Arzt selbst überlassen sollte, die Entscheidung in puncto Zusammenarbeit von Fall zu Fall zu treffen. Ich könnte mir vorstellen, daß bei einer verständnisvollen Zusammenarbeit bzw. einem Gedankenaustausch zwischen aufgeschlossenen Medizinern und begabten Heilern und Heilpraktikern die Patienten am meisten profitieren können.

Denn die noch vielerseits geltende Meinung, daß jeder nichtakademische Heilpraktiker nur ein Kurpfuscher sein kann, läßt sich, objektiv betrachtet, ganz bestimmt nicht aufrechterhalten.[205] Hier ein Beispiel aus Deutschland, das ich aus nächster Nähe verfolgen konnte – keine Ausnahme, sondern ein Fall von vielen.

Die vierzehnjährige Tochter der Frau N. litt seit sechs Jahren an der angeblich unheilbaren Schuppenflechte. Die ärztlicherseits verordneten Salben verätzten auch die noch gesunde Haut. Die Patientin konnte auch im heißesten Sommer nicht mehr ohne Hosen und ohne lange Ärmel gehen, selbst auf dem Kopf machte sich die Flechte breit. Die stark riechenden Salben verpesteten die Luft im ganzen Haus. Das Mädchen kratzte sich infolge des unerträglichen Juckreizes jede Nacht im Schlaf blutig, die Bettwäsche mußte täglich gewechselt werden. Der behandelnde Spezialist sagte: »Frau N., es gibt kein Mittel gegen dieses Leiden! Ich besuche jedes Jahr mehrere Medizinerkongresse. Wenn irgendwo auf der Welt etwas dagegen entdeckt wird, dann erfahre ich es sofort!«

Schließlich fuhr die Mutter mit dem Mädchen zu einer Heilpraktikerin, die homöopathisch behandelte. Nach einer anfänglichen Verschlimmerung trat eine ganz deutliche Besserung ein. Die Behandlung wurde dann von einer in der Nähe wohnenden Heilpraktikerin fortgesetzt, die neben den homöopathischen Arzneien eine strenge Diät verschrieb und außerdem eine Eigenbluttherapie durchführte. Der Erfolg dieser Behandlung war verblüffend. Innerhalb von sechs bis acht Wochen ist das schwere Leiden praktisch verschwunden. Nur an den Füßen befindet sich noch ein kleiner Rest, der aber keinerlei Juckreiz mehr verursacht. Die Patientin ist für ein neues Leben »wiedergeboren« — bedauerlich nur, daß diese erfolgreiche Behandlung von der Mutter selbst bezahlt werden muß, während die erfolglose Behandlung sechs Jahre lang anstandslos von der Krankenkasse finanziert wurde und auch weiter finanziert worden wäre.

Doch jetzt noch einmal zurück zu den Philippinen! Am 14. Februar 1973 flog ich mit einer größeren Gruppe der Heilpraktikerin Sigrun Seutemann ein zweites Mal dorthin. Die Gruppe — meist Schweizer — traf sich in Zürich. In der Schweiz waren die Heilerfolge Agpaoas etwa ein Jahr vorher durch die Spontanheilung eines Schweizer Patienten bekannt geworden, denn im März 1972 war Sigrun Seutemann wieder einmal mit einer Gruppe von Kranken bei Tony Agpaoa gewesen. Unter ihnen befand sich der seit fünf Jahren an den Rollstuhl gefesselte Geschäftsmann Karl Dobesch aus Zürich. Durch falsche medizinische Behandlung war er in den Rollstuhl gekommen — ohne daß mit diesem Hinweis ein Vorwurf verbunden sein soll; denn menschliches Wissen und Können ist begrenzt, und niemand kann in jedem Fall seiner Sache absolut sicher sein. So war es auch hier. Dieser Patient litt ebenfalls seit langen Jahren an der als unheilbar geltenden Schuppenflechte (Psoriasis), die mehr als den halben Körper bei ihm bedeckte. Es wurden ihm große Mengen Cortison verordnet, zu einer Zeit, als die Toleranzgrenze dieses Mittels noch weitgehend unbekannt war und man über die Folgen einer Überdosierung noch nichts wußte. Die Folgen bei Karl Dobesch: eine Knochenerweichung (Osteoporosis) und eine Knorpelzerstörung (Chondropathia) in den Gelenken mit schwerem Bandscheibenprolaps. Der Kniegelenkknorpel war verflüssigt und seit fünf Jahren saß der Patient gebeugt im Rollstuhl.

Bei der ersten operativen Behandlung Karl Dobeschs durch Tony Agpaoa war, neben Sigrun Seutemann und anderen Zeugen, Dr. Naegeli-Osjord anwesend. Dieser berichtete mir:

»Agpaoa nahm bei dem auf dem Operationstisch liegenden Patienten als erstes einen Eingriff längs der Wirbelsäule vor, bei dem deutlich Sehnen und Muskeln sichtbar wurden. Er entfernte etwas Bindegewebsartiges. Dann führte er Eingriffe lateral der Kniescheibe durch. Alles in allem mochte es vier bis fünf Minuten gedauert haben, wonach Tony den Raum verließ. Wir blieben noch im Zimmer. Plötzlich erhebt sich Dobesch vom Operationstisch, steigt herab und geht aufrecht im Kreis durch das Zimmer, kommt dann auf mich zu und fällt mir um den Hals mit dem Ausruf: ›Ich kann wieder gehen!‹

Die Anwesenden waren derartig überrascht, daß keiner ein Wort herausbrachte, dann traten den meisten die Tränen in die Augen. Weitere zehn Minuten später ging Dobesch aus eigener Kraft die Treppe hinunter in den Garten. Sein Gang war etwas stockend, und seine Gelenke knackten, aber er konnte gehen ...

Im Oktober 1972 hat Dobesch eine Gebirgswanderung von vier Stunden gemacht. Er ist nahezu voll arbeitsfähig. Die Psoriasis ist stark zurückgegangen.«

Soweit der Bericht des Arztes. Dobeschs Heilung ist bis heute schulmedizinisch nicht erklärbar.

Diese sensationelle Heilung ermutigte viele Kranke, eine Reise zu Agpaoa zu wagen. Charakteristisch für derartige Gruppenreisen ist keineswegs, daß – wie in den Massenmedien immer wieder behauptet wird – »Spiritisten, Esoteriker, Hypochonder und Neurotiker« zu dem »Wunderheiler« fliegen, sondern daß es sich bei diesen Kranken überwiegend um sogenannte »hoffnungslose Fälle« handelt: Querschnitt- und Poliolähmungen, multiple Sklerose und andere schwer zu beeinflussende Leiden. Es wäre beleidigend und inhuman, derartige Patienten als »Hypochonder und Neurotiker« zu bezeichnen. Daß bei dieser Häufung von schweren Fällen natürlich nicht allen Kranken geholfen werden kann, sollte jedem einleuchten, der nur eine Spur von objektivem Urteilsvermögen besitzt.

Vor allem darf man in solch hoffnungslosen Fällen keine Totalheilungen erwarten; schon Besserungen bedeuten für den Kranken hier eine große Erleichterung.

Wir flogen – wie bei meiner ersten Philippinenreise – wieder mit einer DC 8, und in meiner Sitzreihe saß ein querschnittgelähmter Mann in den besten Jahren, Franz P., Vater von drei Kindern, der vor seiner Ehe als Matrose die ganze Welt kennengelernt hatte. Er war kein Spinner oder Hypochonder, sondern ein ganz realistisch denkender Mensch mit gesundem Menschenverstand, der sich mit seinem Schicksal nicht abfinden wollte. Am 17. April 1970 hatte er einen Autounfall erlitten: Verletzung des Rückgrats, vierter und fünfter Brustwirbel ineinandergeschoben, sechster Brustwirbel in Mitleidenschaft gezogen. Vier Monate Krankenhausaufenthalt. Diagnose bei der Entlassung: Völlige Querschnittlähmung. Prognose: »Unheilbar, keinerlei Aussicht auf Besserung.« Franz P. übte seinen Beruf im Rollstuhl aus, er fuhr sogar Auto – und hatte ein Jahr später einen zweiten Unfall: Ein anderes Auto fährt ihn beim Warten vor einer Ampel von hinten an. Der vierte Brustwirbel wird jetzt noch tiefer in den fünften hineingestaucht. Franz P. besitzt in der unteren Körperhälfte kaum noch Gefühl. Er wird von starken Rückenschmerzen geplagt und hat nach eigenen Angaben einen handtellergroßen Dekubitus auf dem Rücken, also eine offene Wunde. In der Bauchgegend wird er von heftigen Krämpfen geschüttelt, die durch fehlgesteuerte Muskelkontraktionen – von der verletzten Wirbelsäule ausgehend – hervorgerufen werden. Durch diese Krämpfe ist die Muskelpartie des Bauches außergewöhnlich stark entwickelt und hart. Der Patient ist weder Spiritist noch Neurotiker, er ist nicht einmal religiös. Er glaubt nicht an Wunder und erwartet keins – er will nur sehen, ob Agpaoa ihm ein bißchen helfen kann, vielleicht etwas mehr als die westliche Schulmedizin. Keineswegs ist also Franz P. der Typ des Wundergläubigen, bei dem der Glaube den berühmten psychogenetischen Effekt oder Schock auslöst, der dann mitunter eine scheinbare Besserung seines Leidens bewirkt. Da der Patient die Kosten für die Reise nicht hätte aufbringen können, hatte die Heilpraktikerin ihm die Flugreise finanziert.

Es ist da auch eine junge Dame, etwa siebenundzwanzig Jahre

alt, die nach einer Kinderlähmung im Alter von einem Jahr praktisch ihr ganzes Leben im Rollstuhl verbracht hat, seit zwölf Jahren auch im Rollstuhl nur mit Stützkorsett sitzen kann, die aber dennoch ihrem Beruf als Computertechnikerin hundertprozentig nachkommt. Ob diejenigen, die leichtfertig von »Hypochondern und Neurotikern« sprechen, unter gleichen Bedingungen einen solchen Lebensmut aufbringen würden?

Da ist weiter die junge, bildhübsche Schülerin P., vielleicht siebzehn Jahre alt, die ebenfalls im Alter von einem Jahr an Kinderlähmung erkrankte. Sie ließ insgesamt zwölf Operationen über sich ergehen und konnte sich danach mit Mühe und Not mittels zweier Krücken fortbewegen. Dieses Stadium wäre ohne die neuesten Fortschritte der westlichen Chirurgie nicht erreicht worden. Aber weiter ging es nicht! P. war im Jahr zuvor zusammen mit der Gruppe, zu der auch Karl Dobesch gehörte, das erste Mal zu Tony Agpaoa geflogen, im August 1972 das zweite Mal und jetzt fliegt sie zum dritten Mal hin. Sie läuft inzwischen mit Krücken recht behende, und zwar sehr optimistisch. Vor einem Jahr noch war das eine Bein gegenüber dem anderen hochgradig atrophiert gewesen. In dem einen Jahr – seit ihrer ersten Reise zu Agpaoa – hatte sich die Beinmuskulatur insgesamt enorm gekräftigt und in beiden Beinen egalisiert. Hier besteht keinerlei Zweifel, daß sich ihre ersten beiden Philippinenreisen sehr gelohnt hatten.

Auch reist ein aufopfernder Ehemann in den besten Jahren mit, der seine an multipler Sklerose erkrankte Gattin schon das zweite Mal zu Agpaoa bringt. Vom vielen Heben der Kranken hat er sich schon einen Rückenschaden zugezogen. Ein anderer junger Mann, groß und stark, leidet an Querschnittlähmung im Halswirbelbereich und hat so gut wie gar keine selbständige Bewegungsmöglichkeit mehr, und noch weitere Patienten der großen Gruppe haben sogenannte unheilbare Krankheiten.

Nach siebzehnstündigem Flug kamen wir bei strahlendem Sonnenschein in Manila an. Beim Betreten des Flughafengebäudes wurden uns zur Begrüßung nach Landessitte von hübschen Filipinas Blumenkränze um den Hals gelegt. Zwei Busse fuhren uns zum Hotel, wo wir uns abends in einem reservierten Speisesaal zum Diner trafen und wo auch Tony Agpaoa mit seiner

Gattin erschien und uns begrüßte. Unter philippinischer Musikbegleitung nahmen wir eine exzellente Mahlzeit ein, die sich, nach philippinischer Art, jeder selbst aus dem reichhaltigen Angebot zusammenstellte. Es ging ganz und gar entspannt und unkonventionell zu, und keineswegs irgendwie »esoterisch«. Nichts an der Gestaltung des Abends durch die reizenden Gastgeber, das Ehepaar Agpaoa, deutete auf die »Schaffung einer Atmosphäre« hin, um die Kranken seelisch auf eine »Wunderheilung« oder auf die Begegnung mit der »göttlichen Kraft eines Wunderheilers« vorzubereiten. Lediglich der Anblick der Kranken im Rollstuhl erinnerte daran, daß ein ernstes Anliegen die meisten Anwesenden hierhergeführt hatte.

Am nächsten Tag begann Tony Agpaoa mit seiner Arbeit. Ganz anders als vor zwei Jahren legte er jetzt offensichtlich keinerlei Wert darauf, die Patienten seelisch auf die Operationen einzustimmen. Damals sah jeder Patient, der operiert werden wollte, im allgemeinen erst einige Eingriffe bei anderen Patienten, wodurch eventuelle Angst meist beseitigt und das Vertrauen der Patienten gestärkt wurde. Damals machte Tony Agpaoa auch ausgesprochene Demonstrationsoperationen, um uns skeptische Europäer zu überzeugen. Diesmal suchte er Zuschauer möglichst fernzuhalten und sich ganz auf seine Arbeit zu konzentrieren, was verständlich ist, wenn man bedenkt, daß er an den meisten Tagen mehr als dreißig Patienten hatte. Die Operationen wurden in einem Hotelzimmer durchgeführt. Auch der Heiler Marcelo Jainar war anwesend und übernahm die Behandlung in vielen Fällen.

Ich selbst beobachtete die Tätigkeit Agpaoas an zwei Tagen mehrere Stunden lang. Ich filmte nicht und machte auch keinerlei Fotos, um mich ganz auf die Beobachtung konzentrieren zu können. Da ich im Vergleich zu meiner ersten Philippinenreise natürlich jetzt einen ganz anderen Blick für die Vorgänge bei den Operationen hatte, glaube ich, kaum ein wichtiges Detail übersehen zu haben.

Der Leser soll nicht mit einer erneuten Widerlegung aller Betrugsmöglichkeiten gelangweilt werden. Es sei nur erwähnt, daß Agpaoa ein kurzärmeliges Hemd trug und die Patienten von Sigrun Seutemann aus dem Warteraum hereingeholt wurden, wobei die Reihenfolge oft ganz willkürlich war, so daß Agpaoa erst unmittelbar vor Beginn des Eingriffs wußte, was für eine Operation er durchzuführen hatte, ob auf dem Rücken, am Bauch oder am Ohr usw.

Wenn eine größere Gruppe nach den Philippinen fliegt, so läßt es sich nicht vermeiden, daß sich darunter auch einige Personen befinden, die oft, noch ehe sie eine Operation gesehen haben, oder spätestens nach ein bis zwei Eingriffen, genau »wissen«, daß es sich doch um einen Trick handelt. So wollte jemand Fischblasen gesehen haben, die in der Watte versteckt gewesen sein sollen. Natürlich hatte der Betreffende nichts Eiligeres zu tun, als seine »Entdeckung« den anderen Patienten der Gruppe mitzuteilen. Mir wurde bei dieser Gelegenheit einmal richtig klar, in welcher wenig beneidenswerten Situation Juristen sich befinden, wenn sie Zeugenaussagen auswerten sollen.

Ich sah Agpaoa viele Stunden lang arbeiten. Die von ihm benutzte Watte wurde einer großen Wattepackung entnommen, die jedermann sichtbar und zugänglich auf einem Tisch lag, der an der Zimmerwand stand. Ich selbst habe eine größere Menge davon mitgenommen. Die meisten Operationen, die ich bei diesem Aufenthalt miterlebte, wurden ohne jede Möglichkeit eines Tricks ausgeführt. Es war ein echtes paranormales Geschehen, obwohl ich nach kurzer Zeit sah, daß Agpaoas Operationsstil in vielen Fällen nicht mehr der gleiche war wie vor zwei Jahren. Tony sucht seine Fähigkeiten zugunsten der Kranken ständig weiterzuentwickeln. Keineswegs in jedem Fall öffnet er, meiner Ansicht nach, den Körper. Oft spielen sich die Eingriffe sehr oberflächennah ab. Das, was ich aufgrund meines Studiums der Ektoplasmaphänomene in der letzten Zeit vermutet hatte, wurde mir mit an Sicherheit grenzender Wahrscheinlichkeit klar, nämlich, daß sich unter dem Einfluß der Kraftfelder von Tony Agpaoas Händen die unglaublichsten Materialisationsphänomene abspielen. Der interessanteste Eingriff Agpaoas bei diesem Aufenthalt war die bereits geschilderte Gehirntumoroperation.

Nach der Operation schien der größere Teil der Patienten eine wesentliche Besserung zu spüren, die weit über das hinausging, was man nach meiner Ansicht als »Glaubensheilung« abtun kann.

Der querschnittgelähmte Franz P., in dessen Nähe ich beim Hinflug nach Manila gesessen hatte und mit dem ich in Baguio meist bei den Mahlzeiten zusammensaß, wurde von einer Dame betreut, die die ganze Angelegenheit für einen »Trick« hielt, und daher war Herr P. in seiner Einstellung zu Agpaoa etwas zwiespältig und eher skeptisch. Nach dem ersten Eingriff sagte er jedoch zu mir: »Wer behauptet, daß das alles nur Schwindel und Einbildung sei, der redet blanken Unsinn!« Agpaoa habe von seinem Rücken eine ganze Handvoll nekrotischen Gewebes entfernt, was aber keineswegs schmerzlos gewesen sei. Nach ein bis zwei Tagen war tatsächlich der handtellergroße Dekubitus auf die Größe von drei bis vier Zentimetern zusammengeschrumpft. Herr P. behauptete, aufgrund seiner bisherigen Erfahrungen in europäischen Krankenhäusern sagen zu können, daß dieses Ergebnis normalerweise eine mehrwöchige Krankenhausbehandlung erfordert hätte, bei der er ständig hätte auf dem Bauche liegen müssen. Außerdem waren nach mehreren Eingriffen Agpaoas seine chronischen Rückenschmerzen verschwunden, dafür traten prickelnde Schmerzen in den unteren Extremitäten auf, in denen er bisher so gut wie kein Gefühl mehr gehabt hatte. Das heißt, es sah so aus, als wenn hier wieder Innervationen in Gang kommen wollten, die seit zwei bis drei Jahren nicht mehr vorhanden waren. Leider flog Herr P. schon vor mir nach Europa zurück. Einige Wochen später telefonierte ich mit seiner Frau, die mir sagte, daß sich sein Zustand weiter bessere, die Durchblutung der gelähmten Gliedmaßen verbessere sich zusehends. Unabhängig davon, wie sich dieser Fall weiterentwickelt, kann man sagen, daß die philippinischen Operationen Möglichkeiten bergen, die nicht einfach als Suggestivwirkungen abgetan werden können und sich auch nicht nur durch Massage erklären lassen, wie das von manchen italienischen Ärzten versucht wurde; denn Massagen bekam der Patient in Europa seit drei Jahren.

Die ebenfalls bereits erwähnte Poliogelähmte, die seit über fünfundzwanzig Jahren an den Rollstuhl gefesselt ist und seit zwölf Jahren ein Stahlkorsett tragen mußte*, konnte nach den

* Vgl. Seite 323.

ersten Operationen durch Agpaoa ohne Stahlkorsett im Rollstuhl sitzen. Sie sagte, selbst wenn sich kein anderer Erfolg als dieser einstellen sollte, hätte sich die Reise für sie schon gelohnt. Sie hoffte aber auf eine weitere Besserung und wollte eventuell noch einmal nach den Philippinen kommen. Auch sie mußte leider nach einer Woche schon aus beruflichen Gründen zurückfliegen.

Viele Patienten mit Teillähmungen behaupteten, eine wesentlich größere Bewegungsfreiheit erlangt zu haben, doch will ich diese Angaben nicht heranziehen, um Schlüsse auf den Heilerfolg der Operationen Agpaoas zu ziehen, da eine gründliche Analyse notwendig wäre, um zu entscheiden, was hier auf das Konto der Suggestion gehen könnte. Jedenfalls sah ich die Schülerin P., deren Krankheitsgeschichte ich schon berichtet habe, ein paar Tage nach ihrer Operation die ersten Schritte ohne Krükken machen.

Ein äußerst verblüffender Erfolg stellte sich bei einer amerikanischen Patientin ein, die mit ihrem Gatten nach den Philippinen gekommen war. Mrs. M. litt seit ihrer Geburt an starker Kurzsichtigkeit infolge von Rissen auf der Netzhaut. Die Patientin hatte zahlreiche medizinische Behandlungen ohne Erfolg über sich ergehen lassen, als sich schließlich ein Katarakt einstellte. Bevor Mrs. M. nach den Philippinen reiste, wurde ein ausführliches medizinisches Gutachten über ihre Augenkrankheit eingeholt. Sie wurde während meines Aufenthaltes in Manila von Tony Agpaoa behandelt bzw. operiert. Anfang Mai erfolgte eine klinische Kontrolle in den USA, die ergab, daß der Katarakt fast vollständig verschwunden und die Sehkraft von —50 auf —20 gestiegen war. Es ist zu erwarten, daß noch eine weitere Besserung eintreten wird.

Keine wesentliche Besserung dagegen schien während des Philippinenaufenthaltes bei Fällen von fortgeschrittener multipler Sklerose erfolgt zu sein, obwohl man doch gerade hier oft einen starken psychogenen Effekt findet. Dadurch wird die Ansicht bestärkt, daß es sich beim Erfolg der Operationen Agpaoas eben doch nicht nur um einen Suggestiv-Effekt handelt. Sigrun Seutemann berichtete mir noch von zwei interessanten Fällen früherer Philippinenreisen: Frau D. aus Lausanne litt laut vorliegendem klinischen Befund unter schweren ployarthritischen Veränderungen und erhielt seit Jahren eine starke Cortison-Behandlung. Fast alle Gelenke waren in Mitleidenschaft gezogen, und das Blutbild zeigte deutliche Veränderungen. Nach dem Philippinenbesuch war sie drei Monate lang völlig beschwerdefrei. Während des Winters gab es dann vereinzelte, leichte Anfälle von Gelenkschmerzen, die jedoch durch ganz normale biologische Präparate zu beherrschen waren. Cortico-Steroide wurden nicht mehr verwendet. Die Blutsenkung war noch einmal anormal und ging dann auf fast normale Werte zurück.

Ein weiterer Fall schwerer Arthritis ist der von Frau Rina F., eine Schweizerin, die achtzehn Jahre lang Cortico-Steroide zu sich nehmen mußte, um die Schmerzen ertragen zu können. Nach den Behandlungen von Agpaoa und Marcelo Jainar lebt sie völlig ohne Medikamente. Es sind einige Kreislaufschäden und Blutbildanomalien vorhanden – durch die lange Steroid-Behandlung bedingt –, aber von der Polyarthritis ist nur ein kleiner Rest zurückgeblieben.

Sigrun Seutemann hat viele weitere überzeugende Leistungen Agpaoas erlebt, hält diese aber zurück, um bei den Patienten nicht falsche Hoffnungen zu wecken, denn sensationelle Spontanheilungen werden von Schwerkranken meist nicht richtig beurteilt, und das führt immer wieder zu schweren Enttäuschungen, wie etwa die Veröffentlichung des Falles Karl Dobesch in einer schweizerischen Zeitung: Vierhundert Rollstuhlgelähmte kamen daraufhin zum Ehepaar Seutemann in die Praxis. Sie wählten nur eine kleine Anzahl aus – etwa fünf –, denen sie bedingt rieten, nach den Philippinen zu fliegen.

Ich bitte auch den Leser, die in diesem Buch angeführten Heilungen richtig einzuordnen. Die philippinischen Heiler leisten Erstaunliches, aber es kann noch keine quantitative Aussage über ihre Erfolge gemacht werden. Die Bedeutung der medialen Operationen liegt nach meiner Ansicht für uns weniger darin, daß der eine oder andere von Leiden geheilt wird, die hier in Europa nicht kuriert werden konnten, sondern in der Tatsache, daß sich auf den Philippinen ein Geschehen abspielt, das den Rahmen dessen sprengt, was unsere Wissenschaften bisher erfassen und akzeptieren und das bei einer weiteren Erforschung in geistiges und wissenschaftliches Neuland führt, das geeignet ist, unser ganzes Bild vom Menschen zu revolutionieren. Und das Erfreuliche ist, daß anscheinend immer mehr Wissenschaftler beginnen, sich für diese Phänomene zu interessieren. So waren im Februar 1973 eine ganze Reihe Wissenschaftler und Forscher auf den Philippinen, wo sie miteinander in Kontakt kamen. Unter ihnen war auch der Amerikaner George W. Meek, Florida, Vorstandsmitglied der Life Energies Research Inc., New York, einer seit 1968 bestehenden Gesellschaft, die für wissenschaftliche Forschungen über die mit den Lebensprozessen zusammenhängenden bekannten und paranormalen Energien ins Leben gerufen wurde. Die Gesellschaft bestand aus einer Gruppe von Persönlichkeiten aus dem Gebiet der Medizin, der Psychiatrie, der Naturwissenschaften, der Philosophie und der Theologie, die sich seit 1953 regelmäßig zu einem Gedankenaustausch über die paranormalen Aspekte des menschlichen Erfahrungsbereiches trafen und die besonders an dem Phänomen des »geistigen Heilens« interessiert waren. Hauptzweck dieses interdisziplinären Erfahrungsaustausches war es, die bekannten Energien und ihre möglichen Beziehungen zu den Kraftfeldern des Menschen und zum Heilen zu erforschen.

George W. Meek ist ein welterfahrener Amerikaner, der überall hinreist, um Paraphänomene zu studieren, und entsprechend umfangreiche Kenntnisse besitzt.[139] Ferner waren in Manila anwesend der Engländer Marcus McCausland, Leiter und Gründer der Health for the New Age Ltd., London, eine Gesellschaft mit ähnlichen Zielen. Dem Gründungskuratorium gehört unter anderen der bekannte amerikanische Metallurge und Psi-Forscher Professor W. Tiller an.

In Manila wählte kurz nach unserer Ankunft die philippinische Heilervereinigung Unio Espiritista Cristiana Filipinas ihren neuen Präsidenten: Joaquin Cunanan. Er ist eine in Manila höchst angesehene Persönlichkeit; auch er hat weite Teile der Welt bereist und kennt sogar Deutschland. Joaquin Cunanan fuhr George Meek und mich zu außergewöhnlich interessanten Heilern in die philippinischen Lowlands.

Nachdem wir bereits eine Woche auf den Philippinen waren, kamen noch Dr. Naegeli-Osjord sowie der Physiker Professor

Dr. Werner Schiebeler und Professor Dr. ing. Benno Kirchgäßner – beide Ravensburg – zum Studium der medialen Phänomene in Manila an. Mr. Cunanan lud uns und noch weitere anwesende Forscher zu einer täglichen Diskussionsstunde ein, in der ein Erfahrungsaustausch stattfinden sollte. Seine Eröffnungsansprache begann Cunanan mit dem lapidaren Satz: »Mit dem menschlichen Geist ist es wie mit einem Fallschirm. Er taugt nur etwas, wenn er offen ist!«

In der Tat ist das, was die Amerikaner »open-mindness« – im Gegensatz zu »narrow-mindness« – nennen, die Voraussetzung dafür, daß bei der Erforschung des paranormalen Heilens Fortschritte gemacht werden.

Die außergewöhnlichsten Heilungen, von denen westliche Beobachter erfahren, kommen durch Agpaoas Eingriffe zustande. Doch mag das auch daran liegen, daß er derjenige ist, der von westlichen Patienten am meisten aufgesucht wird. Auch andere Heiler erbringen erstaunliche Leistungen, doch werden diese meist nicht bekannt. Hier seien noch zwei Fälle berichtet, die der Heiler Gonzales erfolgreich operierte.

1968 traf Dr. Motoyama in Manila den Amerikaner Dr. E. J. T., der mit seinem Sohne Jeffery nach den Philippinen gekommen war. Jeffery litt unter epileptischen Anfällen: Jede Stunde verlor er für kurze Zeit – 9 bis 10 Sekunden – das Bewußtsein. Die linke Gesichtsseite war bewegungsarm im Mienenspiel und das ganze Gesicht ausdruckslos. Das Elektroencephalogramm zeigte einen deutlichen Epilepsie-Fokus im linken Temporalbereich.

Der kleine Patient wurde zunächst von Blance behandelt, dann aber von Gonzales in Baguio operiert. Eine Woche danach kam der Vater mit dem Jungen nach Tokio, wo er im Motoyamaschen Institut untersucht wurde. Das EEG zeigte eine deutliche Besserung, der Patient hatte seit fünf Tagen keinerlei Medizin mehr genommen und erlitt während des fünfstündigen Aufenthaltes im Institut Motoyamas keinerlei Anfall. Vierzehn Tage später erfolgte eine EEG-Aufnahme in einem Chikagoer Krankenhaus, dasselbe, in dem Jeffery früher behandelt worden war, wo ebenfalls eine bemerkenswerte Besserung des EEG-Befunds konstatiert wurde.

Wenige Wochen später, am 22. Oktober 1968, teilte der Vater Dr. Motoyama mit, daß es seinem Sohne gut ginge. Der Unterschied in Ausdruck und Mienenspiel der beiden Gesichtshälften sei verschwunden. Sein Verhalten habe sich sehr gebessert. Er reagiere jetzt, wenn man ihm etwas sagt. Die Anzahl der Anfälle sei auf zwei bis drei pro Tag zurückgegangen. Vor der Reise nach Manila nahm er achtundzwanzig Tabletten eines bestimmten Medikamentes am Tage, jetzt habe man die Dosis entschieden reduziert. Die EEG-Spitzen im linken Temporalbereich seien verschwunden. Der behandelnde Arzt war sofort über den Gesichtsausdruck des Patienten überrascht gewesen, aber man hatte nicht gewagt, ihm von der Philippinenreise zu berichten.

Am 27. November 1968 schrieb der Vater an Dr. Motoyama: »...seitdem wir zu Hause sind, hat die Anzahl der Anfälle immer mehr abgenommen. In den letzten neun Tagen hatte er überhaupt keine Anfälle mehr. Sein Verhalten hat sich ständig gebessert, und er ist fast wieder der normale Junge, der er vor September 1966 war. Er besucht jetzt die Schule mit vollem Unterricht, ist geistig rege, lernbegierig und ganz gehorsam... Leider sind die Filme von der Operation in der Filmentwicklungsanstalt verlorengegangen ...«[152, 153]

Ein weiterer Fall einer erfolgreichen Operation durch Gonzales wurde Dr. Motoyama von einem Freund des Patienten S. N. berichtet.

Der vierzigjährige Japaner S. N. verlor langsam seine Bewegungsfähigkeit in Armen und Beinen. Untersuchungen in der Kurume Medical School ergaben Tumore im Bereich der Wirbelsäule zwischen C_3—C_7 und L_4—L_5, mit Druck auf die kontrollierenden Arm- und Beinnerven. Eine Operation würde sehr schwierig sein, und die Prognose war ziemlich infaust, das heißt, dem Patienten wurde wenig Aussicht auf Heilung gemacht. Der Mann entschloß sich, nach den Philippinen zu fliegen. Er suchte den Heiler Gonzales auf. Gonzales operierte — im Stile Agpaoas — und entfernte Tumore aus dem oben angegebenen Bereich. Spätere Untersuchungen im Krankenhaus der Kyushu-Universität ergaben keinerlei Anhaltspunkt mehr für das Vorhandensein von Tumoren. Da der Patient die philippinischen Operationen verschwiegen hatte, wurde die Diagnose der Kurume Medical School für falsch erklärt. Doch Dr. Motoyama kam in den Besitz von Röntgenaufnahmen vor und nach der Operation durch den philippinischen Heiler, die für die Richtigkeit der ersten Diagnose und die Echtheit der Operation durch Gonzales sprechen. Motoyama zeigte Dias der Röntgenbilder auf dem ESP-Kongreß Harold Shermans im Mai 1972 in Hot Springs, Arkansas, sowie bei einem Vortrag am 1. Juni 1972 vor der Society for Parapsychology of St. Louis, USA. Das Entscheidendste jedoch ist das Befinden des operierten Patienten: Einen Monat nach der Operation durch Gonzales konnte er wieder auf seiner Farm arbeiten und radfahren.[152, 153]

Die meisten Heilungen — vielleicht die unerklärlichsten — spielen sich in aller Stille auf den Operationstischen der Spiritual Churches ab, wo meist im Anschluß an einen Gottesdienst mediale Behandlungen und Operationen durchgeführt werden. Die Verifizierung derartiger Fälle ist für Europäer meist nicht möglich, da die oft schwerkranken Filipinos weder vorher noch nachher einen Arzt aufsuchen; sie haben einfach kein Geld dazu.

Deshalb erfährt man von den vielen Leistungen der medialen Chirurgen lediglich, wenn man längere Zeit auf den Philippinen ist und herumreist, um alle möglichen Heiler aufzusuchen. Dabei erlebt man des öfteren Fälle, in denen der Erfolg des Eingriffs auch ohne exakte medizinische Diagnose offensichtlich ist.

Sehr nützlich ist es, wenn man von Filipinos, die die Heiler gut kennen, diesen vorgestellt wird. So nahm der Vorsitzende der Unio Espiritista Cristiana Filipinas, Joaquin Cunanan, den Amerikaner George W. Meek, eine Schweizerin und mich zu dem Heiler Mercado nach Urdaneta mit. Neben einer Reihe von Operationen, die mir nichts Neues brachten, bekam ich einen Eingriff zu sehen, der an die Operation erinnerte, die Sigrun Seutemann und Dr. Lissner im Sommer 1971 bei Mercado erlebt hatten, als dieser einen schweren Douglas-Abszeß beseitigte.* Die junge Patientin lag mit freigemachtem Leib auf dem Tisch, Mercado ging mit ausgestreckter Hand schräg durch die Haut in die Bauchdecke hinein und warf eine ganze Handvoll Eiter heraus, ohne daß die Wunde nennenswert blutete.

* Vgl. Seite 241 f.

Die Operationen erfolgten sozusagen Schlag auf Schlag und waren von ganz unterschiedlicher Art. Zwischen den Operationen wusch Mercado sich in einer auf dem Tisch stehenden Schüssel die Hände; er trug ein kurzärmeliges Hemd, und die Möglichkeit von Taschenspielerei war absolut ausgeschlossen.

Am gleichen Vormittag brachte uns Mr. Cunanan zu der Heilerin Josefine Pening. Sie wohnte in einem abgelegenen Ort, den selbst unser heimischer Begleiter erst lange suchen mußte. Nachdem wir vorher bei einer falschen Adresse gelandet waren — einer anderen Heilerin, die auch mit Vornamen Josefine hieß —, kamen wir schließlich doch noch an unser Ziel, das buchstäblich »am Ende der Welt« lag. Hier lebten in einem kleinen Dorf Leute, die mit der Zivilisation wenig Berührung hatten, in einfachen Holzhäuschen. In einem von ihnen sahen wir etwa fünfzehn wartende Filipinos und Filipinas — es waren Patienten. Das Erdgeschoß bestand aus einem einzigen, nicht sehr großen Raum, und die Sitzgelegenheiten reichten längst nicht für alle. Die freundlichen Leute boten uns, den Fremden aus der Stadt und aus einem anderen Land, sofort ihre Plätze auf den Bänken an. Nach einigen Minuten kam die Heilerin mit ihrem Baby auf dem Arm die Holztreppe aus dem ersten Stock herunter und begrüßte uns freundlich. Wenn man vom Gesicht eines Menschen auf sein Wesen und seinen Charakter schließen kann, dann muß ich hier gestehen, daß ich mir einen aufrichtigeren und saubereren Menschen kaum vorstellen kann. Sie sagte, sie würde gleich mit ihren Operationen beginnen.

Zunächst trat der ältere Assistent der Heilerin in Aktion, der nach Betrachten der Hände und der Handlinien eine »Diagnose« stellte. Dabei fiel mir auf, daß fast alle Patienten ganz eigenartige Handlinien-Zeichnungen hatten, wie ich sie eigentlich noch nie bei Europäern und auch nicht bei anderen Philippinern in den Städten gesehen habe. Ein Chirologe hätte hier sicherlich interessante Studien treiben können.

Dann kam Josefine und setzte sich mit dem Rücken zum Fenster an den Holztisch. Die Patienten und wir standen halbkreisförmig um den Tisch herum. Die Heilerin betete etwa zehn Minuten und las aus der Bibel vor. Sie sprach in der Sprache der Einheimischen, so daß wir nichts verstehen konnten. Dann begann sie mit ihrer Arbeit. Sie blieb dabei sitzen – vielleicht, weil sie ein weiteres Baby erwartete. Sie trug ein Kleid, das nicht nur die Arme, sondern sogar die Schultern teilweise frei ließ. Der erste Patient legte sich auf den Tisch, den Kopf auf die Bibel, die als Kopfkissen diente. Über den Tisch war vorher eine Decke gebreitet worden. Der Bauch wurde frei gemacht und etwas nasse Watte auf ihn gelegt. Josefine drückte mit offenen Händen, zwischen denen sich garantiert nichts befand, gegen die Bauchdecke, und nach kurzer Zeit zeigte sich eine blutartige Flüssigkeit. Oft spreizte sie vor dem Berühren der Körperstelle noch ihre Hände, so daß man ganz deutlich sah, daß sie nichts zwischen den Fingern verborgen hielt. Im Laufe des Vormittags wurden nicht nur immer wieder Gewebe zutage gefördert, sondern wahrscheinlich die eigenartigsten Materialisationen erzeugt, auf die näher einzugehen den Rahmen dieses Buches überschreiten würde. Ich plane eine weitere Reise nach den Philippinen, um mich mit dem Studium dieser Phänomene eingehender zu befassen.

Josefine stand während der ganzen Operationen nicht ein einziges Mal auf. Sie wusch sich die Hände zwischen den einzelnen Operationen in einer auf dem Tisch stehenden Schüssel. Ich beobachtete ihre Arbeit unter allen Blickwinkeln, von vorn, von der Seite, so daß ich sie vor dem Tisch sitzend von oben bis unten sehen konnte. Außerdem schauten zeitweise von draußen »Zaungäste« durch das Fenster zu, die also direkt hinter ihr standen, was die Heilerin nicht im geringsten störte. Die Operationen folgten rasch aufeinander. Ich sah keine Möglichkeit, wie hier ein Betrug stattfinden sollte, wenngleich ich natürlich hinsichtlich des therapeutischen Wertes dieser Eingriffe keinerlei Aussage machen kann.

Wir konnten das Ende der »Sprechstunde« leider nicht abwarten, da wir weiter wollten, und verabschiedeten uns von der Heilerin, die so viel Ausgeglichenheit, Aufrichtigkeit und inneren Frieden auszuströmen schien, wie ich es in einem solchen Maße kaum jemals bei einem Menschen angetroffen habe. Eine tiefe und echte Religiosität schien ihr ein schier unerschütterliches seelisches Gleichgewicht zu geben. Ein Bruchteil davon auf uns westliche Menschen übertragen, würde wahrscheinlich genügen, um Herzinfarkte und Managerkrankheiten zu dezimieren. Außerdem strahlte die dreißigjährige Josefine einen unbeschreiblichen weiblichen Charme aus. George W. Meek sagte mir, als wir aufbrachen: »Wenn diese Frau eine Betrügerin ist, dann dürfte man keinem Menschen auf der ganzen Welt mehr trauen!«

Als wir das Haus verlassen hatten, fiel mir noch etwas ein. Ich lief zurück und fragte, ob ich etwas Watte haben könnte, da ich beim Fahren im offenen Wagen an den Ohren etwas empfindlich sei, was den Tatsachen entsprach. Der Assistent wollte Josefine gerade einen Wattebausch für die nächste Operation reichen — er reichte ihn nun jedoch mir. Ich habe die Watte aufbewahrt — für Leute, die darin einen Farbstoff suchen wollen!

An einem Sonntagnachmittag nahm uns Joaquin Cunanan zu einem Gottesdienst nach Quezon City mit, einem Vorort von Manila. Nach einem langen Gottesdienst führte der Heiler Virgilio Gutierres Heilbehandlungen und Operationen durch. Auch dieser Heiler, der mit seinen fünfunddreißig Jahren wie ein Zwanzigjähriger aussah, machte einen außergewöhnlich sympathischen und aufrichtigen Eindruck. Die Operationen fanden in einem kleinen Nebenzimmer statt, das durch ein großes Fenster mit dem Andachtsraum verbunden war. Die meisten Anwesenden konnten nur durch dieses Fenster vom Andachtsraum her der Arbeit Virgilios zuschauen, da in dem kleinen Operationszimmer nicht Platz genug für alle war. Dr. Naegeli-Osjord, George W. Meek und ich durften aber direkt neben Virgilio stehen und konnten seine Arbeit aus unmittelbarer Nähe beobachten.

Virgilio faßte die Hand des auf dem Operationstisch liegenden Patienten und konzentrierte sich, betastete dessen Finger, strich auf Distanz über den Körper des Patienten und operierte nur in einigen Fällen. Ich hatte den Eindruck, daß die vielen Zuschauer ihn doch etwas irritierten, zumal zwei deutsche Wissenschaftler einen Filmapparat aufgebaut hatten, um wichtige Operationen aufzunehmen. Das Einschalten der Filmscheinwerfer in den entscheidenden Augenblicken trug sicherlich nicht gerade zur Konzentration des Heilers bei.

Seine Operationen ähnelten denen der meisten philippinischen Heiler. Durch das auftretende Blut konnte man meist nicht eindeutig sagen, ob der Körper geöffnet war oder nicht, zumal Virgilio ständig seine Hände über der Operationsstelle hielt und einem die Sicht nahm. Zweifellos waren es echte paranormale Vorgänge, aber ich konnte zunächst nicht sagen, welcher Art, bis ich mich dann bei einer Operation bückte und, mich hinter ihn stellend, unter seine Handflächen sehen konnte, während er mit den Fingerspitzen im Körper zu sein schien. Es handelte sich um eine Operation im Darmbereich. Jetzt konnte ich unter seinen Händen schlauchartige Gewebe sehen, es mochten Darmteile sein, die aus dem Körper aufzutauchen schienen und wieder verschwanden, wieder auftauchten und wieder unsichtbar wurden. Nach Beendigung dieser Operation blieb nur etwas Blut auf der Bauchdecke zurück, und es war auch nur wenig Gewebe entfernt worden, wobei es sich rein quantitativ keineswegs um das handeln konnte, was ich unter seinen Händen gesehen hatte. Vielleicht waren Darmbereiche zeitweise freigelegt gewesen.

Nachdem die offiziellen Heilbehandlungen beendet waren, führte Virgilio unter Ausschluß größerer Zuschauermengen noch eine Operation in der Herzgegend an einem Amerikaner durch. George W. Meek und ich durften dabei sein. Hier war interessant, daß Virgilio den Eingriff ohne Watte einleitete.

Virgilio begann, die Haut in der Herzgegend leicht zu drükken – die Brust war an der Stelle unbehaart –, und schon kam Blut. Es sah jetzt plötzlich so aus, als wäre eine kleine Wunde vorhanden, aus der Virgilio etwas herauszudrücken schien. Erst jetzt rief er nach Watte, woraufhin ein Assistent aus dem Hintergrund herbeisprang und das seitlich herunterlaufende Blut abwischte. Es wurde etwas Gewebe entfernt und ein Klumpen geronnenen Blutes. Der Eingriff war oberflächlich, ohne daß damit eine paranormale Einwirkung auf das Herz ausgeschlossen sein soll. Es war nachher keinerlei Narbe zu sehen. Auch hier kann ich über den Heilerfolg nichts sagen.

Später las ich in einer englischen Zeitung, die mir Harold Sherman zuschickte, einen Bericht über den Australier Carl Lehmann aus Brisbane, Leiter des New Age Healing Centre, der 1972 eine fünftägige Tour mit Virgilio Gutierres durch die Philippinen gemacht hatte. Während ihrer tagelangen Fahrt wurde Virgilio einmal ganz unvorbereitet und unverhofft mit einem

Kranken konfrontiert, den er sofort und ohne jede Vorbereitung operierte. Die Möglichkeit, daß Virgilio ständig mit irgendwo versteckten Blutblasen und schleimigen Gewebeteilen beladen durch die Philippinen gereist sei, ohne daß es bei der dortigen Hitze unangenehm gerochen hätte, hält C. Lehmann für absolut ausgeschlossen.

Die Fähigkeiten guter Heiler scheinen in bestimmten Situationen durch die akute Not der Kranken besonders stimuliert zu werden. Ich persönlich neige zu der Ansicht, daß der Heiler das durch die Krankheit gestörte Biofeld des Patienten braucht, um seine Operation einzuleiten. Deshalb wird es auch der philippinische Heiler ablehnen, ohne echten Anlaß, gewissermaßen »zum Spaß« bei einem gesunden Menschen eine Wunde zu produzieren, möglicherweise gelänge ihm das auch gar nicht, wenn er es versuchen würde. So forderte man Juan Blance zum Beispiel einmal auf, er möge seinen psychokinetischen Schnitt in die Haut eines Patienten doch einmal machen, nachdem man eine mitgebrachte Plastikfolie darübergelegt hatte, was Blance jedoch ablehnte. Die Heiler wollen Kranken helfen; sie haben keinerlei Verständnis für Dinge, die in unseren Augen wissenschaftliche Experimente, in den Augen der Heiler aber Dummheiten sind. Als Blance dann, wie üblich, den Schnitt auf Distanz machte, schob der Beobachter dennoch schnell ein Kunststoffblatt dazwischen. Dieses soll angeblich unverletzt, der Schnitt in der Haut aber vorhanden gewesen sein.

Bei den »magnetischen Spritzen«, die der Heiler Mercado verabreicht, ohne den Körper des Patienten zu berühren, verhält es sich anscheinend anders. Personen, die unter ihr Hemd ein Blatt Papier oder eine Kunststoffolie über die Brust oder eine andere Stelle, die »gespritzt« werden sollte, spannten, fanden nachher darin ein winzig kleines Loch.

Jeder paranormale Heiler hat mehr oder weniger seinen eigenen Stil entwickelt, an den er gewöhnt ist. Die Forderung nach auch nur geringfügigen Änderungen seines Operationsstils bringt ihn mitunter in Schwierigkeiten. Die medialen chirurgischen Leistungen werden wahrscheinlich weitgehend durch ein kompliziertes System bedingter Reflexe aus dem Unterbewußtsein gesteuert, und Nichtbeachtung der diese Reflexe auslösenden Bedingungen führt dann zu einem Ausbleiben der Leistungen oder erlangt vom Heiler einen kolossalen Einsatz an medialer Kraft. Es ist ein häufig anzutreffender Irrtum, ein Heiler müsse, wenn er behaupte, Körper ohne Messer öffnen zu können, auch alle möglichen anderen paranormalen Leistungen – sozusagen auf Bestellung – vollbringen können.

So wünschten Wissenschaftler von Tony Agpaoa oft die Demonstration solcher Phänomene, die sie wissenschaftlich fassen könnten. Einmal sollte er eine »magnetische Spritze« geben, wie es die Heiler Johanito Flores und José Mercado oft machen. Versuchsobjekt für die »Spritze« war ich. Sigrun Seutemann und zwei Physiker beobachteten den Vorgang. Tony Agpaoa konzentrierte sich auf mich, ohne mich zu berühren, und ich erwartete einen Stich, wie das von den Patienten Johanitos und Mercados berichtet wird. Der Stich blieb aus, dafür überkam mich ein Gefühl, als wenn ich plötzlich in eine Überdruckkammer versetzt worden wäre und mich etwas erdrücken wollte, Atemnot stellte sich ein, und die Herzfrequenz stieg von 80 auf 110 Pulsschläge pro Minute. Tony sollte dann versuchen, mir durch bloßes Berühren meiner Haut mit seinen Fingerspitzen eine »magnetische Spritze« zu geben. Ich legte mich dazu auf ein Bett und machte die Bauchgegend frei. Er gab sich sehr große Mühe, ohne daß es zunächst gelang. Doch plötzlich spürte ich einen Stich. Um festzustellen, ob es sich auch nicht um einen Suggestiv-Effekt gehandelt hatte, wurde mir etwas auf den Bauch gelegt – ich glaube, es war eine dickere Kunststoffolie –, um hinterher einen Einstich sehen zu können. Tony Agpaoa konzentrierte sich, bis er zu zittern begann, ohne daß ich von der sogenannten »geistigen Injektion« etwas spürte, obwohl er mit seinen Fingerspitzen auf die Folie drückte. Dann tastete er mit der einen Hand instinktiv seitlich, so daß er meine Haut berührte, und da erfolgte der Stich an der Stelle, wo die andere Hand lag, durch die Folie hindurch und sehr lange. Das Loch in der Folie war deutlich sichtbar. Dieses Experiment schien zu beweisen, daß Tony Agpaoa irgendwie Kontakt mit der Haut des Patienten haben muß, wahrscheinlich mit dem Kraftfeld eines anderen Menschen in Beziehung treten muß, um auf den Kranken wirken zu können. Man sieht an diesem kleinen Beispiel, wie kompliziert diese Dinge sind und wie wenig wir darüber wissen.

Einige Tage später sollte Tony Agpaoa sich in Gegenwart weiterer Zeugen nochmals auf mich konzentrieren, und ein Mediziner wollte gewisse physiologische Eigenheiten an mir untersuchen. Diesmal erwartete ich von vornherein das »Überdruckkammer-Gefühl« – aber es erfolgte gar nichts, woran man wieder einmal die Grenzen von Suggestion und Psychogenese sieht. Tony war an diesem Abend nach einem arbeitsreichen Tag erschöpft, während beim erstenmal die Experimente am Morgen stattgefunden hatten, bevor er operierte.

An einem anderen Tag sollte Agpaoa durch die Ausstrahlung seiner Hände ein hartes grünes Blatt in kürzester Zeit zum Vertrocknen bringen, ein Experiment, das ihm schon mehrmals gelungen war. Jetzt sollte er es vor einem größeren Kreis und unter dem Scheinwerferlicht einer Halogenlampe vorführen. Tony, der mehrmals zu Beginn seiner Konzentration gestört wurde, konzentrierte sich schließlich bis zur Erschöpfung, ohne daß das Experiment überzeugend gelungen wäre. Wenn Tony Leistungen dieser Art nicht schon oft vollbracht hätte, würde er sich für solche Experimente gewiß nicht zur Verfügung stellen. Früher war Tony Agpaoa zu wissenschaftlichen Experimenten gern bereit. Heute tut er es nur noch widerstrebend, da er sagt, all die vielen Untersuchungen, die er über sich hat ergehen lassen, hätten ja doch nichts genutzt. Im Februar 1973 erklärte er sich aber bereit, für Professor Schiebeler und Professor Kirchgäßner, die für das »Institut für den wissenschaftlichen Film« in Göttingen philippinische Operationen filmen wollten, eine Demonstrationsoperation durchzuführen. Normalerweise arbeitet Agpaoa kurzärmelig. An diesem Tage hatte er jedoch einen langärmeligen Pullover an. Prof. Schiebeler fragte vorsichtig, ob es vielleicht möglich wäre, die Ärmel hochzukrempeln. Hierauf zog Agpaoa sofort bereitwillig den ganzen Pullover über den Kopf und arbeitete im Turnhemd. Es wurde eine sehr imponierende Operation im Bereich der Leber durchgeführt, und die beiden Wissenschaftler waren danach von der Möglichkeit echter philippinischer paranormaler Operationen überzeugt!

Die Frage der »Echtheit« der philippinischen Operationen

hat seit 1966 eine Reihe von Forschern beschäftigt. Die ersten wissenschaftlichen Untersuchungen hierzu führte der japanische Wissenschaftler Dr. Hiroshi Motoyama durch. Am 19. 9. 1968 und am 22. 9. 1968 beobachtete er zusammen mit dem Psychologen und Paraforscher Dr. Hiram Ramos aus Manila, dem Pathologen Professor Dr. David de Léon und weiteren Pathologen die Operationen des medialen Chirurgen Juan Blance. Neben anderem führte Blance unter der Kontrolle der Wissenschaftler Zystenoperationen im Bereich des Nackens durch, ohne ein Messer zu benutzen. Die Mediziner entnahmen Blut- und Gewebeproben während der Operationen. Die Untersuchungen erfolgten an der Universität Tokio und im Institut Professor de Léons an der Far Eastern University von Manila. Vergleich des Operationsblutes mit Blut, das dem betreffenden Patienten später von den Medizinern abgezapft worden war, ergab, daß es sich bei dem Operationsblut einwandfrei um das Blut des jeweils operierten Patienten gehandelt hatte. Ebenfalls für die Echtheit der Operationen Blances sprachen die Gewebeuntersuchungen. Unbrauchbar für eine wissenschaftliche Auswertung dagegen waren die Substanzen, die bei Blances Augenoperationen auftreten, die sich stets schnell in Formalin auflösten und vermutlich primitive Materialisationsprodukte darstellten. Dr. Motoyama hat — auch bei späteren Gelegenheiten — insgesamt zwanzig Blut- und Gewebeproben entnommen und untersucht. Aufgrund der Untersuchungsergebnisse bezeichnet er die Operationen von Juan Blance als *echt!*[152, 153]

1970 untersuchte Motoyama Blut von einer Herzoperation des Operateurs Gonzales aus Baguio, die dieser an einer sechzigjährigen Japanerin durchführte. Sowohl diese Operation als auch eine zweite, von der Motoyama eine Probe erhielt, wurden aufgrund der Untersuchungsbefunde als »echt« nachgewiesen.

Im November 1972 kam Dr. Motoyama — durch die Initiative der Heilpraktikerin Sigrun Seutemann — erneut nach den Philippinen und entnahm sechs oder sieben Blutproben bei Operationen Agpaoas. Außerdem wurden Gewebeproben entnommen. Die Untersuchungen wurden in Tokio mit der größtmöglichen Gründlichkeit nach mehreren Methoden durchgeführt, unter anderem nach immunbiologischen Gesichtspunkten. Bei den meisten Blutproben ergab ein Vergleich des Operationsblutes mit dem Normalblut des jeweiligen Patienten, daß es sich um Blut desselben Menschen handelte, was eindeutig für die Echtheit der Operationen spricht. In ein oder zwei Fällen war der Untersuchungsbefund nicht ganz klar. Agpaoa und andere Operateure seines Stils beginnen die Operation im allgemeinen bekanntlich mit nasser Watte. Hier können durch die Verdünnung des Blutes mit Wasser Veränderungen erfolgen. Infolge des geringeren osmotischen Drucks in der verdünnten Blutflüssigkeit platzen die Blutkörperchen, und es treten weitere unerwünschte Effekte auf. Außerdem sind paranormale Wirkungen auf das Blut bei diesen medialen Eingriffen nicht auszuschließen, ja, sie sind sogar sehr wahrscheinlich. In diesem Zusammenhang sind Überlegungen von Bedeutung, die der Mediziner und Paraforscher Dr. Henry Puharich, USA, anstellte, aufgrund von Untersuchungen, die Bernard Grad von der McGill-Universität, USA, und Justa Smith vom Rosary Hill College, USA, mit den geistigen Heilern Colonel Estebany und Mr. Ian durchführten.

Die beiden Medien konnten die biologischen Eigenschaften und Wirkungen von Wasser in versiegelten Gefäßen dadurch verändern, daß sie diese längere Zeit in ihre Hände nahmen. Justa Smith benutzte solches Wasser, um Enzyme zu verdünnen, die Polypeptide – also Eiweißkörper – zu Aminosäuren abbauen, indem die Polypeptide hydrolytisch gespalten werden. Das von Estebany behandelte Wasser bewirkte eine deutliche Steigerung der hydrolytischen Aktivität dieser Enzyme.[185]

Dieser ganze Komplex ist so gut wie noch gar nicht wissenschaftlich untersucht worden, aber da die meisten Philippiner einen nassen Wattebausch auf die Operationsstelle legen, wäre unter Berücksichtigung der eben angeführten Vorgänge eine parachemische Veränderung des Operationsblutes durchaus verständlich, zumal die medialen Operationen der Filipinos wahrscheinlich viel einschneidendere paraphysikalische Prozesse darstellen, als bei den Heilern westlichen Stils auftreten. Wenn nun außerdem noch die besonders gravierenden Materialisationsphänomene tatsächlich bei den philippinischen Operationen eine Rolle spielen – und es scheint ja alles dafür zu sprechen! –, dann ist der Grad der chemischen und sogar morphologischen

Veränderungen von Blut und Geweben überhaupt nicht abzusehen. Wahrscheinlich liegt hierin auch die Ursache dafür, daß die Untersuchungsergebnisse von Proben aus den Operationen Agpaoas mitunter nicht so eindeutig sind wie bei den Operationen von Blance. Von allen philippinischen Operateuren steht Blance den westlichen Chirurgen – relativ – am nächsten, wenn er auch psychokinetisch die Haut öffnet. Das Blut wird dann aber nach einem Schröpfverfahren herausgeholt, bei dem keinerlei Verfälschung stattfindet. Auch die Gewebe kommen – wahrscheinlich überwiegend auf psychokinetische Weise – ziemlich unverändert aus dem Körper.

Ganz anders, wenn in stärkerem Maße Materialisationsphänomene bei einem Eingriff auftreten, wobei vermutlich ein uns noch völlig unbekannter Strukturabbau und anschließend ein Wiederaufbau der Struktur vonstatten geht, dessen Endstufe dann nach Geley* »Mängel, Fehler, Lücken« aufweist. Das ist bei den Operationen Agpaoas und den Heilern seines Stils der Fall und kann dann zu den größten Mißverständnissen führen. Auch bei Blance gibt es hin und wieder Materialisationserscheinungen. Wenn das der Fall ist, dann werden die Operationsprodukte völlig unidentifizierbar, wie etwa bei seinen Augenoperationen. Von westlichen Beobachtern werden dann so absurde Behauptungen aufgestellt wie: Es handle sich um »Wachs«, es wäre also alles Betrug.

In einer vom Fernsehen ausgestrahlten Sendung über Tony Agpaoa wurde behauptet, die Operationsgewebe seien Pfefferkörner und Seegras gewesen! Man halte die philippinischen Heiler doch nicht für derartig schizophren, daß sie in ihre Serien von echten Operationen immer wieder Taschenspielereien einschieben, mit Wachs und Seegras, noch dazu vielleicht in Gegenwart von Wissenschaftlern, die sie testen wollen.

Im Februar 1973 forderte mich Tony Agpaoa ganz unerwartet bei einer seiner Operationen auf, einige Blutproben zu entnehmen. Ich tat dies bei drei aufeinanderfolgenden Patienten. Leider wurden die Proben in Deutschland nicht untersucht. Nachdem sie mehrere Wochen in einem Labor gelegen hatten,

* Vgl. Seite 274.

bekam ich sie wegen Arbeitsüberlastung ohne Untersuchung zurück. Alle drei Proben rochen wie verdorbenes Blut.

Agpaoa bot mir auch an, bei einer Operation ein Gewebestück mit der Zange zu entfernen. Da ich mich dabei ungeschickt anstellte, machte es der Assistent für mich. Ein weiteres Gewebestück fischte ich bei einer späteren Operation hinter dem Rücken Agpaoas aus der Abfallschale. Die erste Probe stammte aus einer Operation im Magen-Darm-Bereich an einem zweiunddreißigjährigen Patienten. Das in Deutschland eingeholte Gutachten des Pathologen ergab, daß es sich um einen autolytisch veränderten Dünndarmanteil mit Reizzustand im Schleimhautbereich handelte. Da ich vor der Untersuchung sagen mußte, daß es um eine Laienoperation ging, folgte der vorsichtige Nachsatz: »Die Frage, ob der Dünndarmanteil von einem Menschen oder einem Tier stammt, läßt sich aufgrund der histologischen Untersuchung nicht entscheiden.« Hätte Agpaoa diese Operation getrickt, müßte er Darmgewebe von einem Tier zur Verfügung gehabt haben, das morphologisch menschlichem Gewebe sehr ähnlich ist, zumal es sich um ein relativ großes Gewebestück handelte, und das möglicherweise auch noch krankhafte Veränderungen im Dünndarm aufgewiesen hätte – sofern diese autolytischen Veränderungen nicht nachträglich beim Aufbewahren in der Formalinlösung entstanden sind, was ich nicht beurteilen kann.

Die zweite, hinter dem Rücken Agpaoas »entwendete« Gewebeprobe stammte von einer Patientin, die drei Jahre lang aufgrund einer Fehldiagnose in Europa wegen multipler Sklerose behandelt worden war, bis sich herausstellte, daß sie einen Tumor im Lendenwirbelbereich hatte. Der Tumor wurde dann operativ entfernt, aber die Patientin war jetzt querschnittgelähmt. Tony operierte sie im Rücken.

Der histologische Befund der Gewebeprobe lautet:

> Die eingesandte, flache, strangförmige Weichteilexzision zeigt auf den angefertigten Stufenschnitten charakteristische, gleichmäßig dicht liegende Bündel quergestreifter Skelettmuskulatur, in den Randpartien mit einer Fascienfront. Die Muskulatur zeigt eine typische Anisotropie im polarisierten Licht, keine Hinweise auf eine entzündliche Reaktion oder auf Zei-

chen des Systemabbaus.

Diagnose: Morphologisch unauffällig differenzierte quergestreifte Skelettmuskulatur.

Auch dieser Probebefund, bei dem hinsichtlich der Herkunft keine Einschränkung erfolgte, erscheint verständlich.

Agpaoa suchte möglicherweise Nerven freizulegen, wozu er an sich gesunde Gewebesubstanz entfernte. Entzündungen irgendwelcher Art lagen wahrscheinlich auch nicht mehr vor, da die Tumoroperation bereits lange zurücklag.

Zumindest zeigen diese Proben, daß Tony Agpaoa nicht Plastikfolien, Pfefferkörner und Seegras als menschliches Gewebe ausgibt.

Der Verfasser hofft, den Leser überzeugt zu haben, daß es leichtfertig und oberflächlich ist, die medialen Operationen der Philippiner einfach als Betrug abzutun. Keiner, der diese Phänomene beurteilen will, kann an den Arbeiten Motoyamas vorbeigehen, und keiner, der über die Möglichkeit oder Unmöglichkeit derartiger Phänomene ein Urteil fällen will, sollte dies tun, ohne außerdem noch die paranormalen Operationen der Filipinos mit dem zu vergleichen, was aus Brasilien berichtet wird. Die gründlichsten wissenschaftlichen Untersuchungen über paranormale Heilungen und Operationen in Brasilien wurden von dem bekannten Mediziner und Psi-Forscher Dr. Henry K. Puharich veröffentlicht. Dr. Puharich, früher »Senior research scientist« am New York Medical Centre und Präsident der Forschergruppe der Intelectronic Corporation hat sich vor einigen Jahren von seinen dortigen Verpflichtungen gelöst, um sich ganz auf die Paraforschung konzentrieren zu können. Ein Teil seiner neuen Laufbahn ist der Untersuchung paranormaler Heilphänomene gewidmet. Inhaber mehrerer akademischer Grade, gehört er einer ganzen Reihe von Organisationen an, ist Autor zahlreicher wissenschaftlicher Veröffentlichungen sowie zweier Bücher und verfügt über etwa fünfzig Patente. Dr. Puharich studierte zusammen mit anderen amerikanischen Medizinern den Heiler Zé Arigo und stellte bei ihm die gleichen grundsätzlichen Phänomene fest, die bei den Heilern der Philippinen beobachtet und von vielen Seiten abgestritten wurden. Beim »Interdisciplinary

Symposium« der Academy of Parapsychology and Medicine, Los Altos, California, zeigte Dr. Puharich am 30. Oktober 1971 einen Film, in dem demonstriert wurde, wie Arigo mit einem scharfen Messer an der Hornhaut eines Auges kratzte, um zu zeigen, daß es keine Schmerzen bereitete und keinerlei Schaden verursachte, obwohl das Messer tatsächlich in das Gewebe hineinschnitt!!! Die anschließende medizinische Prüfung zeigte jedoch, daß keine Wunde zurückblieb, daß alles wieder augenblicklich geheilt war. Man muß hier unwillkürlich auch an das Phänomen des Mirin Dajo zurückdenken.

Dr. Puharich sagte, daß die philippinischen Heiler noch einen Schritt weiter gehen als Arigo, daß sie Gewebe trennen können, ohne ein Messer zu benutzen, ja, mitunter sogar, ohne den Körper zu berühren!

Aber auch Arigo arbeitete hin und wieder mit Messern, die so stumpf waren, daß man noch nicht einmal ein Stück harte Butter damit hätte schneiden können. Und dennoch hatte er keinerlei Schwierigkeiten, damit Gewebe abzutrennen. Hieran sieht man, daß auch bei den Operationen Arigos offensichtlich nicht die Schneidekraft des Messers das Wesentliche bei dem ganzen Vorgang ist, sondern ebenso wie bei den Filipinos wahrscheinlich eine von den Fingern ausgehende neuartige Form der Energie den Effekt zustande bringt. Möglicherweise ist das Messer lediglich ein symbolisches Hilfsmittel oder ein Induktor, der aus irgendwelchen uns noch unbekannten Gründen den Prozeß erleichtert. Manche südamerikanische Medizinmänner sollen ähnliche Ergebnisse mit Bambusstäbchen erzielen; Blance benützt den Finger einer anderen Person zum Öffnen des Körpers.

Daran sieht man doch ganz eindeutig, daß es paranormale Möglichkeiten der Gewebe-Trennung und -Wiedervereinigung gibt! Wenn Derartiges bei Arigo bewiesen ist, warum will man dann partout diese Phänomene für die philippinischen Heiler — wo sie in noch viel stärkerem Maße vorkommen — unbedingt ausschließen?

Puharich hatte Operationen Arigos im Film festgehalten, so auch die Operation einer Kopfzyste bei einer Frau. Normalerweise gab sich Zé Arigo mit derartigen Bagatellen nicht ab, sondern schickte die Leute zu ihrem Arzt. In diesem Falle führte er die Operation jedoch zu Demonstrationszwecken vor. Er schnitt mit einem total stumpfen Messer! Und da die Wunden sich zu schnell wieder schlossen(!) – man denke an Agpaoa, Mercado, Placido und andere Filipinos –, wurde Vaseline in die Schnittstellen getan.

Arigo sagte dann, er werde die Zystenkapsel aus dem Kopf herausdrücken. Der Film zeigte, wie die Talgsubstanz aus der Wunde herauskam und die Zystenkapsel gereinigt wurde – »eine vom chirurgischen Standpunkt unmögliche Leistung«, wie Dr. Puharich sagte. Dann streckte Arigo seine Hand aus und bat seinen »geistigen Führer«, Dr. Fritz, die Kapsel herauszubringen. Er drückte nun die Kapsel etwas hervor, und kurz danach zog er sie heraus, *ohne sie chirurgisch von der Kopfhaut oder vom Periost des Schädels abgetrennt zu haben.*

Dieser von Dr. Puharich bei Arigo gefilmte Vorgang der Abtrennung erinnert verblüffend an das, was ich auf den Philippinen erlebte, insbesondere 1971 bei Juan Blance und auch bei Tony Agpaoa, und was mir bisher kein Mediziner glauben wollte. Auch Blance drückte Tumore und Metastasen heraus, ohne sie chirurgisch abzutrennen, nachdem er die Haut durch einen psychokinetischen Schnitt geöffnet und vorübergehend ein Schröpfglas aufgesetzt hatte. Vermutlich spielen sich bei derartigen paranormalen Gewebeabtrennungen scharf begrenzte Dematerialisationsprozesse an der Verbindungsstelle Tumor – Körper ab, und das Herauskommen der Tumore erfolgt dann weitgehend psychokinetisch.

Aber es gibt noch mehr Parallelen zwischen philippinischer Chirurgie und den Operationstechniken Zé Arigos. Puharich berichtet einen zuverlässig verbürgten Fall, in dem der Brasilianer eine original »philippinische Operation« durchführte:

Ein Patient litt an einem sehr fortgeschrittenen Magenkrebs. Der Arzt gab ihm nur noch eine kurze Frist. Der Mann ging zu Arigo und stand in einer langen Schlange von 300 bis 400 wartenden Patienten. Als Arigo kam, um mit den Behandlungen zu beginnen, griff er diesen Patienten aus der Menge der Menschen heraus und sagte: »Du komm gleich mit herein, denn du bist wirklich krank!« In seinem Behandlungsraum sagte er ihm auf den Kopf zu, daß er Magenkrebs habe und daß keine Zeit zu verlieren sei. Er verordnete ihm für 24 Stunden eine Reihe von Arzneimitteln und befahl ihm, am Tag darauf wiederzukommen. Am nächsten Morgen operierte er ihn dann ohne Messer. Er ging mit seiner bloßen Hand – wie Agpaoa, Mercado und andere Heiler auf den Philippinen – durch die Bauchdecke hindurch und brachte eine Menge blutigen Gewebes heraus. Eine spätere Röntgenuntersuchung ergab, daß die Krebsgeschwulst beseitigt war.[185]

1966 wurde die Aufmerksamkeit der Öffentlichkeit in den USA durch die Reise Harold Shermans und Henry Belks nach den Philippinen erstmals auf die medialen Operationen gelenkt. Seitdem sind über sieben Jahre vergangen. Es wäre unrealistisch, wollte man verlangen, daß die offizielle westliche Medizin derart aus dem Rahmen ihrer eigenen Erfahrungen fallende Phänomene in einer so relativ kurzen Zeit schon akzeptieren sollte. Man bedenke, daß es seinerzeit zehn Jahre gedauert hat, bis man nach der ersten stürmischen Ablehnung die örtliche Betäubung (Lokalanästhesie) C. L. Schleichs akzeptierte, eine Entdekkung, die doch eigentlich kein so großes Umdenken erforderte, wie man aus der Heftigkeit der ersten Ablehnung hätte schließen sollen. Die philippinischen Operationen fordern dagegen vom westlichen Mediziner viel, viel mehr – sie verlangen eine Erweiterung und Umgestaltung grundlegender wissenschaftlicher Konzeptionen in einem Ausmaße, das wir heute noch gar nicht abschätzen können. Ein gründliches Studium der medialen Operationen wird ergeben, daß sich bei diesen Phänomenen noch viel phantastischere Prozesse abspielen, als heute selbst die Befürworter der paranormalen Operationen für möglich halten.

Doch trotz breitangelegter Angriffe gegen diese Phänomene werden in Europa immer mehr Wissenschaftler auf diese Vorgänge aufmerksam – dank der unermüdlichen Arbeit der Karlsruher Heilpraktikerin Sigrun Seutemann, die selbst eine starke mediale Begabung besitzt und daher viele Einzelheiten der philippinischen Operationen an Ort und Stelle besser und sicherer beurteilen kann als ein reiner Wissenschaftler. In der Schweiz setzt sich seit Anfang 1971 Dr. med. Naegeli-Osjord ohne Rücksicht auf ihm daraus erwachsende Nachteile und Anfeindungen für die Anerkennung der Echtheit der philippinischen Chirurgie ein. Und so war es auch ein erster Erfolg, als im Februar/März 1973 eine Reihe von Wissenschaftlern und Forschern an Ort und Stelle nach gründlichem Studium eine Erklärung unterschrieben, in der sie bezeugten, daß sie bei ihrem Studium auf den Philippinen Heiler beobachtet haben, die wirklich paranormale Eingriffe durchführen. Es wurde unterstrichen, daß über den therapeutischen Erfolg der Operationen zunächst noch keinerlei Aussage gemacht werden kann. Der Akzent der Erklärung lag auf der Feststellung, daß sich bei den paranormalen Eingriffen der Filipinos paraphysikalische Prozesse abspielen, die nicht in das Gedankengebäude der westlichen Wissenschaften einzuordnen sind. Manilaer Tageszeitungen berichteten darüber in großer Aufmachung, ebenso wurden die Namen der Unterzeichner in englischen und amerikanischen Zeitungen veröffentlicht:

Joaquin Cunanan, Manila
Prof. Dr. B. Kirchgäßner, BRD
Marcus McCausland, London
George W. Meek, USA
Dr. Hiroshi Motoyama, Tokio
Dr. Hans Naegeli-Osjord, Zürich
Prof. Dr. W. Schiebeler, BRD
Sigrun Seutemann, BRD
Dr. Alfred Stelter, BRD
Donald Westerbeke, USA

Hierdurch und durch die unermüdliche Aktivität Joaquin Cunanans wurden auch auf den Philippinen viele prominente Persönlichkeiten auf die medialen Phänomene aufmerksam, so einer der berühmtesten Rechtsanwälte der Philippinen, Raffael Recto, Sohn des philippinischen Nationalhelden Recto. Im Beisein von Sigrun Seutemann sah er zum ersten Mal Tony Agpaoa bei einem Eingriff. Raffael Recto ist ein sehr nüchtern denkender Mensch, der als Rechtsanwalt sein Urteil wohlüberlegt: Er mußte zugeben, daß ein Betrug ausgeschlossen war. Raffael Recto will versuchen, eine Möglichkeit zu schaffen, daß begabte philippinische Heiler, insbesondere Tony Agpaoa, eine offizielle Genehmigung zur Heilarbeit erhalten, so daß sie vielleicht schon bald nicht mehr mehr oder minder heimlich arbeiten müssen, um kranken Menschen zu helfen.

Kurz vor der Drucklegung dieses Buches wurde zum ersten Mal auf einem medizinischen Kongreß in Europa das Thema der medialen Operationen ernsthaft behandelt: In San Remo referierte Sigrun Seutemann Ende Mai 1973 vor Medizinern über die Operationen der Filipinos und zeigte ihren neuesten und besten Film, den sie kürzlich auf den Philippinen von den Operationen Agpaoas aufgenommen hatte, und der mit einer bisher nicht dagewesenen Genauigkeit das paranormale Geschehen demonstriert. Der Kongreßsaal war bei diesem Referat bis auf den letzten Platz gefüllt. Sigrun Seutemann betonte, daß die medialen Eingriffe der Philippiner nicht mit Operationen im Sinne der westlichen Chirurgie verglichen werden können, da es sich um ein wissenschaftlich überhaupt noch nicht faßbares Geschehen handelt. Bei den Operationen Agpaoas und der anderen philippinischen Heiler, die Sigrun Seutemann seit zwei Jahren mit einmaliger Gründlichkeit studiert, spielen sich Bioplasmaprozesse ab und – wie sie als Medium es nennt – »Astralmaterialisationen«, Vorgänge, die den westlichen Wissenschaften noch völliges Neuland sind.

Sigrun Seutemann sagte mir, daß sie glaube, auf diesem Kongreß eine ganze Reihe neuer Interessenten und Freunde für die Erforschung der philippinischen Phänomene dazugewonnen zu haben. Langsam aber sicher dehnt sich der Kreis der Wissenschaftler aus, die dieses Geschehen ernst nehmen. Wenn auch noch längst nicht alle Widerstände beseitigt sind und auch noch weitere Anfeindungen erwartet werden müssen, läßt sich die Entwicklung zur Anerkennung der paranormalen Operationen doch ganz bestimmt nicht mehr aufhalten!

Quellennachweis und Bibliographie

Abkürzungen: JASPR = *Journal of the American Society for Psychical Research,* New York; JoP = *Journal of Paraphysics,* Downton, Wilts., England; JP = *Journal of Parapsychology,* Durham, N. C., USA; ZPG = *Zeitschrift für Parapsychologie und Grenzgebiete der Psychologie,* Freiburg/Brsg.

1 Adamenko, Viktor: »Electrodynamics of Living Systems«, in JoP, Vol. 4, No. 4, 1970.

2 Adamenko, Viktor: »St. Elmo's Fire. Symposium of Psychotronics«, in JoP, Vol. 5, No. 4, 1971.

3 Adamenko, Viktor: »Seminar on the Problems of Biological Plasma«, in JoP, Vol. 5, No. 4, 1971.

4 Adamenko, Viktor: »The Tobiscope: Its Use in Hypnosis«, in JoP, Vol. 6, No. 1, 1972.

5 Adamenko, Viktor: »The Phenomenon of Skin Electricity«, in JoP, Vol. 6, No. 1, 1972.

6 Adamenko, Viktor: »Living Detectors«, in JoP, Vol. 6, No. 1, 1972.

7 Adamenko, Viktor: »Informational Bioelectronics«, in JoP, Vol. 7, No. 1, 1973.

8 Adamenko, Viktor: »Controlled Movement of Objects in Bioelectric Fields«, Moscow Conference, Juli 1972.

9 Agpaoa, Antonio C.: *The Gifts of the Spirit,* Baguio 1971.

10 Agpaoa u. a.: *The Living Legend,* Baguio 1972.

11 Aksakow, Alexander: *Animismus und Spiritismus,* 2 Bde., Leipzig 1894.

12 Andreas, Peter, und Adams, Gordon: *Was niemand glauben will,* Berlin 1967.

13 Bach, Ch.: »Die Handlinien in der medizinischen Diagnostik«, in *Erfahrungsheilkunde,* Heft 1, 1960.

14 Bardon, Franz: *Der Schlüssel zur wahren Quabbalah,* Freiburg/Brsg. 1957.

15 Bauhofer, Alfred: *Wunderheiler auf den Philippinen*, Salzburg 1971 (Selbstverlag).
16 Baumgartner, Friedrich: »Die große Mission der Parapsychologie in unserer Zeit«, in Allan Kardek, *Du, ich und die anderen*, Remagen 1970.
17 Bender, Hans: *Parapsychologie. Ihre Ergebnisse und Probleme*, Bremen 1971 (2. Aufl.).
18 Bender, Hans: *Telepathie, Hellsehen und Psychokinese*, München 1972 (Serie Piper 31).
19 Bender, Hans: »Glaubensheilung und Parapsychologie«, in Wilhelm Bitter, vgl. Nr. 23.
20 Bender, Hans: *Unser sechster Sinn*, Stuttgart 1971 (auch rororo 6796).
21 Berndt, G. H.: *Buch der Wunder und Geheimwissenschaften*, 2 Bde., Leipzig 1900.
22 Bischko, Johannes: *Einführung in die Akupunktur*, Heidelberg 1972.
23 Bitter, Wilhelm: *Magie und Wunder in der Heilkunde*, München o. J. (Kindler Taschenb. 2016).
24 Blavatsky, Helena: *Die Geheimlehre*, Berlin 1958.
25 Böttcher, Helmut M.: *Der Mensch stirbt viel zu früh*, Köln 1961.
26 Boswell, Harriet A.: *Master Guide to Psychism*, New York 1969.
27 Bozzano, Ernesto: *Les énigmes de la psychométrie*, Paris 1927.
28 Bozzano, Ernesto: *Übersinnliche Erscheinungen bei Naturvölkern*, Bern 1948.
29 Brenner, Charles: *Grundriß der Psychoanalyse*, Frankfurt/M 1968.
30 Bro, Harmon H.: *Traumdeutungen in Trance*, Genf 1969.
31 Buchinger, Otto: *Das Heilfasten*, Stuttgart 1947.
32 Burr, H. S.: *Blueprint for Immortality*, London 1972.
33 Busse, Ernst und Paul: *Akupunkturfibel*, München 1965.
34 Carrel, Alexis: *Der Mensch, das unbekannte Wesen*, München 1955.
35 Carrel, Alexis: *Tagebuch eines Lebens*, München 1957.
36 Cassirer, M.: »Bioplasmic Energy: New Science of the Future?«, in JoP, Vol. 7, No. 1, 1973.
37 Cazzamalli, F.: »Ausstrahlung von Gehirnwellen bei telepsychischen Phänomenen«, in *Zeitschr. f. Parapsych.*, 1926.
38 Chauchard, Paul: *Hypnose et suggestion*, Paris 1951.
39 Clair, David: »Spiritism in Brasil«, in *Psychic*, Dez. 1970.
40 Correll, Werner: *Programmiertes Lernen und Lernmaschinen*, Braunschweig 1965.

41 Correll, Werner: *Pädagogische Verhaltenspsychologie*, München 1969.
42 Correll, Werner: *Lernpsychologie*, Donauwörth 1970.
43 Cunanan, Joaquin: *Readings on Spiritualism*, Manila 1971.
44 Cunanan, Joaquin: *What can Yoga Do for You?*, Tarlac (Philippinen) o. J.
45 Daco, Pierre: *Les prodigieuses victoires de la psychologie moderne*, Verviers (Belgien) 1960.
46 Daco, Pierre: *Les triomphes de la psychoanalyse*, Verviers (Belgien) 1965.
47 David-Neel, Alexandra: »Psychic Phenomena in Tibet«, in *Psychic*, Dez. 1970.
48 David, Albert Roy: »Biomagnetics, Biological Electronics«, Green Cove Springs, Florida, o. J. (Ms.).
49 Day, G. W. L.: *Die Wasser zu Damaskus*, Garmisch-Partenkirchen 1962.
50 Deck, Josef: *Grundlagen der Irisdiagnostik*, Ettlingen 1965 (Institut für Grundlagenforschg. d. Irisdiagn.).
51 Devi, Indra: *Ein neues Leben durch Yoga*, Genf 1966.
52 Dosch, Peter: *Lehrbuch der Neuraltherapie nach Huneke*, Heidelberg 1970.
53 Dosch, Peter: *Wissenswertes über die Neuraltherapie nach Dr. Huneke*, Heidelberg 1972.
54 Duke, Marc: *Akupunktur*, Bern/München 1973.
55 Dunsford, Ivor, und Bowley, C. Ch.: *ABC der Blutgruppenkunde*, München 1969.
56 Ebon, Martin: »Freud and the Paranormal«, in *Psychic*, Dez. 1970.
57 Ebon, Martin: *Psychic Discoveries by the Russians*, New York 1972.
58 Edwards, Harry: *Geistheilung*, Freiburg/Brsg. 1968.
59 Edwards, Harry: *Wege zur Geistheilung*, Freiburg/Brsg. 1963.
60 Edwin, Ronald: *Uhr ohne Zeiger*, Luzern 1957.
61 Eisenbud, Jule: »Mental Suggestion at a Distance«, in *Psychic*, Febr. 1971.
62 Eisenbud, Jule: »Gedanken zur Psychofotografie und Verwandtem«, in ZPG, 14. Jg., Nr. 1, 1971.
63 Eisenbud, Jule: *The World of Ted Serios*, New York 1967.
64 Eliade, Mircea: *Schamanismus und archaische Ekstasetechnik*, Zürich 1954.
65 Ellen, Arthur: *Ich hypnotisierte Tausende*, Genf 1973.

[66] Finkelnburg, Wolfgang: *Einführung in die Atomphysik*, Berlin 1967 (12. Aufl.).
[67] Fodor, Nandor: *Encyclopedia of Psychic Science*, New York 1966.
[68] Ford, Arthur: *Bericht vom Leben nach dem Tode*, Bern/München 1972.
[69] Freedom-Long, Max: *Geheimes Wissen hinter Wundern*, Freiburg/Brsg. 1965.
[70] Freedom-Long, Max: *Kahuna-Magie*, Freiburg/Brsg. 1966.
[71] Friedlander, Gerhart, und Kennedy, Joseph W.: *Nuclear and Radiochemistry*, London 1956.
[72] Fritsche Herbert: *Hahnemann, die Idee der Homöopathie*, Berlin 1944.
[73] Geisler, Hans: »Der Fall Tony Agpaoa«, in *Esotera*, Okt. 1971.
[74] Geley, Gustave: *De l'inconscient au conscient*, Paris 1919.
[75] Geley, Gustave: *Die sogenannte supranormale Physiologie und die Phänomene der Ideoplastie*, Leipzig 1920.
[76] Geley, Gustave: *Materialisationsexperimente mit M. Franek-Kluski*, Leipzig 1922.
[77] Geley, Gustave: *Hellsehen und Teleplastik*, Stuttgart 1924.
[78] Gerloff, Hans: *Die Phantome von Kopenhagen*, München 1955.
[79] Gerloff, Hans: *Die Heilungen von Lourdes im Lichte der Parapsychologie*, Büdingen-Gettenbach 1959.
[80] Gerloff, Hans: *Das Medium Carlos Mirabelli*, Tittmoning 1960.
[81] Graham, K., und Watkins, Anita M.: »Possible PK Influence on the Resuscitation of Anesthetized Mice«, in JP, Vol. 35, No. 4, 1971.
[82] Grazziani, Giuseppe: »Die Pflanze, die vor Schreck schrie«, in *Esotera*, Dez. 1972.
[83] Groenefeld, Gerhard: »Delphine – Intelligenzler unter Wasser«, in *Westermanns Monatshefte*, Okt. 1972.
[84] Grunewald, Fritz: *Physikalisch-mediumistische Untersuchungen*, Pfullingen 1920.
[85] Grunewald, Fritz: *Die physikalischen Erscheinungen des Okkultismus*, Berlin 1925.
[86] Grunewald, Fritz: *Versuche über Materialisation und Telekinese*, Leipzig 1924.
[87] Gubisch, Wilhelm: *Hellseher, Scharlatane, Demagogen?*, München 1961.
[88] Gurwitsch, A. G., und L. D.: *Die mitogenetische Strahlung*, Jena 1959.
[89] H. U. E.: »Auf Agpaoas Operationstisch«, in *Esotera*, Apr. 1971.

90 Heisenberg, Werner: *Schritte über Grenzen*, München 1971.
91 Heisenberg, Werner: »Naturwissenschaftliche und religiöse Wahrheit«, in *Kontakt*, Apr. 1973.
92 Herbert, B.: »Alexei Krivorotov: Russian ›Healer‹«, in JoP, Vol. 4, No. 4, 1970.
93 Herbert, B., und Cassirer, M.: »Parapsychology in USSR«, in JoP, Vol. 6, No. 5, 1972.
94 Herbert, B.: »Electric PK«, in JoP, Vol. 6, No. 4, 1972.
95 Heyer, G. H.: »Magie und Wunder in der Heilkunde«, in Wilhem Bitter, vgl. Nr. 23.
96 Hofmann, Heinz: *Experimente als Brücke zum Übersinnlichen*, Freiburg/Brsg. 1965.
97 Hofmann, Heinz: »Od- und Erdstrahlen-Experimente«, in *Esotera*, Dez. 1972 u. Jan. 1973.
98 Hummel, K.: *Blutgruppenserologische Grundbegriffe*, Frankfurt/M. 1969.
99 Hutton, J. B.: *Healing Hands*, London 1966.
100 Injuschin, Viktor M.: »Biological Plasma and Interaction of Organisms at a Distance«, Symposium of Psychotronics, Prag, Sept. 1970.
101 Injuschin, Viktor M.: »Biological Plasma of Human and Animal Organisms«, Symposium of Psychotronics, Prag, Sept. 1970.
102 Injuschin, Viktor M.: »Report from Alma-Ata«, in Herbert, B., und Cassirer, M., vgl. Nr. 93.
103 Issberner-Haldane, Ernst: *Die medizinische Hand- und Nageldiagnostik*, Freiburg/Brsg. 1963.
104 Jordan, Pascual: *Atom und Weltall*, Braunschweig 1956.
105 Karagulla, Shafica: *Breakthrough to Creativity*, Los Angeles 1967.
106 Kherumian, R.: »Introduction à l'étude de la connaissance parapsychologique«, in *Revue métapsychique*, Nr. 1–3, 1948.
107 Koch, Robert: »Schamanen und Medizinmänner«, in *Esotera*, Okt. 1971.
108 Koestler, Arthur: *Die Wurzeln des Zufalls*, Bern/München 1972.
109 Koestler, Arthur: »Physik und Synchronizität«, in ZPG, 16. Jg., Nr. 1, 1973.
110 Koot, D. J., und Herbert, B.: »Kirlian Photographs«, in JoP, Vol. 5, No. 4, 1971.
111 Kriege, Theodor: *Krankheitszeichen in der Iris*, Osnabrück 1969 (Selbstverlag).
112 Kriege, Theodor: *Fundamental Basis of Irisdiagnosis*, London 1969.

113 Krippner, Stanley: »Acupuncture and Hypnosis in the USSR«, in JoP, Vol. 6, No. 2, 1972.
114 Krippner, Stanley, u. a.: »The Moscow Meetings on Biological Energy (July 1972)«, in JoP, Vol. 7, No. 2, 1973.
115 Krmessky, Julius: »Radiation from Organisms«, in JoP, Vol. 3, No. 4, 1969.
116 Krmessky, Julius: »A New Force Revealed«, Symposium of Psychotronics, Prag, Sept. 1970.
117 Kuhlmann, Kathryn: *God Can Do it Again*, Englewood Cliffs, N. J., 1969.
118 Kulagin, V, V.: »Nina Kulagina«, Symposium of Psychotronics, Prag Sept. 1970.
119 Langelaan, George: *Die unheimlichen Wirklichkeiten*, Bern/München 1969 (2. Aufl.).
120 Leadbeater, C. W.: *Der sichtbare und der unsichtbare Mensch*, Freiburg/Brsg. 1968.
121 Leadbeater, C. W., und Besant, Annie: *Gedankenformen*, Freiburg/Brsg. 1968.
122 Leadbeater, C. W.: *Die Chakras*, Freiburg/Brsg. 1968.
123 LeCron, Leslie: *Selbsthypnose*, Genf 1965.
124 LeCron, Leslie: »Hypnosis and ESP«, in *Psychic*, Aug. 1970.
125 Leeb, Günther: »Den westlichen Parapsychologen zur Nachahmung empfohlen«, in *Esotera*, Sept. 1972.
126 Leonidow, L.: »The Kirlian Effect«, in JoP, Vol. 4, No. 5, 1970.
127 Levinson, G. I.: *Die Philippinen – gestern und heute*, Berlin-Ost 1966.
128 Locher, Theo: »Drei berühmte medial Begabte« (u. a. Kurt Trampler), in *Schweiz. Bull. f. Parapsych.*, 6. Jg., Nr. 1, 1971.
129 Locher, Theo: »Geistoperationen – echt oder Betrug?«, in *Schweiz. Bull. f. Parapsych.*, 6. Jg., Nr. 2, 1971.
130 Locher, Theo: »Antwort an einen Mediziner«, in *Schweiz. Bull. f. Parapsych.*, 6. Jg., Nr. 1, 1971.
131 Locher, Theo: »Psychotronische Energie existiert!«, in *Schweiz. Bull. f. Parapsych.*, 7. Jg., Nr. 2, 1972.
132 Lutten, L. P.: *Maurice Mességué, der große Heiler*, Gelnh. 1964.
133 Maltz, Maxwell: *Psychocybernetics*, Englewood Cliffs, N. J., 1960.
134 Mann, Felix: *Acupuncture: Cure of Many Diseases*, London 1971.
135 Mann, Felix: *TheMeridians of Acupuncture*, London 1971.
136 Mann, Thomas: »Okkulte Erlebnisse«, in *Autobiographisches* (Werkausgabe), Frankfurt/M. 1968 (Fischer Bücherei mk 119).

137 Maxey, E. Stanton: »Acupuncture: Consider the Ion. A Theoretical Explanation«, 1972 (unveröfftl. Ms.).
138 McKnight, Harry: »Silva Mind Control through Psychorientology«, Laredo, Texas, 1972 (Institute for Psychorientology).
139 Meek, George W., und Harris, B.: *From Seance to Science*, London 1973.
140 Miller, Robert N.: »The Positive Effect of Prayer on Plants«, in *Psychic*, Apr. 1972.
141 Mitchell, Edgar M.: »Outer Space and ESP«, Vortrag a. d. ESP-Kongreß in Hot Springs, Arkansas, 27. 5. 1972 (Ms.).
142 Monroe, Robert A.: *Der Mann mit den zwei Leben*, Düsseld. 1972.
143 Montgomery, Ruth: *Born to Heal*, New York 1973.
144 Morselli, Enrico: *Psicologia e »Spiritismo«*, 2 Bde., Turin 1908.
145 Moss, Thelma: »Searching for Psi from Prague to Lower Siberia«, in *Psychic*, Juni 1971.
146 Moss, Thelma, und Johnson, Ken: »Radiation Field Photographie«, in *Psychic*, Juli 1972.
147 Moss, Thelma: »Psychics, Saints and Scientists«, Farbfilm der Hartley Productions, Cos Cob, Connecticut.
148 Motoyama, Hiroshi: »Physiological Characteristics of the Psychic Person in Comparison with the Ordinary and the Insane«, in *Journal of Religious Psychology*, Vol. 7, No. 1, 1970.
149 Motoyama, Hiroshi: *The Present Situation of the Parapsychology in the World*, Tokio 1969.
150 Motoyama, Hiroshi: *Hypnosis and Religious Superconsciousness*, Tokio 1971.
151 Motoyama, Hiroshi: »Chakra, Yoga, Meridians, Points of Acupuncture – Points where the Western Medicine, the Chinese Medicine and the Yoga Meet Each Other«, Vortrag in der Washington-Universität, St. Louis, 2. 6. 1972 (Ms.).
152 Motoyama, Hiroshi: »A Scientist Looks at Psychic Surgery«, Vortrag a. d. ESP-Kongreß in Hot Springs, Arkansas, 28. 5. 1972 (Ms.).
153 Motoyama, Hiroshi: *Psychic Surgery in the Philippines*, Tokio 1972.
154 Motoyama, Hiroshi: *The Non-Physical in the Correlation between Mind and Body*, Tokio 1972.
155 Motoyama, Hiroshi: Persönliche Mitteilung an den Verfasser.
156 Mrkvicka, J., und Rejdak, Zdenek: »Latent Abilities of the Human Cybernetic System«, in JoP, Vol. 5, No. 5, 1971.
157 Muldoon, Silvan J., und Carrington, H.: *Die Aussendung des Astralkörpers*, Freiburg/Brsg. 1964.

158 Murphy, Gardner: »A Carringtonian Approach to Ian Stevenson's ›Twenty Cases Suggestive of Reincarnation‹«, in JASPR, Vol. 67, No. 2, 1973.

159 Murphy, Josef: *Die Macht Ihres Unterbewußtseins*, Genf 1967.

160 Murphy, Josef: *Die Wunder Ihres Geistes*, Genf 1964.

161 Naegeli-Osjord, Hans: »Firedancing and Firealking«, in JoP, Vol. 4, No. 1, 1970.

162 Naegeli-Osjord, Hans: »Auf Agpaoas Operationstisch«, in *Esotera*, Mai 1971.

163 Naegeli-Osjord, Hans: »Psychic Healing and Psychic Surgery on the Philippines«, Vortrag in der Washington-Universität, St. Louis, 2. 6. 1972.

164 Nager, Katharina: »The Moscow Congress«, in JoP, Vol. 3, No. 4, 1969.

165 Neumann-Hellwig, Nora: *Wunderheiler und wunderbare Heilungen*, Steinebach/Wörthsee o. J.

166 Neundorf, Robert: »Parapsychologie: Allerlei Fälle von Spuk und Zauberei. Aberglaube mit wissenschaftlichem Anstrich«, in *Die Zeit*, 20. 10. 1972.

167 Nicol, J. Fraser: »Old Light on ›New‹ Phenomena«, in *Psychic*, Juni 1971.

168 Nikolaev, Yuri S.: »Moscow Hospital for Schizophrenics«, in JoP, Vol. 6, No. 5, 1972.

169 Ostrander, Sheila, und Schroeder, Lynn: *Psi. Die wissenschaftliche Erforschung und praktische Nutzung übersinnlicher Kräfte des Geistes und der Seele im Ostblock*, Bern/München 1971.

170 Ostrander, Sheila, und Schroeder, Lynn: »Psychic Enigmas & Energies in the USSR«, in *Psychic*, Juni 1971.

171 Pakraduny, T. (Hrsg.): *Die Welt der geheimen Mächte*, Innsbr. 1952.

172 Passian, Rudolf: *Abschied ohne Wiederkehr?*, Pforzheim 1973.

173 Passian, Rudolf: »Die philippinischen Geisterchirurgen«, in *Formengesetze*, Wuppertal, Herbst 1971.

174 Pauwels, Louis, und Bergier, Jacques: *Aufbruch ins dritte Jahrtausend*, Bern/München 1970 (5. Aufl.).

175 Pauwels, Louis, und Bergier, Jacques: *Der Planet der unmöglichen Möglichkeiten*, Bern/München 1968.

176 Pollak, Kurt: *Wissen und Weisheit der alten Ärzte*, Düsseldorf 1968.

177 Pollak, Kurt: *Die Heilkunde der Antike*, Düsseldorf 1969.

178 Powell, Arthur E.: *The Astral Body and Other Phenomena*, London 1926.

179 Powers, Melvin: *Fortgeschrittene Methoden zum Erlernen der Selbsthypnose*, Freiburg/Brsg. 1965.
180 Presman, A. S.: *Electromagnetic Fields and Life*, London 1970.
181 Prokop, O., und Uhlenbruck, G.: *Lehrbuch der menschlichen Blut- und Serumgruppen*, Leipzig 1965.
182 Prokop, Otto (Hrsg.): *Medizinischer Okkultismus, Paramedizin*, Jena 1962.
183 Pschyrembel, Willibald: *Klinisches Wörterbuch*, Berlin 1964.
184 Puck-Kornetzki: »Die heilenden Nadeln«, in *Westermanns Monatshefte*, Aug. 1972.
185 Puharich, Henry K.: »The Work of the Brasilian Healer Arigo«, Vortrag a. d. Interdisziplinären Symposion, 30. 10. 1971 (Ms.).
186 Quilisch, Werner: *Homöopathie als Therapie der Person*, Ulm 1957.
187 Raikow, Wladimir L.: »Artificial Reincarnation through Hypnosis«, in *Psychic*, Juni 1971.
188 Ravitz, Leonard J.: »Electromagnetic Field Monitoring of Changing State Function«, in *Journal of the American Society of Psychosomatic Dentistry and Medicine*, Vol. 17, No. 4, 1970.
189 Ravitz, Leonard J.: »Application of the Electrodynamic Field Theory in Biology, Psychiatry, Medicine and Hypnosis«, in *American Journal of Clinical Hypnosis*, Vol. 1, No. 4, 1959.
190 Reich, Wilhelm: *Die Entdeckung des Orgons*, Frankfurt/M. 1972 (Fischer Bücherei 6140).
191 Reichenbach, Karl v.: *Aphorismen über Sensitivität und Od*, Wien 1866.
192 Reichenbach, Karl v.: *Odisch-magnetische Briefe*, Ulm 1955 (Neuausg.).
193 Rejdak, Zdenek: »Telekinesis or Fraud?« in JoP, Vol. 2, No. 3, 1968.
194 Rejdak, Zdenek: »Psychotronics«, in JoP, Vol. 2, No. 2, 1968.
195 Rejdak, Zdenek: »Nina Kulagina's Mind over Matter«, in *Psychic*, Juni 1971.
196 Rejdak Zdenek: »The Kulagina Films«, in JoP, Vol. 3, No. 3, 1969.
197 Rejdak, Zdenek: »Alles Lebendige leuchtet«, in *Westermanns Monatshefte*, Juni 1972.
198 Rhine, Joseph B., und Pratt, J. G.: *Parapsychologie. Grenzwissenschaft der Psyche*, Bern/München 1962.
199 Rhine, Louisa E.: *Mind over Matter. The Story of PK*, New York 1970.

200 Richet, Charles: *Gründriß der Psychologie und Parapsychophysik*, Stuttgart 1923.

201 Rodrigues, Henrique: »Der bioplasmische Körper alles Lebendigen«, in *Esotera*, Apr. 1973.

202 Rogo, D. Scott: »Photographs by the Mind«, in *Psychic*, Apr. 1970.

203 Rohracher, Hubert: *Einführung in die Psychologie*, Wien/München 1960.

204 Roman, A. S., und Injuschin, V.: »Problems in Bioenergetics – The Influence of Autosuggestion«, in JoP, Vol. 6, No. 1, 1972.

205 Roth, Jürgen: *Geheilt wie durch ein Wunder*, Wien 1972.

206 Ruchpaul, Eva: *Hatha Yoga. Kenntnis und Technik*, Heidenheim 1969.

207 Ryzl, Milan: *Parapsychologie*, Genf 1970.

208 Schellbach, Oscar: *Mein Erfolgssystem*, Baden-Baden 1970 (21. Aufl.).

209 Schellbach, Oscar: *Werkstatt der Seele*, Hamburg 1930.

210 Schellbach, Oscar: »Erkennen, Schaffen, Vollenden«, in *Kontakt*, Jahrg. 1950/52.

211 Schellbach, Oscar: »Es gibt wirklich Wunder«, (Schallplattenwerk), Baden-Baden o. J.

212 Schiebeler, Werner: »Das Rätsel der Hebeversuche«, in *Schweiz. Bull. f. Parapsych.*, 7. Jg., Nr. 1, 1972.

213 Schindewolf, Ulrich: *Physikalische Kernchemie*, Braunschweig 1959.

214 Schleich, Carl Ludwig: *Besonnte Vergangenheit*, Reinbek 1961.

215 Schmitz, Karl: *Was ist, was kann, was nützt Hypnose?*, München 1964.

216 Schrenck-Notzing, Albert v.: *Experimente der Fernbewegung*, Stuttgart 1924.

217 Schrenck-Notzing, Albert v.: *Materialisationsphänomene – ein Beitrag zur mediumistischen Teleplastie*, München 1923.

218 Schrenck-Notzing, Albert v.: *Die Phänomene des Mediums Rudi Schneider*, Leipzig 1933.

219 Schütz, Erich, und Rothschuh, Karl E.: *Bau und Funktion des menschlichen Körpers*, München 1966.

220 Schultz, J. H.: *Das autogene Training*, Stuttgart 1966.

221 Seidel, Franz: »Neue Ergebnisse und Erkenntnisse der Psi-Forschung«, in *Esotera*, Febr. 1973.

222 Sergejew, G. A.: »KNS Phenomenon«, Symposium of Psychotronics, Prag, Sept. 1970.

223 Sergejew, G. A.: Schuschkow, G. D., u. a.: »The Piezoelectric Detector of Bioplasm«, in JoP, Vol. 6, No. 1, 1972.
224 Sergejew, G. A., und Kulagin, V. V.: »Psychokinetic Effects of Bioplasmic Energy«, in JoP, Vol. 6, No. 1, 1972.
225 Sergejew, G. A.: »Detection of PK by Semi-Conductors«, in JoP, Vol. 7, No. 2, 1973.
226 Seutemann, Erwin und Sigrun: »Agpaoa – Wunderheiler oder Scharlatan?«, in *Esotera*, Sept. 1971.
227 Sherman, Harold: *Außersinnliche Kräfte*, Freiburg/Brsg. 1966.
228 Sherman, Harold: *Wonderhealers of the Philippines*, Los Angeles 1967.
229 Sherman, Harold: *Your Mysterious Powers of ESP*, New York 1969.
230 Sherman, Harold: *How to Take Yourself Apart and Put Yourself Together Again*, Greenwich, Conn., 1971.
231 Sherman, Harold: *Your Power to Heal*, New York 1972.
232 Sherman, Harold: *Wundervolle Kräfte in dir*, Freiburg/Brsg. 1970.
233 Sherman, Harold: *Gebet – heilende, helfende Macht*, Freiburg/Brsg. 1965.
234 Sherman, Harold: »ESP Research Associates Foundation for Exploration of the Origin and Nature of Man's Sixth Sense«, in JoP, Vol. 5, No. 5, 1972.
235 Sinclair, Upton: *Radar der Psyche*, Bern/München 1973.
236 Sonnet, André: *Der Mensch ist voller Geheimnisse*, Berlin 1959.
237 Spath, I. M.: *Yoga – Wege der Befreiung*, Zürich 1951.
238 Speicher, Günther: *Ihrer Zeit voraus*, Düsseldorf 1967.
239 Spragget, Allen: *Kathryn Kuhlmann, the Woman who Believes in Miracles*, New York 1970.
240 Stearns, Jess: *Der schlafende Prophet: Edgar Cayce*, Genf 1968.
241 Steiger, Brad: *The Psychic Feats of Olof Jonsson*, Englewood Cliffs, N. J., 1971.
242 Steinbuch, Karl: *Falsch programmiert*, Stuttgart 1968 (sowie dtv 598).
243 Stelter, Alfred: »Agpaoa im Deutschen Fernsehen«, in *Esotera*, Nov. 1971.
244 Stevenson, Ian: *Twenty Cases Suggestive of Reincarnation*, New York 1966.
245 Stevenson, Ian: »Some New Cases Suggestive of Reincarnation«, in JASPR, Vol. 66, No. 3/4, 1972.
246 Strauch, Inge: »Die geistigen Heilungen von Dr. rer. pol. Trampler«, in Wilhelm Bitter, vgl. Nr. 23.

247 Süßmann, Georg, und Fiebiger, Nikolaus: *Atome, Kerne, Elementarteilchen*, Frankfurt/M. 1968.
248 Tanagra, A.: »The Nature of Telekinetic Energy«, in JoP, Vol. 6, No. 2, 1972.
249 Taniguchi, Masaharu: *Leben aus dem Geiste*, Pfullingen 1964.
250 Taniguchi, Masaharu: *Die geistige Heilkraft in uns*, Pfullingen 1962.
251 Tart, Charles: *Altered States of Consciousness*, New York 1969.
252 Tenhaeff, W. H. C.: *Außergewöhnliche Heilkräfte*, Olten/Freiburg i. Brsg. 1957.
253 Thorsen, Paul: *Die Hypnose im Dienste der Menschheit*, Freiburg/Brsg. 1960.
254 Thorsen, Paul: *Methodik und praktische Anwendung der Hypnose*, Freiburg/Brsg. 1961.
255 Thorwald, Jürgen: *Die Geschichte der Chirurgie*, Stuttgart 1965.
256 Thorwald, Jürgen: *Macht und Geheimnis der frühen Ärzte*, München 1968.
257 Thurston, H.: *Die körperlichen Begleiterscheinungen der Mystik*, Luzern 1956.
258 Thurston, H.: *Poltergeister*, Luzern 1955.
259 Tietze, Thomas R.: »Eusapia Palladino«, in *Psychic*, Febr. 1972.
260 Tiller, William A.: »Autogenic Training in the USSR«, in JoP, Vol. 6, No. 4, 1972.
261 Tiller, William A.: »The Psychokinetic Phenomena of Alla Vinogradova«, in JoP, Vol. 6, No. 2, 1972.
262 Tirala, L. G.: *Massenpsychosen in der Wissenschaft*, Tübingen 1969.
263 Tischner, Rudolf: *Franz Anton Mesmer. Leben und Wirkung*, München 1928.
264 Tischner, Rudolf: *Fernfühlen und Mesmerismus*, München 1925.
265 Tischner, Rudolf: *Das Medium D. D. Home*, Leipzig 1925.
266 Titze, Kurt: *Bali, Timor, Philippinen*, München 1968.
267 Tolentino, Guillermo: *Unio Espiritista Cristiana Filipinas*, San Diego, Calif., 1972.
268 Turner, Gordon: *An Outline of Spiritual Healing*, London 1970.
269 Tyrrell, G. N. M.: *Mensch und Welt in der Parapsychologie*, Bremen 1972.
270 Vaughan, Alan: »Interview: Montague Ullman, M. D.«, in *Psychic*, Juni 1971.
271 Vaughan, Alan: »Interview: Captain Edgar Mitchell«, in *Psychic*, Okt. 1971.

272 Vaughan, Alan: »In Pursuit of the Whole at the Human Dimensions Institute«, in *Psychic*, Apr. 1972.
273 Vergin, Ferdinand: »Psychotherapie vom Geistigen her«, in *Kontakt*, Juli 1972.
274 Verweyen, J. M.: *Das Geheimnis von Konnersreuth*, Stuttgart 1932.
275 Verweyen, J. M.: *Die Probleme des Mediumismus*, Stuttgart 1928.
276 Vinokuraja, Svetlana: »Life in Magnetic Web«, in JoP, Vol. 5, No. 4, 1971.
277 Völgyesi, Franz A.: *Menschen- und Tierhypnose*, Zürich 1963.
278 Waelder, Robert: *Die Grundlagen der Psychoanalyse*, Bern/Stuttgart 1963.
279 Warcollier, R.: *La téléphathie à très grandes distances. Le compte rendu officiel du III Congrès international des Recherches psychique*, Paris 1927.
280 Wassiliew, Leonid: *Experimentelle Untersuchungen zur Mentalsuggestion*, Bern/München 1965.
281 Weimann, Theodor: »Die Parapsychologie«, in T. Pakraduny, vgl. Nr. 171.
282 Weiss, G.: »724 Fragen an den Patienten«, in *Kontakt*, Febr. 1973.
283 Westlake, Aubrey T.: *Medizinische Neuorientierung*, Zürich 1963.
284 White, John W.: »Acupuncture: The World's Oldest System of Medicine«, in *Psychic*, Juli 1972.
285 Wiener, Norbert: *Kybernetik*, Düsseldorf 1968 (sowie rde 294/95).
286 Wimmer, W.: »Parapsychologie und Kurpfuschertum«, in *Deutsche medizinische Wochenschrift;* Nr. 2, 1973.
287 Wise, Charles C., Jr.: »Some Problems of Spiritual Healing«, in *Spiritual Frontiers*, Vol. 4, No. 4, 1972.
288 Wood, Rebecca: »A Discussion with J. R. Wosley«, in *Psychic*, Juli 1972.
289 Worral, Ambrose und Olga: *The Gift of Healing*, New York 1965.
290 Worral, Ambrose und Olga: *Explore Your Psychic World*, New York 1970.
291 Wright, Harry B.: *Zauberer und Medizinmänner*, Zürich 1958.
292 Wyss, Dieter: *Die tiefenpsychologischen Schulen von den Anfängen bis zur Gegenwart*, Göttingen 1970.
293 Yagodinsky, Victor: »The Magnetic Memory of the Virus«, in JoP, Vol. 6, No. 4, 1972.
294 Yesudian, S., und Haich, E.: *Sport und Yoga*, München 1949.
295 Zweig, Stefan: *Heilung durch den Geist*, Frankfurt/M. 1931.

Personen- und Sachregister